VIDA

MARGE PIERCY

VIDA

Roman

Traduit de l'anglais
par Dominique Marion

ACROPOLE

3 bis, passage de la Petite-Boucherie
75006 Paris

Un livre présenté par Hortense Chabrier

Si vous souhaitez être tenu régulièrement
au courant de nos publications,
envoyez vos nom et adresse en citant ce livre aux
Editions Acropole
3 bis, passage de la Petite-Boucherie
Paris 6

Ce livre a été publié pour la première fois aux Etats-Unis par Summit Books, New York, en
1979, sous le titre : *Vida*.
© Marge Piercy.
© Traduction française Acropole, 1981.
ISBN 2-7144-1363-3

H 60-2089-5

Pour les soldats des rues et des ruelles

Le Présent,
Septembre

1

— Non, merci. (Vida posa sa main sur le verre en forme de tulipe.) Assez pour moi, merci.

— C'est un bon vouvray recommandé par Louis, chez le marchand de vins.

Hank essaya de repousser la main de la jeune femme avec la panse froide et mouillée de la bouteille.

— Il est exquis, mais j'ai assez bu.

Elle se força à lui sourire. Tout cela ressemblait à un rendez-vous. Un rendez-vous triste. Il fallait continuer à sourire par-dessus les reliefs du dîner pour deux.

— Le poulet était admirable.

— J'ai pris la recette dans un de mes livres. *Brûlez vos calories,* ou *Comment manger vos kilos.*

— Tu as pondu un livre de cuisine, toi ?

Allez, ma vieille, continue à le faire parler. Elle grignota une autre olive, bien qu'elle se sentît gavée par le meilleur et certainement le plus copieux repas qu'elle eût pris depuis des semaines.

— Oui. C'est une promotion pour la fête des Mères. Un article destiné aux supermarchés.

A peine avait-elle ôté la main de dessus son verre, qu'il le remplit. Agacée, elle l'écarta.

— En fait, je travaille surtout à l'histoire orale des années 60.

— Et alors, comment ça marche ?

— Allons, Vida, laisse-toi tenter, tu adorais le vin. Tu te souviens du jour où je nous avais fait inviter à déjeuner par Hill, de chez Random House ? Tu lui avais flanqué une de ces trouilles monstre en commandant un montrachet... Un puligny-montrachet. Même moi, je n'aurais pas eu ce culot.

— Crois-tu que tu pourrais te souvenir de m'appeler Cynthia ?

Ce n'était pas le nom qui figurait sur sa carte d'identité actuelle,

11

mais celui qu'elle prenait lorsqu'elle ne se sentait pas suffisamment en confiance pour exciper de sa couverture présente.

— Je ne bois plus beaucoup, Hank. Mais ce vin est délicieux, je t'assure, dit-elle, sentant le mal de tête commencer derrière ses yeux.

— Ce déjeuner avait eu lieu à l'époque où j'écrivais cet énorme truc sur les étudiants antiguerre. Et vous, les petits salauds du Mouvement, vous avez tout fait pour m'en empêcher.

Il sourit en caressant son bouc. A l'époque, il portait une vraie barbe. Chaque fois qu'elle voyait Hank, tous les deux ans, quand elle avait besoin d'une planque à New York, les poils de son visage arboraient un style différent : moustache, bouc, favoris, côtelettes. Il était très blond et cette frise ornementale n'était jamais très fournie, châtain clair, à peine plus foncée que ses cheveux blond paille, mais comme ceux-ci, assez clairsemée.

— Un boulot du genre ciseaux et pot de colle. Je m'en souviens, dit-elle.

Elle eut envie de se mordre la langue. Ne le mets pas en colère, idiote, il pourrait se venger beaucoup trop facilement.

— Exact, j'ai bouclé ça en trois semaines. Il s'agissait de saisir l'actualité à chaud. Le Mouvement des Etudiants Antiguerre n'a pas duré beaucoup plus longtemps...

— Jusqu'en 1971. Quatre ans, tout de même. Excuse-moi, mais je ne me sens pas très en forme, ce soir. J'ai mes règles et j'ai mal au ventre.

Ce n'était pas vrai, mais le vin, le dîner en tête à tête avec Hank la rendaient suffisamment méfiante pour qu'elle songe à trouver des excuses. Hank avait eu envie d'elle, autrefois. Elle l'avait oublié. Au Bureau de Coordination du Mouvement des Etudiants Antiguerre, tout le monde disait en plaisantant que Vida savait manipuler les caves des médias. Elle se leva, le verre à la main et se dirigea vers la fenêtre, loin de la petite table placée entre la kitchenette et le living-room meublé tout en bois vénitien blanc.

— Ça ne t'ennuie pas que j'ouvre les rideaux ?

Elle laissa subrepticement couler du vin sur la terre d'une plante épineuse violacée, posée sur un socle.

— Ça m'étonnerait fort qu'on puisse te voir, à moins d'être à bord d'un hélicoptère au-dessus de l'eau.

Hank se leva et la rejoignit prestement, surgissant à côté d'elle. Il mettait une eau de toilette pour hommes qui sentait un peu le cuir et les vêtements style étudiant snob : veste en tweed souple aux épaules, chemise à rayures fines. Pendant les onze ans où elle l'avait connu, Hank avait bouclé le cercle en s'habillant d'abord chez Brook Brothers, puis en portant successivement du daim, du cuir, des jeans presse-bouton, pour en revenir à Brook Brothers. Bienvenue chez les bourgeois, O Hank Halston. Elle attendit qu'il ait fait glisser la corde sur la tringle à rideaux.

— Oh, mon Dieu ! (Elle respira avec difficulté. Au bout d'un moment, elle sortit de sa torpeur pour dire :) Manhattan est si beau. Je l'oublie toujours. Tu dois avoir la plus belle vue du monde.

— En tout cas, l'appartement est encore une affaire. Si je comprends bien, tu ne viens pas souvent à New York ?

Manhattan, à la fois proche et inaccessible. Autant valait admirer les constellations, regarder bouche bée Bételgeuse et Orion, que de contempler de l'autre côté d'une rivière les buildings éclairés. Tours d'un monde interdit. Leigh était tout là-bas, dans une de ces tours. Les studios de la WABD se situaient au centre de la ville. En réalité, il y était peut-être, en train d'enregistrer. A moins qu'il ne soit à la maison, à Upper Side, dans leur vieil appartement de la 103ᵉ Rue. Il se pouvait même qu'il soit dans les airs. Elle ne connaissait pas son emploi du temps actuel. Elle aurait aimé demander à Hank de brancher le poste sur la WABD, mais elle ne voulait pas lui parler de Leigh. Elle ne voulait pas inciter Hank à lui poser des questions sur le fait qu'elle voyait ou ne voyait pas Leigh. Elle mentirait, bien sûr. Mais mentir à propos de son mari la déprimait.

— Non, pas souvent, dit-elle en s'approchant de la vitre ; la lumière semblait former des nuages au-dessus des buildings ; le ciel était devenu sombre.

— Alors, pourquoi es-tu en ville ?

— Oh, des choses à faire.

Il s'écarta d'elle en se massant la nuque.

— Vous n'allez rien faire sauter, dis ?

— Voyons Hank, j'ai renoncé à ces bêtises pour jouer au golf miniature et au mikado.

Elle avait envie de rester debout devant la fenêtre pour contempler les tours ruisselantes de lumières. Pour s'en repaître les yeux. Elle était tombée amoureuse de New York la première fois qu'elle y était venue. Quand elle avait plaqué son premier mari, elle était arrivée directement à New York où sa sœur Natalie habitait, et y était restée.

— Je ne vais jamais dans Manhattan, dit-elle doucement. Jamais.

— Pourquoi ? Les flics ne surveillent pas les ponts.

— Peut-être, mais c'est trop dangereux. Trop de militants s'y sont fait prendre : Angela Davis, Joan Little, Linda Evans. Il y a toujours un agent du FBI au coin de la 110ᵉ Rue et de Broadway. Il passe ses journées assis dans une voiture le nez dans son journal, avec notre photo sur le siège à côté de lui. Et il attend...

— Quoi ? Après toutes ces années ? railla Hank d'un ton sceptique en reprenant la bouteille pour remplir les verres.

Elle sirota son vin pour la forme, et posa son verre sur une table blanche ancienne. Elle s'interdisait de picoler et même de se soûler un tout petit peu, sauf les rares fois où elle se sentait en sécurité.

— C'est si beau, ces falaises pareilles à des galaxies.

Elle se voyait franchissant un canyon de gratte-ciel à pas de géant pour rejoindre Leigh, ou bien en train de se balader bras dessus, bras dessous le long de Broadway pour acheter des bonnes choses.

— Regarde, un cargo accoste aux docks.

— Tu aimerais partir ?

— Pour quoi faire ? J'ai eu la possibilité de quitter le pays plusieurs fois, mais je refuse de m'expatrier. Les exilés sont tellement inutiles.

— Tu fais du bon boulot, en ce moment ?

— Je m'active, dit-elle sèchement.

Elle faillit lui demander s'il avait entendu l'une ou l'autre de leurs émissions de télévision pirates à Los Angeles, mais le réseau n'avait pas revendiqué publiquement cette action.

— Je leur donne du fil à retordre, dit-elle en s'éloignant insensiblement ; il lui prit le bras.

— Où vas-tu ?

— A la salle de bains.

Elle mit un tampon neuf, le dernier qu'elle avait dans son sac. « Il va falloir que j'aille chez le pharmacien, pas très malin, ça. » Sa Timex à bon marché marquait dix heures trente-cinq. Elle n'avait jamais pu remplacer la belle montre que Leigh lui avait offerte pour son vingt-septième anniversaire. Elle l'avait cassée en escaladant une clôture en fil de fer, à l'époque où le réseau avait posé une bombe dans les canalisations des Services du Redressement Pénitentiaire. Un bout de câble qui saillait la lui avait arrachée du poignet et elle l'avait regardée s'écraser sur le sol. Ça se passait en 1973, et elle la pleurait encore. C'était une jolie montre-réveil avec un bracelet en or, de grands chiffres nets et des aiguilles noires ciselées, façon ancienne. Dans son souvenir, elle entendait encore Kevin grommeler : « Tant mieux. Je suis rudement content qu'elle soit fichue, ta toquante... Un joujou de ton passé bourgeois ! » Elle n'avait pas jugé bon de faire observer à Kevin que son passé n'était pas plus bourgeois que le sien, il s'était suffisamment servi de cet argument à l'époque où ils étaient du même côté. Kevin, où se trouvait-il, à présent ? Elle pensa à lui et, aussitôt, une vague de colère corrosive avec arrière-goût de fiel la submergea.

Elle se lava les mains, en se regardant résolument dans la glace. Elle ne s'était pas examinée pendant les quelques jours qu'avait duré son pénible voyage et elle se contempla avec une grimace de défiance. Oh, stupeur, elle était à son avantage. Et elle se sourit. Oui elle était belle — un peu maigre mais, ici, elle se remplumerait. Hank s'occupait volontiers d'elle, espérant être payé en nature. Mais ça, mon vieux, il n'en était pas question. Baissant le menton, elle flirta

14

avec son reflet et s'approcha brusquement de la glace. Pristi ! Voilà pourquoi je suis belle : mes cheveux repoussent !

Les vraies racines de sa chevelure étaient visibles, de nuance soudain plus vive. Sa véritable couleur, un blond vénitien, se voyait à l'endroit de la raie, et la brune fadissait. Elle calcula : Voyons, la dernière fois qu'elle s'était teint les cheveux, c'était à Los Angeles, son dernier repaire, et elle avait voyagé pendant cinq semaines. Elle avait fait la tournée des petits groupes de fugitifs qui formaient le réseau militant, suivant des cours de politique et dirigeant les ateliers technologiques de télévision pirate que la cellule de Los Angeles avait mis au point. Tout en travaillant, elle s'était dirigée peu à peu vers l'Est pour voir les siens, d'une façon ou d'une autre, et pour se préparer à la grande réunion annuelle du comité directeur du réseau, qui décidait des priorités de l'année et se tiendrait clandestinement à l'automne, quelque part dans l'Est.

Songeuse, elle toucha le centimètre de vrais cheveux qui s'étendait à la racine comme un feu de broussailles. Couleur de soleil levant, lui avait dit Leigh à un moment particulièrement romantique. Elle entendait encore sa voix, mélange de berlingot et de cognac. Demain, avec un peu de chance, elle le verrait. Les larmes lui piquèrent les yeux. Dans la glace, elle se surprit, les bras pressés sur les seins, les mains s'étreignant les épaules. Quelle que soit l'insistance de Hank, elle ne coucherait pas avec lui la veille même du jour où elle devait voir son mari. Hank avait coûté beaucoup d'argent au Mouvement, avec ses paris à chaud. Il avait accordé des interviews à leur propos, s'octroyant le rôle de l'expert barbu et compétent. Il pouvait bien l'héberger de temps en temps sans rien exiger d'elle. Elle avait envie de dormir sur le divan luxueux sur lequel elle s'était écroulée de fatigue en arrivant, à l'aube, avant que Hank ne parte pour son travail. Elle voulait goûter le plaisir insomniaque que lui procurait la soif qu'elle avait de Leigh. Etre à la fois pleine et vidée par le désir, en sachant que son envie serait brièvement assouvie par une rencontre. Sans cesse, elle s'interdisait de penser à sa famille, maîtrisant continuellement sa souffrance. Mais il lui arrivait de laisser parler son désir de même façon qu'elle dénouait ses cheveux, et l'énorme, la belle torsade fauve cascadait voluptueusement sur ses épaules...

Elle entra dans le living-room, le visage tordu par un sourire suppliant.

— Hank, je regrette, mais je vais devoir te demander un petit service. J'ai besoin d'une ou deux choses à la pharmacie.

— La pharmacie ? Rien de plus simple. Tu marches jusqu'à Montague et tu tournes à gauche.

— Non Hank, je voudrais que tu ailles à ma place.

— Désolé, mais je suis crevé. Allons, Vida, ne me raconte pas que tu as peur de faire quelques mètres à pied !

— Si. Imagine qu'un type veuille me violer. Qu'est-ce que tu veux que je fasse ? Que je lui colle sous le nez l'affiche de la police avec ma tête dessus et « Recherchée » en grosses lettres ?

— Si tu n'es pas capable de te défendre, qui le fera ?

Il leva les sourcils en haussant les épaules avec une lassitude exagérée. Le protestant blanc imitant le maniérisme juif. Assis dans son fauteuil luxueux, il posa les pieds sur un coussin assorti pour bien montrer qu'il ne bougerait pas d'un poil. Elle se força à lui sourire encore. Et quel sourire, une grosse pâtisserie en plâtre, assortie au cupidon enguirlandé de raisins qui décorait la corniche ancienne de la pièce.

— Les violences commises envers les femmes sont un fait dont je suis obligée de tenir compte, comme les autres. Je ne me promène pas avec un revolver, Hank.

— Pourquoi pas ? Armée et dangereuse. Qu'est-ce que tu ferais si tu tombais sur un flic ?

— A quoi me servirait une arme ? lui dit-elle en contenant le ton de sa voix comme si elle s'adressait à un enfant gâté. (Pour Hank, c'était du cinéma : trois coups de feu, on épongeait le sang et la bonne femme repartait toute guillerette.) A vrai dire, j'ai toujours une bombe dans mon sac. Une bombe en plastique prête à exploser si je crie. Comme ça. (Elle ouvrit la bouche.)

— Chut ! Tu es folle ! Les voisins vont appeler la police. Il y a eu pas mal de cambriolages, ces temps-ci. Franchement, c'est à pisser de rire de te voir jouer les faibles femmes, toi, Vida Asch. Qui pourrait imaginer que Vida Asch a la frousse d'aller seule au drugstore ? Tu as peur du noir ?

Elle tressaillit en entendant son nom. A présent, personne ne le prononçait plus jamais.

— Toutes les femmes fugitives politiques ont peur. Imagine qu'on me viole, Hank, je ne pourrais même pas aller à l'hôpital.

— Quelle foutaise ! Tu veux me faire croire qu'il y a neuf chances sur dix pour qu'on te viole entre l'immeuble et le coin de la rue ?

— C'est exact. Alors, tu m'aides, oui ou non ?

— Si tu as tellement la trouille, attends demain matin.

— Impossible. J'ai besoin de tampons et il faut que je me teigne les cheveux. Mes règles ne vont pas s'arrêter pour te faire plaisir. Quant à mes cheveux, ils ne peuvent plus attendre. Pour plus de sécurité, je dois être brune, d'un brun bien terne, en vue du travail que j'ai à mener à bien demain.

— Et tu crois que je vais me pointer au drugstore où j'achète mes lames de rasoir et cette saloperie de *Time* tous les dimanches et leur dire : Hé les mecs, j'ai comme une envie de me teindre en brune et de me fourrer un tampon dans le cul...

— Il est onze heures passées. Viens, Hank. S'il te plaît. Il faut que tu m'aides. J'ai vraiment besoin de ces trucs-là.

— Tu parles comme une droguée en manque.

— Je t'en supplie, Hank, ne me laisse pas tomber. (Rampe, ma vieille, il veut te voir ramper à ses pieds.) Il faut que tu m'aides. C'est une question de vie ou de mort. Il n'y a que toi qui puisses le faire. Je suis toute seule, ici. Hank, vieux, aide-moi.

— Et d'abord, pourquoi veux-tu te teindre en brun terne? Pour t'enlaidir? Comme ta gouine de sœur qui est complètement cinglée?

— Natalie? Tu ne la connais même pas. (Quel plaisir divin ce serait de lui fracasser une lampe sur le crâne!)

— Si, on s'est retrouvés une fois, à canal 13... Tu étais vraiment une belle fille à l'époque, Vida. Le sais-tu? Mais oui, tu le sais. (Il claqua des doigts.) Terrible, tu te prenais pour Miss USA.

Non mais, tu entends ce salaud? Tu *étais* belle... Demain, il fallait qu'elle voie Leigh; pas question d'avoir été belle il y a dix ans. Hank voulait lui saper le moral. Il fallait ne pas relever, ignorer toutes ses allusions à Natalie qui, elle au moins, ne pouvait pas les entendre.

— Ecoute, dit-elle doucement. J'ai besoin de produit colorant pour des raisons de sécurité. Accompagne-moi, il le faut. J'entrerai dans la boutique et tu n'auras qu'à m'attendre dehors, si tu préfères.

— Imagine qu'on te reconnaisse. Que quelqu'un appelle les flics?

— Tu sais, je serais enchantée de t'attendre dehors.

— Pas question que j'entre dans ce drugstore. (Il se tortilla sur son fauteuil, irrité.) J'ai bossé toute la journée, pendant que tu te prélassais en pillant mon frigidaire. Je suis crevé, je te dis. Et j'ai préparé le dîner.

— Je laverai la vaisselle dès que j'aurai fini ma teinture. Comment ferais-tu, si tu vivais avec une femme?

Hank avait été marié, elle se le rappelait. Il avait épousé une directrice littéraire; l'arrangement avait duré six semaines. Peut-être sa femme lui avait-elle demandé d'aller lui acheter des tampons périodiques?

— La femme qui vivrait sous mon toit ferait ses courses elle-même, répondit-il. (Mais il se leva, l'air renfrogné.) Bon, bon, je t'accompagne. Mais je te préviens, je reste dehors et à la moindre alerte, je ne te connais pas. Je me tire. Compris?

— Compris.

Le ciel était couvert de nuages et la nuit froide, avec un soupçon de pluie dans le vent. Elle voulait qu'il fasse soleil, demain. Elle n'avait pas vu Leigh depuis le début du mois d'avril, lorsqu'ils avaient fêté leur anniversaire tous les deux en se donnant rendez-vous au terminus de la ligne du métro, dans le Bronx. Leigh lui avait fait cadeau de deux cents dollars et d'une robe châle bleue qui lui allait comme un gant. Elle n'avait maigri que de quelques kilos depuis l'époque où elle habitait avec lui dans la 103e Rue. A ce moment-là, elle pesait cinquante-trois kilos. A présent, elle en pesait environ quarante-neuf. Elle avait emporté la robe bleue dans son sac pour la mettre pour son rendez-vous du lendemain. Non, elle n'avait pas vu Leigh depuis ce jour-là. Et c'était bien la période la plus longue qu'ils aient vécu sans se voir, après les premiers mois terribles, passés à se cacher.

Hank refusait de lui parler en marchant. Il avançait à grands pas, l'obligeant à se hâter pour ne pas être semée, mais il s'essouffla avant elle. Le trou de sa chaussure s'élargissait. Le pavé froid lui mordillait le pied. Elle aurait tant aimé flâner sur l'avenue et contempler les lumières de Manhattan où elle avait eu tant envie de se retrouver, ou regarder les cargos passer sur l'East River et sous le pont de Brooklyn, mais elle se méfiait de New York. Il fallait qu'elle reste aussi souvent que possible à l'abri d'un appartement. Cette petite promenade comportait suffisamment d'embûches, elle en flairait le danger. Avec ses cheveux bruns et des lunettes dont elle n'avait aucun besoin, un ami, un vieux copain pouvaient encore la reconnaître. C'était déjà arrivé. Et il ne fallait pas que cela se reproduise ce soir.

— Voilà le drugstore, dit Hank en se faufilant sous une porte et en tournant carrément le dos à la rue pour cacher son visage. Je reste ici. Si tu n'es pas revenue dans cinq minutes, je me tire.

— S'il te plaît, Hank, accorde-moi dix minutes. On ne sait jamais, s'ils sont en train de servir un client et que je doive attendre ?

Elle entra. Quelle couleur avait-elle employé, déjà ? Un châtain chaud, comme disent les coiffeurs. Si seulement elle osait l'auburn ! Tout, plutôt que ce brun terne. Ruby se teignait en auburn et elle était sensationnelle. Ses cheveux n'avaient commencé à grisonner qu'au moment où Vida et Natalie étaient entrées à l'Université. Et le jour où Ruby avait commencé à truquer sa chevelure, elle n'avait pas gardé sa couleur naturelle, un brun chaud et lumineux. Ruby avait déclaré : « Ma fille a les cheveux roux, eh bien, moi aussi, je serai rousse. » Oh, Maman... Elle regardait fixement les boîtes de Clairol sur les étagères avec le même visage de femme répété à l'infini et elles lui semblèrent flotter, toutes. Il était beaucoup plus difficile de voir Ruby que de rencontrer Leigh ou Natalie, car Ruby n'était pas une activiste et elle était pour ainsi dire incapable d'obéir à des règles de prudence et d'échapper à la surveillance. Vida respirait d'une façon saccadée en refoulant ses larmes, et les boîtes de Clairol tanguaient toujours devant ses yeux. Le besoin de voir Ruby était constant.

Elle n'acheta qu'une boîte de teinture, car elle n'avait presque pas d'argent. De plus, elle avait horreur de transporter ce produit dans son sac avec ses vêtements, où la bouteille risquait de se casser. En outre, elle n'avait pas envie qu'un inconnu lui demande pourquoi elle se teignait les cheveux. Et cette soirée avait été si moche qu'il lui serait difficile de taper Hank. Tant pis. La conscience libérale du monsieur ne pesait pas très lourd. En attendant devant la caisse, elle se souvint de leur premier contact, un an après qu'elle fut entrée dans la clandestinité. Underground, sous terre, comme disaient ses camarades en fuite. A l'époque, il s'était senti très flatté. Il avait voulu donner une soirée en son honneur et elle avait eu toutes les peines du monde à l'en dissuader en le persuadant que les gens qu'il voulait impressionner ne valaient pas vingt ans au trou pour elle ni une quantité de complications légales pour lui.

Lorsqu'elle sortit, cherchant Hank des yeux, elle vit la notice dans la vitrine. « Dans cette pharmacie, toutes les transactions sont enregistrées en Video. » Elle en éprouva une décharge électrique dans le cerveau. La sueur lui inonda la paume des mains, les aisselles et le dos. Pas de panique, mec. C'est probablement du baratin. Ils affichent ça pour décourager les aspirants cambrioleurs. Personne ne prend la peine d'explorer les films. Probablement. Elle se força à continuer à marcher lentement vers l'embrasure de la porte où Hank boudait toujours.

— Salut, lui dit-elle gaiement. Merci, mon vieux. Merci de tout cœur. Au fait, as-tu un séchoir électrique ?

2

Sac au dos et lunettes sur le nez, Vida se dirigea vers la station de métro en suivant les rangées de maisons coquettes et en évitant Montague. Une bruine sale aplatissait ses boucles brunes toutes neuves. Elle portait sa robe châle bleue, son dernier collant, des boots et un poncho péruvien par-dessus le tout. En longeant les rues bordées d'arbres, elle rêvait d'un parapluie pour l'abriter et cacher partiellement son visage. De 1965 à 1971, elle avait vécu à New York. Vécu publiquement. Une douzaine d'amants, des centaines d'amis, des milliers de gens avaient entendu Vida Asch prendre la parole à des meetings ; des milliers de gens avaient vu sa photo dans les journaux et à la télévision, et tous ces inconnus formaient une trame invisible. Tout en marchant, l'idée qu'elle frôlait peut-être un danger lui donnait des fourmillements dans les coudes et le bout des doigts.

Un tas de gens faisaient leurs courses le samedi matin. Son pied était trempé et comme elle dévalait les marches du métro, sa chaussure rendit une giclée d'eau de pluie. Elle dut attendre la rame quinze minutes. Lorsqu'elle arriva, elle marcha en sens contraire, franchit quelques voitures, monta en queue, s'assit et inspecta le compartiment. La suivait-on ? Leigh lui avait dit qu'il n'avait pas besoin de rentrer avant lundi matin, ayant inventé un reportage qui nécessitait une interview à Chicago. Chaque fois qu'elle s'apprêtait à retrouver quelqu'un du passé, elle se sentait perdue. Elle dépendait entièrement de leur prudence, de leur obsession du danger, de leur vigilance. Mais c'était une hérésie que de soupçonner Leigh de distraction. Après tout, en 1974, lorsqu'elle vivait à Philadelphie, il avait fait d'innombrables allers et retours en train, partageant sa vie jusqu'à ce qu'on la reconnaisse et qu'elle soit obligée de fuir.

Arrivée à Fulton, elle prit la direction Flatbush ; même manège : elle monta en queue, sans cesser d'inspecter les alentours. Puis elle s'assit dans l'avant-dernier wagon, sur le dernier siège et prit enfin le temps de souffler et de s'installer pour le long trajet jusqu'à Sheepsday. Combien de temps perdait-elle en allées et venues pour ses rendez-vous, empruntant le chemin le plus long, prenant des autobus jusqu'au terminus, faisant le pied de grue au hasard des rues, dans le vent glacial ? Sa vie exigeait une patience infinie. Elle n'avait pas le droit de se hâter. Il lui fallait se faufiler prudemment vers le lieu de rencontre, cependant que Leigh manœuvrait fastidieusement lui aussi pour la retrouver. Leigh. Elle revit son visage, le nez aquilin, acerbe comme une question urgente, les sourcils en points d'exclamation touffus tournés vers elle. Il s'éveillait en bâillant dans leur grand lit, exhibant sa langue rouge. Avait-il conservé le matelas en plume de sa grand-mère ? Elle avait traîné cet énorme truc par le métro jusqu'à Orchard Street pour le faire regarnir et recouvrir de toile. Elle revit la tapisserie crétoise suspendue au-dessus de leur lit. Elle était brodée en laine rouge et rugueuse. C'était un des rares souvenirs de son premier mariage. Son mariage grec. Leigh ne s'était jamais soucié de l'origine de cette tapisserie. Le travail en était très beau, et elle n'avait jamais orné la maison de Vasos. Les Kalakopoulos dédaignaient l'artisanat. Dans leur salon, une danseuse de Degas, achetée chez un marchand de meubles d'Athènes, trônait dans leur salon face à une icône d'Agios Giorgios. Elle secoua la tête avec colère. Pourquoi le cours de ses pensées dérivait-il vers Vasos ? Ce gâchis n'avait vraiment rien d'agréable. Son mariage romantique... Elle avait épousé la Grèce, l'étranger brun, les études classiques, la célèbre luminosité méditerranéenne, trois mille ans de culture ! Malheureusement pour tout le monde, elle avait du même coup épousé Vasos Kalakopoulos, l'ingénieur civil dont les parents étaient les concessionnaires Honda, à l'entrée d'Hérakleion, sur la route d'Agios Nicolaos.

D'accord, elle appréhendait de revoir Leigh après si longtemps. Pourquoi ne s'était-il pas arrangé pour venir la voir dans l'ouest puisqu'elle y avait séjourné en avril ? Lors de leurs rendez-vous téléphoniques, programmés le premier jeudi de chaque mois et de cabine téléphonique à cabine téléphonique, il disait toujours : « Bientôt. Très bientôt. » Leigh-son-mari-très-occupé. Le jour où elle était enfin sortie de son aventure sans issue avec Vasos, elle avait juré à sa sœur Natalie qu'elle ne se remarierait plus jamais, au grand jamais ! Et puis Natalie avait épousé Daniel Brooks et, six mois plus tard, Vida épousait Leigh Pfeiffer...

Ce jour-là, Leigh arborait une chemise blanche brodée, le col ouvert en un V profond qui descendait jusqu'à la fourrure bouclée de la poitrine. Il avait noué un foulard rouge autour de son front. Son pantalon était vague, serré à la taille. Rouge vif, se dit-elle. Le pourpre était à la mode, cette année-là. Collants rouges, lumières rouges, murs rouges, on portait même des boots rouges. Voyons, arborait-elle une de ces minis qui s'arrêtaient à l'entrejambe ? Non, elle s'était mariée en robe mexicaine vert feuille, toute de bandes de coton plissé séparées par des entre-deux de broderies. Et dessous, un bikini vert. Rien d'autre. Stupéfaite, elle se contempla à la lumière des années passées. A présent, elle ne s'habillait plus avec cette esbroufe éblouissante et tapageuse. Elle n'avait nullement les moyens d'attirer l'attention sur elle. Aujourd'hui, elle n'aurait pas même osé longer un pâté de maisons en minirobe. Cette mode-là proclamait la disponibilité. Pourtant, à l'époque, elle n'avait pas éprouvé ce sentiment-là. Elle avait adoré l'éclat et la jeunesse des minis. Ainsi vêtue, elle s'imaginait qu'elle était la messagère d'un avenir meilleur, un membre de l'équipage de Star Trek, projetée sur la Terre par un rayon lumineux pour accomplir une brève et chaotique mission dans un monde primitif et malheureux.

Natalie avait déniché la robe verte chez Fred Leighton, au Village. « Ma choute, si tu es bien décidée à aller jusqu'au bout, alors il faut que tu portes un truc extra. » Natalie ne raffolait pas des minis autant que Vida. « Tu es du tonnerre en mini, moi, je fais boulotte. J'ai les jambes arquées. » Ce n'était que très légèrement vrai. Quant à Natalie, elle portait elle aussi une robe mexicaine, mais décolletée, et ses seins débordaient, gonflés comme du bon pain qui lève. Et Daniel, comment était-il, ce jour-là ? Le mari de Natalie manquait à l'album des souvenirs. Vida était incapable de se rappeler la façon dont son beau-frère était habillé pour son mariage.

Leigh et Vida avaient célébré leurs noces au mois de juin, dans une ferme que des activistes avaient louée dans le New Jersey. C'était une maison blanche et délabrée, envahie par le lierre au nord et les roses trémières au sud. La pelouse, minée de galeries souterraines creusées par les taupes, descendait jusqu'à la rivière bordée de saules pleureurs. Ils avaient planté des torches électriques dans l'herbe. Les Holly Rollers, un orchestre qui avait joué à toutes les boums du Mouvement cette année-là, produisait une musique aux sons rauques. Et la bouffe, camarades... Leigh était un gourmet et tout ce qui le touchait de près promettait une cuisine exquise et raffinée. Un cochon de lait entier. Etait-ce Lohania qui l'avait fait rôtir ? Non, ils ne l'avaient connue qu'un an après ; Lohania était portoricaine, une ancienne petite amie de Leigh qui avait épousé un copain. Mme Pfeiffer, la mère de Leigh, que Vida n'avait jamais pu appeler Stella ou Maman sans penser « Madame Pfeiffer », avait fait des choux farcis et un ragoût de bœuf bien relevé. Natalie avait confectionné un pâté en croûte et un gâteau au chocolat d'une hauteur de deux pieds, surmonté d'un drapeau rouge et d'un drapeau noir.

Meyer, le rabbin le plus « in » de New York, qui avait fait de la taule pendant dix jours en 69, les avait mariés sur la berge de la rivière, selon le rite des deux anneaux, au bord des eaux clapotantes.

22

Elle se rappelait fort bien l'expression sévère du rabbin et les tiraillements de sa propre conscience. En effet, ce rabbin avait fait toute une histoire en arguant qu'il ne mariait que les gens qu'il connaissait. Ils avaient tout de même réussi à le convaincre. Elle lui avait caché qu'elle était seulement à demi juive; que son père s'appelait Tom Wippletree et qu'elle portait le nom du second mari de sa mère, Ruby Sandford Asch Wippletree. Pourquoi? Eh bien, parce que, ça sonnait mieux et qu'elle détestait son propre nom, Davida Wippletree, qu'elle était infidèle comme sa mère et qu'elle préférait Sandy à son vrai papa. Sa mère avait épousé Sandy et avait adopté Natalie pour qu'elle devînt sa sœur de chair et de sang, dans un rêve de bonheur. A présent, Natalie l'avait devancée. Elle s'était mariée avant elle et était déjà enceinte; son ventre ne dépassait pas encore le balcon de ses seins, mais il enflait et grossissait avec Sam.

Cette fois, s'était-elle dit en étreignant les roses sauvages cueillies sur le mur en ruines, puis la main de Leigh, il faut que ça marche. Je suis tellement amoureuse de lui! A ses yeux, Leigh était parfait, doux-amer, comme elle. Il fallait le voir danser, cet après-midi-là, bondissant et plastronnant :

— Je t'ai choisie au premier meeting pour la mobilisation de printemps, lui avait dit Leigh. Tu étais la plus belle de la récolte.

— Vraiment? J'ai l'impression d'être un chou de Bruxelles. Quelle récolte?

— Celle des filles nouvelles dans le Mouvement ce printemps-là. Tu étais la plus belle de toutes et quand tu ouvrais la bouche, il en sortait des choses sensées. Tu parlais haut et clair.

Ses mains tremblaient si fort qu'elle avait dû les mettre derrière son dos. A vingt-trois ans, elle avait le sentiment d'être une ratée : un mariage loupé, pas même un diplôme, un faux départ et plus vieille que toutes les autres étudiantes. Elle s'était juré de percer dans le Mouvement des Etudiants Antiguerre de New York et de réussir son mariage avec Leigh. « Pas question de se mettre en cage, de s'asphyxier mutuellement. Tu ne m'appartiens pas. Et ne t'imagine pas que je vais t'appartenir », lui avait dit Leigh. Elle ne se faisait aucune idée, et c'était bien ainsi. Ils s'accorderaient tous deux assez d'espace pour pouvoir grandir, évoluer et apprendraient à devenir meilleurs ensemble.

Pourtant, le soir de son mariage, Leigh l'avait mise en colère. Ils étaient tous assis autour d'une grande table, en compagnie des amis qui n'étaient pas encore repartis pour la ville, après toute une journée passée à manger, à boire, à se défoncer, à danser et à recommencer. Mme Pfeiffer présidait. Le père de Leigh était mort d'une crise cardiaque un an auparavant, dans le bas de la ville, au sein du quartier de la confection où il travaillait comme coupeur. Ce que Vida appréciait le plus chez Leigh, c'était le respect et l'amour qu'il témoignait à sa mère, contrairement à un grand nombre de leurs amis. Il ne la voyait pas souvent, mais ils se parlaient comme des amis. Tout comme Ruby et elle. Et ce comportement filial lui inspirait confiance. Et puis elle était fascinée par le fait que ses parents soient demeurés communistes, même après avoir quitté le parti ; elle trouvait que cette fidélité avait quelque chose d'héroïque et de clandestin. Vida demanda à Mme Pfeiffer en quoi les réjouissances du mariage étaient différentes des fêtes communistes de sa jeunesse. Et Mme Pfeiffer lui répondit que, de nos jours, les jeunes écoutaient moins de discours et plus de rock'n roll. Leigh lança à travers la table : « Eh bien, nous remettrons ça le mois prochain, quand Vida et moi nous divorcerons ! » Bien que Leigh eût quatre ans de plus que Vida, il ne s'était jamais marié et il avait été surpris de voir à quel point sa boutade avait blessé Vida. Mme Pfeiffer lui avait demandé, la bouche pincée : « C'est pour ça que vous gardez votre nom, Davida ? Parce que vous comptez divorcer le mois prochain ? — Je garde mon nom parce que c'est le mien. Leigh peut le prendre, s'il veut. » Ah, non, elle en avait assez de changer de nom. Fini.

En revenant à la réalité du métro qui roulait avec fracas au-dessus de Brooklyn, elle eut un reniflement de mépris. Ne plus jamais changer de nom. Quelle blague ! En dehors de son nom de guerre politique : Faucon Pèlerin, elle avait porté six noms différents depuis le jour où elle était entrée dans la clandestinité ! Sa carte d'identité actuelle portait le nom de Vinnie Rappoport, une enfant morte en 1946, et qui aurait quatre ans de moins qu'elle. Mais elle savait objectivement — et, dans son cas, l'objectivité était essentielle — qu'elle avait vraiment l'air d'avoir dans les vingt ans, et qu'elle paraissait plus jeune que les trente-deux ans qu'aurait eu Vinnie. Un regard. Elle sentit un regard. Un homme la regardait fixement. Il tenait un journal à la hauteur de ses yeux et l'observait. Pourquoi ? Elle sentit une onde électrique lui zébrer la colonne vertébrale. Le métro s'était arrêté à Kings Highway. Elle se leva d'un bond et poussa les portes pour pouvoir sauter dehors. Elle courut sur le quai, se retourna brusquement : personne n'était descendu de voiture. Le métro repartit. Elle resta là, immobile, tremblante et confuse. Devait-elle courir pour le rattraper ? Elle avait cédé à l'affolement. Après tout, il arrivait fréquemment que des hommes reluquent les femmes dans le métro. Mais pourquoi lisait-il son journal puis levait-il les yeux pour la regarder fixement ? Elle s'assit nerveusement pour attendre la prochaine rame. Tant pis, elle serait légèrement en retard.

Elle atteignit enfin l'arrêt. Fit une halte pour voir qui sortait du wagon, puis descendit lentement les marches.

Ici, tout était vert, plein de feuilles. Elle décrivit lentement un cercle en longeant les petites boutiques et les immeubles, en direction d'Emmons et de la masse brune en stuc, de la grandeur d'un pâté de maisons, du restaurant Lundy. Ses marquises à rayures rouges claquaient fièrement comme des voiles sous le vent vivifiant qui soufflait de la baie étroite, où les bateaux de pêche se serraient les uns contre les autres. La pluie s'insinuait dans l'air. Une bruine pénétrante persistait, avec un goût de sel. Aucun risque du côté des voitures en stationnement. Bon. Elle pénétra lentement dans le restaurant sombre, laissant ses yeux s'habituer à la lumière bleuâtre des fenêtres à vitrail frappé d'écussons rouges avant d'aller plus loin. A midi passé, la vaste salle n'était qu'à moitié pleine. En promenant son regard à travers la forêt de tables, elle repéra Leigh, assis contre le mur. Il lui arrivait de penser qu'elle l'eût préféré un peu moins beau. Grand, avec les épaules voûtées, il tenait ses lunettes au-dessus du menu pour le lire. Sans les mettre, car il était presbyte et voulait pouvoir surveiller l'entrée. Malgré cela, il la vit seulement lorsqu'elle arriva devant lui. Il avait les cheveux roux et bouclés, striés de quelques fils gris, d'un gris argent qui étincelait aussi dans son épaisse barbe de rabbin, dans ses sourcils broussailleux. Il avait quelque chose d'élégant, une recherche dans sa façon de s'habiller, une conscience de son allure, même lorsqu'il portait un blue-jean ou un kaki. Il avait le maintien d'un homme habitué à ce qu'on parle de lui, à ce qu'on le regarde, à ce qu'on l'admire.

En tirant la chaise pour s'asseoir, le cœur de Vida battait de façon indécente. Elle retira ses lunettes ridicules et les posa sur la table, à côté de celles de Leigh. Il lui tendit les mains et leurs doigts se joignirent sur la table. Elle eut l'impression que ses paumes étaient froides et moites dans l'étreinte chaude et sèche de Leigh.

— Leigh, ç'a été si long cette fois-ci, si long. Tu n'imagines pas à quel point tu m'as manqué !

— Ah, chérie, c'est vrai ?

Il fallait qu'elle fasse un effort pour l'entendre, dans la salle où l'acoustique amplifiait le bruit — vacarme des clients qui bavardaient, fracas des couverts sur les assiettes, musique méconnaissable, dont on avait l'impression qu'elle sortait du fond de l'eau. Elle n'avait pas envie de crier :

— Je m'appelle Vinnie Rappoport.

— Un vrai nom juif. J'ai de sales nouvelles pour toi. J'ai téléphoné à la station ce matin... et je crois que c'est dans la dernière édition des journaux.

— Quoi ?

Elle se sentait congestionnée par la timidité. Les émotions faisaient rage en elle. Cependant, il fallait qu'elle reste poliment assise en se contentant de le regarder. Les yeux noisette clair de Leigh l'observaient à travers leurs longs cils. Il avait de beaux yeux. Une légère ombre mauve sur les paupières lourdes. Il n'était certes pas le plus bel homme de New York, mais Dieu sait si toutes les femmes tombaient amoureuses de sa voix : berlingot et cognac. Il les regardait dans les yeux et elles lui tombaient dans les bras. Elle caressa ses mains poilues. Les poils poussaient même sur les premières phalanges de ses doigts. Il ressemblait à un ours mince avec des épaules studieuses. Il l'observait attentivement, mais sans aucune bonté. Une curiosité tenace la possédait tout entière.

— Quelles nouvelles ? demanda-t-elle.

— Ils ont pris Kevin.

— Kevin ? Non ! Quand ? (Elle revit l'homme dans le métro et elle sentit qu'elle défaillait.)

— Ils l'ont épinglé hier soir, dans la 4e Rue ouest, dit Leigh.

— Manhattan. Personne ne devrait jamais s'y aventurer. Jamais, récita-t-elle machinalement, en imaginant Kevin en train de s'effondrer sur le trottoir. Et le rictus de Jimmy, le visage déformé par la mort.

— Est-ce qu'ils ont tiré ?

Le serveur était devant leur table.

— Donnez-nous deux palourdes. Ensuite, nous prendrons de la langouste. Bouillie pour moi. (Leigh se tourna vers elle.) Comment veux-tu la tienne ? Au four, farcie, ou à la nage ?

— A la nage.

— Et deux bières à la pression.

Il était toujours aussi dominateur. Son séjour chez les féministes avait arrondi les angles, car à l'époque, il n'hésitait pas à commander pour tout le monde. Leigh, le gourmet, l'expert en vins du Mouvement. Il l'observait avec une attention doublée d'agacement. Comme le serveur s'éloignait, elle lui redemanda à voix basse :

— Il n'a rien ? Pas de coups de feu ?

— Non. Aucun recours à la violence. Les flics se sont approchés de lui. Ils lui ont tapé sur l'épaule : « Kevin Droney, s'il vous plaît, voudriez-vous nous suivre ? » Et ce con leur a obéi. Doux comme un agneau sacrificiel.

— Je préfère. Ça m'aurait rendue malade de le voir à la télévision ce soir.

— Comme Jimmy ?

— Oui, comme Jimmy et Belinda.

Elle saisit son verre d'eau avec maladresse. Ils avaient mieux connu Jimmy que Belinda, mais elle était morte, elle aussi.

— Tu sais à quel point je déteste t'annoncer les mauvaises nouvelles ? Etais-tu en contact avec Kevin ?

— Non, je ne l'ai pas revu depuis la grande scission du réseau, en 74. J'ai entendu dire qu'il se trouvait au Canada. A ce qu'il paraît, il fournissait des armes à l'IRA.

26

— A l'IRA ? Rien que ça ! Alors, il était en route pour Belfast ? la questionna-t-il en bon journaliste qu'il était.

— Je ne sais rien, Leigh. Je fais comme toi, j'écoute les bruits qui courent.

Kevin restait un souvenir pénible entre eux. Tout de même, se faire piquer justement ce matin, pour assombrir leurs retrouvailles, c'était du Kevin tout craché. S'il l'avait su, il aurait choisi le moment lui-même. Elle essaya de caresser la main de Leigh. Pas d'alliance, bien sûr. Ils avaient renoncé à porter leurs alliances en 68.

— Kevin ignore que je suis ici. Depuis la scission, nous sommes des ennemis jurés. Il ne m'a jamais pardonné, ajouta-t-elle.

— Alors cela ne t'inquiète pas qu'il se soit fait pincer ?

— Tu sais, je tremble chaque fois qu'ils arrêtent quelqu'un. Comment ne pas s'inquiéter ? Chaque fois qu'ils prennent un de nos camarades, nous sommes un de moins et ils marquent une victoire pour leur camp.

— J'ignore si Kevin et moi nous sommes du même côté, dit Leigh en souriant légèrement dans sa barbe.

— Et moi, crois-tu que je le sache encore ? Mais je suis certaine que Kevin et moi, nous étions du même côté en regard de la loi, dit-elle avec amertume. Hors-la-loi. Ah, voilà les palourdes.

Elle était impressionnée par la force dure et froide qui émanait de Leigh. Serait-ce un de leurs mauvais jours ? Lui en voulait-il de tous ces mois d'abstinence ? Les temps avaient été durs, à Los Angeles. Durs pour les fugitifs. Elle eut soudain une envie folle de voir Eva. De lui parler. Eva ressentirait la même chose qu'elle à propos de l'arrestation de Kevin : Eva était parfaitement capable de haïr et de pleurer parce que les flics l'avaient épinglé. Elles n'avaient même pas le téléphone, dans leur petite maison de Los Angeles. D'ailleurs, que pourraient-elles se dire par téléphone ? Eva et Alice n'étaient peut-être même pas au courant de la nouvelle. En goûtant la première palourde, l'humeur de Leigh parut s'améliorer.

— Adorables petites choses. Humm. Délicieux. On ne fait pas mieux.

— Je n'en avais pas mangé depuis oh... un an au moins, dit Vida.

— Manger une palourde sans défense, quel régal. Un petit ange en culotte de velours dans la bouche. Des protéines pures. On peut en bouffer jusqu'à en crever sans prendre un gramme.

Leigh avait légèrement grossi. Il portait une saharienne et un pantalon en velours noirs bien coupés. Qui avait choisi cet ensemble ? Autrefois, c'était elle qui l'habillait. Leigh détestait faire les magasins ; cette corvée lui rappelait les expéditions enfantines, quand les parents vous traînent dans des boutiques « moins chères » et où tout est toujours trop grand et différent de ce que portent les copains. Leigh aimait que les femmes lui achètent ses vêtements, mais il fallait y apporter beaucoup de soin car il avait des goûts très précis : « Non, pas cet orange-là. Tu veux que j'aie l'air d'un sachet de vitamines C ? » Sa chemise en laine douce était d'un écossais fondu où le bleu et le gris prédominaient avec une légère touche de jaune.

— Tu es superbe, dit-elle.

— Je vieillis. Tu sais que je vais avoir quarante ans, en mars ? Quarante ans ! (Il hocha la tête :) Et ces salauds qui disaient : il ne faut jamais faire confiance à un mec de plus de trente ans ! Moi, bien sûr, je n'ai jamais dit une chose pareille. J'avais vingt-neuf ans, quand ces crétins de gamins ont commencé à répandre cette connerie, et j'aurais préféré mourir plutôt que d'être mis au rancart par de telles inepties. Quarante ans, pourtant, ça sent le sapin. Un vrai coup de matraque.

Qui avait choisi ce costume et cette chemise ? Comment s'appelait la fille avec laquelle Leigh couchait, au mois d'avril dernier ? Leigh était constamment entouré de femmes : anciennes maîtresses, nouvelles victimes. Plus elle, la vieille épouse légitime. Elle réalisa, avec une pointe de jalousie, qu'elle allait être obligée de lui faire du charme. Il ne la regardait pas assez intensément. Assez de lui prendre la main au milieu des miettes et des couverts en acier bosselé, en quémandant un réconfort pitoyable. Elle enleva son poncho et s'assit, très droite, en bombant les seins. En mangeant sa dernière palourde, elle inclina la tête d'une façon séduisante, releva le menton et lui adressa le vieux sourire appuyé d'autrefois.

— Chère vieille branche, tu vas peut-être avoir quarante ans, mais moi, sur ma carte d'identité, j'ai tout juste trente-deux ans. Et à présent, je rajeunis chaque année. Je trouve ça meilleur pour le corps et pour l'esprit.

Il lui sourit et parut enfin la voir.

— C'est vrai. Tu fais plus jeune. Un peu maigre. Enfin, nous allons arranger ça. Ah, voilà la langouste. Prions dévotement pour qu'elle ne soit pas trop cuite !

— Prier qui ? La General Motors et le dieu des cuisinières électriques ?

— Non, Neptune. C'est bien le préposé aux poissons ? Alors, comme ça, tu n'es pas folle d'inquiétude pour Kevin ?

— Je te le répète, je déteste les voir marquer un but. Mais il ne s'agit pas d'un sentiment personnel vis-à-vis de Kevin.

— Comment veux-tu que je le sache ? Tu étais dingue de cette grande gueule. Tu le prenais pour une réincarnation du Che.

— Tout le monde se trompe, mon cher. J'ai payé mon erreur.

Elle eut un pâle sourire. La jalousie de Leigh n'était pas sexuelle, mais politique. Il ne lui pardonnait pas d'avoir partagé avec Kevin l'idée de l'urgence d'un combat armé. D'avoir été en désaccord avec lui et d'avoir agi en conséquence, alors qu'elle-même se sentait

28

coupable, non pas à cause de ce différend idéologique, car elle continuait à penser que Leigh se trompait, mais parce que, à l'époque, elle était follement amoureuse de Kevin.

— Tu es irrésistible, quand tu admets tes torts.

Cette fois, Leigh lui prit la main, la serra très fort. Et pour la première fois, le courant passa entre eux.

— Comment est ta langouste ?

— Exquise.

Elle commença à manger avec contentement, en sentant son regard sur elle, en sentant son désir d'elle.

— Ha ! s'exclama-t-elle. J'ai une femelle. Tu veux des œufs ?

— Avec joie. Ils sont homos dans cet endroit : ils m'ont donné un mâle et à toi une femelle. Ah, mon amour, vos lèvres ont le carmin des œufs de langouste. Et vos yeux, le vert du foie des crustacés. Poétique, non ?

— Charmant, pour une langouste. Et si je te disais : Leigh, tes yeux ont la couleur noisette d'une rivière polluée par les algues, tu serais content ?

— J'ai une chatte, maintenant. Je l'appelle Poupée. Ses yeux sont aussi verts que les tiens. Et il y a des jours où ils sont aussi grands. Il m'arrive de lui parler comme si c'était toi.

— Attention, Leigh, n'essaie pas de coucher avec cette chatte, sinon tu vas hurler de douleur quand elle t'aimera avec sa langue en papier de verre.

Elle flirtait avec lui, mais elle était légèrement peinée. Il n'avait pas repris d'animal domestique depuis la mort de Mopsy, leur épagneul. Pauvre Mopsy, il était mort de chagrin parce qu'elle était partie (c'était tout du moins ce qu'on disait) et elle avait pleuré. Leigh les trompait, Mopsy et elle, avec cette nouvelle chatte.

— Cette langouste est trop cuite. Du caoutchouc, bon sang !

Leigh paraissait sur le point de faire un scandale, et elle retint son souffle.

— Je t'en prie, chéri, laisse tomber. Ne fais pas d'esclandre pour attirer l'attention, je t'en prie.

— D'accord. D'accord. Mais pourquoi passer sur la mauvaise cuisine ?

— Les palourdes étaient délicieuses. Ma langouste est très bien. Tiens, goûte.

— Sais-tu, ma chère, que depuis que tu es... sous terre, tu es devenue beaucoup plus bourgeoise... dit-il avec un sourire sardonique. Ne brûle pas ce feu rouge. Attention, il passe à l'orange. Non, pas là, il y a un panneau d'interdiction de stationner. S'il vous plaît, ne jetez pas vos papiers gras. N'utilisez pas de cartes de crédit bidon ! Et ne collez pas vos timbres à l'envers...

— Il faut bien que j'observe les petits règlements, Leigh, pour pouvoir enfreindre les grands.

— Elle est presque aussi cuite que la mienne, dit Leigh en goûtant la langouste de Vida.

— Tu exagères, Leigh. A moi elle me paraît très bonne. Je n'ai pas mangé de langouste depuis des années.

Elle avait envie de le supplier de ne pas gâcher son festin, son plaisir en lui expliquant comment chacun des mets aurait dû être préparé pour être bon. Elle aurait pu manger des crustacés toute la journée. Elle dégustait le contenu de son assiette de plus en plus lentement, comme lorsqu'elle était petite et qu'elle léchait son cornet de glace à tout petits coups pour le faire durer. Hélas, il fondait et la glace dégoulinait sur ses chaussures. Et, à présent, la langouste refroidissait. Il fallait la finir, se régaler et puis tout serait fini, comme ce temps précieux passé avec Leigh qui, déjà, s'envolait insensiblement. Elle aurait aimé pouvoir en faire goûter une bouchée à Eva, qui, elle, mangeait quelquefois des fruits de mer et du poisson. Pour elle aussi, ce serait un festin. Les derniers mois avaient été très durs, à Los Angeles.

En sortant, Leigh lui passa un bras autour des épaules.

— J'ai loué une voiture. Ne t'inquiète pas, j'ai fait les choses dans les règles. Une Chevrolet bleu marine.

— Tu as conduit jusqu'ici sans avoir de contraventions ?

— J'ai roulé comme un ange.

— J'imagine, en allant comme un fou.

Elle se glissa derrière le volant. Leigh était un vrai new-yorkais, né et élevé à New York, et il était sans doute le seul du pays à ne pas considérer la voiture comme un droit de naissance. Il avait son permis de conduire, mais elle n'avait jamais compris comment il avait réussi à le passer. Il lui semblait que les autorités de l'Etat de New York avaient fait preuve d'une incroyable légèreté en le lui accordant. Au volant, Leigh était un danger public. Toutes les fois qu'ils avaient fait un voyage ensemble, elle s'était débrouillée pour conduire. Ce qui ne le dérangeait aucunement. Au contraire, il préférait cela pour pouvoir parler, montrer du doigt, gesticuler. L'ennui, c'est qu'il faisait la même chose quand il était au volant.

— Voyons, il faut que tu passes par Belt Parkway, dit Leigh après avoir déplié une carte sur ses genoux.

— Leigh, j'aimerais beaucoup savoir où nous allons ?

— A Montauk. J'ai pensé qu'on y serait tranquilles. Il ne doit pas y avoir foule à cette époque.

— Mais là-bas, quelqu'un pourrait nous reconnaître.

Ils y avaient loué une petite maison au mois d'août. Etait-ce en 67 ? 68 ?

— Penses-tu ! Cela fait une éternité. Nous allons descendre dans un motel. Ne t'inquiète pas, bébé, nous avons changé, depuis le temps. C'est moi qui nous ferai inscrire à la réception. Aucun problème.

Aucun problème, sauf nous-mêmes, songea-t-elle pour reprendre pied dans la réalité. Elle redoubla de prudence en traversant Manhattan, conduisant au-dessous de la limitation de vitesse, tenant bien sa droite sans jamais se rabattre. Désormais, la prudence était une seconde nature et, tout en manœuvrant, elle sonda Leigh.

— Raconte-moi, comment vont les choses, à la radio ?

— On a eu chaud. Figure-toi que nous avons failli être rachetés par un conglomérat. Mais le projet a foiré. Je présente les tables rondes du vendredi soir et le journal du matin, en semaine. Il faut que je me lève à six heures. Un vrai casse-pied. Je préférerais présenter le journal du soir, mais tant que Roy se cramponnera à son fauteuil, je serai coincé. Ils me trouvent trop à gauche pour les infos du dîner. Ciel rouge le matin, pas de tintouin... Ma couleur politique correspond au journal de huit heures, mais je suis trop rouge pour le journal de dix-huit heures ! Va donc comprendre le raisonnement des gens de ce métier. En tout cas, leur illogisme est passionnant.

Il était renversé sur son siège, et ses longues jambes calées contre le tableau de bord, il ne prenait même pas la peine de regarder la vue. Pas très doué pour les paysages, Leigh : il qualifiait les arbres de futur papier hygiénique américain. Et les montagnes ? Eh bien, il les trouvait inutiles et cahoteuses. Il ne comprenait pas pourquoi les gens s'enterraient dans des trous au-delà de la banlieue new-yorkaise. L'ouest, c'était le New Jersey, et le Far West, les Poconos. La preuve de son amour pour elle, c'était que pendant presque toute l'année 74, avant de décrocher son boulot de journaliste à la WABD, il avait pris le train jusqu'à Philadelphie pour passer la moitié de la semaine avec elle, tel un nouveau Stanley bravant la jungle inconnue. Il était obligé de voyager pour son travail, mais il le faisait toujours avec la plus vive indignation : bon Dieu, tous ces péquenauds qui vivent dans le grand désert américain. Autrefois, elle avait ressenti la même chose. Comme elle avait été élevée à Cleveland et ensuite à Chicago, New York représentait pour elle toute la splendeur de la civilisation. Partout ailleurs, les villes étaient inférieures. Tout y était moins bien, de seconde zone. On lui avait fait sortir ces bêtises de la tête à grands coups de marteau.

— Mais dis-moi, tu es toujours content de présenter la table ronde ? Est-ce qu'ils t'accordent une liberté suffisante ?

— Je m'arrange pour avoir carte blanche. Ça les emmerde. Mais si je traite d'un sujet qui ne les dérange pas, alors, ils sont contents. Je fais une émission spéciale une fois par mois. Le dimanche soir. Le mois dernier, j'ai parlé de la réduction des garderies d'enfants. Avoue qu'il y a de quoi provoquer des crises cardiaques chez les féministes ?

Non ? Et ce mois-ci, je traite du chômage chez les jeunes. Par exemple, que deviennent tous les gosses qui ne vont pas à l'université et qui ne trouvent pas de boulot ? Qu'est-ce qu'ils fabriquent, toute la sainte journée, jour après jour ? Est-ce qu'ils craquent comme le feraient leurs vieux ? Est-ce qu'ils se mettent à boire ? A se droguer ? Est-ce qu'ils entrent dans un gang de voyous ? Est-ce qu'ils deviennent des gangsters ? Ou bien est-ce qu'ils se contentent de traîner en vivant aux crochets de la famille ? Oh mon Dieu, si tu savais pour quel vieux dingue ils me prennent !

Elle comprit ce qui la frappait : la décontraction totale de Leigh. Il avait le dos confortablement appuyé contre le dossier, tandis qu'un flot de paroles sortait librement de sa bouche, porté par sa voix douce et voilée. Et il ne voyait rien. Il ne surveillait pas les voitures derrière ni devant eux. Il n'observait pas les passagers à bord de chaque véhicule ; il ne pensait pas à la tragédie. Il n'avait aucune idée de ce qu'était ce casque de plomb qui, elle, lui serrait les tempes chaque fois qu'une voiture de flic était en vue, traînant au bord de l'autoroute ou derrière un buisson.

— Est-ce qu'ils acceptent de te parler, ces gamins ?

— Tu sais, tout le monde a envie d'être une vedette anonyme pendant cinq minutes. Tout le monde a envie d'être interviewé. L'essentiel, c'est de les amener à dire des choses intéressantes. Et, ensuite, de réussir à les faire taire. Ils sont fous de rage quand tu refuses de les enregistrer pendant des heures. Que veux-tu, tous les minus ont une philosophie de la vie.

Il pleuvait toujours autant et la circulation était fluide, pour un samedi de fin septembre.

— Tu te lèves réellement tous les matins à six heures ?

— A six heures pétantes. Un vrai cauchemar. Et Susannah refuse de se lever en même temps que moi. Alors je mouds mon café, je mets l'eau à bouillir, et je m'habille. Quand j'ai fini d'enfiler mes vêtements, l'eau bout. Alors, je bois mon café et je mange mon yogourt, debout.

Elle l'écoutait, amusée. Un homme fier de découvrir qu'il est capable de se lever tout seul le matin et de préparer son petit déjeuner ! Elle n'imaginait pas une seule femme au monde qui pût trouver cela assez important pour en parler.

— J'arrive tout juste à l'heure. Heureusement, j'ai réglé le problème du café au studio. Même le plus idiot des employés est capable de faire un bon café avec un mélange Zabar. Et Susannah a fini par apprendre à faire un espresso sans faire exploser toute la maison.

Susannah. Etait-ce la jeune femme avec laquelle il couchait en avril ? Un couple avait partagé son appartement pendant quelque temps : les Dorfman. Mais pourquoi Mme Dorfman aurait-elle dû se lever en même temps que Leigh ? Elle joua les idiotes :

— Susannah habite avec toi ?

— Bien sûr. Mais tu le savais... Est-ce qu'elle n'avait pas déjà emménagé dans l'appartement la dernière fois que nous nous sommes vus ? Il me semblait que... Attends, laisse-moi réfléchir.

— Je ne savais pas que Susannah vivait complètement là.

— Vraiment ? Allons, Vida...

— Vinnie, s'il te plaît.

— Quoi, même en bagnole ?

— Comment sais-tu que cette bagnole n'est pas truffée de micros ? Alors, Susannah...

— C'est déjà de l'histoire ancienne. Nous vivons ensemble depuis un an.

— Les Dorfman ont quitté l'appartement ?

— Oui. Ils ont déménagé quand Susannah a emménagé. Ai-je oublié de t'en informer en avril ? Désolé. Peut-être n'étais-je pas tout à fait certain du tour que prendrait cette expérience. Voyons, les Dorfman ont dû quitter l'appartement en mars. De toute façon, Susannah a toujours habité là. Que veux-tu, avec cette foutue piaule qu'elle avait dans le fin fond de Broadway, ce n'était pas très pratique.

Leigh avait une liaison sérieuse avec Susannah depuis le mois d'avril. C'était clair comme de l'eau de roche. A présent, elle était certaine d'avoir entendu parler de Susannah, mais en même temps que d'une Loïs et d'une Maggie, pendant tout l'hiver dernier. Il avait donc habité seul avec les Dorfman pendant cette période. Et maintenant, cette Susannah occupait son appartement. Où elle n'avait pas le droit d'aller.

— Allons, bébé. Ne boude pas. Tu savais parfaitement que je vivais avec Susannah. Qu'est-ce que ça peut te faire, puisque nous ne pouvons pas vivre ensemble ? Nous aurions pu vivre ensemble la moitié du temps, songea-t-elle, comme autrefois à Philadelphie. Et c'était justement ce qu'elle avait voulu mettre au point avec lui en organisant ce voyage. Mais elle comprenait que ses projets étaient tout autres.

— Et moi qui suis obligé de lui mentir pour pouvoir passer le week-end avec toi, est-ce que je gémis ? Est-ce que je me plains ? J'ai besoin de toi. Ça vaut bien tous les risques, tous les mensonges.

— Mentir pour voir ta femme ? Elle est bonne, celle-là !

Allez, vas-y, culpabilise-moi, mec. Elle soupira en faisant des grimaces à la pluie. Vite, dis-lui quelque chose de gentil.

— Tu connais un motel ?

Elle était restée trop longtemps sans le voir. Il fallait qu'elle se cantonne dans l'Est. Eva serait bien obligée de le comprendre : Los

Angeles ne serait jamais le berceau de Vida. Elle était en train de perdre Leigh. De le perdre complètement. Une autre femme couchait dans le lit qu'elle avait choisi. Les signes auraient-ils été encore plus graves encore si Susannah s'était levée tous les matins à six heures pour le regarder partir dans le brouillard ? En plus, depuis tout temps dans leur mariage, Leigh adorait lui cacher les mauvaises nouvelles pour les lui annoncer brutalement. Un découvert bancaire, une facture impayée, il préférait attendre que la phase critique soit passée. Ainsi, il gardait le contrôle et cela lui donnait de l'autorité. Elle se rendit compte qu'elle était en colère et soupira encore une fois à l'endroit de la pluie.

— J'ai réservé une chambre, disait-il. (Comme ils approchaient de Montauk, il se redressa sur son siège.) Longe la route du bord de mer, et prends la prochaine à droite. Voyons si nous pouvons trouver facilement... Ça a l'air beau.

Il avait choisi un ensemble de cottages à un étage disséminés sur le versant d'une colline, sur des chemins de sable qui s'en allaient en zigzaguant à travers les pins chétifs qui dominaient la mer. Vida était légèrement inquiète. Cet endroit avait l'air si luxueux. Mais Leigh paierait. Elle se demanda si elle faisait pauvre ; mais non, sa robe bleue était encore en bon état. Et comme il entrait à la réception pour les inscrire, elle se dit qu'elle était belle. Alors elle se rendit compte que dans l'image mentale qu'elle se faisait d'elle-même, ses longs cheveux blond vénitien lui tombaient jusqu'au milieu du dos. C'était toujours ainsi qu'elle persistait à se voir. De même qu'elle s'imaginait toujours être la femme de Leigh, la tante de ses neveux et nièces et l'amie de ses meilleurs amis.

— Je vais vous indiquer le chemin, M. Biggs, dit la dame en lui montrant le chemin et en jetant à Vida un œil méprisant.

Elle suivit Leigh en haut de la colline. Il portait une valise et un attaché-case. Elle ne possédait que son sac à dos.

— Monsieur Biggs ? Tu t'es inscrit sous le nom de M. Grosmachin ? demanda-t-elle.

— C'est drôle, non ?

M. Grosmachin jouait du Bach, M. Grosmachin, organiste. Serait-ce là un jeu de mots sexuel ? Elle fut légèrement choquée qu'il les affublât ainsi de noms ridicules. Les pins dégouttaient d'eau de pluie, la mer disparaissait derrière un banc de brume, mais l'air sentait le propre. Il n'y avait personne, de l'autre côté de la cloison de bois pleine de nœuds. On leur avait donné une grande chambre, avec un lit à deux places, deux jolies chaises disposées autour d'une table, une salle de bains moderne, précédée d'une sorte de comptoir, éclairé comme une table à maquillage de théâtre, avec des guirlandes d'ampoules tout autour du miroir. Leigh sauta sur le lit.

— Hé, pas mal du tout !

Elle s'assit timidement à côté de lui, en s'appuyant contre le montant du lit. Il ouvrit son attaché-case et en tira une bouteille de xérès, un amontillado, il la déboucha, puis remplit les deux verres à dents de la salle de bain.

— A ta santé, petite fille. Mais dis donc, c'est bien moi qui ai choisi cette robe ?

— Oui. Pour mon dernier anniversaire.

— C'est ça ! Je me disais, aussi : elle est bien trop jolie pour avoir été choisie par quelqu'un d'autre. Beaucoup de classe.

Il l'enlaça maladroitement, un peu violemment, et sourit dans sa barbe.

— Maintenant, enlève cette robe, je l'ai assez vue.

Tout en faisant l'amour, elle restait prodigieusement consciente. Pour elle, cela avait une telle signification, une telle valeur ! Elle avait envie de prendre le visage de Leigh entre ses mains et de le contempler pendant des heures. Chacune des caresses qu'il promenait sur sa peau, chaque centimètre du corps de Leigh étaient évocateurs de souvenirs. L'expérience était trop forte émotionnellement pour l'émouvoir sensuellement. Lorsqu'il la prit et qu'elle sentit son poids, qu'elle retrouva la pression de son corps sur le sien, sa peau velue, les os saillants, les articulations, et que son pénis la fouailla, elle eut envie de le supplier de s'arrêter. De ralentir, de rester immobile sur elle et de la laisser savourer l'assaut d'un désir qui ne s'assouvirait pas dans l'acte sexuel. Elle sentait qu'elle était sur le point de pleurer de joie, mais elle comprit bientôt qu'elle ne jouirait pas. Elle n'avait pas fait l'amour depuis un mois et demi, elle n'avait couché avec aucun homme depuis la dernière fois où elle avait vu Leigh et tout en elle s'était resserré. Elle était incapable de s'ouvrir. Incapable de débrancher les circuits de son esprit. Elle n'éprouvait plus l'envie animale qui l'avait prise sur la route et qu'elle avait su contenir. Elle ne s'était pas encore réacclimatée à lui. Pourtant ses assauts lui faisaient plaisir, la touchaient profondément. Son plaisir était tissé d'émotions plutôt que de sensations, mais elle s'en moquait.

Cependant, au bout d'un moment, elle sentit qu'il lui en voudrait si elle ne semblait pas jouir. Ils avaient si rarement l'occasion de faire l'amour, dans une année, que tous deux ressentaient un besoin de perfection ou, du moins, de le proclamer. Elle ne voulait pas que le week-end commence mal, et elle savait qu'elle n'avait aucun moyen de lui faire comprendre qu'elle était merveilleusement heureuse de faire l'amour avec lui, même sans atteindre au paroxysme. Elle avait trop conscience de sa présence. Elle était trop émue pour se perdre dans la chair. Finalement, elle gémit plusieurs fois et le serra très fort ; puis, à sa façon de bouger en elle, elle comprit qu'il la croyait heureuse et qu'il se préparait à jouir lui aussi.

— C'était bon, chérie ? lui demanda-t-il en la regardant, appuyé sur un coude.

Ses reins étaient pâles, mais son torse et ses bras conservaient encore le bronzage de l'été. A la moitié de l'hiver, sa peau serait toute blanche avec des veines bleues fortement apparentes sur ses bras musclés.

— Merveilleux, Leigh. C'est si bon d'être avec toi.

Et cela était vrai. Elle détestait lui mentir. Mais si elle lui disait qu'elle n'avait pas eu de plaisir, il ne comprendrait pas son bonheur. Elle avait emporté un peignoir qu'elle affectionnait particulièrement : un kimono chinois qui prenait très peu de place dans son sac à dos et qui était aussi joli froissé que repassé. Elle l'enfila et lui fit face, assise en tailleur sur le lit. Il portait un peignoir de bain en velours bleu marine, tout à fait le genre de vêtement que sa mère lui offrait tous les deux ans, pour son anniversaire.

— Comment va Natalie ? demanda-t-elle.

— J'ai dîné chez eux il y a deux semaines. Figure-toi que Daniel est en train de devenir un salaud de première classe. On s'est disputés à propos des syndicats municipaux. Ensuite, il s'est bagarré avec Natalie à propos de la censure des films porno. Une soirée inoubliable. Natalie est contre la pornographie, pour l'heure. Une vraie ligue de moralité à elle toute seule.

— Ah oui ? Et que fait-elle, en ce moment ? Est-ce qu'ils s'entendent toujours aussi mal ?

— Le ménage a l'air d'aller cahin-caha, malgré tout. Oh, Peezie a commencé à faire du jogging. C'est une sacrée championne. Elle se lève tous les matins à six heures et demie pour faire quatre kilomètres. Et Sam a une petite amie portoricaine qu'ils sont bien décidés à adopter.

— Hé, pourquoi pas ? Elle est jolie ? demanda Vida.

— Elle peut plaire aux mecs qui aiment les petites filles de douze ans qui ricanent sans arrêt. Ils parlent espagnol ensemble et Daniel est vert de rage parce qu'il ne comprend pas un mot de ce qu'ils se disent. Bien entendu, il refuse de le reconnaître, lui, le grand expert cubain, après un séjour de dix jours à Cuba... Tu sais, Sam sera un linguiste distingué. Ce gosse est formidable ! Je l'ai emmené avec moi, à l'époque où j'enquêtais dans le Bronx. Et les Portoricains ont trouvé qu'il parlait l'espagnol d'une façon inouïe. Peezie, elle, est dans sa période : Heu-heu-hein-hein. Elle passe son temps à émettre des borborygmes, à jouer les machos et à rouler les mécaniques comme une gouine de dix ans. Que veux-tu ! Ne crie pas. Je t'assure que Natalie le fait pour deux.

— Et Fanon ?

— En ce moment, il veut qu'on l'appelle Frankie. Il est encore trop jeune pour qu'on puisse savoir ce qu'il donnera. Lui, c'est :

36

« J' veux ci et j' veux ça. Et je l'ai vu à la télé. » C'est le mioche geignard et gras comme une loche.

Pour Vida, Fanon était le moins existant de tous les enfants de Natalie.

Elle avait attendu à l'hôpital, pendant que Natalie accouchait de Sam, pour être bien sûre de le voir paré de ses premières couleurs contrastées de nouveau-né. Elle avait promené Peezie sur son dos dans un porte-bébé Kangourou à Central Park. Ces deux-là, elle les avait embrassés, grondés, câlinés, nourris à la cuiller. Fanon était né après son entrée dans la clandestinité. Et elle ne l'avait vu qu'une fois, alors qu'il était encore trop jeune pour comprendre que sa tante était une réfugiée politique. Seul Sam, l'aîné, parvenait à garder le contact avec Vida.

— Et maintenant, pique-niquons, annonça Leigh en sortant un pain noir, le même que celui qu'ils allaient autrefois acheter ensemble, le samedi, à la boulangerie de la 101e Rue. Il avait découpé un gros morceau triangulaire dans la grande miche ronde. Il déballa également une boîte de bon pâté français, un morceau de port-salut et un camembert.

— Ton fromage préféré, ajouta-t-il. Et fait à cœur, je crois bien.

— Un camembert ! Seigneur, quand ai-je mangé un camembert pour la dernière fois ?

— Nous boirons le Xérès demain. J'ai là un bon vin. Un amador county de 1974. Donne-moi ton verre, je vais le rincer.

Sa langue était prise de folie. Sa langue se gonflait de sensations. Elle avait l'impression d'un décalage avec Leigh : désormais, son mari et elle appartenaient à une classe sociale différente. Il s'était enrichi, au cours des dernières années. Il gagnait bien sa vie à la radio, il écrivait régulièrement des articles pour des hebdos libéraux et de gauche et, de temps en temps, il rédigeait un papier pour un canard à sensations, assorti d'une très jolie pige. Il faisait également des émissions de télévision bien payées en tant qu'expert pour tel ou tel problème social — il organisait des tables rondes, des séries d'interviews. Elle ignorait ce qu'il gagnait au juste, mais elle supposait que son traitement s'élevait à vingt mille dollars. Quant à elle, elle vivait de façon si marginale qu'elle ne devait pas même dépenser quatre mille dollars par an. Toute sa fortune se trouvait dans son sac — moins de quinze dollars. Elle avait une planque anonyme sur la côte Ouest et une autre, sur la côte Est, chez Agnès, dans le Vermont, où elle laissait ses vêtements d'hiver. Mais, en fait, elle ne possédait que ce qu'elle pouvait emmener avec elle, et cela eût rempli à grand-peine une consigne d'aéroport.

— Parle-moi de Natalie. Comment se porte-t-elle ?

— Tu n'iras pas la voir ?

Elle n'aimait pas qu'il lui pose des questions. Il devait ignorer ses

37

activités. En outre, ce n'était pas une question à laquelle elle pouvait répondre avec précision. Comment savoir si un rendez-vous clandestin était sûr ? Elle hésita suffisamment longtemps à lui répondre pour qu'il s'en aperçoive.

— Peut-être, qui sait ? dit-elle enfin.

— Vid... Vinnie, tu es folle ! Tu crois que je vais renseigner les fédéraux ? Allons, tu ne vas tout de même pas passer par New York sans aller voir ta sœur ?

— Vous ne vous entendez pas très bien, tous les deux, n'est-ce pas ?

— Au contraire, sauf quand elle a ses crises dingues de féminisme aigu. Au fond, c'est une bonne pâte. Dommage qu'elle ait épousé ce masturbé de Daniel, qui s'est enlisé dans le bourbier universitaire. Il fait son chemin dans la coédition. De son côté, Natalie s'intéresse aux femmes battues, pour le moment. Mais pour ce qui est de la cuisine, je rends hommage à ses talents de cordon-bleu. Elle nous a fait une soupe mexicaine aux fruits de mer avec une sauce au poivre et des avocats qui étaient divins ! Et pour le dessert, une mousse au caramel si légère que j'ai cru qu'elle allait s'envoler.

En pensant à Natalie, Vida eut un grand coup de cafard. Et se sentit coupable. Dire qu'elle était là, enfin, avec Leigh et que sa sœur lui manquait...

Ils pique-niquèrent sur le lit.

— Tu te souviens de nos dimanches matin ? demanda-t-elle en lui caressant la barbe. On se disputait pendant une heure pour savoir qui irait acheter le *Times* et les bonnes choses.

— Oui. Le perdant descendait et nous buvions du café au lait en mangeant des bonnes tartines de pain grillé français.

— Ensuite, on se recouchait, on décrochait le téléphone, on lisait le journal et on se pelotait, murmura Vida.

Leigh tendit le bras pour saisir la bouteille de vin et enchaîna :

— Après, on se chamaillait à propos de la critique littéraire, de celle des spectacles et on faisait l'amour. On rebranchait le téléphone et je n'avais pas plus tôt les mains libres que cet engin de malheur se remettait à sonner toutes les deux minutes pour le restant de la journée.

— Pourquoi, cela ne sonne plus, maintenant ? demanda-t-elle en déposant un baiser sur l'arête aiguë de son nez busqué.

— Si, mais j'ai un répondeur.

Il tripota les boutons de la radio de l'hôtel pour capter sa station, mais ne parvint pas à l'accrocher clairement.

— Quel sale temps. Espérons qu'il fera beau demain et que la réception sera meilleure. Et puis on pourrait profiter des derniers jours de plage.

— Tu es parti, cet été ?

— Oui, nous avons loué une maison à Setauket au mois d'août. En juillet, je couvrais le procès Cahoon pour *Sept Jours de la Semaine* à la TV et pour la station. Cahoon m'a accordé une interview exclusive. Tu l'as vue ?

Qui était ce Cahoon ? Sans doute une gloire locale.

— Non. Tu pourrais peut-être me la passer. (Le nous, c'était Susannah aussi ?) Tu as loué une grande maison, dis ?

— Non. Juste une baraque derrière une autre villa, à deux cents mètres de la mer. Papier mural et fourmis courantes à volonté, chaudes et froides.

Elle s'entendit rire et se rendit compte qu'elle était un peu ivre. Le zinfandel était bon et elle en avait bu trois verres, sans compter le Xérès. La tête lui tournait, car elle ne buvait plus et le vin lui était monté directement à la tête, avant de se couler dans tout son corps. Quels beaux cadeaux Leigh lui avait offerts : du vin, du fromage, un déjeuner chic chez Lundy et une nuit dans un beau motel propre au bord de l'océan, le vrai, l'océan Atlantique. Et puis, son corps, sa voix, sa présence, son amour. Elle se sentait aimée, dorlotée, enveloppée de tendresse. La pluie crépitait sur le toit, gazouillait dans les gouttières, mais pour une fois elle était à l'abri de la tempête, bien au chaud...

La première fois, la toute première fois qu'il l'avait emmenée dans son appartement, elle s'était attendue à trouver la bohème habituelle du célibataire. Il n'avait qu'une pièce unique, en désordre, mais il l'avait installée sur le divan et lui avait offert un apéritif, un breuvage dont elle n'avait jamais entendu parler à l'époque, mais elle gardait le souvenir d'un élixir exotique qui lui avait picoté la langue, avec un goût de fruits, de parfums, et d'herbes mystérieuses. Ensuite, il était allé préparer des fettuccini avec une salade accompagnée d'un assaisonnement de sa composition et du pain à l'ail sur lequel il avait étalé quelque chose qu'il lui avait dit être de la pâte de basilic. Elle fut terriblement impressionnée. Ses idées politiques étaient bonnes ; il était le Leigh Pfeiffer de la Mobilisation de Printemps ; il était intelligent, spirituel, courageux, et il était l'un des meneurs des manifs pour la paix. Et le premier homme qui ait jamais fait la cuisine pour elle. Il savait très, très bien vivre avec cinquante dollars par semaine.

Ce soir-là, elle n'avait pas encore décidé si elle allait lui succomber ou pas. Elle attendait qu'il la drague. Mais après le dîner, il lui avait dit : « Nous sommes trop repus pour bien faire l'amour. Allons nous promener au bord de la rivière. Il fait si bon dehors et dans un moment, nous pourrons boire un café. Après tout, la nuit est à nous. Nous avons même le matin. »

Il l'avait bel et bien manipulée. Elle appréciait l'habileté de sa tactique, même si elle entraînait un brin de résignation de sa part.

Tout de même, elle lui lança avec ironie : « A qui ne demande rien, on ne refuse rien, n'est-ce pas ? » Il lui avait souri en faisant volte-face sur le pas de la porte, doux et mince avec sa barbe de satyre pointée vers elle et ses beaux yeux clairs et brillants plongés dans les siens. « Tu refuses ? Comme tu veux, le dîner est offert par la maison », avait-il répondu.

Elle n'avait pas envie de refuser. Ni alors ni maintenant. Ils formaient toujours un couple ; ils étaient toujours mariés. Le réseau traversait une crise, son activité ralentissait, c'était une phase critique qui l'inquiétait, mais cet épisode lui donnerait peut-être le loisir de décider de vivre à nouveau à proximité de Leigh, pour pouvoir le rejoindre aisément par le train. Elle songeait déjà aux programmes d'action à proposer à la réunion annuelle du comité, plus importante cette année que par le passé, en raison de l'impression générale qu'elle avait reçue tout au long de son voyage depuis Los Angeles. C'était un fait, le réseau se relâchait dangereusement.

A Cincinnati, les gens s'étaient passionnés pour la technologie de la télévision pirate, mais à Omaha, les fugitifs se bornaient à former des groupes d'études et se perdaient en querelles intestines. Il lui avait fallu une semaine pour réconcilier les deux factions. A Denver, les membres du réseau avaient été menacés d'une épidémie de maladies vénériennes : personne ne couchait plus avec personne, et la déprime s'attrapait comme un microbe de grippe. Elle leur avait imposé une discipline paramilitaire, avec marches à pied et tir à la cible. Mais ce n'était qu'une intervention de soutien.

Peut-être pourrait-elle leur proposer une action centrée sur l'utilisation des médias pirates et inviter Leigh à y participer. Ce serait une bonne chose pour lui, sur le plan politique. De cette façon, ils travailleraient ensemble et recommenceraient à partager une vie commune. Eva aimerait ce projet. Vida essayait constamment de trouver un moyen de tirer parti de la musique d'Eva, en lui conférant une place importante dans leur petit monde. Eva avait été coupée du public pendant des années. Avec la musique d'Eva et l'expérience journalistique de Leigh, tant sur le plan radio que sur le plan presse, elle eut une vision de contrefaçons de journaux, dont la page éditoriale serait clandestinement remplacée... Ainsi allierait-elle le réseau à un nouveau projet bouillonnant de vie, qui sortirait tout le monde de l'apathie, de la dépression, et des luttes intérieures ! La joue pressée contre le bras de Leigh, les lèvres contre la chaleur de sa peau recouverte d'une fourrure qui la chatouillait délicieusement, elle restait couchée là, à projeter de grands chambardements.

3

Vida était généralement assez mal à l'aise lorsqu'elle sortait avec Leigh, car il avait l'habitude de commander et la manie de faire des histoires quand le service n'était pas à la hauteur. D'un autre côté, il pouvait se montrer charmant, ce qui était encore pire, vu qu'il devenait un véritable point de mire.

Il était en train de bavarder avec la réceptionniste, à laquelle il posait des questions sur les endroits ouverts pour le petit déjeuner.

— Si vous et votre... (la dame jeta un coup d'œil sur la main de Vida)... épouse avez envie de vous régaler, la Palourde ouvre tôt.

Comme Vida sortait à la suite de Leigh, la femme l'examina. Vida sentit son regard hostile courir le long de son dos comme un crabe. La patronne du motel la Pinède entendait diriger une affaire familiale. Pas de putains, pas de rendez-vous clandestins. Il fallait absolument que Vida pense à repêcher la vieille alliance en or qui traînait dans les profondeurs de son sac à dos. Ce n'était pas la sienne, qu'elle avait symboliquement jetée à la mer à la Battery, le jour de ses noces, en 68, mais le vieil anneau de mariage de Ruby avec Tom, le père de Vida. Avec son second mari, Ruby avait oublié de porter son alliance.

A sept heures et demie du matin, la Palourde était quasiment déserte. Un groupe de pêcheurs se réchauffait, à l'abri du vent aigre, une famille faisait halte, à l'aller ou au retour de l'église, et un couple d'amoureux se disputait silencieusement dans un box, au-dessus d'un menu tenu avec raideur, l'œil mauvais et la bouche pincée.

— La patronne du motel se figure que nous sommes secrètement montés au septième ciel dans son beau grand lit, dit Vida en jouant avec des sachets de sucre en poudre sur le dessus beige de la table en formica. Des portraits de femmes célèbres ornaient les pochettes : Clara Barton, Julia Ward Howe.

— Voyons, vais-je faire preuve d'une audace et d'une perversité totales en commandant des gaufres? Non, elles sont sûrement congelées. Des crêpes? Je suis prêt à assumer l'excès de calories si elles sont bonnes... A propos, as-tu parlé avec ton avocat, récemment? demanda Leigh.

— Non.

Vida n'avait aucune raison d'être en rapport avec les bureaux de son avocat et n'était pas encore passée à la boîte aux lettres qu'elle utilisait à New York.

— Oh... Alors on ne t'a pas informée que le divorce allait finalement être prononcé? dit Leigh en levant la main pour faire signe à la serveuse, accoudée au comptoir en grande conversation avec un jeune homme en imper.

— Vraiment? murmura Vida.

A présent, elle se rappelait qu'ils avaient vaguement parlé de l'éventualité d'un divorce en avril. Leigh avait entamé une fois ou deux les démarches légales, puis il avait tout laissé tomber.

— Tu as été étroitement surveillé, ces derniers temps? poursuivit-elle.

— Non. Je présume que le téléphone est toujours branché sur table d'écoute. Mais nous avons toujours vécu ainsi. Et, ma foi, ce n'est pas terrible. Ah, la voilà! Nous allons enfin être servis.

Ils commandèrent. La serveuse versa le café et s'éloigna. Une jeep s'arrêta devant le restaurant et un homme entra pour demander du café à emporter. Leigh reprit :

— De temps en temps, le FBI vérifie si j'habite toujours là. Ils remplissent leurs formulaires habituels. Julio me dit quand ils sont passés.

— Il est toujours là! (Julio, l'un des gardiens de leur immeuble, les avait toujours informés de la surveillance exercée sur eux.) Comment va-t-il?

— Il a des ulcères ouverts. Pauvre vieux, il doit prendre des médicaments qui le rendent malade, sinon, il risque la mort. De temps en temps, les flics s'agitent. Je ne peux pas en conclure qu'ils m'ont oublié. En mai dernier, à l'époque où je faisais une enquête sur les dockers, ils m'ont filé pendant plusieurs semaines. Je croyais que c'était les Rouges ou le FBI. Je t'en fous, c'était la Mafia! J'avoue que j'étais flatté.

— Sois très prudent, dorénavant. Avec l'arrestation de Kevin, ça peut chauffer. J'imagine que le fait de me désavouer légalement serait peut-être utile, mais le FBI continuera sûrement à te surveiller, dès lors qu'ils décideront d'avoir vraiment ma peau.

Il la fusilla du regard. La serveuse apporta les crêpes de Leigh et les œufs, l'obligeant à se taire un instant. Puis il reprit d'une voix basse et rauque :

— Ils me surveilleraient même si tu n'avais rien fait de plus excitant que de tricoter des moufles, *Vinnie.* Je suis un des journalistes de gauche les plus importants. Le FBI me surveille parce que je suis *moi.*

Oh, mon Dieu, qu'ai-je fait pour le mettre en colère ?

— Bien sûr, chéri. Tout le monde sait que tu diffuses l'information sur les ondes. Mais il arrive que je te crée des problèmes au moment où tu t'y attends le moins. Comment se fait-il que tu aies brusquement décidé de continuer les...

— Les quoi ? demanda-t-il avec entêtement lorsqu'elle laissa retomber la phrase. L'enquête sur les dockers ?

— La procédure légale de divorce.

— Ah, bébé. Nous en avons si souvent parlé ! Tu sais bien que je ne peux pas expliquer à Susannah pourquoi je suis encore marié avec toi ! Ecoute, il faut mettre de l'ordre dans tout ça. Je veux pouvoir lui parler de toi.

— Non, dit-elle sans élever la voix, en s'asseyant bien droite et en mangeant ses œufs avec méthode.

— Elle ne sait même pas ce que je fous ce week-end ! gémit Leigh. Elle me croit à Chicago et elle doit se demander pourquoi je ne l'ai pas encore appelée. Je lui ai menti toute la semaine, et je vais encore être obligé de recommencer en rentrant.

— Le mensonge occasionnel est une nécessité à laquelle nous devons tous nous habituer, dit Vida en coupant ses œufs en petits morceaux.

— Pourquoi lui mentir à *elle* ? Elle comprendrait sûrement.

— Je ne connais pas cette dame. Pourquoi prendre des risques ? Vida rompit un bout de muffin et le trempa dans le jaune d'œuf. Le petit pain avait un goût de kapok, dans sa bouche.

— Bon Dieu, Vida, tu veux la connaître ?

— Appelle-moi « Vinnie », s'il te plaît.

Elle sirota son café et replaça soigneusement la tasse sur le formica. Le liquide tièdasse prenait un goût acide dans sa gorge.

— Je n'ai aucune envie de la rencontrer. Le fait qu'elle sache que tu me vois ne m'aiderait en rien à survivre ni à accomplir le moindre objectif politique. Ou bien penses-tu que je me prive d'une grande joie, en ne la voyant pas ?

— Tu es jalouse ! dit-il en souriant et en s'appuyant contre le dossier de sa chaise.

— C'est vrai. Mais jalouse ou pas, je dois continuer à agir avec logique, sinon je ne survivrai pas. Et ma jalousie m'obligerait à exiger que tu lui dises que je suis toujours ta... maîtresse. Que nous continuons à nous voir. Et que je fais partie de ta vie. Que j'ai envie d'être avec toi, et que le FBI m'en empêche. Mais la prudence, le désir de survivre et le règlement politique du réseau m'obligent à te dire que Susannah ne doit rien savoir.

— Elle n'est pas du genre à en parler à qui que ce soit. Exciter sa suspicion à mon égard me paraît beaucoup plus dangereux.

— Je ne l'excite en aucune façon. Tu es très capable d'arranger cela. Tu as toujours très bien su ménager tes libertés... T'ai-je jamais demandé de me rendre compte de tes actes ? Je suis persuadée qu'elle a confiance en toi...

— Bien sûr, elle croit en moi. Et c'est là que j'agis comme un salaud.

— Leigh, en ce moment, tu as l'impression que tu dois dire la vérité à Susannah mais tu as eu des quantités de femmes dans ta vie, à travers les années. Imagine que tu leur aies à toutes parlé de moi ? Imagine même que tu ne l'aies dit qu'à la moitié d'entre elles ?

— Je n'en ai jamais eu envie. Je ne vivais pas avec elles.

— Mais tu as plus ou moins vécu avec certaines. Souviens-toi de Fran. Tu as déjà eu envie de parler, Leigh. Tu voulais tout dire à Lohania.

— C'était différent.

— D'accord, Lohania était beaucoup plus intéressante. Mais pas suffisamment pour que je t'autorise à lui dire la vérité ! Leigh, quand une relation est agréable, nous l'imaginons éternelle. Mais en général, toutes ces liaisons ont une fin. Nous avons été très proches pendant treize ans, et cela compte beaucoup dans la confiance que j'ai en toi.

Elle savait que sous prétexte de confiance réciproque, elle lui parlait en réalité de l'importance subite de Susannah, de l'importance d'une liaison qui avait été l'une des trois diversions de Leigh au mois de mars et qui à présent, représentait à ses yeux la femme, la déesse du Foyer.

— Tu ignores combien de temps durera ta liaison avec Susannah, insista-t-elle.

— C'est sérieux, dit-il d'une voix basse et grave.(Il écrasa le restant de sa crêpe dans son assiette.) Nous sommes ensemble depuis déjà un an. Je sais ce que je veux, Vinnie. Je n'ai jamais éprouvé la moindre difficulté à m'exprimer.

— Et la folle maîtresse dont tu ne peux pas te passer en octobre devient l'enquiquineuse qui t'épuise en janvier. Elle eut conscience de l'aigreur dans sa voix et prit une profonde inspiration en se disant : Calme-toi, Leigh n'est pas un ennemi...

— Je ne veux pas que tu te sentes solitaire, reprit-elle. Dieu sait combien de temps nous resterons séparés. Mais tu ne peux pas prendre de risque politique et parier que ta nouvelle liaison existera encore dans deux ans. Tu n'as pas le droit de miser sur la liberté des autres et sur leur vie. Comment peux-tu être certain de ne pas faire quelque bêtise qui la mettra hors d'elle ou de ne pas partir un beau jour en claquant la porte... Et si l'un de vous deux tombait follement amoureux de quelqu'un d'autre... Tu es un type merveilleux, Leigh. Une femme est capable de faire n'importe quoi pour te plaire. Mais les petites incompatibilités prennent des proportions énormes, avec le temps...

— Il arrive aussi que les gens se rapprochent. Elle n'essaye pas de me plaire, Vida. C'est une forte femme, elle aussi, à sa façon.

— Quel âge a-t-elle ?

— Vingt-six ans. Mais c'est une femme mûre, pas une gosse, si c'est ce que tu cherches à savoir.

Il était furieux. Vida était heureuse que Natalie ne puisse pas entendre leur conversation, parce qu'elle se sentait suffisamment coupable de se surprendre à tenter de saper Susannah. Mais Susannah était jeune et libre. Que pouvait représenter Leigh pour elle ?

— Leigh, je ne peux pas te laisser lui parler. Un point, c'est tout. L'année prochaine, nous pourrons réexaminer la situation. Enfin, je ne connais même pas ses opinions politiques ! Est-ce que tu l'as sondée, au moins ?

— V... Vinnie ! Je vis avec cette femme !

— Souviens-toi de Randy. Nous nous sentions tous si proches, si solidaires de lui, et pourtant, il était pis qu'un mouchard : c'était un agent de renseignements du FBI ! Leigh, je ne veux pas te mettre dans tous tes états, mais un contrôle de sécurité est une affaire désagréable. A mon avis, tu ne peux pas te faire une opinion politique en te fondant uniquement sur une relation sexuelle.

— Ce n'est pas simplement une relation sexuelle ! s'écria-t-il.

Mais il avait l'air un peu ébranlé. Il penserait peut-être pendant quelque temps que c'était justement cela. Une histoire de sexe.

— Allons, je vois que tu l'aimes. Et je suis certaine qu'elle est folle de toi. (Elle se força à sourire.) Combien de femmes ont-elles voulu t'épouser et marcher sur mon cadavre pendant ces treize ans ? Ce n'est pas une raison pour introduire Susannah dans le réseau.

Lorsqu'ils sortirent du restaurant, le ciel était d'un bleu brouillé et mouillé. On entendait la longue plainte des cornes de brume. Un mur de coton s'élevait sur la mer, mais le soleil brûlait les nuages. On avait l'impression que le temps avait été lessivé et mis à sécher. Leigh lui prit la main pour l'aider à descendre sur la plage. A présent, elle comprenait ce qui s'était passé entre eux, au restaurant. Il s'était senti coupable. Il avait vécu maritalement avec Susannah. A l'époque où Vida et Leigh vivaient ensemble, il avait toujours éprouvé le besoin de lui parler de ses expériences sexuelles, des observations, des difficultés qu'il avait rencontrées. Ainsi, les amis, les amants qu'ils avaient connus chacun de leur côté faisaient partie d'une expérience commune.

Elle l'empêcherait de parler d'elle avec Susannah. D'abord parce que c'était prendre un risque inutile, ensuite, parce qu'elle ne voulait pas qu'ils puissent atteindre à une intimité supplémentaire en parlant d'elle. A présent, elle respirait plus librement. On aurait dit que l'ennemi était enfin sorti de l'ombre et qu'elle pouvait lutter librement contre lui. Leigh aussi était d'humeur plus tendre. Le fait d'avoir parlé honnêtement de Susannah l'avait délivré. Je survivrai à Susannah, se dit-elle. Je le veux. Elle peut toujours le réchauffer, le nourrir, et jouir de lui, mais elle ne pourra pas me l'enlever. Non, je ne laisserai pas cette femme me le prendre.

Elle se pénétra de l'odeur vivifiante du bord de mer, des algues humides balayées par le vent, des carapaces écrasées des petits crabes saumon, du sel marin, jusqu'à ce que son corps déborde d'énergie. Des serpents d'écume s'enroulaient et se glissaient, tout blancs, à ses pieds. Thalassa, Thalassa, chantaient les brisants de leur voix de temps calme. Le bras osseux et pointu de Leigh contre son flanc était aussi dur qu'un parapluie.

Au bord de l'eau, des oiseaux màrron et jaune trottinaient en poursuivant le reflux dentelé des vagues, puis, vite ils se sauvaient en exécutant un pas de danse, quand elles revenaient à l'assaut. Eva aurait su leurs noms. Très fréquemment elle lui montrait un oiseau perché sur un fil électrique en le lui présentant par son nom, si bien que Vida avait toujours l'impression de devoir s'incliner courtoisement devant l'oiseau. Et aussitôt qu'Eva lui avait appris le nom d'un oiseau, Vida le voyait partout, comme si le simple fait de connaître son nom eût suffi à le faire apparaître. Soudain, le phoebe de Say ou le roitelet de la maison se mettaient à chasser les insectes autour d'elle. Elle ouvrit la bouche pour le raconter à Leigh, mais elle n'en fit rien. Il n'y avait que trop de noms entre eux, qui les encerclaient comme des lamentations de mouettes. Elle se rendit compte tout à coup qu'il ne connaissait pas Eva, puisqu'elle ne faisait pas partie de leur groupe de New York avant de rentrer dans la clandestinité. Elle se souvint du jour où Eva lui avait montré l'oiseau coureur ; elle n'en avait pas cru ses yeux, persuadée que ce coucou-là, ainsi surnommé parce qu'il ne volait jamais, mais qu'il courait, n'était qu'un personnage de dessin animé. Là-bas, dans le désert, les fugitifs s'entraînaient à l'action. Elle se sentit mauvaise conscience d'être là, avec Leigh, en se rappelant comment Eva et elle s'étaient préparées à aller placer la bombe qui avait fait sauter les bureaux d'un propriétaire d'immeubles connu pour sa malhonnêteté vis-à-vis de ses locataires. Il mettait lui-même le feu à ses appartements et ce crime lui profitait. A la suite de la mort accidentelle de trois enfants mexicains, le groupe avait décidé de prendre des mesures de représailles.

Ils firent un ou deux kilomètres, ramassant des coquillages pour les admirer puis les rejetant sur le sable.

— Tu te souviens de la maison que nous avions louée à Montauk ?

— Oui. Quel été merveilleux, dit-il. Tu avais fait une daurade entière au four avec une farce aux câpres. Et pendant que l'équipage du *Cafard* partait à la pêche, toi tu avais préparé une bouillabaisse... Allez, viens, rentrons.

Leigh parla de déjeuner avant même d'avoir regagné l'hôtel. Il ouvrit sa mallette et envoya Vida chercher de la glace au distributeur automatique, pour rafraîchir une bouteille de champagne Hanns Kornell.

— Tiens, tu t'es mis aux vins de Californie ? dit Vida.

— Peut-être arrive-t-on à trouver des vins français à des prix abordables, mais il faut vraiment chercher. Et puis, c'est très amusant d'explorer. Les petits récoltants font de très bons vins en Californie, de nos jours. Il tapota la bouteille qui refroidissait dans le seau à glace. J'ai visité les caves de ce producteur...

Avec Susannah ? et quand ? Et pourquoi est-il allé en Californie sans venir me voir ?... Leigh ajouta aussitôt, devinant ses pensées :

— J'étais invité à une conférence sur le journalisme de radio à l'université de Stanford. J'ai loué une voiture et j'ai fait quelques excursions.

— Est-ce que Susannah conduit ?

— Bien sûr. Elle est comme toi. Elle me considère comme un danger public au volant.

Leigh adorait la nouveauté. Susannah l'avait certainement accompagné dans ses randonnées. Vida était bien décidée à ne plus céder à la jalousie. Leigh était à ses côtés et elle était déterminée à recréer leur intimité. Pendant que le champagne refroidissait, ils prirent une douche ensemble. Après quoi, elle enfila son kimono et s'agenouilla sur le lit en lui souriant. Il glissa une main sous le tissu et lui caressa les seins. Comme son corps d'homme lui paraissait encore étrange, avec cette fourrure bouclée ! Elle avait l'impression d'être couchée avec un fauve mince et musclé.

— Tu es si svelte, lui dit-il en posant sur elle un regard qui l'intimida. Tu es splendide. Pas un gramme de graisse et, pourtant, il y a tout ce qu'il faut là où il faut...

Non, il n'était pas en train de la comparer à une autre ; il appréciait, simplement. Elle enleva son kimono en se tortillant et l'attira contre elle, en se rappelant où et comment il aimait être caressé. Comme son corps lui semblait étrange et en même temps familier : Leigh, son poids, ses os, sa toison bouclée, le tressautement de ses fesses semblables à de longues lunes pâles, la jungle de ses cuisses, la savane de son dos, sa barbe qui lui chatouillait les oreilles. Elle bougea, épousa son rythme et se mit à flotter, à aborder lentement ce rivage où les mots s'estompent, où l'esprit se fond avec la chair et s'y noie voluptueusement. Elle se contractait et l'attirait

47

contre elle et se pressait de nouveau contre lui. Elle enfla comme les voiles d'un navire et sentit qu'elle allait, qu'il fallait qu'elle, et, enfin, le plaisir s'accéléra, la taquina, l'inonda et s'étala, envahissant ses bras et ses seins d'une douce chaleur. Quand il jouit en elle, elle essaya de le retenir encore. Mais il se retira tout doucement et s'allongea sur le dos avec un profond soupir. Elle se coula sur le côté pour le regarder et se lova au creux de son bras. L'odeur de sueur l'enivrait comme un parfum érotique. Les parfums de l'amour, marécage saumâtre, sueur salée, étaient forts et apaisants. Incapable de rester immobile, elle rampa sur lui, baisant doucement ses joues plates, ses paupières orientales, sa barbe pointue, le bout de ses seins, son pénis mouillé et ratatiné, ses genoux osseux et carrés. Elle l'adorait.

— Leigh, Leigh! Tu m'as tellement manqué. J'ai tant besoin de toi. Je t'aime!

Les paupières de Leigh battirent.

— Moi aussi je t'aime, chérie. C'est bon avec toi.

Après l'amour, ils fumaient toujours une cigarette ensemble, en se la passant mutuellement. En 67, Leigh avait renoncé à fumer parce qu'il s'était aperçu que le tabac lui abîmait la voix. Un matin, tout en toussant et en crachant, il avait annoncé qu'il ne toucherait plus au tabac. Et il avait tenu bon. Elle l'admira tout en se blottissant contre lui. Il était plein d'indulgence envers lui-même, mais il avait beaucoup de volonté. D'une certaine façon, il était l'essence de ce qu'elle aimait le plus à New York.

Dans l'après-midi, Leigh ouvrit sa valise et sortit le pain noir, les huîtres fumées et encore un bon pâté.

— Allons prendre un bain de soleil, déclara-t-il.

— Tu ne me fais pas écouter tes émissions?

Elle avait envie de savoir où il en était, politiquement. Il prit la bouteille de champagne.

— J'emmène les cassettes. Et si nous allions pique-niquer au phare?

— Non. Les pêcheurs doivent y être agglutinés pour regarder les gens se déshabiller. Comment s'appelle cet autre endroit où nous allions nager?

C'était Hither Hills. Leigh lui expliqua que cela se trouvait à côté de Thither Holes, là où les autochtones poussaient les touristes dans les sables mouvants pour s'en débarrasser quand ils devenaient encombrants. Les terrains de camping avaient l'air surpeuplés, et ils évitèrent cette partie-là de la plage pour suivre un chemin dans les dunes et les bois de pins. Le soleil était fort et la plage était envahie par les couples et les familles.

Assise sur la couverture chipée au motel, Vida mangeait lentement, en essayant d'emmagasiner tout le bonheur de cette journée.

Elle était follement heureuse. Leigh retira sa chemise et s'allongea, appuyé sur un coude, savourant le champagne dans un gobelet en papier. C'était Leigh tout craché : le gastronome exigeait ce qu'il y avait de plus savoureux au palais, et il l'aurait volontiers mangé dans une vieille godasse. Pique-nique au champagne, sur couverture rugueuse. Tout cela lui rappelait tellement les bons moments d'autrefois qu'elle dut se retenir pour ne pas lui sauter au cou et l'étouffer de baisers, car il ne supportait pas les effusions. Elle réussit tout de même à ce qu'il accepte de lui faire entendre deux de ses émissions spéciales : la première sur les dockers et l'autre sur une communauté de vieillards. Il lui donna deux ou trois autres cassettes, afin qu'elle puisse les emporter et les écouter quand elle en aurait le temps. Puis elle les brûlerait. Par moments, sa vie puait la bande calcinée. Toutes les bandes que le réseau utilisait quelquefois pour les communications internes ou avec le monde extérieur. Elle regretta de ne pas avoir écouté les enregistrements dans la chambre. Elle avait du mal à se concentrer sous le ciel bleu et le soleil chaud et soporifique.

Un couple courait sur la dune. Elle arrêta immédiatement le lecteur de cassettes. L'homme et la femme se photographiaient mutuellement, en train de se bagarrer, de poser, de bondir ou bien de s'allonger langoureusement. Elle aurait aimé avoir une photo de Leigh pour l'emporter partout avec elle. Elle aurait voulu lui donner une photo d'elle pour qu'il ne l'oublie pas, qu'il la porte toujours sur lui, mais cette joie-là lui était interdite. Comme de se promener dans son immeuble, de dire bonjour à Julio et de bavarder un instant avec lui en prenant son courrier, de monter dans l'ascenseur et d'entrer dans son propre appartement. Elle s'assiérait avec un livre, au milieu des meubles qu'ils avaient achetés ensemble, autrefois. Elle ferait couler de l'eau bien chaude dans la bonne vieille baignoire où l'on pouvait s'allonger et y verserait son huile de bain. Ensuite, elle se sécherait et elle entrerait dans sa chambre aux rideaux en velours rouge ou dans celle de Leigh avec ses stores vénitiens et ses rideaux en toile de jute bleue.

Ils avaient toujours eu des chambres séparées. Celle de Leigh regorgeait de coupures de presse et de bandes magnétiques, de matériel de montage, de flocons de papier épars qu'elle ne pouvait pas supporter. Leigh était quelquefois sujet à de terribles crises d'insomnie qui l'empêchaient de dormir des nuits entières. A ces moments-là, il ne souffrait personne dans son lit. Il se levait et lisait à trois heures du matin ; il travaillait à un article, dictait ses idées, ses projets à son magnéto. Elle avait tenu à ce que sa chambre fût sensuelle. C'était un havre pour faire l'amour, dormir. On y parlait des heures entières, pelotonnés dans les coussins empilés sur le grand lit, sous la tapisserie crétoise ; une chambre avec deux miroirs et un lustre avec un abat-jour en vitrail, une imitation moderne de chez Tiffanny, mais jolie, lavande, marron, cobalt...

— Susannah et toi, vous avez chacun votre chambre ? demanda-t-elle.

— Quoi ? (Il s'était mis en maillot de bain et protégeait ses yeux de la lumière du soleil.) J'ai dû ôter le lit de mon bureau, dit-il. Il y a tellement de dossiers. J'ai mis un divan à la place. Assez large pour faire l'amour. (Petit sourire de côté.) En skaï noir... ça ressemble à un cabinet de médecin. Et je l'ai fait insonoriser. Bien sûr, cela n'a pas la qualité d'un studio d'enregistrement, mais c'est correct.

L'heure tournait de plus en plus vite. Lorsque le couple partit, elle brancha de nouveau le magnéto et écouta pendant que Leigh s'offrait une petite sieste. Elle se pencha sur lui. Il avait légèrement grossi. On voyait que son estomac était mou. Mais il était dans une forme remarquable, compte tenu qu'il ne prenait aucun exercice, excepté faire l'amour et monter les escaliers du métro. Il marchait énormément, malgré tout. Il faisait des kilomètres dans New York, préférant souvent aller à pied de la 69ᵉ à la 42ᵉ Rue, ou de leur appartement jusqu'à Columbia plutôt que de prendre le métro ou un taxi. D'une façon ou d'une autre, il brûlait les calories de tous ses gueuletons.

Pendant qu'il sommeillait, bougeant dans son sommeil et grimaçant légèrement, elle s'assit à sa gauche et écouta sa belle voix profonde en train d'interviewer une multitude d'autres voix new-yorkaises, et qui sortait, minuscule, du magnéto. Il vieillissait d'une façon séduisante. Des poils blancs parsemaient sa barbe, scintillaient dans ses sourcils. Des rides se dessinaient sous ses yeux, séparés par un sillon profond. Comme il serait doux d'atteindre la quarantaine avec lui. De parler tout le temps, de remâcher leur vie commune, de goûter les choses, de les savourer et d'essayer d'apprendre, d'essayer sans cesse, de rentrer à la maison et de tout remettre en question. Elle l'aimait. Il faisait partie d'elle. Ils s'étaient aidés à se modeler l'un l'autre. Il possédait la clé de son corps. Ils avaient beaucoup de choses en commun et pourraient en avoir davantage, si on le leur permettait. Pourtant, au petit matin, ils se sépareraient, et leurs retrouvailles dépendraient de l'inefficacité des services de renseignements, du hasard.

La cassette était finie. Elle aimait beaucoup ses émissions, mais elle avait l'impression qu'il était moins concerné politiquement. Les exigences de l'époque étaient éloignées des réalités sociales. Quelques années auparavant, il aurait insisté sur les difficultés économiques des vieillards, en expliquant pourquoi ils n'arrivaient pas à joindre les deux bouts, et il en aurait tiré des conclusions intéressantes. A présent, il mettait l'accent sur le facteur humain. Elle ne pensait pas qu'il ait eu conscience de cette dérivation. Lui aussi, il avait besoin d'elle pour rester intègre.

4

Le lundi matin, après le petit déjeuner à 5 heures du matin pris sur l'autoroute, Vida fut obligée de taper Leigh. Elle n'avait pas réussi à emprunter de l'argent à Hank et il ne lui restait plus que treize dollars et trente-huit cents. Elle aurait préféré que Leigh lui parlât d'argent le premier, mais comme il n'en faisait rien, elle allait devoir passer à l'attaque. Pendant le petit déjeuner, il avait pris l'air absent ; sans doute était-il déjà absorbé par le travail de la journée, de la semaine. La route sombre derrière la vitre sans tain lui donnait l'impression d'avoir été arrachée au sommeil et précipitée dans le flot glacial et inhumain de la circulation.

— Il va falloir que je gare cette foutue bagnole dans un coin, et que je la rende à l'heure du déjeuner ; sinon, je n'arriverai jamais à l'heure au studio, marmonna-t-il.

— Leigh... je suis raide comme un passe-lacet. Pourrais-tu me donner un peu d'argent ?

Dieu qu'elle se sentait gauche et timide. Les premiers temps, tout était simple, elle lui demandait ce dont elle avait besoin. Après tout, il avait gardé leurs deux comptes en banque, les meubles, les bouquins, la stéréo, le matériel audio-visuel, tous leurs biens. Mais plus les mois passaient, plus elle éprouvait la sensation désagréable d'être une parente pauvre qui demande la charité.

— Comment peux-tu te balader sans argent ? C'est dangereux. Imagine qu'il t'arrive un pépin ? gronda-t-il.

— Je suis obligée de veiller à ce qu'il ne m'arrive rien que je n'aie prévu.

Elle attendit. Pour finir, il bâilla, chercha son portefeuille.

— Heureusement que j'ai pensé à prendre de l'argent à la banque. A vrai dire, c'est Susannah qui me l'a rappelé, parce que je lui avais raconté que je partais en reportage à Chicago...

Il compta cent dollars en billets de vingt, s'arrêta, croisa le regard de Vida et en compta encore cent. Elle était déçue Généralement, lorsqu'elle le voyait, il lui donnait toujours quatre-vingts ou cent dollars par mois. Vu qu'ils étaient restés si longtemps sans se voir, elle s'était attendue à ce qu'il se montre un peu plus généreux. Mais elle ne voulait pas se disputer avec lui pour des questions de fric pendant les quelques heures qui leur restaient. La prochaine fois, elle aborderait la question sérieusement.

— Je te téléphonerai d'une cabine mercredi prochain à 10 heures. Puis nous en reviendrons aux rendez-vous du premier mardi de chaque mois, à 10 heures. Si le premier appel ne donne rien, je te retéléphonerai le mercredi. Même heure. Même numéro. D'accord ?

— Bien sûr, soupira-t-il ; puis il se secoua pour lui tapoter la main : J'ai été très heureux de te voir. Tu es superbe, petite fille. J'espère que tout ira bien pour toi.

Elle se rendit soudain compte qu'il ne lui avait pratiquement posé aucune question sur sa vie. C'était peut-être une preuve de tact, comme ce pouvait être une preuve d'indifférence. Elle décida de commettre une légère infraction au règlement de sécurité du réseau. Chacun usait d'une certaine latitude pour discuter des actions, et les membres du comité directeur jouissaient d'une liberté considérable dont ils usaient essentiellement pour collecter des fonds.

— As-tu entendu parler d'une émission de télévision pirate qui a eu lieu à Los Angeles, un lundi soir, sur l'une des chaînes vacantes ?

— Ouais. (Il sortit de sa torpeur.) Je crois que je suis au courant. Pas mal fait : des types masqués qui annonçaient toutes sortes de nouvelles complètement dingues. Et puis des interviews-gags en alternance avec des extraits *du Sel de la terre*. Ensuite, il y avait un film sur les grèves chez les Mexicains et sur le rôle de la femme. C'est bien ça ?

— Oui. Eh bien, c'était notre émission pirate.

— Sans blague ! J'avoue que je ne vous soupçonnais pas ce talent. J'ai trouvé ça drôle et intelligent.

— Tu sais, ça n'était pas très difficile, dit-elle.

— Vous allez en faire d'autres ?

— Oui. Mais pas à Los Angeles. Ils nous attendent au tournant...

— Dommage. (Il gloussa.) Vous pourriez faire des choses passionnantes, dans le même style.

— Mais nous l'avons fait. Nous avons même écrit des sketches sur les politiciens de la ville.

Il la déposa dans South Street, à Oyster Bay. Depuis des années, elle errait dans toutes les villes situées dans un rayon de vingt kilomètres de East Norwich, où vivait Natalie, naturellement sans jamais entrer dans East Norwich. C'est ainsi qu'à 7 h 30 du matin, il lui faudrait traîner dans la ville pour tuer le temps jusqu'à 10 heures du matin, heure à laquelle elle avait rendez-vous par téléphone avec Natalie. Le petit matin était un moment impratique. Elle marcha le long des rues avec leurs vieilles maisons en planches derrière des clôtures envahies par les dernières roses de l'automne. De grands arbres graves aux feuilles zébrées de jaune et de rouge se balançaient au-dessus de sa tête. Voilà comment devait être un paysage, nu en hiver et débordant de sève en été, pas comme le désert de Los Angeles, avec ses rivières asséchées. Pour finir, elle se dirigea vers le centre et s'installa dans une laverie automatique. Elle pourrait laver les vêtements qui se trouvaient dans son sac à dos, et lire le journal en cherchant les dernières informations sur Kevin.

Elle tomba sur le compte rendu de son arrestation, assorti d'un grand article sur leur groupe, et d'une vieille photo d'elle, prise en 1970, sur laquelle elle arborait un sourire affecté, les yeux braqués sur l'appareil qui l'intimidait, comme si elle avait eu pour mission de refaire le monde. Quelle horreur! Il y avait des photos de Kevin, de Jimmy et d'elle. Pas de photo de Lohania. Pas de photo de Randy non plus, dont le nom n'était même pas cité. Pardon! Randy était bien là! Non pas en tant que membre du Petit Wagon Rouge, ni en tant que l'agent de renseignement qui les avait piégés, mais comme spécialiste des fugitifs : Randolph Gibley, dans le bureau du commissaire de police de Kings County. Elle avait entendu dire qu'il avait terminé ses études de droit. Menait-on la vie dure à Lohania lorsque le compte rendu de leurs agissements éclatait dans les médias? Lohania Fernández Y Isnaga, que le journal appelait simplement Lohania Fernández, avait peut-être changé de nom. Peut-être même s'était-elle mariée. Vida avait oublié de demander de ses nouvelles à Leigh, si toutefois il en avait. Lohania avait été la seule des cinq membres du Petit Wagon Rouge à purger une peine de prison. Jusqu'ici. Elle lut le paragraphe habituel sur la mort de Jimmy. La fusillade. L'explosion. Pas un mot sur Kevin. Ce silence lui fit peur. Il risque de prendre trente ans de cabane, se dit-elle en joignant les mains entre les genoux et en luttant contre la morsure d'une nausée. Chaque fois qu'elle était obligée de penser à la prison, elle songeait que si jamais elle était forcée d'y aller, elle tiendrait le coup. D'autres y réussissaient bien. Ses camarades, par exemple. Mais dès qu'elle y pensait, elle avait l'impression d'étouffer et elle suffoquait.

Oh, elle connaissait très bien Kevin. Comme on connaît un homme dont on a été la maîtresse pendant des années. Même après qu'ils eurent tous les deux cessé de s'aimer — si on pouvait appeler ça de l'amour — dès le début de leurs incessantes querelles, ils avaient été obligés de continuer à demeurer intimes. Elle ne se souvenait même pas du jour où ils avaient cessé de coucher ensemble; comme d'ôter une capsule épineuse de la fourrure d'un chien; oui c'était cela, comme la fois où il avait fallu couper une teigne prise dans la soie des poils de Mopsy, alors que Vida et Leigh l'avaient emmenée à la campagne passer la journée. A cela près qu'elle avait eu beaucoup de mal à se dégager de Kevin, parce que l'intrication était plus profonde, plus douloureuse ; un peu comme d'extraire une flèche empoisonnée des muscles de sa propre cuisse. Ou quelque chose qui a pénétré profondément votre chair et qu'on ne peut arracher sans provoquer une déchirure profonde et sanglante.

Ils avaient certainement été proches. Au plus fort de leur union politique, ils n'avaient formé qu'un seul être. Ils avaient parlé le même langage, hurlé les mêmes slogans ; en écoutant les bandes magnétiques, elle avait remarqué que leurs voix se ressemblaient étrangement lorsqu'ils s'exprimaient avec l'emphase de cette époque, la même passion triomphante, la même colère désespérée. Pourtant, elle ne le connaissait pas aussi intimement que Leigh. Ils n'avaient jamais vécu une vie de couple. Ils avaient bravé la mort ensemble, mais ils étaient incapables de vivre côte à côte : ils n'étaient pas faits l'un pour l'autre.

Je sais de quoi Leigh est capable, se dit-elle en posant le journal pour jeter un œil sur la laverie, de quelle générosité, de quel égoïsme. Avec lui, elle pouvait avoir de petites surprises, mais pas de grandes. Quant à Kevin, elle n'était même pas certaine de l'avoir compris. Sa colère sans limite le rendait insondable. On ne peut pas nouer d'intimité avec un volcan, on ne pouvait pas comprendre Kevin. Kevin lui-même ne savait pas toujours ce que Kevin allait faire. Mais après avoir agi de telle ou telle façon, il vous ficelait vivement un paquet d'explications. A cause de ses contradictions, de sa violence, de sa force brutale, les gens n'osaient pas questionner son comportement ; elle avait été une des rares à le faire, en s'arrachant lentement à lui, comme un frère siamois qui scie lentement le pont osseux qui le relie à l'autre, nuit après nuit. Laisse-moi vivre ma vie, Kevin, se dit-elle. Que je ne te revoie jamais. Que je ne te retrouve pas sur mon chemin, dans un tribunal, dans un champ, dans un fossé. Nous nous tuerions l'un l'autre.

Pourtant, elle frissonnait encore en pensant à lui après toutes ces années et la boue de la honte envahissait sa gorge. Tout cela était mauvais. Une passion qui s'était pourrie.

Elle réussit à faire durer la lessive jusqu'à 9 heures et demie, moment où la laverie commença à se remplir. Alors, elle fourra ses affaires dans son sac, abandonna le journal après avoir déchiré la page qui les concernait et partit d'un bon pas. Elle voulait trouver un bon téléphone, dans une vraie cabine téléphonique qui ne risquerait pas d'être branchée sur table d'écoute. Le tout pas trop voyant et en bon état de marche. Elle appela le service des renseignements pour vérifier que l'appareil fonctionnait. A 10 heures moins cinq, elle s'installa dans le cubicule pour être certaine d'être à l'heure. Tout en faisant semblant de parler à quelqu'un, elle vérifia les chiffres du numéro de Natalie, traduisant de tête son code en lettres. Elle ne prenait jamais le risque de porter un carnet d'adresses sur elle, mais elle utilisait des petits bouts de papier portant des prétendus pense-bêtes. Lorsque sa montre marqua 10 heures, elle composa le premier numéro de téléphone. Cela sonna, six, sept fois... Elle dut raccrocher. Il était dangereux de laisser le téléphone d'une cabine sonner trop longtemps. Quelqu'un pouvait décrocher, par curiosité ou par irritation. Il ne fallait surtout pas que l'on s'aperçoive qu'un téléphone à jetons particulier sonnait à intervalles réguliers. Elle composa le deuxième numéro. Pourvu que Natalie y soit! Le téléphone sonna encore et encore. A la sixième sonnerie, elle raccrocha.

Elle vérifia l'heure au cadran de sa montre. Elle avançait peut-être? Elle pouvait attendre encore cinq minutes et essayer de nouveau. Ou bien Natalie était en retard; avec les gosses, tout pouvait arriver. Ou bien sa voiture ne démarrait pas. Ou alors, elle avait attrapé tous les feux rouges. Vida fit encore semblant d'être en communication jusqu'à ce que les cinq minutes se soient écoulées. Cette fois, histoire de tenter la chance autrement, elle composa les chiffres en ordre inverse. D'abord le second numéro, qui sonna dans le vide. Puis le premier. Cette fois, elle le laissa sonner longtemps. Ah, une réponse!

— Hé, qui demandez-vous? dit une voix d'homme.

— Allô, Jimmy? Jimmy, c'est toi? Maman est là? demanda aussitôt Vida.

— Vous avez fait un faux numéro. Ici c'est un drugstore, madame, dit le type avant de raccrocher.

Autant pour aujourd'hui. La barbe! Elle avait envie d'appeler l'appartement de Natalie. Où était-elle? Un malheur était-il arrivé? Ou bien avait-elle oublié? Non, impossible. A présent, il fallait que Vida tue le temps jusqu'à demain. Elle pensa prendre le train de Long Island pour rentrer en ville et aller chez Hank, mais elle se méfiait de lui. Un drôle de signal d'alarme se déclenchait en elle; cette vidéo dans le drugstore, à côté de chez lui; Kevin piqué par les flics... Pas question d'aller en ville pour attendre. Pourtant, il fallait qu'elle voie Natalie. Elle lui manquait si affreusement. Elle ne devait pas téléphoner au réseau avant demain. Ils ne lui seraient donc d'aucune utilité pour lui trouver une planque pour la nuit.

Elle erra tristement par les vieilles rues pleines de charme. Elle était ivre de fatigue : debout depuis 4 heures et demie du matin, après trois petites heures de sommeil, elle mourait de faim, elle était à bout. La perspective de traîner toute la journée avec son sac à dos ne lui souriait guère. Elle n'avait pas non plus très envie de s'asseoir dans un restaurant et de commencer à claquer l'argent de Leigh. Un coiffeur, une boutique, une officine du Mont-de-Piété, un marchand de journaux, un magasin de diététique. Elle s'arrêta. C'était un moyen de ne pas rester dans la rue. En général, dans les boutiques de produits diététiques, on pouvait facilement bavarder avec les employés qui insistaient toujours pour vous faire lire un article sur un remède quelconque. Elle pourrait au moins poser son sac à dos par terre et feuilleter un livre sur la nutrition ou un bon ouvrage sur les herbes.

Alice, Eva et elle avaient étudié l'herboristerie et transmis leurs connaissances aux autres réfugiés. Dans la cour de leur maison, à Los Angeles, elles faisaient pousser du thym, du romarin, de la sauge, de la consoude, du basilic, du fenouil, de la livèche, enfin, toutes sortes de plantes. Les herbes étaient meilleur marché que les médicaments et ne nécessitaient pas d'ordonnances. D'une façon générale, les fugitifs étaient obligés de se soigner les uns les autres. Le réseau connaissait quelques médecins en qui ils pouvaient avoir confiance : un à New York, que Vida alla consulter, à l'époque où elle avait eu une infection à la jambe, et l'autre à Portland. Mais ils ne pouvaient pas abuser d'eux. D'une façon générale, les membres du réseau apprenaient tout ce qu'ils pouvaient en matière de médecine et s'exerçaient les uns sur les autres.

A Los Angeles, ses deux compagnons de chambre et elle avaient vécu du travail d'Eva qui s'occupait d'enfants, et de l'argent que Vida gagnait en travaillant au noir dans une coopérative alimentaire. Pendant tout l'été, Alice avait été beaucoup trop malade pour pouvoir travailler. Elle avait attrapé une grippe au printemps ; elle était anémiée et ne parvenait pas à se débarrasser d'une mauvaise toux. Toutes trois mangeaient beaucoup de riz complet, les légumes qui poussaient dans le jardin et les surplus de la coopé, sept kilos de patates une semaine, sept kilos de carottes l'autre. Vida souffrait de voir Alice s'affaiblir sans pouvoir la soigner. Lorsque Bill, le petit ami d'Alice, revint d'un séjour de plusieurs mois à Mexico, il avait été très impressionné par son état. Le lendemain, Bill et Vida enfreignirent le règlement de sécurité du réseau et volèrent huit sortes de vitamines en pilules. Après cela, l'état de santé d'Alice sembla vouloir s'améliorer. Elle passait une partie de la journée assise dans le jardin et quand elle se sentait assez bien, elle arrachait les mauvaises herbes ou arrosait.

Ce magasin-là était intime. Certaines de ces boutiques de diététique essayaient de ressembler à des pharmacies ; elles voulaient à la fois être scientifiques et respectables. D'autres cherchaient à ressembler à des épiceries de campagne, avec des casiers en bois, de grands bocaux en verre à l'ancienne mode et de longs comptoirs cirés. C'était le style de celui-ci, tassé entre une pizzeria encore fermée et un marchand de journaux où la photo de Vida devait se cacher, quelque part dans les piles de quotidiens. Une femme avec un bébé dans une poussette cherchait son bonheur dans le maigre choix de légumes naturels. Une fois qu'elle eut payé, elle sortit du magasin et Vida se trouva seule avec la blonde à la voix rauque assise derrière le comptoir.

Elle erra dans le magasin, examinant les graines entassées dans les casiers, les huiles et les sirops, les vitamines et les cosmétiques naturels. Comme elle passait devant la caisse, elle posa son sac à dos d'un air désinvolte, pour que la vendeuse n'aille surtout pas s'imaginer qu'elle avait l'intention de lui vanter un produit quelconque. C'était tout de même plus agréable d'avoir le dos libre. Elle avait si faim qu'elle en avait le vertige. L'odeur des pains et des noix la faisait saliver. Elle lança un coup d'œil sur le comptoir, mais ne vit aucun journal. Elle espérait que la commerçante ne prenait pas la peine de lire les nouvelles tous les jours.

La blonde composa un numéro. Vida se figea. Puis elle se rapprocha insensiblement de la caisse, saisissant au passage une boîte de levure et faisant semblant de lire la notice.

— Salut, c'est Rena. Je t'ai attendue, hier soir. Tu m'avais dit que... Mais non, voyons, je n'essaie pas de te culpabiliser... Non, Sarah, je te jure que non... J'ai cru que tu m'avais dit... Alors, j'ai fait des biscuits à l'anis parce que j'avais cru comprendre que tu viendrais. Et que je voulais que tout redevienne comme avant. Quoi ? Bon, ça ne fait rien. Eh bien, salut à toi aussi.

Rena raccrocha brutalement. Pas de doute, l'amante avait bel et bien été plaquée. Vida eut un serrement de cœur qui lui fit peur. Allons, c'était ridicule, elle n'avait pas perdu Leigh. Il fallait simplement laisser la violence de cette comparaison s'atténuer un peu. C'était tout. Une faiblesse momentanée. Rien de plus.

— Vous cherchez quelque chose ? demanda Rena d'un air courroucé.

Vida s'approcha du comptoir en souriant. Bien sûr. Elle se demanda un instant si elle ne devait pas faire semblant de connaître la boutique ou de se présenter comme quelqu'un du quartier ; ou bien appeler Rena par son nom pour lui faire croire qu'elles se connaissaient. Mais une autre idée s'imposa. Rena donnait l'impression de vivre seule. Elle pourrait lui dire qu'elle était de passage et essayer de se faire héberger pour la nuit...

— Moi ? Non, non. Je suis simplement entrée par curiosité. Je fais pousser toutes sortes d'herbes. Je suis de LA... vous savez. Ce sont bien des cachets de selenium là, sur le comptoir ?

— Oui. C'est un produit merveilleux. Contre le cancer.

Pendant le baratin sur le selenium, elle examina Rena : elle était à peu près de même taille qu'elle, mais du genre trapue, avec d'épais cheveux blond cendré, coupés à la page, juste au-dessous des oreilles. Ses grands yeux étaient mordorés, derrière des lunettes à monture d'argent et à verres teintés rose pâle. Elle portait un pantalon et un vieux pull-over de ski bleu et rouge. Rena battait des cils et souriait fréquemment comme pour se rassurer en constatant qu'elle plaisait. Sa voix était haute et douce, un peu trop chuchotante pour une femme de pareille stature. Pas très sûre d'elle, la Rena... Elle parlait de lactrile. Vida se demanda si elle allait lui raconter qu'elle avait appartenu à un groupe qui cultivait du laetrile à la frontière du Mexique, mais elle y renonça immédiatement. C'était pourtant une histoire vraie : Bill avait mis au point la combine qui les avait fait vivre en 1978, avant son dernier séjour dans l'Est. Mais ce genre d'aventure ne devait pas être la bonne méthode pour aborder Rena. Vida attendit donc le moment de mettre la conversation sur les herbes. Il fallait qu'elle prenne un peu d'ascendant sur Rena, surtout sans l'inquiéter. La plupart des connaissances de Rena provenaient de la lecture des articles de magazines qui ne s'intéressaient pas à la promotion de l'herboristerie. Ah, voilà le moment...

— Mais le thymol est un composé qui se trouve dans certains remèdes contre le rhume. C'est de l'huile de thym. Un bon expectorant. Ça fait sortir la toux grasse.

Tout de même, Rena, flirter sur un fond de catarrhe... Mais à présent, Rena était intéressée. Vida fit un pas en avant, en observant attentivement la jeune femme. Elle décida qu'elle pouvait avoir suffisamment confiance en elle pour rester, si seulement elle parvenait à l'amener à lui proposer de l'héberger.

— Je suis dans l'Est pour voir ma famille. Ils habitent Philadelphie. Et j'ai décidé de passer voir une vieille amie à moi. Malheureusement, je n'ai pas pu la trouver. On m'a dit qu'elle s'était mariée, et qu'elle avait divorcé. Mais je ne connais pas le nom de son mari.

— Quel est son nom de jeune fille ?

— Billy Joe Feldman, répondit spontanément Vida.

Et elle vit aussitôt en esprit la vraie Billy Joe Feldman, la vamp de la classe de quatrième, coiffée à la caniche. Cette morveuse-là s'était comportée comme une chienne avec Vida qui lui avait flanqué une bonne gifle ; bien entendu, elle avait atterri dans le bureau du principal. A partir de là, Natalie lui avait couru après en lui disant que Billy Joe ne l'avait pas volé et toutes deux avaient reçu l'ordre de rentrer chez elles, dans leur nouveau foyer. En somme, une disgrâce qui avait un goût de victoire...

— Billy Joe Feldman, hum... je ne crois pas la connaître. Pourtant, il me semble que j'ai déjà entendu ce nom-là.

— Oh, je suis sûre de pouvoir la trouver si je traîne dans le coin toute la journée. En tout cas, je sais où son cousin travaille. J'aimerais tellement la revoir, ma Billy Joe. On a été inséparables pendant trois ans. Et puis, on s'est légèrement disputées quand elle s'est mariée, mais je n'ai jamais eu l'intention de la perdre de vue.

— Ce serait vraiment triste d'être venue d'aussi loin pour la voir et de retourner en Californie sans la trouver... Je vous souhaite bonne chance. Il y a bien une Maxine Feldman qui vient à la boutique pour acheter des vitamines, de temps en temps, c'est peut-être sa cousine ?

— Non. Toute sa famille est dans le New Jersey, sauf son cousin, Al. Eh bien, j'avoue que je ne sais pas très bien ce que je vais faire si je ne la trouve pas avant ce soir. Existe-t-il un centre d'accueil pour les femmes ? Un foyer où on pourrait éventuellement m'héberger pour la nuit ? Vous comprenez, je pensais loger chez Billy Joe... Je pourrais peut-être vous donner un coup de main, faire le ménage, ou déballer des cartons, je ne sais pas moi ? Comme ça je pourrais dormir dans la boutique ? Au cas où je ne la trouverais pas.

— Oh non. Vous ne pouvez pas coucher au magasin. J'aurais des ennuis.

Rena se tut, l'air inquiet. Vida lui sourit en plongeant son regard dans ses yeux mordorés, guettant une réponse. Allons Rena, tu es seule. Ta copine t'a plaquée. Ça ne te dirait rien d'avoir de la compagnie ce soir ? Et suppose que la petite amie avec laquelle tu t'es disputée par téléphone t'appelle ou vienne sonner à ta porte, elle sera jalouse. C'est bon, ça, la jalousie. Franchement, Rena, est-ce que j'ai l'air dangereux, moi ?

— Simplement jusqu'à ce que je retrouve mon amie, insista Vida. Je vous garantis que si je ne la retrouve pas avant demain, je laisse tout tomber. Il faut que je retourne au boulot.

— Je n'ai jamais entendu parler d'un centre d'accueil pour les femmes, ici, dit Rena. Bon, écoutez, si vous ne trouvez pas Billy Joe, c'est d'accord. Je peux vous loger pour la nuit.

— Oh, c'est vrai ? Ça, c'est vraiment sympa ! Surtout que vous ne me connaissez même pas. Est-ce que je peux vous donner un coup de main ? Cela me ferait vraiment plaisir. Votre boutique est super-accueillante.

— Elle est chouette, hein ? Je l'ai arrangée toute seule. Mais j'ai beaucoup de problèmes avec le proprio. Enfin, c'est sympa tout de même, ils sont relaxes, dans le pays. Eh bien, vous pourriez m'aider à déballer les caisses dans l'arrière-boutique et puis, si vous y tenez, vous pourriez donner un coup de balai.

A trois heures, Vida sortit, sous prétexte d'aller à la recherche de la cousine de Billy. La journée était ensoleillée et raisonnablement chaude. Elle enfila son poncho et se dirigea vers le jardin public, situé à Oyster Bay, le rendez-vous des fauchés du coin. Les richards avaient leurs plages privées et leurs propres forces de police pour les protéger de la masse. Le jardin public offrait un monument ébréché à la gloire de Theodore Roosevelt, dont Oyster Bay tout entier semblait porter le nom. Il y avait des chemins de gravier gris, des pétunias d'un rouge triste, des gosses qui séchaient l'école, des vieillards assis au soleil, des chômeurs qui contemplaient l'horizon et des joueurs d'échecs installés devant des tables en ciment à échiquier incrusté.

Elle trouva un banc à l'abri du mur de pierre rosâtre qui délimitait le jardin du bord de l'eau plein d'herbes et de vase. A droite, un yacht effectuait des manœuvres pour sortir d'une cale de radoub. Vida avait l'intention de travailler à la rédaction d'un exposé sur l'orientation de l'économie américaine. Elle était en train d'analyser jusqu'à quel point les sociétés multinationales étaient devenues réellement multinationales. Et ce que cette injection de capitaux internationaux signifiait pour la gauche, surtout si les Etats-Unis n'étaient plus le centre de l'empire. Que signifiait cet apport massif de capitaux européens et arabes ? Elle avait effectué des recherches dans des bibliothèques de Los Angeles à cet effet. Il s'agissait bien entendu de rédiger un exposé à l'usage interne du réseau. Que pourrait-elle en faire d'autre, à moins d'essayer de le faire publier sous un pseudonyme ? Elle rêvassa un instant à ce projet fantaisiste en regardant un bateau que des hommes hissaient sur un treuil. Dans *Monthly Review*, par exemple, ce serait formidable d'avoir une influence extérieure. Aussi merveilleux que d'imaginer Eva chantant ses chansons en public.

En relisant ses notes, elle se surprit en train de bâiller. Elle avait si peu dormi, la nuit dernière. Des années et des années auparavant, dans une autre vie qui avait également été sienne, elle avait rêvé d'être professeur à l'université. Elle avait choisi la littérature comparée. Pourquoi ? Parce que la merveilleuse absence de réalisme de cette idée lui était apparue, à elle, la gosse d'ouvriers qui avait vécu une enfance prolétarienne et une adolescence bourgeoise, comme une preuve de culture d'une authenticité absolue. Un monde différent et meilleur. Elle avait eu envie d'apprendre toutes les langues, vivantes et mortes.

« La pénétration européenne et arabe dans le secteur des investissements aux Etats-Unis... », écrivit-elle. Un instant, elle se demanda si elle ne devrait pas écrire « en Amérique », mais elle était lasse de la rhétorique des années 60, de ce style plein d'emphase sévère qui faisait justement partie des attitudes qu'elle critiquait. « ... représente un courant d'opinion selon lequel la situation des travailleurs dans ce pays est mieux contrôlée et donc plus malléable. »

Une ombre sur la page. Elle lissa le papier et posa la main dessus pour le couvrir avant de se risquer à lever la tête. Humm. Bien jeune pour la draguer. En voulait-il à son sac ? Non, il était caché sous son poncho. Rien à piquer. A moins de l'assommer et de la voler. Le type s'assit sur le banc en allongeant le bras derrière elle.

— Alors, mignonne, on attend quelqu'un ? On a rendez-vous ?

— Oui. J'attends mon petit ami.

— Ah ouais ? (Il se rapprocha d'elle et prit quelque chose dans sa poche.) T'as envie de te défoncer, hein ? Qu'est-ce que t'aimes ?

— Rien. Je ne fume pas. Je ne sniffe pas. Je suis une droguée réformée qui se piquait à l'héroïne. C'était mon trip, dit-elle en se levant et en commençant à marcher.

En général, ça leur coupait la chique. Elle l'entendit grommeler derrière elle. « Connasse. Sale camée ! » Elle marcha rapidement le long du mur, passa devant le mât où flottait le drapeau, jusqu'au bout du jardin public et au-delà de la plage publique. Chaque fois qu'elle voyait un vieillard en train de lire le journal, elle avait froid dans le dos. Sa photo. Kevin en détention préventive. Essaierait-il d'abandonner la cause ? Lui donneraient-ils une chance de s'en sortir ? Des gosses s'amusaient sur les balançoires et les toboggans derrière la plage, mais il n'y avait personne dans l'eau. Elle s'assit à la table de pique-nique la plus proche de la mer. C'étaient de vieilles tables bancales, plantées dans un coin sans herbe ponctué de grils rouillés qui se tenaient debout sur une patte comme des cigognes agonisantes sous les chênes rabougris. La ville était un petit microcosme des Etats-Unis. Tout pour les riches, et un minimum pour le secteur public. Les eaux d'Oyster Bay étaient quasiment immobiles. Le claquement étouffé des gréements contre les mâts en aluminium des bateaux ancrés dans le port lui parvenait comme un son de cloche fêlée.

Derrière le jardin, des trains grinçaient et ferraillaient avec des gémissements de métal torturé. Des vieux, assis au soleil pour essayer de se réchauffer, contemplaient la baie. Des adolescents noirs jouaient avec des cannes à pêche en se repassant des mégots et des joints. Les mouettes piaillaient au-dessus des détritus de la journée, rejetés par les courants du large. Elle lutta contre un sentiment d'appartenance avec tous ces gens. Ces catégories sociales superflues, chômeurs perpétuels, retraités. Cette fois-ci, Leigh ne lui avait insufflé aucune force. Elle se sentait vieille, recroquevillée sur le banc, comme une survivante. Une créature engendrée par un pot-pourri de demandes, de jugements, d'obligations, de passions et de crises. Semblable au saumon qui lutte pour remonter le courant et frayer, elle restait là, agonisante, dans les eaux mortes, au-delà des barrages.

Suffit. Leigh et toi, vous êtes engagés dans le même combat. Sous des aspects différents. Que la puissance du gouvernement n'ait pas encore réussi à vous anéantir est une victoire. Chaque jour, vous leur infligez une défaite en continuant à vivre. Combien d'années Ho Chi Minh a-t-il pourri en prison ? Tu es libre, Vida. Savoure cette grâce. Pendant que tu restes là, assise au soleil à t'apitoyer sur toi-même parce que ton mari vit chez toi avec une femme qui a neuf ans de moins que toi, au Brésil, en Argentine, au Chili, en Afrique du Sud, des femmes sont torturées à mort. Ne l'oublie jamais, c'est le même combat.

A l'heure de la fermeture, elle s'en retourna au magasin de diététique pour retrouver Rena en espérant qu'il y avait un dîner dans l'air. Au moment où elle arriva, Rena était justement en train de fermer le magasin et elle monta dans sa vieille bagnole pour aller chez elle. Faites qu'elle n'habite pas East Norwich, se répétait Vida effarée. C'est là que Natalie vivait. Il n'était donc pas question que Vida s'y aventure.

Rena habitait une petite maison blanche, tout près de la boutique, coincée entre deux maisons plus importantes. Un long chemin conduisait devant la porte d'entrée, qui passait par un jardin étroit, mais joli. Des soucis orange et jaune étaient encore en fleur parmi un tapis de sauge rouge et des tomates mûrissaient sur des treillis attachés à la clôture.

L'intérieur de la maison l'étonna beaucoup. Elle s'attendait à trouver un désordre terrible, une banquette qui perdait son rembourrage, des plantes d'appartement jaunissantes et pendues à des macramés, mais les murs étaient couverts de tapisseries, mi-tissages, mi-sculptures, qui donnaient à la maison une ambiance de nid douillet, de grotte luxueuse.

— C'est toi qui as fait tout ça ? demanda Vida.

Ce ne pouvait être qu'elle, car Rena n'avait sûrement pas les moyens d'acheter ce genre de choses.

— Elles te plaisent ? (Rena guettait une exclamation de plaisir avant de reconnaître qu'elle était l'auteur de ces œuvres.) J'adore tisser. Regarde, j'ai trois métiers. Ce vieux-là est cassé. Il faut que je le fasse réparer. Oh, je ne sais pas comment appeler ces trucs. Ce sont de petites choses, tu sais. Je fais ça pour m'amuser. Tu veux dire les montrer à des gens ? Oh, je n'oserais jamais. Mes amies trouvent ça bien, mais tu sais, les amies... A vrai dire, je les ai montrées, un jour, mais le type m'a dit : c'est bien, mais qu'est-ce que c'est ?

La plupart des couleurs utilisées étaient des bruns naturels, des beiges, des sable, des rouille, des maïs, avec, ici et là, des bleus sourds et de l'ocre rouge. Les jetés qui recouvraient quelques vieux fauteuils étaient rugueux au toucher, mais les tentures étaient vraiment « sculptées » en trois dimensions et contenaient des morceaux de bois, des cascades de frisottements, des bosses semblables à des coussins et à des reliefs.

— Rena, tout cela me plaît beaucoup. Je ne suis pas une artiste, mais je voyage, je vois des choses. Et je trouve ton travail très intéressant. Je suis certaine qu'il pourrait plaire à des quantités de femmes.

— Vraiment ? Surtout ne te crois pas obligée de me faire des compliments.

— Je t'assure que je suis sincère et je ne comprends pas que tu n'aies pas plus confiance en tes créations.

— Tu sais, elles sont tellement bizarres. Je ne sais même pas quels noms leur donner. Ce ne sont pas des tapis, ce ne sont pas des tableaux. Et quand j'ai essayé de les décrire à Ken — c'est le copain qui a cette boutique artisanale — il a fait la grimace. Ma description ne l'a pas convaincu. Je ne dois pas savoir en parler.

— Dis que ce sont des sculptures en laine.

— Mais elles ne sont pas toutes en laine. Il m'arrive d'utiliser de l'acrylique. Et ici, tu vois, c'est de la toile de lin.

— Oublie l'acrylique. Dis que ce sont des sculptures en fibres naturelles.

Rena resta un moment silencieuse en réfléchissant à cette idée.

— Tu crois vraiment que les gens comprendront mieux si je leur trouve un nom ?

— Oui, dit Vida avec fermeté. Je te le parie.

Rena s'était arrêtée en chemin pour acheter un bar au marché au poisson local. Il a peut-être été pêché au large de Montauk, se dit Vida. Rena le fit cuire au four. Il y avait aussi du blé bouilli et une grande salade du jardin. Vida hacha les oignons, lava la salade et mit le couvert sur une petite table. La cuisine occupait un coin du living-room, comme chez Hank, mais Vida se sentait plus en confiance chez Rena. Elles burent du bon jus de pomme qui venait du magasin. La nourriture était délicieuse. Vida avait souffert de la faim toute la journée. Elle n'avait rien mangé depuis le petit déjeuner qu'elle avait pris en pleine nuit à Bridgehampton, sur le bord de la route nationale de Montauk, excepté quelques noix, des raisins et une pomme toute meurtrie. Rena avait faim, elle aussi. Sans doute était-elle timide et elles dînèrent quasiment en silence. Vida desservit la table.

— Tu sais, j'étais sincère quand je te disais que j'étais très touchée que tu m'héberges. Bon, je vais faire la vaisselle.

— Mais non. Repose-toi. Tiens, mange un biscuit. Je les ai faits hier.

C'étaient les fameux biscuits à l'anis destinés à l'amante.

— Je suis bien contente d'avoir de la compagnie, avoua Rena. Au fait, as-tu trouvé ton amie ?

— Pas encore. Mais j'ai une piste pour demain. (Fais-la parler. Mais n'exagère pas avec Billy Joe... se dit Vida qui reprit :) Tu as l'air triste, Rena, tu as des ennuis ?

— J'ai l'air triste, moi ? Désolée. J'espérais que ça ne se verrait pas. Je crois que je suis déprimée parce que, eh bien, voilà : je me suis disputée avec une très bonne amie.

Rena mit au moins une heure à avouer à Vida ce que celle-ci avait appris en surprenant la conversation téléphonique au magasin : Rena venait de rompre avec une femme. Sarah. La maison était confortable et propre. Même la salle de bains était chaude et agréable. Vida se rendit compte qu'elle ne s'était pas trouvée en territoire aussi féminin depuis qu'elle avait quitté Los Angeles. Elle avait l'impression qu'elle ne retournerait jamais plus dans la maison d'Alice et d'Eva. Sa décision ne chassa pas cette soudaine nostalgie. Eva assise sur un petit tabouret en bois, une natte sur l'épaule et l'autre dans le dos. Eva jouant de la guitare et chantant des chansons. Les siennes et celles des autres. Après, dîner frugal dehors, dans leur petit jardin, sous leur drôle de vieux palmier si touffu et si marron que Vida n'arrivait pas à croire qu'il était vrai. Nappe propre posée sur un annuaire de téléphone, fleurs dans un pot de confiture. Vida avait fait de la soupe aux champignons...

— Comment voyages-tu ? demanda Rena. En auto-stop ?

— Ça m'arrive. Et toi, tu aimes voyager ?

— Avant d'acheter une voiture, je faisais du stop. Une femme peut se défendre si elle voyage avec une autre femme. Est-ce que tu as appris à te défendre ?

— Oui, un peu.

— Il le faut, Vinnie. Une femme doit savoir se défendre. Il faut que les mecs se rendent compte qu'ils trouveront à qui parler s'ils essaient de t'embêter.

Vida avait du mal à passer une soirée sans rien boire, ne serait-ce que du thé, mais elle ne voulait rien demander d'autre à Rena. Enfin, vers 10 heures du soir, Vida décida qu'il était l'heure de faire la vaisselle et d'avoir sommeil. Mais à peine avait-elle lavé la dernière casserole, que Rena la coinça, juste entre le frigidaire et la cuisinière. Vida lui rendit poliment son baiser et se dégagea.

— Est-ce que tu as déjà été amoureuse d'une femme ? lui demanda Rena, les bras ballants.

— Oui. J'ai une amie à Los Angeles, et j'avais une liaison avec Billy Joe.

— C'est bien ce que je pensais. Tu voulais tellement la retrouver.

Vida avait horreur du mensonge. Rena était gentille. Son visage était assurément agréable et ses manières bien douces. C'était une compagne sympathique. Vida se demanda si elle devait lui dire qu'Eva lui manquait, mais non, c'était impossible. Et puis c'était à la fois vrai et faux. En sortant des bras de Leigh, elle ne pouvait pas jouer les lesbiennes inconditionnelles.

— Mais, tu sais, j'ai eu aussi beaucoup d'amants.

— Tu n'as pas besoin d'être sur la défensive avec moi, dit Rena, en souriant et en lui posant la main sur l'épaule.

S'il était vrai qu'Eva lui manquait, c'était comme une amie, une camarade, comme un copain de régiment. Elle n'était pas amoureuse d'Eva. A part Leigh, elle n'avait pas été amoureuse de qui que ce soit.

Elle n'avait appartenu à personne, depuis cette affreuse rupture avec Kevin.

— Même si nous couchons ensemble, ça n'enlève rien à ton amie... poursuivait Rena.

Vida recula. Elle était incapable de faire l'amour dans une situation pareille : la distance qu'elle était obligée de garder était beaucoup trop grande.

— Ecoute, Rena, je ne me sentirais pas à l'aise. Je t'aime bien. Je suis très heureuse d'être ici avec toi, mais je suis venue voir Billy Joe. Et je crois qu'elle a besoin de moi.

Violons, s'il vous plaît. Tout cela était une telle fumisterie. Maudites salades. Elle commençait par un tout petit mensonge et ensuite, elle devait échafauder une montagne de bobards. Plus elle s'attachait à quelqu'un, plus elle se sentait lointaine, seule, emmurée dans ses inventions de plus en plus élaborées. C'était le contraire de l'intimité et elle ne pouvait pas le supporter.

— Tu pourrais travailler quelque temps au magasin... habiter ici ?

La proposition était tentante. Etre près de Natalie, pouvoir se reposer, enfin. Ne plus être seule. Mais il faudrait mentir, jour après jour.

— Impossible. Je ne peux pas, dit Vida. Rena eut l'air peiné, cligna les yeux en se détournant et marmonna :

— Je vais aller faire un lit. Ça vaut mieux.

Vida lui prit les draps des mains et les installa sur le divan, tout en sachant qu'elle avait blessé Rena en refusant son hospitalité. Brusquement, sa vie lui fit horreur ; cette façon d'habiter chez des inconnus qui devraient demeurer des étrangers et ne se douteraient jamais à quel point elle était différente la révulsa.

Le lendemain matin, elle aida Rena à ouvrir le magasin et erra dans les rues jusqu'à ce qu'il soit presque l'heure de son coup de fil. Puis elle partit à la recherche d'une cabine sûre. Dix heures. Elle composa le premier numéro. Quelqu'un décrocha dès la deuxième sonnerie.

— Allô ? fit une drôle de voix qui n'était pas celle de Natalie. (Vida fut sur le point de raccrocher.) Allô, Vinnie ?

— Qui est à l'appareil ? demanda-t-elle avec un sursaut, tout en regardant furtivement autour d'elle.

— Ici le fils d'Emma. Allô, Emma appelle Vinnie.

C'était Sam, le fils de Natalie. Emma Goldman était l'un des vieux pseudonymes de Natalie. Elle se rappela l'époque où elles s'inscrivaient toutes deux sous des noms différents dans les registres des universités. Vida signait Rosa Luxembourg. Et Natalie, Emma Goldman.

— Allô, est-ce le fils aîné d'Emma ? demanda Vida.

Sam ricana. Sa voix muait.

— Ouais. Bon. Laisse-moi te débiter le laïus correctement. Elle me l'a fait apprendre par cœur. Ne cherche pas à voir Emma. Ça chauffe ici. Mais moi, je suis réglo.

— Sam, est-ce qu'il y a quelqu'un à côté de toi ? Est-ce qu'on t'écoute ? Sais-tu si tu as été suivi ?

— Non, pas de danger. J'ai été vachement prudent.

— Parfait. Alors, parle normalement. Simplement, rappelle-toi de m'appeler Vinnie. Qu'est-ce qui chauffe ? Que se passe-t-il ?

— M'man pense que c'est à cause de l'Irlandais. On est venu chez nous, et Maman a été suivie, hier matin. C'est pour ça qu'elle n'a pas pu venir au téléphone.

— Dis-lui que ça ne m'étonne pas que cela fasse du grabuge.

— Tu veux me voir, Vinnie ? On m'a dit de te demander si tu avais besoin d'argent.

— Non, ça va. J'en ai assez pour le moment. On ré-essaie la semaine prochaine ?

— Elle m'a dit de te demander de continuer à essayer de téléphoner. Elle a un petit travail pour toi.

— Parfait. Ecoute, Sam, dis-lui : lundi et mardi aux deux numéros, la semaine prochaine. Ensuite, la semaine suivante, si elle ne peut pas venir. Merci d'être là. Tu sais que tu ne dois parler de moi à personne, en dehors de Natalie. Tu entends ? A personne.

— J'ai pigé, Vinnie. Ne t'en fais pas ! Je connais la musique : j'ai été élevé là-dedans. Je sais me défendre.

Cela lui faisait tout drôle d'entendre Sam la rassurer avec cette grosse voix qui muait et qui passait de la basse profonde au registre aigu.

— Peezie et Frankie sont trop petits, et nous ne dirons rien à papa, reprit Sam.

— Sam, je meurs d'envie de te voir. Tu pourras peut-être venir avec Natalie quand nous pourrons enfin nous rencontrer. Embrasse ta mère pour moi. Il se racla la gorge et dit :

— Fais bien attention...

— Toi aussi, Sam. Tu es formidable. J'aimerais pouvoir te gâter, comme les autres tantes.

— Bof, tout le monde a des tantes. Tout ce qu'elles savent faire, c'est de vous tapoter la joue, de vous donner des pulls trop petits et de dire : C'est fou ce que tu as grandi ! répondit-il en prenant la voix de fausset adéquate.

— A bientôt, Sam, dit Vida.

Elle raccrocha. Elle avait horreur de mettre un terme aux conversations téléphoniques avec ceux qu'elle aimait. Sam était un gosse étonnant. Elle se dirigea vers la gare en déplaçant légèrement son sac à dos pour plus de confort. A 10 heures et demie, elle devait appeler le « Studio ». C'était important, à cause de l'arrestation de

Kevin et des nouvelles que Sam lui avait données. Traîner dans ce voisinage était dangereux, car la surveillance y était active. Elle se rendit directement à la gare pour consulter les horaires. Si le train avait du retard, elle aurait le temps de téléphoner. Sinon, il lui faudrait y renoncer. A 10 heures et demie, elle attendait sur le quai que le train ait reculé et se soit rempli, et elle en profita pour se diriger vers une cabine. Elle ne fermait pas, mais les gens étaient trop éloignés pour pouvoir écouter la conversation.

— Allô, ici Faucon Pèlerin, dit-elle. (C'était son nom de guerre politique.)

— Allô. C'est l'Oiseleur qui enregistre. Où êtes-vous ? La légère intonation traînante lui fit chaud au cœur. C'était une voix connue, aimée. Larkin. Que faisait-il à Minneapolis ?

— Je suis à Long Island, vieux, mais je file dans une seconde. Ça chauffe, ici. M'est avis que c'est en rapport avec les événements concernant... (le pseudonyme de Kevin lui échappa un instant)... Jesse.

— Humm. Il n'en vaut pas la peine, dit Larkin d'une voix aigre. (Lui non plus n'avait pas pardonné à Kevin.) Il vaudrait mieux que tu te planques pour un temps.

— Ça m'arrangerait beaucoup.

— Va chez Lady Doc, à Bulltown. Tu connais Lady Doc ?

— Mmm. Elle est dans l'annuaire ?

— Evidemment. Sinon, comment travaillerait-elle, Perry ? Elle t'abritera un bout de temps. Mais, si par hasard elle ne pouvait pas...

Le train se remplissait.

— Salut, l'Oiseleur. Je file. Je me débrouillerai, si elle ne peut pas.

Elle raccrocha et courut vers le train, avec l'impression de traîner un cordon ombilical depuis la cabine. A présent, elle était toute seule. Elle serra son billet dans sa main et trouva une place isolée, à côté de la fenêtre. Elle partait pour Boston où elle espérait que Laura Kearney la cacherait pendant une semaine ou deux.

Larkin. Si elle s'installait dans l'Est de façon permanente, il faudrait qu'elle se fasse une opinion définitive à son sujet. Chose qu'elle évitait depuis quatre ans, depuis qu'elle s'était définitivement séparée de Kevin. Elle se remémora le corps frêle et sec de Larkin, sa volonté de fer, et ressentit à nouveau ce mélange de compassion, de tendresse et de gêne qu'il lui inspirait. Il s'était trouvé à Cincinnati juste avant elle, mais ils s'étaient manqués, à un jour près. Elle le verrait bientôt, puisqu'il y aurait du travail à faire avant la réunion du comité. Elle soupira : pourrait-elle autoriser Leigh à venir à Boston ? C'était à peine un peu plus loin que Philadelphie. A part le week-end avec Leigh, elle était seule depuis l'été et elle se sentait lasse, travaillée par une faim profonde et malsaine des sens et du cœur, qui resterait inassouvie. Un peu plus loin dans le compartiment, deux hommes lisaient le journal : danger. Elle dissimula son visage derrière son magazine.

Natalie avait donc une mission pour elle. Excellent, une tâche politique immédiate la soutiendrait moralement jusqu'au moment où elle pourrait entrer à nouveau en contact avec le réseau, et cela lui ferait plus de bien que de traîner dans les bibliothèques pour effectuer des recherches sur l'économie américaine et les capitaux étrangers. Elle n'avait rien contre les bibliothèques qui l'apaisaient et la stimulaient en même temps, comme les bonnes tisanes de Natalie. Mais elle aurait pu devenir une humaniste en restant à l'université, au lieu de se sauver pour épouser Vasos. Et être une étudiante fugitive, vivant dans la clandestinité, était tout de même une notion bizarre. Elle avait besoin d'accomplir un boulot, de ne pas rester seule, de sentir qu'elle appartenait au monde du travail.

5

Laura Kearney, une pédiatre divorcée dont le fils était mort d'une leucémie, provoquée, disait-elle, par les radiations atomiques, donnait asile aux fugitifs pendant une période fixée à deux semaines par personne, à condition qu'il s'agisse de cas politiques. Vida avait vécu une semaine dans son sous-sol, à Newton, dans une ancienne cave à charbon transformée en chambre d'amis. Elle s'attendait donc à y être accueillie de nouveau. Au lieu de cela, Laura l'emmena à Cape Cod.

— Nous allons dans ma résidence d'été, lui dit-elle.

— J'ai peur, dans les endroits de vacances désertés. Berrigan s'est fait piquer à Block Island.

— Il ne se cachait pas beaucoup à ce qu'il paraît. Ne vous inquiétez pas. Chez moi, vous n'aurez rien à craindre. Simplement, évitez de traîner en ville. Elle est à quelques kilomètres. J'ai fait le plein de provisions et je vais vous en laisser davantage. Ah, j'oubliais, vous aurez un compagnon.

— Qui est-ce ?

Vida eut un moment de panique, et se recroquevilla de son côté de la voiture en regardant fixement les phares qui dévoraient la route sombre.

— Un garçon charmant. Je ne lui ai pas demandé son nom, pas plus que je ne vous demande le vôtre.

Ce pouvait être n'importe qui : un mouchard, un inconnu, quelqu'un qu'elle connaissait. Le réseau était-il au courant de cet arrangement ? Elle fut contrariée à l'idée d'être seule en plein bois avec un inconnu et forcée de s'en accommoder.

— Laura, expliquez-moi pourquoi je ne peux pas rester en ville ?

— Je vous garantis que vous serez beaucoup mieux logée que dans ma cave. Ne vous tourmentez pas pour ce jeune homme, il a l'air très bien élevé. Je suis certaine qu'il ne vous embêtera pas. D'ailleurs, la

maison est assez grande pour que vous ne vous gêniez pas mutuellement.

Un peu après 9 heures, Laura quitta la route nationale et
s'engagea sur un chemin de sable, plein d'ornières, qui passait à
travers des bois de pins et de chênes. La route était sombre et
cahoteuse. La voiture dérapait dans les creux et son pot d'échappement raclait les racines apparentes. Le ciel était chargé de nuages et
les bois avançaient jusqu'au bord de la route étroite, noirs et
inquiétants. De temps à autre, elles passaient devant une villa,
sombre elle aussi. A sa droite, elle vit un coin de ciel se refléter sur
l'onde d'un étang. La voiture peina pour grimper une colline
escarpée. Puis elle vit un autre étang sur leur gauche. Elles le
longèrent en roulant sur un escarpement boisé. Deux maisons
éclairées parurent, chacune à un bout de l'étang. Laura agita la main
en direction des lumières :

— C'est là-bas, dit-elle.

— Un peu voyant, non ?

— Allons, un cambrioleur n'allumerait pas l'électricité. J'ai averti
les gendarmes que je passerais l'automne ici. Pas de danger qu'ils
s'excitent en voyant de la lumière.

— Qui habite de ce côté-ci ?

— Les Kensington. Un couple. Elle est professeur, lui menuisier.
Ils ont trois enfants. Ils vivent là toute l'année. Ils ne vous
embêteront pas.

Laura tourna brusquement à gauche et cahota sur une route
encore plus accidentée. L'arrière de la voiture raclait le milieu du
chemin envahi par les mauvaises herbes, et les roues patinaient dans
les ornières.

— Nous sommes presque arrivées, annonça Laura.

— Vous vous enlisez souvent ? demanda Vida.

— Oui, en hiver. J'ai dû bousiller un pot d'échappement ou deux.

Laura paraissait gaie. Vida apercevait de nouveau les lumières à
travers les arbres. Brusquement, elles s'éteignirent. Laura pénétra
dans l'allée pour se garer.

— Il faut aller à pied jusqu'à la maison. Elle est sur l'eau. Est-ce
que vous pourriez porter ce sac à provisions ?

Laura ouvrit la marche en sifflotant et en faisant danser ses clés
autour de son doigt. Vida, chargée de deux baluchons de provisions et
de son sac à dos, descendit péniblement les marches rudimentaires.
La maison de Laura était en réalité un chalet en bois, entouré par un
large ponton qui donnait sur un étang dont les eaux brillaient d'une
lueur mate comme de l'étain.

— Hou-Hou ! appela Laura. (L'homme devait se cacher.) Hou-
Hou ! C'est moi, Laura ! cria-t-elle d'une voix amusée.

On peut dire que nos précautions les réjouissent, songea Vida.

Leigh aussi trouvait ça très drôle. Il oubliait de m'appeler Vinnie, comme s'il s'était agi d'un caprice de bonne femme. Mais si nous les exposions au danger, ils ne nous le pardonneraient pas. Cet homme, ami ou ennemi, doit avoir peur, là, dans le noir, à nous observer.

Laura entra dans la maison, alluma, brancha les projecteurs extérieurs tout en continuant à appeler sur le ton que l'on utiliserait pour un enfant ou un malade.

— Hou-Hou! N'ayez pas peur. C'est moi, Laura. Je suis avec une amie qui va habiter ici. Ohé, vous m'entendez?

Vida n'avait pas très envie de s'exposer à la lumière, mais les sacs étaient lourds et, pour finir, elle entra en chancelant dans la cuisine pour les poser sur le comptoir. Un homme sortit des bois et marcha vers elles en traînant les pieds. Il n'était pas très grand, peut-être était-il exactement de sa taille, avec des cheveux noirs. Il portait un T-shirt sous une veste en velours et un blue-jean. Il avait les mains dans les poches. Il se dirigea lentement vers les deux femmes, grimpa sur le ponton et poussa la porte vitrée coulissante.

— Salut, dit-il en souriant courageusement. (Il regarda Vida.) Je ne m'attendais pas à avoir de la compagnie, dit-il enfin.

— Désolée de vous prendre en traître, mon vieux, mais le téléphone est en dérangement et je n'avais aucun moyen de vous prévenir. Cette jeune femme est dans le même bateau que vous. Elle va habiter ici. (Laura se tourna, sans prendre la peine de retirer ses gants et son manteau.) Venez chercher les sacs dans la voiture. Je tiens à ce que vous ayez suffisamment de provisions. Ensuite, je dois partir.

Ils gravirent les marches de rondins en trébuchant et sortirent des flaques de lumière pour pénétrer dans l'obscurité où la voiture les attendait, à quelques mètres. Laura remit une clé à Vida en lui expliquant ce qu'il faudrait faire, au cas où elle serait obligée de s'enfuir précipitamment. Puis, sans perdre une minute, elle fit marche arrière sur la route et, quelques secondes après, ils virent les phares de la voiture effleurer les arbres au-delà du lac, tandis qu'ils restaient debout, l'un à côté de l'autre, les sacs à provisions à leurs pieds.

Le jeune homme ouvrit la marche pour lui montrer le chemin jusqu'au chalet. Ils rangèrent les provisions dans la cuisine.

— Chouette! du café. Je n'en avais plus, dit-il.

Il avait une voix agréable, pas du tout berlingot et cognac comme celle de Leigh, mais chaude. Elle se demanda de quelle région il était, car il avait un léger accent.

— Des sardines, du poulet en boîte, du jambon, poursuivit-il. On ne peut pas dire que Laura soit la femme la plus chaleureuse que j'aie rencontrée, mais elle vous soigne bien. Et il reste des légumes au jardin. (Il se retourna et la regarda en plein visage.)

— Tiens, vous aussi vous avez les yeux verts ! dit-elle, étonnée. (Puis elle se mordit aussitôt la langue, parce que sa remarque avait un petit côté flirteur.) Il fait froid, ajouta-t-elle d'un air agacé. Vous ne sentez pas ?

— Voulez-vous que je fasse du feu ? C'est tout ce que nous avons pour chauffer la cabane. La cheminée, et un poêle.

— J'ai froid et je suis crevée. J'ai dû errer des heures dans Boston en attendant Laura. J'aurais bien besoin de prendre un bain. Est-ce qu'il y a de l'eau chaude ? Ou bien est-ce que le chauffe-eau est également cassé ?

— Non. Non. Et je l'ai même allumé. Regardez, c'est un joli chalet. Nous donnons sur le lac. Et nous avons une plage de sable à la porte. Je me suis baigné, ce matin.

— Vous vous êtes baigné ? dit-elle en frissonnant. Vous avez dû casser la glace !

— Pensez-vous, l'eau est plus chaude que l'air.

— Où sont les toilettes ? demanda Vida.

Là au moins, elle serait seule et elle pourrait se détendre sans être obligée de faire la conversation. Il lui montra le chemin.

— Vous voulez un café après votre bain ? s'enquit-il.

Elle n'en avait pas envie. Elle voulait dormir. Mais il valait mieux qu'elle se réveille. Qu'elle lutte encore un moment contre sa fatigue pour savoir qui était ce gosse avant de se reposer. C'était faire preuve de mollesse que de prendre un bain avant d'étudier son vis-à-vis, mais elle était épuisée et avait besoin de se reprendre. Vida s'enferma dans la salle de bains avec une joie véritable ; elle se déshabilla et fit couler un bain chaud. Elle resta longtemps dans l'eau, en prenant le temps de se laver et en essayant de ne pas penser. Elle avait horriblement mal au dos, à force de dormir sur des divans. La dernière fois qu'elle avait habité une maison, c'était à Cincinnati où elle avait passé une semaine avec Dee Dee et Saul, à l'époque où Bill et elle (Bill, lui, repartait pour Los Angeles) avaient dirigé un atelier de télévision pirate pour enseigner la technologie aux cinq fugitifs. C'était la dernière fois qu'elle avait défait son sac et qu'elle s'était reposée. La dernière fois qu'elle avait accompli une action politique. Elle devenait cinglée, à force de voyager, de se heurter à des inconnus dont il fallait se méfier, et de tisser des mensonges au centre desquels elle évoluait, marchant, marchant toujours.

Il avait les yeux verts. D'un vert parfaitement clair et dur. Brusquement, elle sut qui il était. Elle poussa un grand soupir et s'enfonça dans l'eau, soulagée. Il s'appelait Joel. Joel White. C'était un gosse qui n'avait pas essayé de prétendre être un objecteur de conscience et qui avait déserté à dix-neuf ans. Depuis, il se planquait. Il avait traîné avec Jimmy. Il ne faisait pas réellement partie du réseau, mais il appartenait à un groupe beaucoup plus important qui s'y apparentait vaguement. Jimmy et Joel avaient voyagé ensemble, avant que Jimmy ne s'installe à Hardscrabble Hill avec Kevin et elle. A l'époque, Joel était réglo. Il était entré dans la clandestinité depuis longtemps et on pouvait lui faire confiance. Mais en quels termes était-il avec Kevin ? Il fallait absolument qu'elle le sonde.

Quand l'eau eut refroidi, elle sortit du bain à contrecœur, nettoya la baignoire et se sécha. Elle n'avait pas envie de remettre des vêtements sales. Non. Elle enfila un pantalon en velours à grosses côtes et un haut en velours caca d'oie. Un nuage de « Femme » de chez Rochas, trouvé dans l'armoire à pharmacie de Laura, acheva de la réveiller.

En sortant de la salle de bains, elle jeta un rapide coup d'œil sur la maison. C'était un chalet en bois, mais sans prétention. Le plancher était en pin dans les chambres, et en ardoises de divers tons fondus dans la cuisine et dans l'immense living-room, avec de plus grandes dalles, également en ardoise, devant la cheminée. Les deux parois du living-room étaient en réalité formées de baies vitrées. Et le troisième mur, d'un panneau en bois. Le quatrième s'ouvrait sur la vaste cuisine. Le mobilier était en rotin. Un divan sur lequel s'amoncelaient des coussins se trouvait en face de la cheminée dans laquelle Joel avait allumé un feu. Il attendait, assis à un bout du canapé, les jambes croisées. Sur la table basse, il avait posé un plateau avec une cruche en céramique bleue contenant du café chaud, un pichet de crème, un sucrier, deux grandes tasses et des cuillers ; à côté de tout ce dispositif bourgeois, trônait une bouteille de Johnny Walker étiquette rouge et deux verres avec de la glace :

— J'ai même dégoté du scotch. J'ai pensé que ça vous tenterait. En tout cas, moi, je boirais bien un verre.

Elle avait envie de s'asseoir sur une chaise, assez loin de lui pour pouvoir l'observer. Mais maintenant qu'il avait joué la jeune fille de la maison, c'eût été l'éviter trop ouvertement. Elle décida de se pelotonner sur le divan (pas très large) en plaçant ses jambes entre eux deux.

— Merci, Joel. J'en boirais bien une goutte.

— Je n'imaginais pas que tu me connaissais ! Moi, je t'ai immédiatement reconnue, Vida Asch. Il eut l'air d'aimer prononcer ce nom, cependant qu'elle ressentait un frisson d'appréhension. Lui n'avait paru ni effrayé, ni même surpris lorsqu'elle l'avait appelé Joel. Le fait de connaître son nom ne lui avait pas conféré l'ascendant qu'elle en avait escompté. Au contraire, elle avait perdu un léger avantage qu'elle n'avait pas eu conscience de posséder.

— Je me demande si nous devrions boire son whisky ?

— Laura n'est pas une grande buveuse ; les bouteilles sont couvertes de toiles d'araignées.

— Nous t'avons fait peur, en arrivant ?

Il ne répondit pas à sa question, et dit :

— Je ne suis pas un amateur de scotch, je préfère le kefir.

— Moi aussi.

— Ah ouais ? J'imagine toujours que les New-Yorkais boivent du whisky.

— Je suis née à Cleveland et j'ai grandi à Chicago. Et toi, d'où es-tu ? (Elle voulait situer son accent.)

— Moi ? Je suis né à New Jersey. Ensuite, ma famille s'est établie en Caroline du Nord. Puis, à l'âge de quinze ans, je suis allé à Sacramento.

— Quelle éducation cosmopolite...

— Tu parles ! Toi et moi, nous savons fort bien que Passaic, Roanoke Falls et Sacramento n'ont rien de cosmopolite.

Il leva les sourcils en la contemplant par-dessus son verre. Ses cheveux noirs étaient très ondulés, son teint cuivré. Sans doute les restes d'un hâle prononcé. Sa bonne santé était contagieuse. Il n'était pas frêle comme il lui était apparu tout d'abord avec sa timidité de jeune garçon, mais solidement bâti, bien que les traits de son visage fussent délicats. Il avait une petite bouche arrogante mais légèrement pincée, des dents étincelantes, un nez fin et bien dessiné, des sourcils arqués, un menton ravissant avec une petite fossette. Il s'exprimait avec emphase et une légère coquetterie. Mais bien sûr, il est homo, se dit-elle. C'était donc ça, le gentil plateau avec le café, les tasses et le whisky. Et cette façon élégante de s'asseoir, en vieux blue-jean avec un pansement sale à la main gauche. Il avait sans doute été l'amant de Jimmy. Elle aurait dû s'en douter. Eh bien, c'est parfait, puisqu'il est homo, je n'ai aucune raison de m'en faire. Elle se laissa aller contre le dossier du divan en détendant son dos.

— Alors, nous sommes tous les deux des provinciaux, dit-il.

— Eh oui, répondit-elle en hochant la tête. Je me rappelle, la première fois que je suis arrivée à New York, j'étais folle. J'en avais envie comme d'un mec sublime qu'on voit danser dans une soirée.

Il eut un petit sourire et s'agenouilla devant la cheminée pour ajouter une bûche sur le feu.

— Nous avons dansé ensemble à Wichita, dit-il.

— Toi et moi ?

— Comment ! Tu ne t'en souviens pas ? C'est vrai, il n'y a aucune raison pour que ça t'ait marquée.

Il boudait et était revenu s'asseoir sur le divan, jambes croisées avec un air vexé. Il fit tinter les glaçons dans son verre et se servit un autre whisky. Quelle prétention ! Petite poseuse, va ! Et dire qu'elle allait devoir faire bon ménage avec lui pendant le temps de son séjour dans cette maison. Puis elle se rappela qu'il était un fugitif comme elle. Ils étaient sur un pied d'égalité. Merveilleux, elle pouvait le détester si ça lui chantait. Ils pouvaient diviser la maison en deux et s'ignorer. Comme c'était bon et inhabituel. Elle n'était pas obligée de lui faire plaisir, de le ménager. De lui demander un coup de main, un véhicule, un renseignement ; ou de le prier de porter un message, de déposer une lettre. Elle n'avait pas besoin de lui. Ils pouvaient se bagarrer. Crier. Défouler leur mauvais caractère, car ni l'un ni l'autre ne possédait aucun pouvoir. Elle ne dévoilait ses sentiments que devant sa famille, quand elle la voyait et, le reste du temps, elle restait sur ses gardes. Comme avec Leigh. Même le réseau était une famille artificielle. Vous pouviez exprimer vos sentiments, mais vous restiez prisonniers les uns des autres jusqu'à ce que la mort ou la catastrophe vous séparent. Quand un divorce se produisait, comme avec Kevin, les conséquences pouvaient en être fatales. Il continuait à la considérer d'un air boudeur. Et elle demanda :

— Est-ce qu'il y a des voisins ?

— Oui, de chaque côté de l'étang. Tu verras en te promenant. Mais l'hiver, ils restent calfeutrés chez eux.

— Depuis combien de temps es-tu ici ? demanda Vida.

— Tiens, tiens, je croyais que nous n'avions pas le droit de nous poser des questions de ce genre ? Bref, aucune importance. Quel jour sommes-nous ?

— Mardi soir.

— Eh bien, je suis ici depuis vendredi dernier. Je crois que Laura a un jules, c'est pour ça qu'elle nous a planqués ici. En arrivant, nous avons dû ouvrir l'eau et la maison. Elle était vachement pressée de partir, dit Joel.

Vida but son whisky et laissa le café.

— Je vais aller me coucher. Et toi, où dors-tu ? ajouta-t-elle aussitôt. Personnellement, je prendrai n'importe quelle chambre, cela m'est égal.

— Je dors dans mon sac de couchage, devant le poêle. (Il désigna le poêle situé entre le living-room et la cuisine.) La nuit, on caille.

— Je mettrai beaucoup de couvertures, dit Vida.

Le lit à deux places était recouvert d'une courtepointe indienne. Elle vérifia que la fenêtre s'ouvrait, au cas où elle serait obligée de filer par là. Elle se déshabilla à la hâte et se jeta dans les draps glacés. Elle claqua immédiatement des dents et se mit en chien de fusil. Joel avait raison : cette chambre était glaciale. Elle avait l'impression que toute la chaleur quittait son corps. Si épuisée qu'elle fût, le froid l'empêchait de dormir. Mais elle n'irait pas rejoindre Joel. Elle n'avait aucune envie d'être avec lui. Et elle resta dans le lit à deux places sur la grande banquise du Groenland et gela.

Le matin, comme le soleil réchauffait la maison, elle dormit tard. Elle se sentait vannée, rompue. En outre, quelle raison avait-elle de se lever ? Elle savait qu'elle était au bout du rouleau affectivement, et qu'il fallait qu'elle se dorlote. Cela lui arrivait de temps en temps. En pareil cas, elle n'avait pas envie d'affronter la journée, Joel, la vie, rien. Leigh et sa nouvelle liaison beaucoup trop sérieuse, Natalie sous surveillance. Mais, bon Dieu, où va le réseau ? Qu'est-ce qu'il fout ? Il piétine. Il fabrique de la rhétorique comme un vieux moteur éolien dans le désert. Elle avait été en première ligne d'un mouvement qui s'était désagrégé en fumée. Ses journées consistaient à survivre. Tout ceci convenait parfaitement à Larkin ; il se nourrissait des victoires en Angola et en Afghanistan. Parfait pour Kiley également : elle vivait d'abstractions. Mais Eva, comment faisait-elle ? Eva, Alice et Vida s'étaient protégées en douceur, mais survivre ne suffisait pas. Leurs petites opérations paraissaient bien mesquines à Vida. Elle ne pouvait pas vivre des lointains souvenirs de leurs combats.

Enfin, elle perçut une odeur de café et d'œufs et elle se promit de reprendre un bain chaud. A Los Angeles, elles avaient un tout petit chauffe-eau à gaz. Elles avaient juste assez d'eau chaude par jour pour un bain, ou une douche, ou une vaisselle, ou une lessive dans l'évier. Donc, dans le meilleur des cas, Vida pouvait prendre un bain tous les deux jours. En voyage, il lui était souvent arrivé de devoir attendre beaucoup plus longtemps. Dans ces cas-là, elle avait des démangeaisons sur tout le corps. Leigh lui avait dit : « Ta chatte est si propre que même un morpion ne la reconnaîtrait pas en pleine nuit. » Elle avait la réputation d'être maniaque. L'eau chaude était son luxe préféré.

Le poêle à bois ronronnait dans la cuisine. Joel avait préparé du café et du jus d'orange. Il était occupé à repriser son pantalon, assis à la table. Une vraie petite fée du logis.

— Tu veux que je te fasse des œufs brouillés ? proposa-t-il.

— Merci, mais je peux les faire moi-même. (Ha ! mieux que toi, mignonne ; rien qu'à regarder la poêle, je vois bien que tu les a fait cuire trop fort.)

Le petit déjeuner fut paisible et agréable, mais le silence parut oppresser Joel qui se mit à lui faire la conversation pendant qu'elle buvait son café.

— Tu vois, le plus dur, pour moi, c'est d'être sans télé. Même pas de radio. Ni de journaux. On est coupé du monde.

Le premier réflexe de Vida fut de se moquer de lui : Pauvre petit chat. Bébé aime bien s'asseoir devant la télé. Puis elle se rendit compte qu'elle était sans nouvelles de Kevin.

— C'est vrai, c'est désagréable, répondit-elle, plus gentiment qu'elle n'en avait eu l'intention. Cela me rend nerveuse, moi aussi.

— Remarque que moi je ne crains rien, ajouta-t-il sur la défensive. Mais je n'aime pas être coupé du monde. Evidemment, c'est une situation qui vous occupe l'esprit. (Il se leva pour alimenter le poêle.) Il va nous falloir du bois. On gèle.

— Tu peux le dire ! s'exclama Vida.

— Ah, tu as eu froid, cette nuit ! Il sourit.

— Où trouve-t-on le bois ?

— Dans les bois. C'est là qu'il pousse, dit-il, enchanté de jouer les Tarzan. Je m'en occupe, je vais aller en couper.

— Ecoute, je sais me servir d'une hache ; si, toi, tu ne sais pas, laisse-moi faire, lui dit-elle fermement. (Ah non ! Ne me dites pas que cette chochotte-là va se mettre à jouer les machos, elle aussi...) J'ai vécu dans une ferme où nous n'avions que trois poêles à bois pour nous empêcher de crever de froid.

— On cassera du bois ensemble, lui dit-il très doucement, comme pour réprouver la véhémence de Vida. Les outils sont dans la remise. C'était à Hardscrabble Hill, n'est-ce pas ? ajouta-t-il.

Elle le regarda fixement, à nouveau assaillie par la peur.

— Hé, relaxe... J'habitais dans le coin. J'étais mécano. Je réparais leurs bagnoles. Il y a deux ans, j'ai habité la ferme un moment. Tequila et Marti m'ont parlé de toi.

Dans les bois, il y avait suffisamment de branches cassées et d'arbres tombés au cours des orages d'hiver et d'été pour pouvoir couper du bois. Ils travaillèrent pendant deux heures et traînèrent les bûches jusqu'à la maison. Depuis combien de temps n'avait-elle pas trimé aussi dur ? Joel était costaud. Elle le trouva plus sympathique en homme des bois qu'en jeune fille de la maison. Sans doute n'était-il pas plus habitué qu'elle à ce genre de boulot. Il avait probablement appris sur le tas, comme elle, en se cachant provisoirement pendant un hiver ou deux dans une ferme isolée.

— Tu connais Kevin ? lui demanda-t-elle brusquement.

Le visage de Joel se ferma légèrement.

— Oui. Mais pas très bien. C'était ton mec ? répondit-il.

— Oh, il y a bien longtemps. Il s'est fait épingler, tu sais ?

— Non ! quand ça ?

Il était normal que Joel l'ignore puisqu'il était ici depuis vendredi.

— Je l'ai appris samedi, précisa Vida.

— Tu dois être sacrément inquiète, dit-il en la regardant par-dessus son épaule tout en portant sa pile de bûches.

Elle ressentit une douleur au creux des reins, d'abord sourde, puis aiguë. Elle savait qu'un autre muscle, dans son épaule gauche, était malmené. Elle pouvait à peine marcher droite. Il y avait trop longtemps qu'elle n'avait pas fait travailler son corps. Pas depuis l'époque où elle avait bêché le jardin, à Los Angeles. Joel attendait toujours sa réponse, debout à côté du tas de bûches, les bras ballants. Elle laissa tomber son fardeau.

— Je suis inquiète, mais pas d'une façon personnelle, dit-elle enfin. Kevin et moi, nous nous détestons. Mais je regrette que les flics l'aient piqué.

— Je refuse de détester un être dont j'ai été proche. Même si j'ai été plaqué par une femme. Je veux bien qu'elle en bave autant qu'elle m'en a fait baver, mais ça, ce n'est pas de la haine. C'est juste un petit désir de vengeance. (Rejetant la tête sur son cou court, il rit :) Tu aimerais bien le tuer, hein ? C'est ça que tu appelles de la haine ?

Elle détourna les yeux et contempla l'eau d'un bleu lumineux en fronçant les sourcils. Le soleil touchait les petites vagues rapides en les enflammant.

— Enfin, je parle de l'envers de l'amour, reprit Vida. Ce qu'un amour devient, quand il tourne mal.

— Est-ce que ce n'est pas simplement avoir mal ?

— Non. On souffre, mais il y a autre chose. Kevin ne peut s'empêcher de dominer les femmes.

— Il veut aussi dominer les hommes, dit Joel d'un ton léger. Il aime beaucoup ça.

— Tu étais amoureux de Jimmy ?

A présent, c'était le tour de Joel de détacher son regard d'elle et de contempler l'étang.

— Je crois. Il n'était pas facile à aimer. Il avait une telle aversion pour lui-même.

— N'est-ce pas ?

Vida fut étonnée par la justesse de sa remarque.

— Jimmy et moi, nous avons vécu un genre de relation sexuelle, reprit Joel. Mais Jimmy n'était pas vraiment porté sur les hommes. Et moi, je suis d'abord hétéro. J'ai du mal à faire ça avec un homme. Mais si le mec a lui aussi des problèmes, alors, on est foutus ! Jimmy refusait de se laisser aller à être tendre. Mais quand ils l'ont piqué...

— Tu y étais ? lui demanda-t-elle.

— Ouais.

Ils se regardèrent et il lui dit :

— J'étais dans un bar à péquenauds, à Detroit. Je peux me permettre de dire ça parce que, d'une certaine façon, c'est ce que je suis : un péquenaud-juif-mal-assimilé. Ils ont tiré sur lui. Ils lui ont tiré dessus et tout est passé à la télé. Je me suis précipité dans les chiottes et j'ai dégueulé. Je vomissais, je ne pouvais plus m'arrêter et pourtant, je n'avais bu que deux bières.

— Moi, j'étais à Philadelphie. J'habitais avec un... ami, mais, ce soir-là, il n'était pas là. (Subitement, elle eut envie d'avouer sa fatigue.) Mon dos me fait horriblement mal. Après tout, je suis beaucoup plus vieille que toi. Je crois que je vais reprendre un bain chaud.

— Bien sûr. Et je te masserai. Je fais ça très bien. Kiley m'a appris à masser.

— Ah oui ? dit Vida.

Elle essaya de se rappeler ce qu'on lui avait raconté sur Joel. Etait-il à Wichita avec Kiley ?

— Tu ne m'as pas dit ce que tu entendais par haïr Kevin ? insista Joel. Mais nous en parlerons plus tard.

Elle réalisa qu'il lui donnait des ordres. Et elle recula, plus étonnée que choquée. Pourtant, en traînant son corps endolori sur le chemin du retour, elle s'aperçut qu'elle s'amusait. C'était un véritable soulagement que de se retrouver avec un autre fugitif. Elle observait certaines règles de prudence, comme par exemple de ne pas lui parler de Leigh, mais cette censure était si légère, comparée à la méfiance dont elle faisait preuve à l'égard des autres, que leur conversation lui semblait pimentée, spontanée.

En revenant dans le living-room, elle découvrit qu'il avait allumé le poêle et fait du feu dans la cheminée.

— Si les feux de bois n'étaient pas aussi jolis, ça vaudrait la peine de boucher la cheminée. Toute la chaleur s'en va par là, dit-il. Jolie, ta robe, ajouta-t-il. Tu es extra.

— Et comment, dit-elle sur un ton railleur en songeant qu'elle avait mis la robe bleue de Leigh. En tout cas, je l'étais.

— Pourquoi ne me crois-tu pas ?

— Parce que j'ai mal au dos. Je suis une vieille femme arthritique.

— Alors, laisse-moi te masser, je te l'ai promis. Tu vas voir, je suis un vrai sorcier.

— Grâce à Kiley ? le taquina-t-elle pour en savoir plus.

— Kiley ? Tu parles, elle masse comme une vraie radin.

Kiley avait vécu sous terre presque aussi longtemps que Vida. Larkin, Jimmy et Vida avaient fondé le réseau avec elle. Petite, blonde, toute menue, Kiley était une wasp (protestante anglo-saxonne de race blanche) dont la famille possédait un magasin à Waukegan. Très intelligente, extrêmement précise, elle sortait de l'université de Radcliffe. Elle avait cinq ans de moins que Vida et ne tombait amoureuse que lorsque cela ne contrariait pas ses projets. C'était une fille assez dure, mais pleine de charme et Vida avait vécu de bons et de mauvais moments avec elle. Malgré tout, Vida avait toujours éprouvé une certaine jalousie envers cette fille à qui tant de choses semblaient tomber toutes rôties dans le bec. On racontait une anecdote assez cocasse à propos d'une attaque à la bombe à laquelle Kiley avait participé et où tout avait marché de travers, si bien que les assaillants s'étaient trouvés piégés dans un sous-sol, sous leur propre bombe. Alors, ajoutait-on, Kiley a commencé à transpirer : deux gouttes ! Et tout le monde partait d'un fou rire.

— Tu étais amoureux de Kiley ? demanda Vida.

— Ouais, dit Joel avec une grimace. Mais était-elle amoureuse de moi ? Là est la question. Bon, je te masse, oui ou non ?

— Pourquoi pas ? dit-elle, se sentant bêtement indécise.

Vida avait plusieurs bonnes raisons de refuser, mais elles lui donnaient l'impression d'être ridicule. Et elle s'allongea à plat ventre sur le tapis en laine brodée devant le feu. Joel l'enfourcha en concentrant délicatement sa force sur une partie de son épine dorsale, puis sur l'autre.

— Où as-tu mal ?

— Aïe ! Là. Ici aussi. Oui ! Partout !

— Je te masserais mieux si tu retirais cette robe.

La laine qui frottait sa peau l'irritait, et elle regrettait d'avoir accepté ce massage qui devenait trop intime. En faisant des chichis pour ôter sa robe, elle aurait l'air d'une vraie gourde. Après tout, quelle importance ? Se mettant à genoux, elle ôta sa robe avec le plus grand sérieux en essayant de prendre l'air de quelqu'un qui s'ennuie et la plia soigneusement sur le divan. Il l'enjamba de nouveau et se remit au travail. Il massait bien. Se décontractant sous la force et l'habileté de ses mains, elle commença à prendre goût à la séance, mais aussi à prendre conscience du corps au-dessus d'elle. Terriblement sensuel, le massage était l'un des points obscurs de la contre-culture. Un massage du dos n'était pas censé être sexuel, mais sensuel. Mais qui établissait ces frontières ? Elles n'étaient pas tracées sur son corps. Les cuisses de Joel pressées contre ses flancs l'excitaient. Elle maîtrisa sa respiration pour ne rien laisser paraître. Elle avait une peur absurde qu'il devine ses émotions. Parfait, dorénavant, elle refuserait tous les massages du dos. C'était d'ailleurs comme cela que tout avait commencé avec Eva : à cause d'un massage du dos, je me suis retrouvée en train de faire l'amour avec Eva ! Plus le massage était bon, moins il y avait de chances qu'elle refuse qu'on continue. Avait-il une érection ? Mais pourquoi en aurait-il eu une ? Masser, c'est du boulot. Le massé rêve, et le masseur se crève.

— Merci beaucoup, lui dit-elle lorsqu'il s'arrêta. Ça m'a fait un bien immense.

Elle fléchit les muscles comme pour se lever, si bien qu'il la lâcha en reculant. Robe en main, elle se hâta vers sa chambre. Elle était un peu ébranlée et s'étonna de son inconstance. Cette attitude faisait partie de sa vie antérieure. Elle s'était figuré qu'elle était devenue froide et logique, lente à émouvoir sensuellement. Terminés les massages ! Elle se cloîtra dans sa chambre et lut un vieux numéro de *Natural History* sur les parasites en Afrique occidentale, et sur les mœurs de la grenouille d'arbre. Grâce aux parasites et aux grenouilles arboricoles, elle oublia tout, ses soucis, ses obsessions, ses objectifs politiques et flotta dans un univers lointain et fascinant. Ce fut un massage de l'esprit sans effets érotiques. Lorsqu'elle s'aventura enfin hors de sa chambre, elle trouva Joel dans la cuisine.

— Je vais préparer le dîner, proposa-t-il. J'ai sorti un poulet du frigidaire et je vais le découper.

— Formidable, dit-elle. Et demain, ce sera mon tour.

Il sourit en la regardant dans les yeux, comme si elle lui avait parlé d'amour. Voyons, supposons qu'il ait eu dix-neuf ans en 1972, aujourd'hui, il aurait vingt-six ans. L'âge de Susannah. Leigh était amoureux d'une fille qui avait le même âge que Joel. Elle fut légèrement choquée. Mais Kiley avait trente et un ans ; Joel n'était donc pas incapable de s'intéresser à une femme plus âgée. Après tout, elle n'avait pas de rivale, ici, dans les bois. Il se peut qu'il ait vingt-sept ans, mais je peux difficilement le vieillir davantage, se dit-elle.

— Eh bien, puisque tu fais la cuisine, je vais me balader. De quel côté est la mer ? (Il pointa le doigt.) Je serai de retour vers six heures.

La marche lui soulageait le dos. Les chênes avaient commencé à prendre des tons bruns et tachetés, mais les érables s'étaient littéralement embrasés et les premières feuilles tombées illuminaient le sol. Comme elle approchait de l'océan, les arbres, immenses au bord des étangs, se nanifiaient. Puis, plus rien : de l'herbe sur les dunes. Le vent lui cinglait le visage, mais elle trouva refuge dans une alcôve de sable. Les ombres s'allongeaient et devenaient bleues près de l'eau. L'air était froid, mais blottie là, les yeux tournés vers l'horizon, elle se sentit mieux. La mer la calmait, apaisait cette bouffée de désir et chassait la dangereuse accumulation d'énergie. Il lui faudrait rester sagement cachée ici jusqu'à ce qu'elle soit en mesure de parler à Natalie ou jusqu'à ce que le réseau lui dise de sortir de sa planque. Natalie avait une nouvelle mission pour elle. Se savoir utile lui remonterait le moral. Un jour, il avait fallu récupérer des documents saisis dans un asile de femmes battues. Une autre fois, ils avaient dû retrouver un violeur, connu des femmes de la côte Nord comme l'Homme au Bas Nylon, parce qu'il se mettait un bas sur la tête lorsqu'il sévissait. Des femmes l'avaient traqué et identifié ; c'était aussi un détrousseur de vieillards, mais la police n'avait pas pu, ou n'avait pas voulu poursuivre. Il se spécialisait dans les baby-sitters.

C'était la seule fois où Kevin avait participé à un règlement de comptes : en 1973. Elle n'avait aucune difficulté à s'en rappeler. Ils s'étaient glissés dans le bureau du type, avec un bas nylon sur la tête et l'avaient chopé au moment où il sortait de son travail. Kevin l'avait violé, un acte qu'elle avait trouvé assez adéquat, mais le salaud n'avait pas partagé son avis. Leur action avait tout de même marqué la fin des agissements de l'Homme au Bas Nylon. Quant à Kevin, il avait peut-être un peu trop apprécié la situation, mais Vida, à laquelle Natalie avait décrit les femmes battues et ensanglantées, savait qu'elle aurait été capable de tuer le violeur si on le lui avait demandé. Elle avait eu conscience de cette pulsion meurtrière et l'avait analysée. Etaient-ils en train de brutaliser Kevin, à cette minute précise ? Le fait qu'il ait collaboré avec l'IRA l'aiderait peut-être à New York, où il existait encore des flics irlandais. Qui sait si les origines de Kevin ne le sauveraient pas ?

Elle rentra à la maison calme et affamée. Joel, que pouvait-il lui prendre ou lui donner ? Pas grand-chose. Comme elle quittait l'air froid qui fleurait bon le pin, elle entra dans la maison où montait une bonne odeur de poulet grillé au citron, de pommes de terre frites et de fumée de bois.

— Tu veux bien remuer la salade ? lui demanda-t-il avec un clin d'œil. Tu rentres juste à temps. Il est 6 heures passées. Le dîner est servi.

Assis sur des chaises en rotin devant la table en verre, ils contemplèrent les touches mauves d'un coucher de soleil calme et sans nuages. Elle savoura la mélancolie comme un vin sec au palais. Couple dérisoire, Joel et Vida s'étaient assis pour dîner. Comme les choses eussent été plus faciles si elle avait été seule et comme tout eût été merveilleux si elle avait été avec Leigh... Revivrait-elle des moments semblables avec lui ? Leigh et elle partageant un appartement, leurs repas, et à tout le moins une part de vie ? Elle trouvait pour le moins gênant d'être projetée au cœur d'une fausse intimité avec un garçon aussi différent d'elle. Le chiot et le chat de gouttière jouaient à faire la dînette. Elle remarqua qu'il avait mis des chandelles sur la table, et leurs flammes en forme d'amande chancelaient dans le crépuscule.

— Des bougies ! Tu aimes bien ce genre de choses, n'est-ce pas ? persifla-t-elle.

— Pas toi ? (Il eut une grimace défensive.) Autant en profiter puisqu'il y en a. Ce n'est pas bien fatigant de gratter une allumette.

Soit, elle se montrait cruelle. Pauvre garçon, ce n'était pas de sa faute s'il n'était pas Leigh.

— Cette façon d'avoir fait le café hier soir, d'avoir préparé le dîner aujourd'hui, tout cela me surprend. Je ne te critique pas... c'est gentil.

— Tu le penses vraiment ? J'aime que les choses soient agréables quand c'est possible. Nous autres fugitifs, à quel confort avons-nous droit ?

Leigh était l'opposé de Joel. Il voulait boire le meilleur vin, manger le meilleur caviar, mais il se fichait pas mal de festoyer par terre. Il préférait les assiettes en plastique qui ne se cassent pas et se lavent plus facilement. En outre, il les trouvait adaptées aux goûts prolétariens. En pensant à Leigh, elle se sentit un peu seule, un peu abandonnée. Mais le contact avait été rétabli, à présent, et il fallait qu'elle se hâte de le revoir le plus vite possible. En attendant, elle se trouvait dans une oasis plus confortable que toutes celles qu'elle avait connues tout au long de sa longue route. En tout cas, mieux valait manger du poulet trop cuit et boire de l'eau en compagnie d'un inconnu que de manger du poulet aux herbes de Provence en buvant du pouilly-fuissé avec Hank la Banque. A l'époque où il réunissait les fonds, Leigh avait composé une chansonnette sur lui :

> Hank la Banque
> Est un grand branque.
> Faut tourner sa manivelle
> Pour que le fric ruisselle,
> Mais zéro, Hank a la crampe.

Hank avait toujours été radin. Elle avait davantage de points communs avec cet inconnu. Après le dîner, ils s'assirent au coin du feu et sirotèrent du café et du bourbon.

— On devrait aller se promener, s'il fait beau demain, lui dit-il. Pour prendre un peu d'exercice.

Elle trouvait qu'ils en avaient beaucoup pris aujourd'hui ; néanmoins, elle acquiesça aimablement. La soirée se traînait. Ils regardèrent un livre de photos sur les Indiens d'Amérique prises au XIXe siècle. Le lourd album était étalé en travers de leurs genoux, et leurs cuisses se touchaient. Elle n'avait pas très envie de passer encore une nuit à se geler seule dans son lit. S'ils couchaient ensemble et si l'expérience était agréable, l'interlude serait encore plus délicieux. Ils se rencontreraient probablement dans deux ou trois autres années. Elle avait l'intention de rester dans cette maison jusqu'au moment où elle pourrait téléphoner à Natalie d'une cabine téléphonique où elle se rendrait en stop, lundi. La cuisse chaude de Joel collée contre la sienne ne bougeait pas. Les Indiens l'excitaient énormément. Ou bien il avait peur qu'elle lui demande de faire l'amour avec lui, ou bien il avait peur qu'elle refuse. Il était peut-être inquiet pour des raisons de sécurité, car cette maison située sur un chemin sablonneux n'offrait pas de sortie facile. Ils pouvaient difficilement se sauver en barque sur l'étang. Ils rajoutaient des bûches à tour de rôle et tisonnaient le poêle qui dégageait dix fois plus de chaleur que la cheminée. Ensuite, ils se plongèrent dans l'étude d'une carte départementale et projetèrent une promenade. A présent qu'ils avaient épuisé les joies du livre sur les Indiens et de la carte, ils n'avaient plus aucune raison de continuer à rester assis, cuisse contre cuisse. Elle se leva pour alimenter le poêle et revint s'asseoir un peu plus loin. Ou bien elle ne l'intéressait pas, ou bien il était homo en dépit de sa liaison avec Kiley. Il recousut un bouton à sa veste en blue-jean. Elle alla chercher un pantalon kaki trop long d'environ deux centimètres qu'Eva lui avait acheté dans un magasin de fripes. Elle avait de longues jambes, mais ce froc avait dû appartenir à une sauterelle. Au bout d'un moment, Joel fronça les sourcils en regardant ses points qui partaient dans tous les sens.

— Toi, tu n'aimes pas la couture, lui dit-il.

— Oh non, ça me rend folle. C'est tellement... chochotte. Je passe mon temps à m'enfoncer ce pieu d'aiguille dans les doigts.

— C'est pour ça qu'on a inventé le dé. (Il lui prit le pantalon des mains.) Mais, ma pauvre fille, ça va se voir à l'endroit. Bon, tu veux que je le fasse pour toi ?

— Avec joie ! s'écria-t-elle. Ma sœur sait coudre, elle. Tu vois, je commençais toujours des tas de choses. Par exemple, je voulais recouvrir des coussins pour une banquette — je te parle du temps où j'habitais ce ravissant appartement à New York — tout en sachant très bien que Natalie me les arracherait des mains. Je faisais un tel gâchis que ça la rendait malade. Comme toi. Mais si je lui avais demandé de me le faire, elle m'aurait répondu qu'elle n'en avait pas le temps, mais qu'elle me montrerait comment on fait. Et j'aurais été coincée, tu piges ?

— Je croyais que tu étais de Chicago ?

— Natalie s'est installée à New York avant moi. Après mon divorce, je suis allée y vivre, en partie parce qu'elle y habitait déjà.

— Tu as été mariée ?

— Deux fois. Et toi ? demanda Vida.

— J'ai vécu avec une fille pendant presque deux ans avant d'être obligé de me planquer. A Sacramento. Elle m'a endoctriné. Et Kiley et moi, on a eu euh... cette liaison pendant presque deux ans... Deux ans, ce doit être mon maximum ; en tout cas, c'est toujours au bout de deux ans que ça craque.

Des bribes d'information furent énoncées avec prudence et examinées avec avidité. Il était probable que ni l'un ni l'autre ne mentait, ce qui était inhabituel. Mais ils devenaient moins bavards.

— Non, merci, lui dit-elle lorsqu'il prit la bouteille de bourbon pour la servir à nouveau.

Le feu mourait sur un lit de braises. Combien de temps allaient-ils rester assis là, à bâiller ? Jusqu'à quand aurait-elle la patience d'attendre sans qu'il se produise rien ? Elle étouffa un autre bâillement en jetant un coup d'œil discret à sa montre. Minuit.

— Si on éteignait les lumières pour regarder le feu ? proposa-t-il.

— Parfait. Ainsi, elle pourrait s'assoupir en attendant. Il ne fallait pas qu'elle ait l'air de le presser. Etant donné qu'ils devaient passer la semaine ensemble, la moindre maladresse risquait de prendre des proportions incalculables.

Il éteignit la lampe et resta debout devant le feu pendant un moment. Elle tira la langue à son dos tourné. Finalement, il se racla la gorge. Elle attendit. Il ne dit pas un mot. Au lieu de cela, il s'assit sur le canapé avec un petit soupir. Satisfaction ? Angoisse ? Fatigue ?

— A quoi penses-tu ? lui demanda-t-elle.

— Oh, à rien.

Cette mise en scène devenait grotesque. Au diable les ménagements !

— Je crois que nous... Enfin, je crois que je vais aller me coucher. Il est minuit passé. (Elle ne bougea pas non plus.)

— Ouais... Euh, tu veux de la compagnie ? On caille.

— Tu l'as dit, il fait un froid de canard. Oui, j'aimerais bien que tu viennes dormir avec moi.

A titre d'essai, il lui entoura les épaules d'un bras, puis il éclata de rire et dit :

— Ça me rappelle des horribles surboums de sixième, quand on commençait à peloter les filles et qu'on se disait tout le temps : c'est comme ça ou c'est pas comme ça ? C'est bon ou c'est pas bon, c'est là ou c'est pas là ?

— Comment savoir, répondit-elle en riant elle aussi, soulagée, quand personne n'est assez cochon ou entreprenant ? La politesse est la plus terrible des ceintures de chasteté.

— J'ai envie de faire l'amour avec toi. J'en avais déjà envie quand nous avons dansé ensemble à cette soirée dont tu ne te souviens même pas.

— Ce n'est pas exact, Joel. Je m'en suis justement souvenue aujourd'hui en te regardant.

Elle conservait en effet un vague souvenir de cette surboum. En le regardant à la lueur du feu, elle songea que Joel était certainement un homme dont le charme augmenterait avec l'âge, à mesure que la douceur de l'adolescence s'estomperait. Il fallait qu'il apprenne à être plus sûr de lui avant d'exhiber ce fin visage avec aplomb. Sa main était plus assurée sur son épaule quand ils se tournèrent pour s'embrasser. La bouche de Joel était douce et savante sur la sienne. Sa langue touchait la sienne à petits coups de dard, comme s'il voulait d'abord la goûter. Elle se sentait détendue, confiante, curieuse. Plus de décisions à prendre. Quand ils se lèveraient, elle irait mettre son diaphragme qui se trouvait dans la poche intérieure de son sac à dos, en compagnie d'un tube de gelée qu'elle avait acheté pour Leigh. Qui, ne l'oublions pas, était avec Susannah. La salle de bains lui parut glaciale. Ils se déshabillèrent tous deux à une vitesse record comme dans un vieux film, arrachant leurs vêtements, les jetant au hasard, non pas parce qu'ils se désiraient mais parce qu'ils gelaient. Sur la dalle glaciale du lit, leurs corps se rejoignirent, cherchant la chaleur. Lisse était sa peau, fine et douce. Après le corps de Leigh, elle nota cette absence de poils. Tout en le caressant, elle avait un besoin pressant de le voir, mais cela devrait attendre. C'était bon, ce corps trapu, musclé, admirablement proportionné — pas plus d'un mètre soixante-dix, mais bâti pour durer. Des cuisses et des épaules robustes, des bras forts et tout cela doux comme du satin, élastique comme les flancs d'un cheval Elle sentait son érection et l'excitation la faisait haleter. Timidement il lui caressa les seins.

— Tu aimes ça ? demanda-t-il.

— Bien sûr, dit-elle avec un petit rire essoufflé.

— Il y a des femmes qui n'aiment pas ça.

— Moi j'aime. Je suis très sensible des seins.

— Est-ce que je te fais mal ?

— Non. Rassure-toi, je ne suis pas sensible dans le mauvais sens, mais au plaisir...

Quand elle était excitée, elle aimait qu'on lui caresse les seins très fort, mais elle n'avait pas l'intention de lui fournir le mode d'emploi de son corps. Elle n'était pas une poupée gonflable.

Il glissa une main entre ses cuisses : il la caressait bien. Il était attentif à son désir, ce qui la frappa. Son toucher ressemblait davantage aux caresses d'Eva. Cet homme savait guetter exactement ce qui excitait une femme. Il était sensible aux différences, aux nuances, il écoutait leur musique tout en les explorant. Il lui donna presque l'impression d'être maladroite lorsqu'elle le caressa, parce qu'elle n'était pas certaine de ce qu'il aimait. Elle commençait à ressentir une envie qui ressemblait à de la douleur.

— Viens... dit-elle d'une voix rauque. Prends-moi, maintenant.

— Tu veux que je te pénètre ? demanda-t-il, surpris.

— Je t'en prie. Maintenant.

Elle le guida en elle. Encore une fois, il bougeait d'une façon agréable. Pas de coups de boutoir égoïstes. Il essayait différents angles, différentes façons de la prendre et enregistrait soigneusement ses réactions. Le difficile, avec lui, va être de l'amener à se décontracter, se dit-elle. Un peu trop technicien. Ah ça oui, technique parfaite, mais manque de passion. Elle essaya de lui caresser le dos à divers endroits, en haut, en bas, sur la nuque, les fesses, en cercle au creux de ses reins, mais il avait l'air de croire que la pression de ses mains étaient autant de signaux pour lui intimer d'aller plus vite.

— Doucement, lui dit-elle.

Soudain, il glissa sa main entre eux et la caressa tout en la prenant et elle jouit en divers spasmes d'un plaisir électrique.

— J'ai été heureuse, dit-elle. A toi, maintenant.

— C'est vrai ? demanda-t-il d'un air soupçonneux. J'ai tout le temps, tu sais.

— Je te dis que oui, totalement et merveilleusement. A ton tour.

Brusquement, elle sentit qu'il la quittait mollement. Pourtant, elle était sûre qu'il n'avait pas atteint le plaisir.

— Joel, que se passe-t-il ? Elle se blottit contre lui.

— Rien. Seulement, je ne peux pas...

Un homme, ne pas jouir, voilà qui était totalement inédit !

— Détends-toi, laisse-moi m'occuper de toi, dit-elle doucement.

— Non, ça va très bien, je t'assure. Tu sais, le plaisir n'est pas très important pour moi, dit-il.

Où ai-je donc entendu cela ? On dirait moi, quand j'essaie d'être polie.

— Tu n'as pas vraiment été heureuse, n'est-ce pas ? s'enquit-il sur un ton offensé.

— Je te jure que si.

— Si vite ?

— Vite ? (Ils faisaient l'amour depuis cinq ou six minutes lorsqu'elle avait eu un orgasme.) Je ne pensais pas avoir été aussi rapide. Tu sais, ça ne me serait pas arrivé si tu ne m'avais pas caressée de cette façon.

— Oh, tu aimes ? Tant mieux, je n'en étais pas certain. Mais dis-moi, tu as vraiment joui simplement parce que je t'ai caressée ?

— Mais oui. Pourquoi cette question ?

— J'ignorais que les femmes jouissent quand on les pénètre.

— Si on a un peu de patience et si elles y sont prêtes, oui. Il y a beaucoup de femmes qui jouissent plus facilement si on les caresse ou si on les embrasse, mais il ne s'agit pas d'elles en ce moment : tu es avec moi. Alors, je t'en prie, ne me complique pas la vie. Tu sais, certaines femmes m'ont donné l'impression d'être une traîtresse, un superproduit antirévolutionnaire à usage spécifiquement masculin, parce que je jouis quand on me fait l'amour.

— Kiley me disait que baiser une femme est un acte tyrannique, dit-il en éclatant de rire.

— C'est vrai dans bien des cas. Ce sont les hommes qui décident de tirer un coup. Leur coup. Bien souvent, tu couches avec un mec et il te plie à prendre la position A 4 ou B 12 qui lui plaît à lui, et il faut que tu mettes tes jambes autour de lui, que ça te plaise ou non. Ensuite, il veut que tu lui fasses ceci ou que tu lui dises cela. Et lui, il continue à besogner aussi longtemps qu'il en a besoin. Ça peut durer dix secondes. Faire l'amour de cette façon, oui, c'est être dominateur, oppressif et tyrannique. C'est également ennuyeux.

— J'ai été ennuyeux, moi ?

— Oh, Joel, pas une seconde. Le problème, c'est que j'ai été heureuse et pas toi. Ce n'est satisfaisant ni pour l'un ni pour l'autre. Je veux que tu aies du plaisir, toi aussi.

Ce dialogue lui paraissait si oriental, qu'elle eut envie de rire. Et elle le serra encore plus fort. Pour une fois, les rôles sexuels étaient inversés et c'était merveilleux.

— Explique-moi, que te faut-il pour atteindre au plaisir ? demanda-t-elle.

— Oh, rien de spécial. Je vais essayer de me décontracter.

Il l'étreignit, mais bien vite il se mit à respirer de façon régulière. Il s'était endormi. Elle resta couchée là, enlacée à ce corps étrangement doux et elle sourit au plafond invisible. Elle avait l'impression d'avoir rencontré une nouvelle race d'être humain : un homme sauvegardé de l'antique rôle du macho, vulnérable, ouvert, attentif et doux comme une femme. Quel trésor ! Elle se détendit sous le poids de sa cuisse abandonnée en travers d'elle, épaisse et lourde comme une bûche.

6

Une fois réveillés, ils trottinèrent jusqu'à la cuisine. Elle alluma le poêle pendant qu'il préparait du café et du jus d'orange. Puis ils allèrent vite se recoucher avec leurs tasses, en attendant que la cuisine se réchauffe.

— J'aime prendre le petit déjeuner au lit, murmura-t-il d'un ton rêveur. Chez nous, il fallait toujours que je me lève en même temps que mon vieux. On peut dire qu'il détestait qu'on soit couché quand il se levait. Au fond, ça le rendait malade, de nous entretenir.

— Qu'est-ce qu'il faisait, ton père?

— Il ratait tout! (Les dents de Joel étincelèrent par-dessus sa tasse.) C'était un petit directeur à la gomme dans les textiles. D'abord à Roanoke, ensuite à New Jersey. Maintenant, il est directeur d'un magasin de tapis à Fair Oaks, dans la banlieue de Sacramento. Voilà un mec qui sait qu'il a été entubé par la société, mais qui n'a jamais cherché à comprendre pourquoi. Sa femme lui casse les pieds, ses gosses sont des minus sans cœur, les Noirs sont âpres au gain, ces ordures de Blancs se lamentent et font des salades, les syndicats cassent les affaires, les impôts sur les charges sociales sont une escroquerie. Et les histoires de pollution foutent toute l'industrie du textile en l'air...

Peut-être ne s'était-elle jamais rendu compte à quel point il était beau parce qu'elle ne l'avait jamais regardé aussi attentivement. Subitement, elle s'aperçut que ses yeux n'étaient plus du tout verts, mais d'un beau brun lumineux.

— Tes yeux! s'écria-t-elle.

— Je sais, j'ai oublié de mettre mes lentilles de contact. J'espérais que tu ne t'en apercevrais pas.

— Tu portes des lentilles teintées?

— Ouais, dit-il en hochant la tête et en se grattant le menton. Je les ai achetées à l'époque où j'étais avec Jimmy et où on avait les flics aux fesses. Je me trouve sexy avec les yeux verts. C'est d'ailleurs ce qui t'a plu, non ? Parce que les tiens sont vraiment verts. Et que toi, tu n'as pas besoin de ces lunettes d'assistante sociale que tu as oubliées à la salle de bain, hier.

— J'ai oublié mes lunettes ? Où sont-elles ?

— Je les ai fourrées dans le tiroir. Pour qu'elles y restent jusqu'à notre départ. Elles sont affreuses.

— On dirait que tu as des complexes à propos de tes yeux. Tu sais que tu es très beau avec des yeux bruns.

— C'est vrai ? Tu n'as pas l'impression qu'on t'a volée sur la marchandise ?

— J'aimerais beaucoup que mes cheveux bruns soient une perruque que je puisse enlever pour libérer mes vrais cheveux roux, dit-elle en riant.

— Je ne suis pas un fana des cheveux roux, répliqua-t-il en haussant les épaules.

— Ah, tu ne m'as jamais vue en rousse !

— Je te dis que je ne suis pas un dingue de la chevelure, dit-il avec une grimace ironique. J'aime ton visage et ton corps. Je t'aime, toi, ta façon de parler et de rire. On ne fait pas l'amour avec des cheveux.

Il longèrent la route derrière la dune, sur des chemins d'herbe décolorée et des tapis bruns de sumac vénéneux qui croissaient sur le milieu bourbeux de ces voies ; les sentiers descendaient à pic dans des creux qui gardaient la chaleur du soleil et remontaient au sommet des dunes exposées au vent, d'où la mer d'un bleu de cobalt scintillant s'offrait à eux et semblait remonter très haut dans le ciel pâle, tandis qu'ils contemplaient la plage déserte où les longues vagues sinueuses n'en finissaient plus de glisser sous les gifles froides de la brise. Elle qui avait été si déprimée à Oyster Bay, la voilà qui se sentait merveilleusement bien ! Un peu d'amour, une bonne nuit de sommeil, quelques jours pour jouer à avoir une vraie maison et elle était transformée. Ses orteils s'agitaient dans ses chaussures de tennis, son dos était souple comme l'onde, ses longues jambes piaffaient d'impatience. Un joli garçon, rien de plus, pas de quoi se rouler par terre, mais gentil et doux.

— Si tu détestes Kevin, c'est que tu es encore attachée à lui. La haine est un sentiment aussi passionnel que l'amour, dit Joel en baissant la tête et en regardant furieusement le sable.

— Avec toi, je me rends compte que j'ai pris l'habitude de vivre en sténo. Comme si j'étais incapable d'avoir des relations profondes avec les gens dès lors qu'ils exigent que je donne vraiment quelque chose de moi. Les amies avec lesquelles j'ai vécu pendant ces deux dernières années étaient gentilles, mais pas assez catégoriques sur ce plan-là. Avec Leigh, avec Natalie, il faut toujours que... j'explique ce que je pense et crois-moi, ces deux-là ne te laissent pas prendre la tangente. Mais personne d'autre n'est aussi attentif que toi.

— Analyser les gens, les écouter, c'est ma seule force, dit Joel.

— Et moi, crois-tu que j'aie d'autres armes ?

— Tu es plus intelligente que moi, dit-il en hochant la tête. Mais si, tu l'es... ne me raconte pas d'histoires. Tu es une intellectuelle. Moi, je n'ai seulement jamais lu un bouquin de ma vie. Toi, tu sais comment il faut réagir, compte tenu des faits et de la théorie. Moi, j'observe très profondément les gens. Il est bien probable que personne ne s'est intéressé à toi autant que moi. Leigh, c'est ton ex-mari ? Et Natalie, qui c'est ?

— Ma sœur et ma meilleure amie.

— Encore maintenant ? Excuse-moi, je ne dois pas te poser de questions. Quant à moi, je pourrais tout aussi bien être mort pour ma famille. Une belle tombe qu'on vient fleurir le jour du Soldat Inconnu. Ci-gît notre fils Joel, écrasé par le gouvernement. Ou une belle boîte expédiée du Vietnam. Ça ç'aurait été chouette.

— Tu n'es pas attaché à ta famille ?

— Non. Cette glu-là s'est décollée il y a belle lurette. Et comment. La colle à maquettes est plus épaisse que le sang et bien plus marrante à renifler quand t'es môme. Je te le garantis.

Il se laissa tomber sur le sable avec humeur. Ils étaient sur une corniche abritée. Les falaises étaient si abruptes que la plage en dessous était masquée par l'ombre de la dune. En s'étirant sur le sable tiède, elle soupira de plaisir. Elle était ivre d'espace et de ciel et l'instant miroitait comme un verre de vin rouge. Un vin du Rhône. Un Hermitage Rouge.

— Vachement futée, ta façon d'ignorer ma question sur Kevin, dit-il en se redressant sur un coude. Tu as bien su me flatter pour me faire changer de sujet.

— Ne dis pas de bêtises. Simplement, je n'ai pas envie de penser à Kevin ; les flics, les interrogatoires, les précautions, j'ai envie de m'en évader quelque temps.

— Je ne suis pas un cachet d'aspirine. La réalité existe.

— Vraiment ? (Elle ouvrit les yeux pour lui sourire.) Tu en es certain ?

— Ouais. Kevin compte parce qu'il fait le poids. Il était un cadre, lui. Moi, je ne suis qu'un petit déserteur de merde.

— Ooooh, Joel, personne ne commande une armée. Toi et moi, nous sommes dans le même bateau, comme dit Laura.

— Alors, pourquoi est-ce que je n'existe pas ?

— Mais si, tu existes ! Seulement, tu as dix ans de moins que moi et tu es amoureux de Kiley. Notre idylle n'est qu'un divertissement, un peu de vacances.

— C'est faux ! Je ne coucherai jamais plus avec toi, si tu as cette impression-là.

— J'imaginais que toi aussi tu prenais cela comme une récréation. (Elle se redressa :) J'ai envie de toi, Joel.

Il boudait, la tête baissée. Très attirante, la moue, mais elle eut la prémonition que des ennuis l'attendaient.

— Ouais. Pourquoi tu dors avec moi ? Pour le sport ? Moi je t'aime bien, dit-il enfin.

— Vrai de vrai ?

Il la regarda. Ses yeux étaient redevenus verts, grâce aux lentilles. Très loin, bien cachés, il y avait ses vrais yeux bruns.

— Dis, tes cheveux étaient vraiment de cette couleur-là ? demanda-t-il, la tête appuyée contre son pubis.

— Oui.

— C'est trop criard. Tu devais jurer avec tout. (Il lui caressa le ventre.) Tu essayes trop de tout comparer. Si nous étions chauves tous les deux, nous pourrions toujours nous aimer, alors, quelle importance ?

A moitié couché sur elle, il l'embrassa jusqu'à ce qu'elle se rende et qu'elle le prenne pour le guider en elle. Mais il refusa de la prendre aussi vite. Il la caressa jusqu'à ce qu'elle gémisse et le supplie. Alors, il la prit.

— J'aime quand tu gémis comme ça, lui dit-il. Et toi, tu n'aimes pas ça ?

— Si. Je faisais encore plus de bruit, autrefois. J'ai pris l'habitude de faire l'amour en silence à l'époque où nous habitions tous une grande bicoque dans le Vermont, à Hardscrabble, dit-elle en réalisant qu'il le savait.

— J'aime te voir, reprit-il. Ça fout les jetons de faire l'amour dans le noir avec quelqu'un qu'on ne connaît pas encore.

— De quoi pourrais-tu avoir peur, Joel ?

— Est-ce que c'est bon ?

— Tout est bon.

— Je ne te demande pas de me faire des compliments.

— Je pourrais te raconter des bobards, mais vois-tu, je préfère être ta complice et mentir avec toi. Oh, ça, c'est bon. Vraiment bon.

Il avait adopté un mouvement sinueux comme s'il se fût tranformé en pas de vis. A son influx nerveux, à certaine dilatation, elle sut qu'elle allait jouir. Avec toutes ces sensations, à moins que le plafond s'écroule, que les flics fassent irruption dans la chambre à coucher, ou qu'il lui fasse faux bond, sa jouissance était inévitable. Elle glissa doucement une main sous lui et le caressa.

— Je vais être heureuse, très, très vite, murmura-t-elle.

92

— C'est bon, comme ça ?

Elle gémit en se laissant aller à la volupté des plaintes. S'il aimait les gémissements, il allait être servi. Au fond, tout cela n'était qu'une question de circonstance. Si le partenaire aimait le bel canto et les sifflements, parfait, du moment que c'était bon. Les ondes du plaisir se répandaient, plus fortes et plus lentes que précédemment, mais si intolérablement voluptueuses. Puis, elles diminuèrent lentement, comme un coucher de soleil.

— Viens, pria-t-elle. Viens.

— En toi ?

— Evidemment, c'est pour ça qu'on a inventé le diaphragme. Cette fois, il faut que tu jouisses. Je le veux.

Elle recommença à le caresser doucement. Il la pénétra plus fort, plus profondément et sur une impulsion elle leva les jambes pour se donner plus totalement. Elle ne pouvait pas avoir de plaisir dans cette position, car son clitoris ne recevait pas assez de stimulation. Mais après l'orgasme, elle préférait une stimulation plus diffuse et moins douloureuse. Elle retira sa main, épousa son rythme. Puis avec une plainte sourde qui tenait du grognement, du rugissement d'un animal blessé ou en rut, il jouit enfin. Elle sentit les contractions de son corps et le flot de sa semence chaude affluer. Elle se détendit en soupirant. Il fonctionnait à merveille. Et c'était tellement meilleur ainsi.

La nuit claire vibrait jusqu'à la Voie lactée qui formait une voûte au-dessus de l'étang. Ils se blottirent dans une petite crique. Des vagues minuscules chatouillaient le sable, mais l'air était lourd, épais comme du carton. Lovée au creux de son épaule, sous le même manteau, elle entendait sa voix profonde résonner dans ses côtes.

— La seule chose que j'aie jamais lue pour le plaisir, c'est la science-fiction. J'avais envie de m'évader sur une autre planète, tu vois, n'importe où.

— Moi je n'ai jamais pu m'intéresser à ce genre d'histoire. Ils sont marrants, ces types, ils inventent des gadgets inouïs et avec ça, ils te racontent des histoires de rois, de reines et d'empires. Et on se retrouve en plein dans le passé féodal, dit Vida.

— Moi j'adore les gadgets... Imagine que tu sois un petit Juif de troisième zone qui essaie de faire son chemin à grands coups de griffes et qu'est-ce que tu récoltes, un mauvais fils qui a des problèmes de lecture et qui veut être mécano. Mauvais Karma, comme disent les Hindous.

— Sais-tu que tu ne ressembles à aucun homme que j'aie connu, lui dit-elle, rêveuse. Presque tous mes amants étaient des intellectuels... (Elle le sentit se contracter.) ... Ce n'est pas une critique. Les intellos sont des individus pour lesquels les idées comptent plus que les gens.

— Ils bouquinent sans arrêt, pas vrai ? Et chez Laura, il n'y a rien à lire. A part des tracts antinucléaires et des vieux numéros du *Times* du mois d'août. Mais ça ne t'intéresse pas ; je t'ai vue les prendre et les flanquer par terre comme si tu n'en avais rien à foutre.

— A vrai dire, tout ça ne me passionne pas.

— Avant ton arrivée, je n'avais rien à faire, alors j'en ai lu quelques-uns... Et s'ils disent la vérité, alors je ne comprends pas comment tu ne t'y intéresses pas ?

— La puissance nucléaire est un problème fondamentalement bourgeois, dit-elle en louchant sur les étoiles.

— Ah bon. (Il demeura silencieux un instant.) Tu veux dire que ce sont les bourgeois que ça inquiète ?

— Exact, puisqu'il s'agit de la qualité de la vie.

— Mais qui s'est ému du Vietnam en premier ?

— Touché. (Elle se tourna pour le regarder, légèrement interloquée.) Tu veux que je lise ces pamphlets ?

— Ouais. S'il te plaît. Tout ça me perturbe. Je n'y avais jamais songé avant, mais ça secoue... Tu comprends, si on n'a pas d'avenir, à quoi sert tout ce qu'on a fait ? Autant se défoncer et rester dans les vapes. J'aimerais bien qu'on en parle, si tu veux bien les lire et si ça ne t'ennuie pas de discuter politique avec moi.

— Je les lirai, dit-elle avec plus d'humilité.

Ces propos sur le danger nucléaire avaient pénétré son esprit comme une flèche. Il fallait qu'elle y réfléchisse, en secret et sérieusement.

Lorsqu'ils se réveillèrent, les fenêtres étaient recouvertes de dentelle de givre.

— Regarde, je ne peux pas croire que ça s'est fait tout seul. Ça ne m'étonne pas que les gens aient cru aux contes de fées pendant si longtemps, dit Joel.

— Quelles fleurs merveilleuses ! On dirait des arabesques d'Aubrey Beardsley. De l'art nouveau, dit Vida.

— Qu'est-ce que c'est que ces salades ?

Elle était encore souvent étonnée, et pas uniquement par Joel. Les enfants de la politique et du Coca-Cola, comme ils étaient ignorants ! Ils arrivaient à l'université sans rien savoir d'autre que ce qu'ils avaient appris à la télévision et ils ne terminaient jamais leurs études. L'université ne semblait pas leur inculquer les notions de culture qu'elle-même avait reçues.

— Le dessin du givre sur la vitre m'a fait penser à un style de décoration où les formes et les ornements sont inspirés de motifs floraux. C'est ce qu'on appelle l'art nouveau. Je te ferai voir de quoi je parle.

Elle fit leur lit, mit de l'ordre, avec la maniaquerie du soldat et de la ménagère.

— Tout est-il mort dans le jardin ? demanda-t-il.

— Seulement les choses fragiles. Après le déjeuner, nous aurions intérêt à cueillir tout ce que nous pouvons sauver. La laitue et le chou pousseront encore quelque temps.

— Pourquoi les fleurs meurent-elles, pendant que la laitue continue à pousser ? Hein ? Dis, Vida ?

Il posait sans cesse des questions. Il voulait faire plaisir, il voulait tout savoir, il avait besoin de grandes cuillerées d'affection, toute la journée. Elle le trouvait candide, mais sa façon de l'observer constamment finissait par être astreignante. Lorsqu'ils eurent pris leur petit déjeuner et mangé les derniers œufs, Joel se rasa pendant que Vida, assise sur le siège des toilettes, le regardait faire. Brusquement, ils entendirent une voiture. Joel éteignit aussitôt la lumière, et essuya son visage plein de crème. Elle le devança dans le couloir. La voiture s'arrêta devant la maison.

— Ce n'est pas Laura, chuchota-t-elle.

— Tirons-nous ! dit-il en enfilant sa chemise.

— Trop tard, on nous verrait.

Un homme et une femme sortirent de la voiture, cependant qu'un enfant restait assis sur le siège arrière. Ils descendaient les marches en direction de la maison, tous deux chargés de paniers.

— Grouille-toi. Planquons-nous ! aboya Joel.

Ils se ruèrent dans l'armoire de leur chambre. Vida remerciait le ciel d'avoir pris l'habitude de faire le lit dès son lever. Elle ressortit comme une flèche de l'armoire, prit leurs deux sacs à dos, les hissa à l'intérieur et referma la porte non sans conserver une fente pour pouvoir écouter.

— Laura, Laura ! C'est nous ! Mike et Wendy, criait une voix de femme. Laura ? Vous êtes là ?

— Elle y est sûrement. Nous avons vu de la lumière. D'ailleurs regarde, il y a des assiettes dans l'évier.

— Ça se peut, mais sa voiture n'est pas là, fit observer la femme. Elle est peut-être allée faire des courses en ville.

— On a laissé cette saloperie de porte ouverte, chuchota Joel à l'oreille de Vida, qui hocha furieusement la tête pour qu'il se taise.

— Elle ne serait sûrement pas repartie pour Boston sans refermer à clé, dit l'homme.

— Alors, chou, qu'est-ce qu'on fait ? lui demanda sa femme. (Ses pas se rapprochèrent.) Laura, vous dormez ? (Elle explora la chambre. Vida ferma subrepticement la porte de l'armoire.) Il n'y a personne ici non plus. Elle a dû aller en ville.

— Laissons-lui le tout, dit l'homme. Allons, viens, il faut que je retourne au boulot.

Vida prit la main de Joel. Elle respirait à peine, coincée entre les robes de plage qui sentaient le moisi, les serviettes de bain et les toiles d'araignée auxquelles elle préférait ne pas penser. Sa main était glacée. Celle de Joel était chaude. Il l'avança pour la refermer sur le sein de Vida. Incroyable, comment pouvait-il être excité à un moment pareil ? Serrée dans le noir contre lui, elle sentit qu'il bandait. Lorsque Kevin s'était trouvé dans des situations périlleuses, elle avait été obligée de veiller tout autant sur lui qu'au danger extérieur, car il était capable de soudain perdre la tête et de décider de se battre. Avec Eva, elle pouvait éprouver à la fois de l'inquiétude et du réconfort. Mais Joel semblait prendre le danger trop à la légère. Elle réalisa qu'il n'avait jamais mené une vie d'adulte normale. Cette femme allait-elle enfin partir ? Vida aurait pu jurer qu'elle fouillait dans les placards de la cuisine.

— Allons, Wendy, viens. Ne sois pas si curieuse ! Imagine qu'elle débarque ?

Bruits de pas précipités. Le couple tournicota dans la cuisine pendant une éternité. Vida entrouvrit la porte de l'armoire pour les écouter. Wendy disait :

— Mike, elle n'est pas toute seule ici. Regarde. La vaisselle du petit déjeuner est pour deux.

— Elle a enfin trouvé un jules. Tu te rappelles ce gars qui pagayait dans son canot, le jour de la fête du Travail ?

— Oui. J'aimerais bien connaître celui-là. Je me demande qui c'est ?

— Je crois que c'est un toubib, viens. Allons-nous-en.

— Attends, je vais lui laisser un mot. Dis, Mike, tu crois que je devrais les inviter ?

— Laisse tomber, je te dis. Je veux regarder le match de foot à la télé. T'as envie de passer la soirée avec un toubib, toi ? Pour entendre la Laura radoter sur les histoires de radiations et d'atomes ?

La porte se ferma enfin. Au bout d'un moment, ils entendirent la voiture démarrer et s'éloigner. Joel poussa la porte de l'armoire et respira profondément.

— Ouf, j'ai bien cru que j'allais asphyxier.

— Mais non, mon ange. Nous avions beaucoup d'oxygène, le placard est très mal ajusté.

— Peut-être, mais je fais de la claustrophobie. Pas toi, hein ?

— Tu sais, si j'étais claustrophobe, je serais morte depuis longtemps. Il m'est arrivé de rester quatorze heures enfermée dans le coffre d'une voiture.

— Et comment as-tu fait pour pisser ?

— C'est bien la première chose à laquelle tu penses, hein ? dit-elle en éclatant de rire. Eh bien, j'ai fait dans un vieux bidon.

— Bon Dieu, mais qui sont ces gens ? (Il sortit de la salle de bain à pas de loup.) J'ai bien cru qu'elle allait fouiller les chambres.

Le comptoir de la cuisine était recouvert de tomates vertes, de poivrons, de petits piments, de courgettes et d'aubergines.

— Il a gelé hier soir. Ils ont dû cueillir tout ce qu'il y avait dans leur jardin. Et ils ont décidé d'en distribuer à leurs voisins. Je te parie que ce sont eux, les lumières que l'on voit de l'autre côté de l'étang.

— Ils pourraient devenir sacrément encombrants, dit Joel, en regardant les courgettes d'un sale œil.

— Au fait, nous ferions mieux de nous dépêcher d'aller sauver ce que nous pouvons dans le jardin. Et puis, il va falloir trouver un moyen de les empêcher de venir fouiner ici...

Vida sentit qu'elle avait les jambes molles. Elle prit le mot et le lut :

« *Chère Laura, voici quelques légumes de notre jardin. J'espère qu'ils vous feront plaisir. Faisons la dînette si vous êtes là. Amitiés. Vos voisins : Les Kensington.* »

— La soupe à la tomate, dit-elle en hachant les oignons. Ça me rappelle mon enfance. Ruby a toujours eu un jardin. Sa cuisine n'est pas très variée, mais ce qu'elle fait est bon. Elle fait de la cuisine juive-paysanne de Cleveland, plus les petits plats qu'il faut savoir mitonner à un mari goy qui n'aime que le beefsteak frites.

— Qui est Ruby ?

— Ma maman. Je l'ai toujours appelée Ruby. Mon père, mon vrai père, n'aimait pas ça. Ruby lui disait : Mais dis donc, c'est mon nom, après tout. Voï. Voï. Rose Lyubkov Wippletree et ensuite Asch. Elle aurait dû s'arrêter à Ruby Rose.

— Ton vieux était juif ?

Elle coupa les tomates en silence, se demandant si elle allait oui ou non lui répondre. Se confier, parler de soi, était-ce bien la peine ? Elle essayait de ne pas trop fabuler quand elle voyageait. Ses racines étaient si profondément enfouies en elle.

— Tu ne veux pas en parler ? insista Joel.

— Il y a si longtemps que je me tais que les confidences me paraissent superflues, répondit Vida en haussant les épaules.

— Tu crois que je suis trop jeune pour comprendre ? Vas-y, mets-moi à l'épreuve.

— Je crois que je ne sais pas très bien ce que je ressens, dit-elle franchement.

— Qui aimes-tu ?

— Qui j'aime ? (Elle eut peur de lui répondre.) Eh bien, Natalie, Ruby, Leigh, Paul, c'est mon frère. Mon amie Eva.

— Ouais. Les fantômes du passé. Mais nous deux, on est bloqués ici. On n'existe pas, pour eux. Et toi, tu n'as qu'une envie, c'est te réfugier dans le passé. Voilà pourquoi tu penses que je ne compte pas. Ouais, parce que je n'étais pas là, pas à l'époque où ton existence te paraissait réelle.

Ils étaient au lit et il continuait à lui tourner le dos. Elle le prit dans ses bras pour essayer de le faire fondre et de se faire pardonner.

— Joel, tu as raison. Je le reconnais. J'essaie de me raccrocher au passé, c'est vrai, mais le présent ne me suffit pas et j'ai peur.

— Je sais. Je suis de la bibine, comparé à Leigh, à Natalie et à Kevin. Eux, c'est les chefs.

— C'est faux. (Elle blottit son visage dans le cou de Joel et pressa ses seins dans le creux de ce dos qui s'éloignait d'elle.) J'ai peur, voilà tout.

— De quoi as-tu peur ?

— De toi.

— Pas possible ? D'une petite merde comme moi ?

— Joel, pourquoi manques-tu de confiance en toi ? Je sais que je pourrais t'aimer.

Pourquoi lui avait-elle dit ça ? Mais pourquoi ? Il mit un bon moment avant de lui répondre. Elle avait relâché son étreinte et elle était allongée sur le dos, les yeux au plafond. Finalement, il demanda :

— Mais tu ne veux pas m'aimer, hein ?

— Le voudrais-tu ? demanda Vida.

— Tu en serais incapable.

— Comment est-il possible de discuter si je peux t'aimer ou pas ? Joel, j'aime être avec toi.

Il se retourna vivement pour la regarder et l'ambiance se détendit aussitôt. Elle avait l'impression qu'il souriait dans le noir. Il se mit à lui caresser paresseusement les seins.

— Tu aimes faire l'amour, hein ? dit-il.

— Ne dis pas ça comme si tu venais d'apprendre que j'adore pousser les vieilles dames dans l'escalier.

— Vida, dis-moi si c'est pareil avec tous les mecs ?

— Ne dis pas de sottises. Il y a des femmes qui préfèrent faire l'amour avec des inconnus, qui se laissent d'autant mieux aller qu'elles n'ont aucune intimité avec.

— Et toi, tu es comme ça ? Dis ?

— Absolument pas. Je réponds d'autant mieux que je suis avec un être dont je me sens proche.

— Mais tu as joui, avec moi ?

98

— Oui. Peut-être parce que nous sommes tous deux des fugitifs. Et que tu es très doux.

Il promenait son doigt, la caressant longuement puis, du même mouvement, il la pénétra.

— Tu es déjà toute ouverte. Tu as envie ?

— Je ne sais même pas si toi, tu en as envie.

Il se plaqua contre elle et dit :

— Qu'en penses-tu ?

Lorsqu'ils se reposèrent enfin, enchevêtrés et mouillés de sperme et de sueur, tout chauds de bonheur, elle réalisa que l'acte d'amour avait été merveilleux. Ils avaient atteint un autre niveau. Elle n'avait pas eu conscience qu'il avait cherché à améliorer sa technique avec elle, et qu'il ne demeurait pas seulement maître de lui. Et elle avait joui pendant une éternité.

— J'ai peut-être peur parce que c'est chaque fois meilleur, lui dit-elle à voix basse. Qui sait combien de temps nous avons ?

— Avant que tu ne sois obligée de partir ?

— Non. Rien ne m'oblige à partir. Tout dépend de toi. Et du temps qu'il nous reste avant que les flics décident de nous faire notre fête un beau soir à la télé. Comme pour Belinda et Jimmy. Et pour toi, est-ce meilleur, à présent ?

— Fantastique, dit-il en riant. Je revis. On aurait dit que tout mon corps était engourdi.

— Pourquoi ? demanda-t-elle, mourant de curiosité à propos de Kiley.

— Dis donc, curieuse, tu veux que je te dise tout et toi, tu ne veux même pas me parler de ta mère.

— Je t'en parlerai, c'est promis.

— Toi, après un bon coup, tu es capable de me raconter n'importe quoi, rigola-t-il.

— Chut ! Ne dis pas ça, tu me fais peur.

— D'accord, Kiley n'aimait pas baiser. Elle aimait qu'on ait envie d'elle. Parce que le désir est un moyen de domination. Au début, j'ai cru qu'elle était heureuse avec moi. J'aurais juré qu'elle jouissait. Mais au bout de quelques mois, elle ne voulait même pas que je la suce. Imagine le festin : j'avais le droit de la caresser une fois par mois et de me frotter contre ses fesses. Voilà toute notre vie sexuelle.

— Et ça ne te déprimait pas ?

— Je devenais cinglé. Elle m'a peut-être aimé au début, mais ça n'a pas duré bien longtemps. Seulement moi, je ne voulais pas céder. Renoncer à elle.

— Je ne comprends pas. Pourquoi n'a-t-elle pas cassé, puisqu'elle ne t'aimait pas ?

— Parce que c'était pratique, j'imagine. (Il fit la grimace.) Kiley est une fille très seule. Peut-être qu'elle prenait son pied en me faisant souffrir.

Je ne peux tout de même pas m'accrocher à lui parce qu'il fait bien l'amour ! On ne peut pas vivre à l'horizontale, se dit-elle. Mais dans son conscient, le grand Maître des Alambics tentait d'édicter une loi selon laquelle tous les travailleurs — les cinq sens, les muscles, les tripes — devaient tenir bon. Quant auxdits travailleurs, ils étaient sur le point de jeter le diktat à la poubelle.

— Laura m'a dit que la voisine était institutrice et lui menuisier. Alors, logiquement, à onze heures du matin, nous ne risquons pas de tomber sur eux, dit Vida, tandis qu'ils marchaient le long de l'étang. Ils passèrent devant les maisons condamnées, d'autres qui étaient vides pour l'hiver, mais lorsqu'ils atteignirent la lisière des bois près de la maison des Kensington, une villa de style colonial, blanche, à deux étages avec garage en appentis, leur joie s'envola et ils se tapirent derrière un grand buisson de mûres. La maison des Kensington était bâtie au bord même de la route qui menait à la nationale 6, mais ils empruntèrent le chemin privé qui contournait l'étang. A présent, ils avaient franchi la ligne de sécurité.

— Reste ici. J'y vais seule, décida Vida. Si jamais elle est là, elle aura moins peur qu'en voyant un homme.

— Non. Imagine que le mec traînasse et ne soit pas au boulot ? Reste là et attends-moi.

— La voiture est partie.

Par la fenêtre du garage, ils apercevaient les portes ouvertes. Un petit canot automobile reposait sur des chevalets de sciage. Une bicyclette d'enfant gisait sur l'herbe. Ils tendirent l'oreille pour écouter les bruits de la maison. Vida avait l'impression de retomber en enfance. Elle avait parfois le sentiment que sa condition de fugitive l'avait réduite à une enfance perpétuelle. A une éternelle partie de cache-cache. A treize ans, Natalie et elle jouaient à ces jeux-là. Attention, vite, cachez-vous ! Voilà les gendarmes. L'ennemi. Cachons-nous, sinon les grands vont nous attraper ! Même après des années de poursuites, elle avait du mal à croire à la réalité de ce jeu-là. A accepter qu'une simple erreur pourrait lui coûter la liberté et la vie. Ils ne pouvaient pas rester toute la journée cachés, à guetter les fenêtres silencieuses de la maison blanche.

— Cette fois, j'y vais, dit Vida.

Elle sortit résolument des bois orange et bruns, et traversa la pelouse humide en direction de la porte. Un ballon rouge constellé d'étoiles bleues gisait sur le chemin. Une forme bougea derrière une fenêtre. Elle se força à sourire tout en continuant à marcher. Il y avait quelqu'un derrière les rideaux. Non, un chat blanc à poils longs se frottait la tête contre la vitre. Caresse-moi, disait-il.

— Bonjour, minou, chuchota Vida.

Elle ouvrit la porte et déposa un mot dans un endroit où il serait bien en évidence. La note remerciait les Kensington pour les provisions et leur expliquait que, locataires de Laura, ils partaient incessamment et ignoraient la date de son retour. Joel avait inventé cette histoire de locataires en expliquant à Vida que, pour éviter de piquer la curiosité des voisins, mieux valait leur dire cela que de prétendre être de la famille de Laura. Ils seraient simplement furieux d'avoir gâché des légumes.

Elle franchit rapidement la pelouse pour rejoindre Joel qui sortait du bois pour aller à sa rencontre.

— Alors ? demanda-t-il.

— Personne, sauf un matou.

— Parfait... (Il lui donna la main et ils reprirent le chemin du retour.) Les derniers estivants qui continuent à venir passer le week-end arrivent ce soir. Mieux vaut ne pas s'éloigner de la maison et rester calfeutrés jusqu'à lundi. N'allumons pas les lumières et contentons-nous de faire du feu. Inutile d'attirer les curieux.

Ils traînèrent leur matelas et s'installèrent près du poêle pour dormir. Ce soir-là, ils virent deux autres maisons éclairées. Le matin, ils cassèrent du bois, puis Vida essaya de travailler à son exposé, l'abandonna et lut les pamphlets dont Joel lui avait parlé. Ils se promenèrent prudemment et préparèrent le dîner. Ils faisaient l'amour deux fois par jour. Vida, à qui ce n'était pas arrivé depuis des années, était dépassée. Elle avait vécu par l'esprit et sur les nerfs pendant si longtemps qu'elle avait oublié les trésors de la chair, forêt riche et profonde avec ses chants d'oiseaux, ses lamentations bruyantes et ses besoins intempestifs. L'exploration de son corps l'avait bouleversée ; elle s'était crue délivrée de ses violents accès de sensualité. A présent, elle était en chaleur, comme si son envie de Joel fût une constante dont elle croyait ignorer la raison. Et si cette sensualité enfouie était un besoin qui ne demandait qu'à être éveillé pour faire surface ? Elle étudia les pamphlets pour se prouver qu'elle était encore motivée politiquement. Du moment qu'elle était encore capable de se concentrer sur un problème, cela prouvait qu'elle restait opérationnelle. Les citadins partirent enfin, et le lundi arriva.

— Quand Jimmy était en pétard contre moi, il me disait : « Joel, tu es toujours embringué avec une bonne femme. »

Ils marchaient à travers bois, sur la route qui menait à la ville. Joel, le menton baissé, poussait un caillou du pied, tout en parlant :

— C'est vrai, tu sais. Il me disait : « Tu cours de l'une à l'autre comme un lapin qui cherche un terrier, n'importe lequel. »

Attention, Vida, il est en train de te mettre en garde. Ah, mon Dieu, as-tu été trop rapide avec lui ? Elle poursuivit son chemin sans broncher, en se tenant très droite.

— Je ne suis pas tombée amoureuse depuis des années, dit-elle.

— D'accord, mais tu aimes toujours ce Leigh.

— Joel, je l'aime depuis quatorze ans ! Après Kevin, je n'ai pas fait l'amour pendant un an et demi.

— Sans blague ? C'est triste de dormir aussi longtemps tout seul. Moi, ça ne m'est jamais arrivé, même quand j'étais vraiment en cavale. Je veux dire, je draguais n'importe qui et puis, je m'embringuais...

— J'ai l'impression que Natalie avait raison. Mon comportement avec les hommes avait quelque chose de dingue. Je voulais que nos rapports soient superficiels. Je voulais préserver mon esprit, mon âme.

— Tu es une vraie maîtresse femme. Je ne comprends pas pourquoi tu as voulu te couper des autres, simplement pour prouver quelque chose à ta sœur. Elle est mariée, non ? Alors, de quel droit se permet-elle de te conseiller de vivre seule ?

— Je ne cherchais pas à lui prouver quoi que ce soit. Simplement, quand elle parlait des problèmes des femmes à New York, moi, qui étais une pure marxiste-léniniste, je lui disais de la boucler. Et puis, quand je me suis aperçue qu'il y avait des tas de choses qui ne tournaient pas rond dans ma vie, je me suis dit qu'elle avait connu des expériences que je n'avais jamais faites.

Il haussa les épaules. Son visage paraissait avoir mûri.

— Ta sœur a peut-être raison. Jimmy aussi. Je devrais essayer la vie d'ermite.

Ils virent trois cabines téléphoniques devant la pharmacie. Joel flânait en faisant semblant de lire le tableau d'affichage et ses petites annonces jaunies : vente de gâteaux au profit des pompiers volontaires ; leçon de yoga ; vente d'une Familiale 73, avec pneus neige.

A 10 heures moins dix, elle se prépara : pièces de monnaie, code téléphonique converti en chiffres, mains froides saisissant le téléphone. La rue était quasiment déserte ; des voitures étaient groupées autour du café ouvert ; des gens marchaient, le col relevé pour se protéger du crachin. Elle ne savait plus très bien si elle avait envie que Natalie lui demande de venir à Long Island ou lui conseille de patienter encore une semaine. Et cette indécision était la preuve même de son attachement pour Joel. Le lien qui se tissait entre eux pouvait être tranché. Elle se sentit coupable d'avoir tellement envie de passer encore une semaine seule avec lui. De toute façon, il fallait qu'ils partent mardi prochain au plus tard, car Laura n'autorisait aucun réfugié à séjourner chez elle plus de deux semaines. Dix heures. Elle composa le numéro. Le téléphone sonna.

— Allô ? Natalie !

Elle savait qu'elle n'aurait pas dû crier son nom, mais elle connaissait si bien cette voix gutturale, mi-sérieuse, mi-rieuse.

— Comment vas-tu, ma chatte ?

— Tu peux parler ? demanda Vida.

— Pour le moment. Bon, écoute vite. Tu es dans le coin ?

— Non, au Nord.

— Tout au Nord ?

— Non. Je peux être là ce soir, dit Vida.

— J'ai une meilleure idée. Il y a une conférence à Boston, ce week-end. Sur la santé des femmes. Je n'avais pas l'intention d'y aller. En ce moment, je m'occupe uniquement des femmes battues. Mais nous avons reçu une invitation, alors, pourquoi pas ? Je prends la navette vendredi soir, je fais un saut à la conférence le lendemain matin et je file. Où se retrouve-t-on ?

— Je connais mal Boston. Pas à Cambridge.

— Je ne connais pas très bien Boston non plus, dit Natalie en réfléchissant. Ecoute, il y a un grand magasin dans le centre, Filene. Donnons-nous rendez-vous à la lingerie, par exemple. Il ne doit pas y avoir plus d'un rayon de lingerie à Filene. Rendez-vous là-bas samedi, à midi. Ça te va ?

— Très bien.

Pour ce qui était de se faire marcher sur les pieds, les quartiers d'affaires bourrés de monde n'étaient pas son champ de manœuvre préféré. Un samedi matin au paradis des soldes, voilà qui promettait d'être du sport. Et elle n'avait pas la moindre idée sur la façon de se rendre à Boston. Mais tout cela était mineur, puisqu'elle n'avait aucun autre endroit à suggérer...

Joel et Vida décidèrent qu'ils pouvaient parfaitement faire leurs courses en ville. Vida se jeta sur une bouteille de beaujolais. Lorsqu'ils regagnèrent la maison, c'était déjà l'après-midi et ils étaient épuisés. Il ouvrit une boîte de sardines, elle fit revenir quelques-unes des tomates vertes qui encombraient toutes les étagères et ils mangèrent avec avidité. Puis ils montèrent se coucher dans l'autre chambre. Ils n'osaient pas dormir dans le living-room au beau milieu de la journée, de peur qu'on ne les voie à travers les immenses baies vitrées.

La pluie tombait furtivement, zébrant les carreaux. Elle dormit pelotonnée contre lui. Elle continuait à le trouver beau. Si beau lorsqu'il glissait lentement dans les bras de Morphée, si beau lorsqu'il dormait en ronflant tout doucement. Superbe, lorsqu'il

103

s'éveillait et ouvrait les yeux, sombre et grave comme les bois de pins mouillés.

... Le regard de Hank la mettait mal à l'aise. Ils montaient dans le vieil ascenseur surchargé de fioritures et qui craquait comme un vieil arthritique. L'immense building formait un carré autour de la cour. On l'appelait le septième ciel. Le hall était mauresque. Les grilles de l'ascenseur qui se balançaient dangereusement étaient en fer forgé. Dans la cour sinistre, un objet pareil à un cratère de bombe avait dû jadis être une fontaine. Des appliques surmontées de tronçons d'ampoules cassées depuis bien longtemps montaient la garde le long du corridor.

Elle portait une salopette de mécano couverte de cambouis, ce qui la gênait pour suivre le costume de tweed qui entrait dans un appartement, de style maure, lui aussi, et rempli de divans regorgeant de coussins de harem, de tables en cuivre. Il faut que je me change, songeait-elle, mais où vais-je trouver des vêtements ?

— Hank, il faut que je me change.

— Quelle enquiquineuse. Elle veut tout le temps quelque chose. Tu serais grotesque dans un de mes costumes.

Il était furieux. Elle comprit qu'il n'avait plus envie d'elle. Les seuls fils qui l'avaient attaché à elle étaient faits de désirs inassouvis et à présent, ils se distendaient. A cause de cette saleté de salopette maculée de cambouis. Elle n'avait pas envie de lui. Il la dégoûtait. Cependant, il fallait qu'il ait suffisamment envie de coucher avec elle pour accepter de la cacher. Il téléphonait dans la pièce à côté. Elle entendait ce qu'il disait et son corps ruisselait de sueur, sous la salopette crasseuse.

— Il faut que je quitte New York, s'entendit-elle déclarer.

Hank était assis en tailleur sur un gros coussin bleu ; il fumait de la marijuana dans un narguilé de cuivre. Elle enleva la salopette et resta nue devant lui.

— Ma pauvre fille. Tu es piégée. Tu n'as plus qu'à tourner en rond comme une souris. Ha, ha ! (Il ricanait comme le font certains lorsqu'ils ont trop fumé d'herbe.) Tu es faite, comme une souris. Ha, ha !

Les flics débarquaient par la sortie de secours. Ils étaient dans le couloir. Elle était nue, elle n'avait plus le temps de s'habiller. Elle courait. Elle s'enfuyait par la porte de service, par le couloir, par l'escalier de service, elle grimpait sur le toit. En courant, elle sentait le goudron lui échauffer la plante des pieds. Elle tenait un revolver à la main : un spécial 38. A présent, elle était à genoux, nue et terrorisée. Le goudron chaud et poisseux lui écorchait la peau des genoux. Les flics tiraient sur elle. Et elle ripostait. Les flics

104

grouillaient sur le toit. Des hommes en bottes qui couraient de tous côtés. Elle sentit le toit trembler sous ses genoux. Alors, les balles lui déchirèrent la peau comme des éclairs de feu. Elle vit son sang gluant sur le goudron. Des flots de sang qui jaillissaient de plus en plus vite et s'épaississaient à la chaleur. Le revolver tomba. Lentement, elle s'écroula sur le toit. Une ombre s'abattit sur elle. Elle ne pouvait plus lever la tête, pourtant, elle essayait ; un pied botté lui rentra dans les côtes pour la retourner...

— Un cauchemar. Ce n'est qu'un cauchemar, dit-elle en s'agrippant à Joel.

— Raconte, dit-il, lui caressant les cheveux, la joue.

— Les flics me poursuivaient... Ils me tiraient dessus.

— Alors, bienvenue à la réalité. Quelle horreur de rêver qu'on est poursuivi par les flics et quel bonheur de se réveiller en sachant qu'on vous traque pour de bon !

Assis au lit, Joel lisait le *Boston Globe* qu'il avait acheté en ville. Dehors, il pleuvait toujours et la journée était prématurément sombre.

— Je cherchais des nouvelles de Kevin, ajouta-t-il.

— Tu as trouvé quelque chose ?

— Bien sûr.

Il lui tendit le journal. Elle le parcourut rapidement. Kevin Fogarthy inculpé ce jour... caution, trente mille dollars... mis en liberté provisoire, sous la garde de son avocat, Ben Bassett...

— Bon Dieu ! Mais qui est ce Bassett ? demanda-t-elle, se parlant à elle-même. Ce n'est pas un avocat du Mouvement. Est-ce qu'il y a une loupe, ici ?

Elle bondit hors du lit pour examiner la photo de Kevin sortant du tribunal sous un éclairage plus puissant. Il mesurait un mètre quatre-vingts. Une casquette en cuir inclinée sur l'œil lui donnait un air bravache. Mais ce n'était pas le visage mince et arrogant de Kevin qu'elle scrutait ; un costaud en veston croisé était à côté de lui et, juste derrière, entre les deux hommes, une femme suivait.

— Lohania ! s'écria Vida. Lohania est avec lui. Merde et merde. Bon Dieu de merde.

— Qui est Lohania ?

— Une vieille copine. La julie de Kevin. Elle couchait aussi avec Leigh.

— Vraiment ? demanda-t-il sur un ton sarcastique ? Et, bien entendu, toi tu couchais avec elle ?

— Brièvement, sans aucun succès, mais...

— Et Kevin et Leigh ? Ils couchaient ensemble, eux aussi ?

— Ne dis pas de bêtises. Ils se haïssaient. Lohania, Leigh et moi, nous étions une famille. Et Lohania et moi, Kevin, Jimmy et Randy le salaud, nous formions le collectif du Petit Wagon Rouge.

— Et tu couchais avec Randy aussi ?

— Non. Lui et moi, nous n'avons jamais pu nous blairer.

— C'est bien la première fois que je t'entends dire que tu as négligé de coucher avec un mec... Bon, alors, cette Lohania s'est fait piquer, elle aussi ?

— Lohania s'est fait agrafer en 70. Et en fin de compte, elle a fait deux ans de prison. Elle n'était pas avec nous, le jour de la bombe : ils ne cherchaient pas à lui coller trente ans de réclusion. Mais Randy en avait contre elle. Elle a écopé d'un procès.

Ainsi, Lohania et Kevin étaient ensemble. Après toutes ces années. Pourquoi cette nouvelle l'agaçait-elle autant ? Parce que Lohania avait été détruite par la drogue et la prison, et qu'on ne pouvait plus lui faire confiance ? Leigh et Lohania, piégés ensemble sous les feux des projecteurs, avaient vainement tenté de former un couple. Echec et mat.

— Tu as confiance en moi ? demanda-t-il en se redressant sur un coude, et en la dévisageant d'un air sombre. Elle le regarda, vaguement ahurie, le cours de ses pensées interrompu.

— Bien sûr. (Elle s'assit sur le lit.)

— Non, je ne te crois pas. Ou alors, tu as oublié comment on parle à un être humain intégré à ta vie. Tu me réponds par borborygmes, tu me lances des centaines de noms... mais pour qui me prends-tu ? Pour un dépôt de vieux journaux politiques ? Ecoute : ou tu me dis tout, ou tu me dis de la boucler, mais je ne peux pas continuer à avoir des relations avec une femme qui refuse le dialogue. Je dis bien le dialogue. Je ne peux pas vivre avec quelqu'un qui me parle en morse et qui s'attend à ce que je fasse semblant de comprendre.

Elle était glacée par la peur. Elle s'agenouilla sur le lit avec une terrible envie de fuir. De le fuir. De lui crier : Va-t'en, fous le camp ! Mais où aller ?

— C'est dur, de communiquer. J'en ai perdu l'habitude. En général, j'essaie de persuader les gens de ne pas me poser de questions ; je le leur fais comprendre d'une manière subtile.

— Je ne peux pas faire l'amour avec un être sans communiquer avec lui. Ou bien tu te confies à moi, ou bien on laisse tout tomber et on s'en va chacun de son côté. Mais tu dois me témoigner un peu plus de respect.

— Mais, Joel, je te respecte ! Toi non plus, tu ne m'as pas dit grand-chose.

— Me l'as-tu demandé ?

— Non. J'ai également perdu l'habitude d'essayer d'entrer dans l'intimité des autres. (Les mots jaillissaient, tranchants comme des

106

rasoirs ouverts.) Le coup de fil ce matin. C'était ma sœur. J'ai rendez-vous avec elle samedi.

— C'est prudent ?

— Non. Mais il faut que je la voie. On s'arrange toujours.

— Est-ce que je peux venir, dis ?

— Peut-être. Mais laisse-moi réfléchir.

Elle avait l'impression d'avoir sauté d'un pont et de ne pas être encore arrivée au sol.

— Ecoute, reprit-elle, je te raconte ma vie, et tu me racontes la tienne. Nous avons jusqu'à vendredi matin, compte tenu des horaires des cars.

Lorsqu'il fut convaincu de sa sincérité, il alla chercher la bouteille de vin et ils campèrent sur le lit, cachés dans une maison obscure et fermée à double tour. Ils s'assirent l'un à côté de l'autre et s'adossèrent à des coussins contre le mur, à la lueur d'une bougie posée sur la table de nuit. Un grillon égaré chantait dans le salon. Le brouhaha d'une petite soirée chez les Kensington leur parvenait de l'autre côté de l'étang.

— Raconte, qu'est-ce que tu faisais quand tu avais mon âge ? demanda-t-il. Comment étais-tu ? Raconte...

DEUXIÈME PARTIE

Octobre 1967

7

— Ecoutez-le mentir! Avec cette voix de bon-papa-gâteaux. Comme si c'était notre devoir bien confortable d'avoir à assassiner un tas de gens, pour leur bien.

Vida marchait de long en large.

— Chut. (Leigh ferma le magnéto.) Tu t'excites trop, Vida. Va travailler au collage avec Lohania. Tu me pompes l'air.

Il lui pinça la taille et la poussa en direction de la table de la salle à manger où Lohania était en train de faire des découpages et de les coller.

— D'accord, mais je le hais, ce candidat pour la paix!

Leigh écoutait les discours du président Johnson pendant la campagne de 64. Il en faisait un montage pour le présenter à la foire de propagande contre le gouvernement, au stand de la guerre, le lendemain.

— Pourquoi le hais-tu tant? demanda Lohania, une main sur la hanche. Ce n'est qu'un politicien menteur de plus, comme les autres.

Vida considéra leur table de salle à manger recouverte d'un panneau en cours d'exécution. Lohania groupait des publicités, des slogans politiques, des articles, des photos Rouges à lèvres Revlon, Corvette, enfants mutilés et villages bombardés. Des petits bouts de papier restaient collés dans ses boucles brunes.

— Si je fais le découpage, tu pourras te concentrer sur la partie artistique, proposa-t-elle à Lohania. Elle ne pouvait pas leur expliquer la haine qu'elle ressentait à l'égard de Johnson. En 64, pendant la campagne électorale, elle était mariée et vivait en Crète avec Vasos et sa famille, et l'Amérique leur paraissait à la fois mythique et irréelle. Lorsqu'on parlait de son pays, les gens du village disaient automatiquement: *Poly lefta, poly aftokinet.* Beaucoup d'argent. Beaucoup de voitures. Elle détestait Johnson parce qu'elle sentait que Natalie et elle s'étaient complètement fait piéger par

111

Kennedy. Elles avaient milité pour lui. Elles avaient écouté ses discours dans un silence religieux. Elles avaient cru que Jack et Bobby feraient des merveilles pour les droits de l'homme... Johnson, son vulgaire successeur, l'avait irritée, puis elle en était venue à le haïr parce qu'il avait dévoilé le côté affairiste de son prédécesseur, les rêves impérialistes qui se cachaient derrière la dialectique nette de Harvard. Johnson poursuivait ouvertement ce que Kennedy avait secrètement mis en marche : l'invasion, la guerre. Il lui avait prouvé à quel point elle avait été blousée et naïve. Elle avait pleuré le jour de l'enterrement de Kennedy en regardant le cortège blanc et noir à la télévision, dans le salon-dortoir.

Voilà pourquoi elle comprenait, mieux que Lohania et Leigh, les jeunes, les soldats. Parce qu'ils étaient en colère, comme elle. Parce qu'ils avaient cru au grand rêve américain de justice, au président Shane dans son costume blanc. C'étaient les libéraux qui lui avaient fait endosser, à elle, la responsabilité de la mort des paysans dans leurs champs de riz et des petits gars tout simples, des hommes avec lesquels elle était sortie et qui n'avaient pas envie de mourir, les tripes à l'air dans le jardin d'un inconnu. La famille de Lohania haïssait Kennedy parce qu'il avait annulé l'expédition de la baie des Cochons ; c'étaient des exilés cubains de droite. Le fait que Lohania ait retourné sa veste ne lui donnait pas, comme à Vida, la sensation d'avoir été blousée, séduite et abandonnée.

Leigh sifflait en travaillant, la chemise ouverte. Il écoutait les enregistrements, puis il coupait dans les bandes et faisait un montage. Il sautillait comme un chat qui joue avec une souris : il faisait le mort, il écoutait, bondissait et hop, il sautait sur la proie. Il faisait du bon boulot et elle adorait le regarder travailler.

— Donnez-moi du sang de taureau ! rugissait-il. J'ai une soif du tonnerre.

Elle ouvrit une bouteille de sangre de toro — un vin rouge espagnol à bon marché qu'ils achetaient par caisse — et elle leur en servit un verre à chacun. Pour une fois, le pick-up ne marchait pas pour ne pas déranger Leigh, mais il sifflotait et chantonnait des bribes de rock à la mode, et Lohania et Vida se joignaient à lui.

— Les premiers mouvements chantaient des chants politiques, dit Vida, l'air songeur. Pas nous. Nous sommes peut-être victimes de la mode.

— Les Beatles, les Rolling Stones et les Jefferson Airplane sont des groupes politiques ! répliqua Leigh avec véhémence. C'est notre musique, et tous les gosses rockent là-dessus. Pourquoi rester figés coudes au corps dans un grenier à chanter : *Nous sommes tous solidaires,* quand on peut investir les ondes et toucher le public en entier ? Elle était si bien à la maison au sein de son étroite petite famille, à travailler tous ensemble, qu'elle ressentit une pointe d'irritation en

112

voyant entrer Kevin d'un pas nonchalant. C'était le nouveau jules de Lohania. Un ancien escroc condamné à deux ans de prison pour vol et qui travaillait comme docker sur les quais de Hoboken. Depuis quand avait-il une clé ? Il lui lança un coup d'oeil dur et glacial en passant nonchalamment devant elle. Il avait toujours l'air méfiant, comme s'il craignait de tomber dans une embuscade ou une rixe. Une tignasse jaune lui retombait sur le front, et il se laissait pousser une barbe plus hirsute et plus fournie que celle de Leigh. Il avait une tête de plus que Vida, était plus grand que Leigh, et Lohania avait l'air de devoir grimper sur une chaise pour pouvoir l'embrasser. Dès son entrée, l'expression de Lohania se modifia : elle se fit chatte et battit des cils. Sa bouche charnue fit une moue et elle bomba le sein et la hanche.

— Hé, salut, le Grand K, dit-elle. Quel bon vent t'amène ?

— C'est samedi soir. Doit bien y avoir une boum quéquepart. C'est quoi ce bordel ? La maternelle Hippie, classe de découpage ?

— C'est pour la foire de propagande contre le gouvernement. J'ai fini dans une seconde, dit Lohania.

— Bon Dieu, Lulu, tu ne vas pas faire sauter la baraque avec un pot de colle ?

« Lulu » était l'affreux surnom dont il avait affublé Lohania...

— Laisse, je vais finir, proposa Vida.

Elle préférait que Kevin s'en aille. Il la mettait mal à l'aise. Ses yeux frôlaient son corps, vêtu simplement d'un T-Shirt avec le slogan : le pain augmente (souvenir de la dernière mobilisation de printemps) et d'un short, car la soirée était chaude pour une fin d'octobre. Elle lui tourna le dos et alla se réfugier auprès de Leigh qui maniait toujours les ciseaux en marmottant, oublieux de tout, claquant les doigts au rythme d'une musique qui se jouait dans sa tête, tout en terminant son montage de Johnson le menteur, pris en flagrant délit de mensonges. Lohania portait une jolie minirobe à fleurs, parce que, Vida l'avait deviné, elle savait que Kevin viendrait.

Lorsqu'ils furent partis, car bien entendu il y avait toujours un mec du Mouvement pour organiser une boum ici ou là — cette fois, c'était Oscar et sa nouvelle poulette, Jan, qui recevaient dans leur atelier pour Halloween — Vida termina le collage et aida Leigh jusqu'au moment où ils s'écroulèrent tous deux de fatigue. Puis en entendant le couple de Chapel Hill passer dans le couloir — il campait, par terre dans le salon — ils se retirèrent dans leur chambre avec le fond de la bouteille de sangre de toro, pour étudier ensemble et remâcher les événements de la semaine, examiner les profils politiques, sociologiques, psychologiques et établir un plan pour la semaine à venir.

— Lohania a dû donner une clé à ce mec, dit Vida d'un air

maussade, la tête appuyée contre la poitrine velue de Leigh qui lui caressait nonchalamment un sein.

— Ah, son nouveau clodo irlandais ? Pourquoi pas ?

— Il a tout de même fait de la taule pour vol, dit-elle en se retournant sur le ventre, avec la sensation que Leigh faisait semblant de ne pas comprendre.

— Quand les portes des prisons s'ouvriront, le vrai dragon en sortira. (Leigh citait Ho Chi Minh.) Voyons, ma chère, ne sommes-nous pas un tantinet bourgeoise ?

— Explique-moi pourquoi Lohania aime les brutes ?

— Elle m'aime et je suis aussi doux qu'un éclair au chocolat. Du moins à ce que mes femmes me disent. (Il lui tira les cheveux.) Ma divine rouquine. Qu'est-ce qui te fait penser que Kevin est une pâle brute ?

— Le frigidaire ! Il entre dans la cuisine comme s'il était dans sa case, il vide la moitié du frigo et ensuite il bâfre. Et c'est moi qui dois tout nettoyer et ranger.

— Ce bon Kevin est gaucho jusqu'à la moelle des os, dit Leigh en prenant immédiatement le parti du phallocrate. Il a une haine viscérale pour le capital. Il sait où et par qui il s'est fait posséder. Et pourquoi.

— Moyennant quoi, il se permet d'opprimer Lohania autant qu'il le peut, et moi en plus.

— Tu n'aimes pas les vrais prolos, sais-tu ? Tu n'aimes que les intellos comme moi. Tous les ouvriers représentent ton père, Tom-machin-chose. Tu as besoin d'un intellectuel pour te découvrir un sexe.

— Tu ne connais pas Tom ! dit-elle, sur la défensive.

Car elle était attirée par Kevin, malgré son antipathie pour lui. Et justement parce qu'il lui rappelait son père Tom. Pas son beau-papa Sandy. La colère de Kevin avait la même source, la même résonance.

— Mon vieux chantait un assez joli couplet sur la société. Ça ne l'empêchait pas d'être un salaud à la maison. Il n'était même pas spécialement raciste. Il adorait les Japonaises. Ça remontait à l'Occupation. Ils disaient : voilà des femelles qui savent faire plaisir à un homme. Il le répétait sans arrêt. Il le disait même à Ruby...

Le ciel matinal bleuissait les carreaux. Leur appartement était au quinzième étage d'un vieux building à loyer modéré qui formait un pâté de maisons à l'angle de West End et de la 103e Rue. Pour un appartement à Manhattan, il était inondé de lumière. Le building d'en face n'était pas assez haut pour empêcher le soleil de passer, et à l'Est, le long du pâté de maisons, ils donnaient sur une rangée de maisons en grès. Elle se leva nue comme elle se couchait, en se

114

demandant ce qu'elle pourrait bien mettre pour aller à la cuisine. Lohania habitait en partie avec eux. Elle faisait des allers et retours par le train jusqu'en New Jersey, où elle avait une piaule dans une grande maison du Mouvement. Elle était sans doute rentrée ici après sa boum d'hier soir. Un couple de la Caroline du Nord, membre du Mouvement de Chapel Hill, avait campé toute la semaine par terre dans le salon. Elle enfila donc sa chemise de nuit couleur mandarine, avec la taille empire et fendue sur le côté jusqu'à la taille, et enfila par-dessus un simple pardessus léger en velours vert.

Le couple baisait dans un sac de couchage, mais pudique, elle fit semblant de ne rien voir en traversant le living pour entrer dans la cuisine sombre, la moins agréable des pièces de l'appartement. Elle alluma le gaz et mesura le lait dans une des tasses en céramique, cadeau d'une ancienne petite amie de Leigh qui faisait de la poterie. Le salaud, ses maîtresses lui font tout le temps des cadeaux, songea-t-elle en regardant la porte fermée de Lohania. Elle occupait l'ancienne chambre de bonne, à côté de la cuisine, ce qui faisait l'objet de plaisanteries continuelles et pas drôles du tout de la part des autres, à propos de leurs arrangements domestiques.

Vida écouta attentivement, espérant que Lohania dormait et que Kevin serait rentré à Hoboken. Elle voulait Lohania pour elle toute seule, aujourd'hui. Il fallait qu'elles discutent avec Natalie et qu'elles mettent au point une stratégie pour la réunion du Comité chargé des affaires politiques du Mouvement. Avec précaution, elle versa le sucre, un zeste de cannelle et un peu de crème dans chaque tasse, moulut le café, mélange de Zanbar, fit bouillir de l'eau tout en surveillant le lait du coin de l'œil. Puis elle coupa l'entame rassie du pain noir russe et disposa les tranches sur le plat bleu inclus dans un plateau en bois, qu'ils avaient acheté chez un brocanteur du Maryland, en revenant d'une manif pour les droits de l'homme ; décorée de fleurs bleu et jaune, la porcelaine semblait avoir des yeux. Après avoir ajouté un morceau de beurre non salé, sur la table, elle mit de la confiture d'oranges amères à la cuiller dans un bol. Ce matin, le jus de fruits serait du nectar d'abricots. Lohania achetait toujours des fleurs. Dans la pièce voisine, la salle à manger ensoleillée dont la lumière se reflétait sur les parquets qu'ils avaient cirés, Lohania avait disposé des chrysanthèmes bronze dans un vase, sur la table en acajou que Fanny, la tante de Leigh, lui avait léguée. Vida entra sans bruit pour ne pas déranger le couple dans le living-room, séparé par des portes en verre qu'ils avaient fermées sur leur intimité et vola un chrysanthème pour son plateau. Voilà. Tout était prêt pour Leigh.

Tout en posant le plateau sur un tabouret à côté du lit et en rejetant le couvre-pied, elle exulta devant la tapisserie crétoise qui formait le montant de son beau lit et la poitrine toute brodée de fourrure de son bien-aimé. Cela ne la dérangeait aucunement de se lever et de le servir, car elle avait tendance à penser que les hommes étaient fragiles. Capables de vous faire l'amour seulement de temps en temps ; et être aimée une fois par jour, c'était déjà beau. Elle avait envie de Leigh en se coulant près de lui. Elle tapota les oreillers et lui tendit sa tasse. Il avait branché la radio sur une station de musique rock et les Joyeux Clamsés jouaient par-dessus leur café au lait.

— Tu sais ce que j'ai vraiment envie de faire, bébé ? J'en ai marre de ce boulot de journaliste à la con. J'ai envie d'être le disc jockey de la Nouvelle Gauche. Ouais. Leigh l'acrobate. Le meilleur des Pépés chauffés à Blanc. Voilà comment on séduit les mouflets. Tu passes des disques qui balancent et entre deux, tu leur donnes ton point de vue et tu leur dis ce que tu penses du pays. Etre disc jockey. Voilà mon trip.

— Et être adoré par des dizaines de milliers de petits rockers, bien entendu, dit-elle en souriant.

— Mais non. Simplement recevoir toutes les nouveautés gratuitement. Et interviewer tous ces guignols. J'ai toujours eu envie de ça. A l'université, j'étais le meneur de bal. Tu le savais ? Sauf pour les très grandes soirées où on faisait venir un orchestre de cinq jeunes dingues.

Le petit déjeuner terminé, elle retira le plateau et se pencha pour baiser les lèvres de Leigh au goût d'orange amère et de café. Le soleil embrasait la poitrine et les bras velus de Leigh.

— Mon ours, lui dit-elle gaiement. Mon ours cannelle. Mon grizzli.

Son pénis en érection faisait une drôle de tente sous les draps. Elle se glissa dessous.

— Garde ta chemise de nuit, dit-il. C'est excitant, ça glisse.

Leigh n'aimait pas beaucoup perdre son temps à caresser. Il affirmait n'avoir de sensibilité que dans la verge. Elle se demandait parfois si toute cette fourrure n'amortissait pas les sensations. Mopsy, couchée sur la chaise longue bleue et qui remuait la queue dans l'espoir d'être bientôt sortie, était plus sensible aux caresses que Leigh. Il la caresserait de la langue pour la préparer. Il faudrait alors qu'elle devine s'il avait envie d'elle vite ou lentement. S'il devait être rapide, elle fantasmerait pour pouvoir jouir. Si, au contraire, il décidait de prendre son temps, elle en jouirait et ferait de même. Le seul problème était de le savoir assez tôt afin de pouvoir épouser son rythme. Une fois en elle, il aimait faire l'amour. Il était vigoureux et sensible.

Assis sur le lit, il agitait le tissu soyeux en mesure en la regardant s'habiller.

— Où as-tu trouvé cette chemise de nuit, bébé ?

— Natalie l'a achetée.

— Ta sœur. Ha ! j'imaginais que c'était l'offrande d'un jeune et fougueux amant.

— C'est à toi qu'on fait des cadeaux, mon cher. Tu n'as peut-être jamais remarqué que dans cette cagna ce sont les femmes qui font des cadeaux aux hommes ?

— C'est normal, puisque nous sommes tous tellement merveilleux.

— Surtout toi, d'accord ?

— Exact. En plus, toi, tu as le temps de faire des courses.

— Tu rêves ! Alors, nous, nous avons le temps ? Natalie ? Moi ? Bien sûr, entre deux et quatre heures du matin, un lundi sur deux. Pour la peine, tu vas sortir Mopsy, ce matin.

Il repartit dans sa chambre en sifflotant un air des Beatles et Mopsy le suivit en remuant la queue plus fort, comme si elle avait compris. Vida s'assit devant sa coiffeuse pour démêler sa chevelure rousse et soyeuse. Le temps, hein ? Si quelqu'un avait, à New York, un emploi du temps plus rempli que le sien, elle attendait de le connaître. Le maire Lindsay peut-être — et encore, elle en doutait.

Une fois habillée, elle sortit rapidement par la porte de service, dévala les trois étages et entra dans la partie de l'immeuble qui donnait sur West End. Elle frappa à la porte de Natalie, scanda un Dring, Dring-Dring, Dring sur la sonnette et attendit avec impatience. Natalie vint ouvrir dans sa vieille robe de chambre rouge, jadis une merveille en cashmere qui datait de l'époque de leurs universités. Elle ébouriffa les boucles brunes de Natalie, déposa un baiser sur ses lèvres roses et la serra dans ses bras Natalie la tendre, la potelée, la zaftig, la douce.

— Enlève cette vieille horreur, Nattikins. Allons, ôte-la, elle traîne par terre, et on dirait la robe de chambre de ta grand-mère.

Natalie fronça son nez retroussé et répliqua :

— Va te faire foutre. D'accord, je suis une mémé, mère de famille, et ce n'est pas tout. Entre.

— Daniel est encore au lit ?

— Non. Il est descendu acheter le *Times* et il n'est pas encore revenu. Mais il a emmené Sam dans sa poussette, alors, bénissons-le. Et asseyons-nous tranquillement. Tu veux du café ?

— Bien sûr. Noir.

— Moi aussi.

— Tiens, tiens, comment cela se fait-il, Natty ?

— Je suis au régime, dit Natalie en se tapotant le ventre.

— Je t'aime comme tu es. Je ne te trouve pas grosse !

— Merci, t'es sympa. Mais je ne vais pas tarder à être beaucoup plus grosse.

— Oh non ! (Vida n'arrivait pas à feindre la joie aussi vite qu'elle l'aurait voulu.) Encore ?

117

— Ouais.

Natalie haussa les épaules en se frottant à nouveau le ventre. A certains moments, Vida trouvait qu'elle ressemblait à un bouddha, à une paysanne butée, à une enfant rayonnante.

— Tu ne mets pas de diaphragme ?

— Si, mais Daniel a horreur que je me relève pour aller le mettre. Il préférait la pilule, seulement ça me faisait gonfler comme une baleine dyspeptique. Et je pétais et je rotais, un feu d'artifice continuel. Daniel prétend que si je me relève, il n'a plus envie quand je reviens.

— Tu vas garder ce môme ? Rien ne t'y oblige...

— A quoi sert le mariage si c'est pour continuer à se faire avorter, je te le demande ? (Natalie souffla sur son café.) Il paraît qu'il n'y a que les jeunes que ça rend dingues. Les vieux et les parents, eux, seront contents.

— Et c'est pour quand ?

— Un enfant n'est pas une chose. Ne dis pas « c'est pour quand », comme si j'allais accoucher d'un monstre. Voyons, il naîtra à la mi-mai. Au moins, cette fois-ci, je ne passerai pas l'été à tituber comme une pocharde, comme la dernière fois. Tu te souviens ? Quelle aventure... Tu as pris ton petit déjeuner ?

— Oui, avec Leigh. Très agréable, ce matin. Lohania est là, mais j'ignore si elle est seule ou si son nouveau cul-terreux joue les squatters dans sa piaule.

— Un vrai ours ce mec-là, non ? Bon, il faut que nous discutions, toi et moi. (Natalie se redressa, et versa du yogourt sans sucre dans son bol.) Cette fois-ci, il faut que les tracts aient un contenu politique. Plus de : « Chouette ! les mecs, on va danser dans les rues et arrêter la circulation. »

— Alors décidons en aujourd'hui. Demain, Lohania sera repartie pour Newark et moi je serai au boulot... Au fait, toi et moi, il va nous falloir travailler au budget mensuel. Nous l'avons encore dépassé avec la bouffe.

— Pourquoi est-ce que tu ne demandes pas une augmentation à Kiriaki ?

— Parce qu'ils ne me donneraient pas un sou de plus, Natty. Tout de même, j'aimerais bien que ce couple qui campe dans le living nous file un peu de fric pour les repas.

— Penses-tu, ils s'imaginent que nous sommes trop bourgeoises pour nous soucier de ça. Entre nos deux ménages, nous détenons probablement plus de vrais boulots payants que tout le restant des membres du Mouvement de New York réunis.

Natalie parlait gaiement, mais Vida savait que sa sœur regrettait d'avoir dû quitter son boulot à l'université de Brooklyn, car elle s'était passionnée pour ses élèves et son rôle de marraine de faculté, pour la section du Mouvement. Natalie avait été enchantée d'avoir un enfant, mais elle aurait aimé continuer à enseigner, au moins à mi-temps.

— Tu pourrais peut-être travailler dans une école libre, dit Vida, sachant que sa sœur saisissait l'allusion.

— Je préfère les institutions officielles. Je n'aime pas les établissements qui font du contre-courant. Je veux atteindre les étudiants qui ont vraiment besoin de diplômes, pas les glandeurs et les prima donna qui ont tout le temps de faire les rigolos.

Vida étreignit la main de Natalie et sentit la dureté de son alliance. Elle semblait dire : j'appartiens à Daniel, qui vient de planter une nouvelle graine d'enfant en moi. Sam était mignon et adorable, aussi adorable que Mopsy, bien qu'il donnât infiniment plus de travail. Et voilà maintenant que Sam parlait, qu'il se montrait étonnamment intelligent, mais qui avait besoin d'un autre enfant encore ? Vida voulait encore plus du temps de Natalie et pas moins.

— Est-ce que tu as annoncé la nouvelle à Sandy et à Ruby ? demanda Vida.

— Non. Je vais leur retéléphoner ce soir. Tu veux que nous les appelions ensemble ?

— Bonne idée. Ce sera plus simple et, surtout, cela nous fournira une bonne excuse pour ne pas écrire. La confusion générale noiera le poisson.

Vida aimait ses parents, mais ces derniers se tracassaient des activités politiques de leur fille. Une photo de Vida, publiée dans *Life* après la Convention nationale du Mouvement, les avait effrayés. On l'y voyait en train de prononcer un discours en plein air, le poing brandi devant un drapeau MLF, et la mine farouche. En réalité, elle n'avait fait qu'exposer les conclusions d'un rapport élaboré par le premier Comité électoral des Femmes du Mouvement, qui établissait l'insuffisance de garderies et de crèches pour les enfants. Et, oui, elle était en colère ce jour-là, parce que les hommes avaient continué à bavarder entre eux sans écouter. Non pas que Vida se passionnât pour le problème des crèches, mais la question inquiétait Natalie, et Vida avait été choisie pour en parler, car sa voix forte et claire et son éloquence avaient beaucoup d'impact du haut d'un podium. Pourtant, aussitôt que les hommes avaient entendu les mots « Comité électoral des Femmes et garderies d'enfants », ils avaient décroché et tourné le dos.

— Natty, est-ce que tu as le temps de faire la lessive, cette semaine ?

— Je crois, soupira Natalie. Je n'ai encore trouvé personne dans le groupe pour me remplacer, mardi soir.

119

— Il faut que tu y arrives, Natalie. Tu ne peux pas manquer encore une réunion du Comité.

— Je vais essayer de convaincre Daniel de garder Sam, dit Natalie sans beaucoup d'espoir. S'il n'a pas de réunion lui-même, pour une fois.

— Nous pourrions peut-être nous offrir une vraie baby-sitter ? Mets une annonce dans l'ascenseur.

— Pour qu'une petite rigolote que je ne connais pas se pointe ? Ne sois pas ridicule ! protesta Natalie avec un sérieux de mère poule tout en redressant sa petite taille.

— Alors je vais trouver quelqu'un. (Un jeune du Mouvement avait le béguin pour elle.)

— D'accord, mais pas un de ces dingues qui se figurent qu'on met de l'acide dans les biberons, hein ?

Oscar et Bob le Pélican, qui s'occupaient du stand à la foire de propagande contre le gouvernement, passèrent à midi pour prendre le boulot. A deux heures précises, toute la famille partit pour la Foire. Natalie venait en tête, poussant Sam dans sa poussette. Sa vareuse en velours côtelé s'arrêtait à deux centimètres du genou. Elle ne s'habillait pas aussi court que Lohania et Vida, qui passaient leur temps à raccourcir leurs jupes en douce, un centimètre ici, un centimètre là, en se poussant mutuellement. Daniel et Leigh marchaient en avant avec Mopsy, qui trottinait fièrement au milieu, la queue en drapeau. Leigh avait les mains dans les poches de son blouson d'aviateur et le Nagra en bandoulière. Daniel marchait en balançant les bras et ses protège-coudes luisaient sur sa veste de sport. Daniel était un costaud au torse bombé. Lorsqu'ils s'arrêtèrent à un feu de signalisation, et que Leigh se tourna pour regarder Daniel, Vida le vit disparaître derrière le mur que formait le dos de ce dernier. Lohania et Kevin marchaient au milieu du groupe, main dans la main, abîmés dans une conversation à voix basse. Lohania était obligée de faire deux pas pour une seule enjambée de Kevin. Kevin était le plus grand et le plus athlétique de tous les hommes. Musclé, sans une once de graisse, il avait une démarche élastique et regardait à droite et à gauche, l'air automatiquement méfiant, le menton en avant. Lohania était la plus brune de toutes les femmes. Ses cheveux étaient noirs, tandis que ceux de Natalie étaient châtain foncé. Sa famille, des Cubains en exil, l'avait fait souffrir à cause de sa peau sombre. Lohania bougeait tout le temps, sensible comme un papillon. Lohania et Vida portaient la même mini, une robe-sac en velours décolletée en rond qui s'arrêtait au milieu des cuisses. Elles les avaient achetées chez Alexander, en revenant de la dernière réunion du Comité. Seulement celle de Vida était vert mousse, et celle de Lohania, prune.

Elles étaient enchantées d'avoir acheté la même robe. Lahania était faite comme une poire : elle avait la taille voluptueuse et le cul bombé comme un balcon baroque accroché au-dessus de jambes courtes et légèrement arquées. Toutes deux portaient des bas résille et des chaussures plates. Lohania, elle, avait épinglé des chrysanthèmes sur sa robe et dans ses cheveux frisés comme un buisson. Vida et Lohania adoraient le parfum de scandale qui les auréolait : elles se partageaient les faveurs du même homme, en l'occurrence Leigh, et elles étaient intimes. Elles s'amusaient même à insinuer qu'elles étaient amantes, ce qui n'était pas vrai mais presque, puisqu'elles étaient amies et qu'elles s'aimaient. Et puis, c'était si marrant de choquer les gens ! Le fait de porter la même robe rehaussait le côté scandaleux de leur couple. Vida décida qu'il fallait trouver exactement la même robe pour Natalie. Alexander l'avait dans un beau velours mordoré, qui serait divin sur Natalie. Vida ricana bruyamment, mais elle refusait de dire à sa sœur pourquoi. Epater le bourgeois, c'était terrible, choquer le Mouvement, c'était jouissif, et marcher au son du tambour de la provocation, alors là, c'était carrément le pied ! Un aphrodisiaque si puissant, que Vida songeait parfois qu'il lui suffirait de sourire pour conquérir tous les hommes qui lui plaisaient à New York.

— Quelle foule ! s'écria-t-elle joyeusement, en s'approchant de Sheep Meadow.

— Un vrai piège à cons, répliqua Daniel. Je croyais qu'il s'agissait d'un plan d'éducation politique.

L'air sentait tellement le hasch que Vida était dans les vapes rien qu'en le respirant. Une créature badigeonnée de peinture de la tête aux pieds jouait de la flûte, assise en tailleur au milieu d'une assemblée de disciples complètement défoncés et qui hochaient la tête en tanguant dangereusement. A côté, un chien à loups russe s'accouplait vigoureusement à un chien malamuth. Mopsy, inquiète, se blottit près de Vida, la queue en berne. Des individus au crâne rasé et vêtus de caftans orange les entourèrent en chantant : « Hare Krishna », ce à quoi Leigh ne manquait jamais de répondre : je vous souhaite un Harry Kirschner, à vous aussi. Et que ce soit un beau costume trois-pièces ! Harry Kirschner était un oncle du côté de sa mère, excellent tailleur de son état, et non moins bon communiste.

— Nous sommes encore loin des nôtres, dit sèchement Vida. Tu devrais être content que les hippies soient là. Tu n'as pas envie de les atteindre, eux aussi ?

— Les atteindre ? Tu es dingue ! rugit Daniel. Ils s'écroulent dans ma classe, l'œil vitreux, et si par hasard tu les pinces pour les réveiller, ils murmurent : « Oaô — mec, terrible, terrible... »

Cette année-là, les idéalistes convaincus et organisateurs du Mouvement des Etudiants Antiguerre s'étaient hybridés avec les hordes de gitans et l'on ignorait encore de quel prodige les armées hybrides des parcs allaient enfanter. Les organisateurs fumaient du hasch et laissaient pousser leurs cheveux ; les enfants-fleurs, las d'être tabassés par les flics, commençaient à parler de guerre, mais la méfiance entre les tribus subsistait. La présence du Mouvement à la foire de propagande contre le gouvernement était une idée d'Oscar et de Vida, pour attirer les foules qui s'entassaient dans cet endroit à la mode qu'était Sheep Meadow. Daniel était trop rassis et grave pour comprendre qu'un épais brouillard s'était levé sur l'horizon américain et que, sous le nouveau soleil, les gens mélangeaient couleurs et sons, cultures et modes de vie tout en gardant un œil sur le miroir ; mais le miroir chantait, comme Crow Dog, son propre chant, magique et authentique.

— Voilà les nôtres, dit Vida.

Une de leurs troupes de baladins des rues jouait *Recherche et Destruction* au milieu de la foule. On voyait plusieurs acteurs mimer des occupations ménagères dans la hutte : cuisine, bavardage, couture, enfants que l'on berce. Brusquement, des soldats faisaient irruption pour les arracher à leur foyer et les tuer. Puis ils incendiaient les huttes. Oscar, les cheveux bruns serrés sous un bandeau rouge, jouait du tambour pour rythmer leur action. Oscar battait comme une vraie savate, mais il aimait ça. Oscar, le théoricien qui n'était pas allé à la plage de tout l'été — « On fait la révolution Vida, alors je t'en prie, soyons sérieux ! » — était assis en tailleur sous le soleil d'octobre et souriait d'un air béat en tapant sur sa grosse caisse au milieu des cris de douleur des acteurs. Oscar, mec, si seulement tu te rendais compte, tu aurais honte d'être vu...

Vida marchait bras dessus bras dessous avec Lohania, Kevin étant allé discuter avec un type coiffé d'un turban. Lohania sentait le santal, le seul parfum qu'elle mît jamais. Et même les foulards en soie qu'elle portait pour contenir ses cheveux fous étaient rangés dans un coffret en bois de santal que Vida lui avait offert. Leigh était parti, Nagra branché, humer la foule et faire du micro-trottoir. Mopsy le suivait à la trace, intimidée par la foule, les pétards et les danses. Natalie poussa Bébé Sam près des bancs où s'étaient rassemblées les mamans qui n'étaient pas camées, pour pouvoir regarder l'action autour des stands édifiés par le mouvement, surveiller les enfants et bavarder entre elles. En la voyant là, Vida éprouva une vague pitié puis elle se mêla à la foule avec Lohania.

Le stand de jeu de massacre avec les têtes de McNamara, Johnson, Westmoreland, Rusk, avait beaucoup de succès, tout comme le jeu qui s'intitulait : « Sous les drapeaux », et que le comité de Direction s'était beaucoup amusé à mettre au point. Seulement, l'orchestre rock avait encore plus de succès et tous les copains étaient partis danser. Daniel se promenait avec un confrère en tétant une pipe à eau avec le même enthousiasme avec lequel il tirait sur sa pipe d'écume.

Ils paraissaient enchantés d'apporter leurs commentaires au tableau sinistre, mais étrangement paisible. Un arc-en-ciel avait éclos au-dessus de leurs têtes, lumineux, criard, fantaisiste et éminemment religieux. Vida passa devant des gosses qui avaient l'air d'avoir mis à sac le grenier d'un travelo victorien. Des ballons flottaient dans l'air et éclataient. La journée était presque chaude. Musiciens, mendiants, camelots et trafiquants de drogue exerçaient leur métier. La Chambre des Horreurs ne marchait pas du tout. Personne ne voulait contempler les photos du Vietnam. Le stand des pamphlets politiques n'affichait que de modestes ventes.

— On devrait leur vendre du pop-corn en même temps, déclara le gosse derrière le comptoir.

Comment éduquer ces enfants de la danse? Vida regardait, flirtait un peu, parlait à des connaissances et à des étrangers, vagabondait. Lohania et Kevin dansaient ensemble. En les voyant, on comprenait aussitôt qu'ils étaient des amants. Mais Kevin en eut vite assez et s'arrêta. Vida sentit son ennui, comme une présence, comme un gros chien de berger allemand qu'il faut nourrir et tenir en laisse. Impossible de l'enfermer indéfiniment ou de l'ignorer. Sa présence physique l'épuisait, comme un bruit assourdissant. Comment faisait-il pour être le point de mire, simplement en restant là, l'œil mauvais?

— Hé, mais c'est Julie la Rousse!

— Oh! salut, dit Vida en se retournant.

A Washington, au Pentagone, l'un des capitaines l'avait appelée ainsi. Le gars qui l'avait interpellée était un chanteur folk de la section de Louisville.

— Qu'est-ce que tu fous là? demanda-t-elle.

— Je discute politique et je drague la minette.

Ah c'est vrai, se dit-elle, c'est un dragueur. Il portait son banjo pendu dans le dos. Il sortit sa planquouse de dessous sa veste en cuir à franges et lui offrit un joint. C'était une coutume, une poignée de main secrète.

— Tu as besoin d'un pieu? lui demanda-t-elle, se sentant obligée de lui proposer le gîte.

Au point où ils en étaient, un de plus un de moins par terre, quelle importance? Tous ceux qu'elle connaissait étaient certains qu'ils pouvaient voyager de ville en ville et qu'ils trouveraient toujours des membres et des bureaux du Mouvement pour les nourrir et les héberger. Elle-même pouvait aller n'importe où, on la reconnaîtrait à ses vêtements, à ses expressions, à ses cheveux. L'hospitalité était un devoir sacré, comme de partager son herbe avec les copains.

— Ouais. J'habite avec une nana extra à Soho, mais je dis pas non...

Leigh se tenait à côté d'elle, le Nagra ouvert, prêt à tout enregistrer.

— Salut, vieux. Je t'ai déjà entendu jouer du banjo... Tu me présentes, Vida...

Par miracle, elle réussit à déchiffrer les inscriptions gravées sur l'instrument surchargé de décorations, et se souvint qu'en réalité il s'agissait du nom du type.

— Yellow Brick Road, Leigh Pfeiffer. Yellow écrit des chansons terribles.

Elle lança la conversation entre eux et s'éclipsa. Lohania dansait toute seule, perdue dans ses rêves. Son corps ondulait, frissonnait, se tortillait dans une extase totale. Ses yeux étaient à demi clos. Des gosses jouaient avec de longues banderoles en papier qu'ils agitaient en formant des motifs variés.

La scène était digne de ses imaginations les plus folles ; on eût dit une comédie musicale subversive, jaillie des placards de l'Amérique : des gens inoffensifs comme des bulles de savon dansaient dans la rue en se heurtant à une foule passive et bienveillante. Il s'agissait là d'un changement durable dans le pays. Daniel ne saisissait pas le pouvoir de la beauté, sa force. Jamais plus les autorités ne pourraient renfermer le diable dans sa boîte. Quand la musique change, les murailles de la ville tremblent, récita-t-elle en souriant mystérieusement.

Tout là-bas, Natalie quittait son banc et Vida la rejoignit, en compagnie de Lohania.

— Sam est fatigué, annonça Natalie. Je crois qu'il est l'heure de rentrer.

— Je vais voir qui je peux retrouver, dit Vida.

Elle prit doucement Lohania par le bras, la ramena à la réalité, à l'après-midi poussiéreux ; Kevin avait disparu, mais Lohania ne semblait pas s'en émouvoir.

— Il doit dîner chez sa maternelle, à Newark. Ne t'inquiète pas, il est assez grand pour se débrouiller tout seul.

Lohania parlait vite, comme toujours. Elle n'avait pas d'accent, sauf celui de New York.

— Il est allé boire un godet avec un quelconque pote des docks, reprit-elle. Si tu savais où il les trouve... Il doit être là, accoudé au comptoir d'un bar irlandais, en train de se débrouiller pour faire parler et se faire raconter des histoires sur l'IRA et sur les Black and Tans *... Aïe, j'ai mal aux pieds, Sammy, viens, viens voir ta tantine. Oupla ! Alors vilain, tu donnes du fil à retordre à ta maman ? Je me demande à qui il va ressembler, le prochain.

— S'il te plaît, ne dis pas « il » en parlant de mon enfant. Je ne

---

* Black and Tans : Milice créée par la Grande-Bretagne pendant la guerre de 1914-1918, pour lutter contre l'Armée républicaine irlandaise.

veux pas d'un garçon et j'aimerais que tout le monde cesse de penser que j'en veux un, dit Natalie, l'air furieux.

— Tu veux une fille, ou autre chose ? dit Lohania en lui tirant la langue. Allez, viens, Maman, on va te ramener à la maison et s'occuper de toi. Un bon dîner, un bon massage du dos là où ça tire tant, tout en bas, et ce soir, c'est moi qui fais la cuisine.

Vida trouva Daniel en grande conversation avec un mec. Il l'enlaça avec un air de propriétaire et lui étreignit la taille sans interrompre le flot de ses arguments :

— ... et entraîne des charges de plus en plus lourdes pour l'Etat Providence, jusqu'à ce que tout le système s'effondre, disait-il. (Comment osait-il être si paternaliste ?)

— Natalie est fatiguée, dit Vida. Elle aimerait rentrer.

— Parfait, dit Daniel.

Natalie et Daniel disaient toujours : « parfait », quand tout allait mal. C'était une habitude de couple. Si vous leur disiez : « J'ai une pneumonie », ils vous répondaient : « Parfait, nous allons appeler le docteur. »

— Je la rejoindrai tout à l'heure, reprit Daniel. Allez, rentrez vite, les filles.

Quel culot ! se dit-elle en se frayant un passage dans la foule. Il se figure qu'il peut nous traiter avec condescendance simplement parce qu'il est prof à l'université. Les filles ! Leigh était le seul homme de sa connaissance à ne jamais rabaisser la femme avec qui il était et à ne pas la prendre pour sa propriété ou son petit dépotoir parce qu'il couchait avec elle. Daniel traitait Natalie comme... une épouse. Elle éprouva un sentiment de profonde reconnaissance à l'égard de Leigh, tout en évitant un groupe qui dansait autour d'un joueur de congas, parce qu'ils avaient su tous deux demeurer ouverts, confiants et, par-dessus tout, respectueux l'un de l'autre. Elle pouvait aimer d'autres hommes brièvement, comme amis, comme amants, mais Leigh seul constituait le centre de sa vie d'une manière continue. Aucun homme n'était capable de l'aimer, de la laisser vivre intacte, avec ses appétits, ses capacités, son intellect et ses convictions non pas diminués, ni amputés, mais encouragés. Elle scruta les ouvertures dans la foule tout en se frayant un chemin, espérant le voir. Lohania poussait Sam en gazouillant avec lui, tandis que Natalie et Vida remontaient Broadway bras dessus bras dessous. Broadway était un prolongement du parc plus limité, avec la foule du dimanche après-midi qui traînait d'une boutique à l'autre et les vieillards, assis sur des bancs au beau milieu de l'affluence des quartiers résidentiels, avec une assemblée de pigeons se pavanant à leurs pieds.

— Désolée d'avoir été ronchon, dit Natalie. Mais j'ai envie de rentrer et de mettre au point notre stratégie pour la réunion des collaborateurs.

Des ombres fraîches se glissaient sur Broadway, au fur et à mesure que le soleil déclinait au-dessus du New Jersey. Vida aperçut son reflet dans la vitrine d'une boutique et sourit. Il arrivait que sa mini ressemblât à une robe de petite fille ou bien aux uniformes de Star Trek, à ces vêtements d'un monde futur dans lequel les tristes, les sinistres problèmes de racisme, de pauvreté, de famine seraient résolus.

— Natalie, Lohania, vous arrive-t-il jamais de penser que nous sommes juste au centre de l'univers ?

— Ecoutez-la parler, la vraie New-Yorkaise ! dit Natalie en tapotant le postérieur de Vida. Qui pourrait imaginer qu'elle est originaire du Midwest ?

— Mais non, je veux dire : ici même et en ce moment. Quand j'étais au lycée, tu te le rappelles, Natty, j'étais persuadée que l'histoire se concentrait à un endroit précis, à un moment décisif. Par exemple, en 1890, c'était le moment d'être à Paris, et en 1917, à Saint-Pétersbourg. C'est vrai, j'ai cette impression en ce moment, comme si les événements allaient plus vite que notre compréhension. Comme si nous faisions poids sur quelque chose pour que tout bascule. Nous sommes en train de *faire* l'histoire...

— Tu es une romantique, répliqua sèchement Lohania. L'histoire est une science.

— Je ne suis pas de cet avis.

L'intérêt de Natalie pour la discussion éclairait son visage et lui donnait l'air d'une jeune fille de dix-huit ans qui s'enfouissait les mains dans ses boucles brunes en fronçant le nez. Natalie adorait discuter à propos d'idées, tout autant aujourd'hui qu'à l'époque où elles s'étaient connues, alors que Natalie avait douze ans et demi et Vida douze ans.

— L'histoire est un mythe. Il se produit un million d'événements à la minute. Chaque historien choisit un événement particulier et le monte en épingle. La Bourse. Une épidémie de choléra. Les guerres. Le changement de statut des femmes. La hausse du taux de natalité. Le taux d'inflation. L'accroissement de la production de soja. Le dégel dans l'Antarctique. L'extinction des espèces. La résistance d'un certain bacille à la pénicilline... La guerre du Vietnam nous obsède, et pour de bonnes raisons, mais un historien qui se passionnera pour la suprématie du Togo en l'an 2067, pourra fort bien ignorer les remous qui auront eu lieu en Amérique du Nord.

— Cumul de non-sens ! s'écria Lohania.

Quand Lohania parlait de marxisme, elle paraissait différente. Sa bouche devenait plus mince, ses yeux s'étrécissaient, luisaient, elle rejetait ses petites épaules en arrière. Lohania nourrissait une colère sourde envers ses parents, parce qu'ils avaient quitté Cuba, qu'ils l'avaient punie à cause de son teint mat et parce qu'ils adoraient ses frères et la méprisaient.

— Quand tu comprends le fondement de l'économie, reprit-elle, quand tu maîtrises le processus dialectique, quand tu analyses les divers stades de l'impérialisme dans lequel nous entrons, alors, tu comprends ce qui fait bouger l'histoire et tu sais comment concentrer tes forces dans la lutte.

Vida interrompit leur argumentation théorique pour les ramener à la réalité. Il fallait décider de l'ordre du jour de la réunion ; dès qu'elles seraient de retour, c'était cela, leur programme. Au sein du Mouvement, chacun avait sa propre politique : anarchiste, libéral, communiste, social-démocrate, syndicaliste, travailliste, catholique, maoïste, schactmanien, spartakiste — mais ce qui comptait, c'était la politique de l'acte. Il y en avait pour tous les goûts, dans ce vaste mouvement hétéroclite. Et les décisions naissaient lorsqu'on avait résolu les problèmes en luttant. Vida se contentait d'appartenir à la Nouvelle Gauche, sans autre étiquette fantaisiste. Couper les cheveux en quatre, voilà tout ce qu'avaient fait ces pauvres vieux gauchos tout au long de leurs réunions sinistres des années 50, où plus personne n'allait, cependant que le mouchard du FBI prenait des notes sur son calepin. A présent, ils savaient qu'ils avaient tout à faire. Qu'il fallait s'adresser à tous et à toutes, à travers la poésie de l'action, le théâtre des rues, les médias, la musique que ce soit logiquement, illogiquement et subconsciemment ! Pour Vida, l'Histoire était un sentiment d'urgence, une accélération du sang, une passion de rendre les choses meilleures et, pour cela, de peser de toute sa vie. Le Mouvement des Etudiants Antiguerre était une organisation farouchement, totalement démocratique, ouverte à tous, avec ou sans exigences, avec des dirigeants élus qui galopaient généralement dans une direction, pendant que les membres couraient dans une autre. Les différentes sections des autres villes faisaient comme bon leur semblait et leur programme d'action se réalisait parce qu'il y avait suffisamment de monde pour y œuvrer. Ce programme était débattu avec flamme, ensuite de quoi il était souvent froidement ignoré, à moins qu'il n'émanât des tréfonds de la masse. Le Mouvement était incontrôlable et luxuriant comme un terrain vague envahi par la jungle.

En entrant dans l'appartement de Vida, elles trouvèrent le living-room investi par vingt personnes assises sur tout ce qu'elles avaient pu trouver, y compris le plancher. Leigh parut contrarié. « Réunion à huis clos, exclusivement réservée aux collaborateurs du *Cafard.* » Mopsy, elle, se tortilla pour qu'on la caressât. Elle avait oublié ; Leigh l'avait prévenue que la rédaction du journal se réunissait chez eux.

Lohania et Vida suivirent Natalie en trottinant dans l'escalier. Le téléphone, qui avait fait sa grasse matinée du dimanche matin, avait recommencé à sonner, comme toujours, toutes les dix minutes. Natalie entreprit de donner un petit pot à Sam dans sa haute chaise, puis Lohania et Vida se relayèrent auprès de l'enfant, chaque fois qu'on demandait Natalie au téléphone. Lohania prépara le dîner, également relayée par celle qui n'était pas assaillie par un problème à ce moment-là. Vida prenait les communications pour la réunion du Comité électoral des Femmes. (Mercredi soir ? Entendu. J'essaierai d'y être. Je dois voir les délégués du Bureau de l'université de Queens. Si c'est important ? Tu parles. Une seconde, je te la passe. Natalie !) L'alimentation de la machine à polycopier est cassée ; qui sait la réparer ? (Victor. Appelle-le chez Betty, après 8 heures) ; tu as un exemplaire de la *Stratégie du Travail* de Gorz ? J'écris un article là-dessus. Quand se voit-on ? (Leigh en a un exemplaire. Je l'apporterai à la réunion. Mais oui, moi aussi, je t'adore, Pélican. Tu le sais.) Nan s'est fait piquer au moment où elle inscrivait des slogans à la bombe à peinture, au Bureau de Conscription de Whitehall. (Appelle Martin Abrahmson à son domicile, à Central Park West. Voilà son numéro...).

L'appartement de Natalie, trois étages en dessous et donnant sur West End, n'était pas aussi ensoleillé que celui de Vida. Mais la différence d'atmosphère tenait beaucoup au style du désordre ambiant. Ici, les membres rapportés du Bureau de Tucson ou de Seattle ne campaient pas aussi souvent dans le salon. Ils ne venaient pas prendre un nombre incalculable de bains interminables et parfumés au hasch et aux sels de bain. Ils ne bloquaient pas le téléphone pendant des heures pour parler avec l'Alaska, en donnant des numéros de fausses cartes de crédit, appels qui ne manqueraient pas d'être facturés chez Natalie deux mois après. Au lieu de cela, une foule de jouets craquaient sous vos pieds, des petits vêtements encombraient les chaises et d'étranges tétons de sucettes artificielles dont Sam ne voulait absolument pas se passer étaient fourrés, tels des champignons écrasés, dans l'évier et sur les rebords des fenêtres. Les deux appartements avaient un air de bureau à temps partiel, avec leurs piles de stencils tirés d'après des bulletins d'information et des pamphlets politiques entassés dans toutes les armoires et recouvrant le sol selon diverses proportions.

Daniel entra en trombe, le visage cramoisi.

— Les jeunes s'étaient associés à la manif contre le ROTC *, et les salauds de l'administration ont appelé les flics. Il y a beaucoup de blessés. Vite, il faut que je téléphone, ils ont jeté un gosse dans l'escalier, il a la colonne vertébrale brisée.

* ROTC : *Reserve Officers Training Corps*. Correspond à la préparation militaire supérieure en France.

Aussitôt que Lohania eut interrompu sa communication avec Newark, au sujet de l'organisation d'une station de radio pour la communauté, Daniel saisit le téléphone et y déversa un staccato de questions. Puis il se rua dans la cuisine en enfilant son imper « comme il faut ».

— Où est le nécessaire d'urgence ? demanda-t-il.

— En haut. Dans la chambre. Je monte avec toi.

En montant quatre à quatre l'escalier de service avec lui, Vida sentit la colère et l'inquiétude qui irradiaient de Daniel, elle regretta de l'avoir critiqué toute la journée. C'était pourtant bien elle, Vida, qui clamait aux réunions : « Il faut amener des gens ordinaires à protester contre la guerre. » Et, dans un même temps, elle en voulait à Natalie et à Daniel d'être un couple ordinaire et de fabriquer tout le temps des enfants.

— Je connais le gosse auquel ils ont brisé la colonne vertébrale, marmotta Daniel. Son frère a été tué au Vietnam. Un grand dadais dégingandé qui vient d'avoir dix-neuf ans. Et ce soir, les canards vont faire tout un couplet sur la violence des étudiants.

Elle trouva de l'argent pour Daniel, sans déranger la réunion du *Cafard.* Au moment où ils partaient, elle croisa le couple de Chapel Hill qui partaient, leur sac de couchage sur le dos.

— Cette réunion n'en finit plus, dit le type. On va s'installer du côté de Columbia.

— Excellente idée. Et bonne chance, leur dit Vida, désolée de ne pas se rappeler leur nom.

Daniel partit en trombe, sa côtelette de porc à la main, et Lohania, Natalie et Vida s'assirent à table pour dîner, pendant que Sam babillait comme une vedette de télé. Dès qu'il sentait que sa mère ne lui dédiait pas toute son attention, il redoublait d'ingéniosité et déployait toute une gamme d'expédients. Celui de ses tours que Vida trouvait le plus irritant était quand, se prétendant redevenu bébé, il bavochait, hurlait et émettait des sons inarticulés, libérant le maximum de décibels que sa petite gorge pouvait émettre : « GA-GA-GA », braillait-il en tapant sa cuiller. Puis il se tordait de rire et attendait pour voir si Natalie ne le prendrait pas dans ses bras.

— Tais-toi, Sam. Je discute avec tante Lohania et tante Vida. Tais-toi immédiatement. C'est compris ? Je parle sérieusement, disait Natalie, l'air sévère et la voix câline.

— GOU-GOU-GOU, reprenait Sammy de plus belle.

— Le problème fondamental, hurlait Natalie en faisant semblant d'ignorer les cris du rejeton, est de s'assurer que la prochaine manif aura un contenu politique. Il faut que les jeunes comprennent la nature, la structure du pouvoir et de l'impérialisme et qu'ils ne viennent pas simplement là pour se dégourdir les jambes. Nous faisons bouger les gens, c'est entendu, mais nous ne modifions pas leur façon de penser.

— A propos, que penses-tu de la foire de propagande ? demanda Lohania, en se badigeonnant les ongles avec du Mauve Magique.

Elle avait les ongles les plus longs que Vida ait jamais vus. C'était son orgueil, sa passion, son passe-temps, son œuvre d'art. Lohania adorait qu'ils soient légèrement ridicules.

— A vrai dire..., soupira Natalie en laissant Sam grimper sur ses genoux et s'y asseoir, l'air vainqueur. Les gosses hypertendus ne sont pas mon électorat préféré. Comment parler à des mioches qui sont tout le temps dans les vapes ?

— Nous les atteignons, insista Vida. Bien sûr, on ne peut pas avoir de longues discussions rationnelles avec eux, comme avec des gens ordinaires, mais ils ont de l'instinct. Ils sentent qui leur ment et qui leur dit la vérité. Nous devons atteindre tout le monde, mes chéries. *Tout le monde.* Et nous le faisons. Nous mobiliserons chaque secteur de la population et nous ferons cesser la guerre à Noël — ou, en tout cas, au printemps.

— Si nous ne rassemblons pas des troupes pour la manif de jeudi en huit, ils vont croire que nous sommes en perte de vitesse. Les salauds des médias n'arrêtent pas de raconter que nous sommes arrivés à un point de saturation... comme si le Mouvement était une campagne de publicité ! aboya Lohania, furieuse.

Elle avait parfois la vision d'un déplacement de foule qui ressemblerait aux grandes parades de printemps. Pas du tout du type de manif que le Mouvement allait organiser, mais ce genre de grande mobilisation printanière, avec vieillards et mères de famille poussant le landau, hommes en complet-veston, gosses peinturlurés de la tête aux pieds, rabbins, shamans, prêtres et orchestres défilant au pas. Tout le monde serait engagé politiquement — tout le monde, sauf la classe dirigeante.

Il y avait de plus en plus de gens opposés à la guerre, et en faveur d'un changement. L'ambiance actuelle se réchauffait. Elle se sentit pleine de force en songeant au chemin parcouru : d'une minorité timide et isolée, ils s'étaient mués en une force dont on sentait qu'elle deviendrait le courant majoritaire. A présent, il y avait des assistantes sociales en faveur de la paix, des éboueurs pour la paix, des secrétaires pour la paix, des grand-mères pour la paix, des gardiens de zoo pour la paix. Ils prendraient le pays et l'obligeraient à tenir ses promesses et à réaliser ses grands rêves.

Une fois sa conférence de rédaction terminée, Leigh descendit. Sammy, bordé dans son dodo, continuait à se faire entendre tandis que Vida prenait des notes sur les questions à soulever à la réunion du Comité. Lohania massait la nuque de Natalie. Lorsque Leigh entra, elle s'arrêta, lui fit un clin d'œil et dit :

130

— Alors ça y est ? Le *Cafard* va enfin accoucher de son prochain numéro ?

— Oui. Nous n'avons mis que quatre heures pour prendre quatre décisions... Qu'avez-vous fait des hommes ? Je parie que vous les avez dévorés, bande de mantes religieuses !

— Ce sont les hommes qui projettent leur violence sur les femmes, dit Natalie, les yeux étincelants.

— Et depuis quand refusez-vous de vous laisser dévorer ? rétorqua Lohania en battant des cils.

Vida se tut. En réalité, la question de Leigh signifiait : Est-ce que Kevin est parti ? Il n'était pas descendu pour la chercher, elle, mais Lohania. Leigh ne lui avait pas fait l'amour de toute la semaine, songea Vida. Elle n'avait aucune envie de s'en mêler, mais elle regretta de n'avoir pas compris plus tôt. Elle s'imagina en train de s'étirer dans son grand lit pour une bonne nuit de sommeil. C'était bien agréable, une nuit à soi de temps en temps. Mais ce genre de propagande ne servait à rien : elle se sentait trop vulnérable pour rester seule. Elle s'absenta et rappela Bob le Pélican.

— J'ai trouvé le Gorz, dit-elle. Si tu veux, je peux te l'apporter.

Neuf heures trente, nuit d'octobre parfumée. Il y avait beaucoup de monde dans Broadway. Le Pélican habitait à Claremont, près de Tiemann, juste à côté de la 125ᵉ Rue. Il lui faudrait donc franchir deux pâtés de maisons en descendant de l'autobus. De plus, elle était victime de la pression exercée sur toutes les femmes du Mouvement : à savoir qu'il ne fallait jamais reconnaître que l'on avait peur dans les rues ; peur du voisinage, surtout celui des Noirs. Bob le Pélican avait ainsi été surnommé parce qu'il avait grandi en Floride et qu'un soir de défonce, il était sorti de sa réserve habituelle pour vanter pendant au moins une demi-heure les mérites de cet oiseau. Il y avait des flopées de Bob dans le Mouvement, et ce surnom était pratique.

Elle n'avait pas la moindre envie de coucher avec Pélican, mais faire un saut chez lui était une perspective agréable. Elle pourrait se détendre un moment et, éventuellement, convaincre Pélican et ses copains de chambre de la soutenir à la réunion de mardi. Elle aurait peut-être besoin de sa voix lors du vote. D'ailleurs, elle avait déjà dormi sur son divan.

Elle mit ses vêtements de travail dans le sac grec en tapisserie pour le lendemain. Un seul inconvénient, si elle couchait chez Pélican, les autres se moqueraient sûrement d'elle en la voyant dans son uniforme de secrétaire métro-boulot-dodo. Mais il était probable qu'ils dormiraient tous encore quand elle partirait.

8

Le lendemain matin, personne n'avait ouvert l'œil chez Pélican. Sa robe de bureau était d'une modestie parfaite. Pas trop courte, pas voyante et, bien entendu, pas accompagnée de longues boucles d'oreille qui tintinnabulaient quand elle bougeait. Elle se mit du rouge à lèvres incolore, coiffa ses cheveux en arrière, mit son chapeau en laine, enfila un manteau à fleurs, et en route pour Kiriaki. Il lui arrivait d'avoir envie de découcher une nuit, rien que pour mieux apprécier sa maison le lendemain. Elle but du lait caillé, mangea du pain complet et des chips dans la cuisine de Pélican. Leigh se levait toujours en même temps qu'elle et le petit déjeuner était une occasion de tête-à-tête, parfois le seul moment tranquille de la journée pendant lequel ils pouvaient parler avant que la nuit ne les réunisse dans leur lit. La baignoire de Pélican était tachée de crasse séculaire et les toilettes empestaient l'urine des mecs qui avaient pissé à côté, dans l'obscurité. Elle détestait commencer la journée sans s'être récurée dans un bon bain chaud.

Une fois dans le métro, elle pensa à son emploi de secrétaire-traductrice grec-anglais-anglais-grec. Chez Kiriaki, tout le monde supposait qu'elle était grecque — elle avait posé sa candidature avec sa carte d'identité au nom de son ex-mari — et qu'elle s'était mariée à un non-grec. On l'appelait Mme Pfeiffer. Personne ne connaissait Vida Asch. Elle n'existait pas. Et elle aimait bien le côté incognito de cette double vie.

La croyant mariée, ils étaient persuadés de tout savoir d'elle. Les femmes les plus âgées demandaient : « Eh bien, à quand le bébé ? » Les jeunes lui demandaient des conseils sentimentaux et les bons-hommes lui parlaient de leurs maux d'estomac, de leur bourgeoise et de leurs beaux-parents. Plus la routine du bureau était ennuyeuse, plus cela la calmait. Elle avait l'impression d'être Mata Hari : la belle et dangereuse Vida Asch déguisée en secrétaire. Elle était bien payée et n'avait pas le sentiment d'être exploitée. Pouvoir se servir de ses connaissances en grec était fort agréable et il arrivait même que l'on fît appel à son français et à son espagnol. Elle regrettait seulement de ne pas avoir une bonne excuse pour apprendre le russe ou le chinois. Chaque nouvelle langue était comme un code et la déchiffrer un plaisir plein de piquant. De plus, les articles que la compagnie importait étaient jolis. Les employées recevaient parfois en cadeau quelques exemplaires d'un nouveau modèle de chemisier. Dans le salon de Vida, il y avait des tapis noués à motifs paysans aux couleurs vives achetés à des grossistes. A l'occasion, l'un ou l'autre des mâles du bureau lui mettait la main aux fesses, mais pas grave, elle la repoussait. Elle travaillait dans cette boîte depuis 1965.

Mais pourquoi donc, alors, avait-elle l'impression de mentir quand elle était assise à sa machine à écrire ? Des quantités de professeurs, d'assistantes sociales, de chauffeurs de taxi, d'architectes appartenaient à des groupes antiguerre, défilaient et organisaient des manifestations ; pourtant, la plupart des organisateurs à plein temps du Mouvement ne travaillaient pas à l'extérieur. Des miettes du gâteau économique flottaient autour d'eux. Tout le monde pouvait trouver un boulot à mi-temps ; c'était facile de toucher une allocation chômage, facile de percevoir une aide sociale. Les psychiatres et les médecins d'entreprises écrivaient des lettres... Certains des membres à plein temps appartenaient à des familles riches qui leur envoyaient de l'argent. Mais ce n'était pas le cas de Vida. Ruby et Sandy étaient plus à l'aise que Ruby et Tom ne l'avaient été lorsqu'elle était enfant ; seulement, avec les deux gosses en bas âge, Sharon et Michael Morris, plus le bébé qui était à l'école primaire, ils n'avaient pas un sou en trop. Vida avait toujours travaillé. Elle gagnait plus d'argent que Leigh et tous les autres, Daniel excepté. Alors, pourquoi avait-elle l'impression d'être une actrice jouant un rôle ? Il lui arrivait de se dire : Si tu étais une véritable révolutionnaire, tu laisserais tomber ton boulot illico et tu vivrais gratis, comme Pélican et compagnie. La pauvreté volontaire n'avait aucun charme, car elle avait passé toute son enfance parmi les simples ouvriers, et elle aimait son confort. Le pain trempé et les cafards, beurk. Chez elle, la cuisine était propre et bien rangée.

Mardi soir, en allant au bureau du Mouvement, elle acheta un plat chinois à emporter. La réunion n'aurait pas lieu avant 7 heures 30, mais elle avait beaucoup à faire. Sur son bureau s'entassaient des demandes d'information sur le Mouvement Antiguerre, des demandes d'envoi d'un porte-parole, des lettres des divers bureaux posant des problèmes qui exigeaient la visite d'un délégué dans une ville ou une autre. Il y avait aussi des donations, des extraits de presse et

133

même une menace d'un Homme Minute ornée d'une mire de lunette de visée; une déclaration d'amour de Pélican, une lettre obscène adressée à Vida Ass * et une sommation de leur propriétaire exigeant qu'ils libèrent leur atelier. Il faudra que je téléphone aux avocats à ce sujet. Les lettres odieuses, elle les déchirait et les flanquait à la corbeille. Elle essayait de les ouvrir sans les lire, mais son œil ne pouvait pas s'empêcher de les parcourir. Elle ne confiait à personne à quel point ces horreurs la rendaient malade. Pas même à Leigh. Pas même à Lohania, avec laquelle elle partageait pourtant ses vœux les plus intimes et ses craintes.

Côté cœur, Pélican ne l'intéressait pas, mais elle n'aimait pas qu'un homme le sentît. Au contraire, elle voulait qu'il soit à l'aise, qu'il puisse penser qu'il était possible de coucher avec elle un jour ou l'autre. Comme ça, la vie était plus agréable. Elle détestait faire de la peine et elle était convaincue qu'elle pouvait jongler avec les événements pour contenter tout le monde. Aussi, lorsque Pélican entra, elle lui adressa l'exclusivité d'un long sourire, tout en prenant bien soin de l'éviter tout le restant de la soirée.

Le bureau du Mouvement était installé dans un vieil atelier de Soho, situé dans un immeuble occupé par des artistes et par de petits artisans. Un emporte-pièce à métaux découpait toute la journée des formes au-dessus de leurs têtes. Eux, ils occupaient une pièce tout en longueur; les bureaux étaient groupés près des fenêtres qui donnaient sur la rue et, au centre, un espace était habité de vieilles chaises dépareillées disposées en cercle pour les réunions. Des rayonnages croulaient sous la littérature portant sur tous les aspects de la guerre : histoire de l'extrémisme, luttes des travailleurs, syndicats d'étudiants et bibliographies destinées aux groupes d'études. Le fond de la pièce était paralysé par un tas de rossignols : vieilles affiches, banderoles pour les manifs, meubles déglingués, et même des vieilles fringues invendues, souvenir de braderies pour le Mouvement. Quand la plupart des sièges furent occupés, vers 8 heures moins 10, Vida bondit de son bureau où trônait encore une pile de requêtes, et se glissa sur la chaise à côté de celle de Lohania, qui leva aussitôt les mains pour lui faire admirer son nouveau vernis noir brillant.

— C'est pas beau, ça? Je suis Lady Dracula! dit-elle.

Lohania flirtait avec Bob Rossi, mais elle s'arrêta en voyant l'œil mauvais de Brenda, la petite amie en titre. Lohania n'aimait pas spécialement Bob Rossi, mais elle adorait flirter et quand les autres femmes la critiquaient, elle leur répondait : « Vous ne comprenez rien aux différences culturelles. Flirter, c'est très latino ». Mais à Vida, avec laquelle elle s'exprimait en termes plus crus, elle disait : « C'est marrant, quoi. J'adore voir les mecs remuer la queue. »

* ASS signifie « cul » en anglais.

134

Vida sourit à Lohania qui regardait ailleurs. Parfois, elle sentait l'enfant en Lohania, la gamine noiraude, mal aimée, raflant toutes les bonnes notes, faisant tout pour perdre son accent et qui se rongeait les ongles jusqu'à la chair et même au sang, si bien qu'elle avait toujours un doigt sensible ou infecté à force de refouler toutes ses envies et toute sa colère. Elles étaient d'une franchise brutale l'une envers l'autre et Vida se sentait beaucoup plus libérée et beaucoup plus bavarde à propos de tout ce qui avait trait au sexe qu'elle ne l'avait jamais été avec sa sœur Natalie. Lohania avait sans cesse besoin de se rassurer sur l'effet qu'elle produisait sur les hommes. Mais elle éprouvait aussi le besoin de se laisser aller à aimer violemment, comme on se jette en bas d'un escalier, et tout cela sans jamais cesser d'être engagée sérieusement, de militer. Elle était leur marxiste-léniniste, et sa chambre regorgeait de tous ces livres sévères, de tous ces pamphlets que Vida ne pouvait se forcer à lire que lorsqu'elles étaient dans un groupe d'études. Lohania, c'était la gamine méprisée, l'universitaire révolutionnaire qui lisait Marx en allemand, la vamp incorrigible; toutes ces contradictions cohabitaient chez son amie.

Les trois dirigeants les plus importants de l'équipe étaient Bob Rossi, Oscar Loeb et Larkin Tolliver. Oscar était brun, râblé, érudit, intense, le meilleur théoricien. Comme Leigh, il était issu d'une vieille famille de gauche. Son père avait été tué à Salerne alors qu'Oscar était bambin : sa mère, une fonctionnaire du Parti, travaillait dans une fabrique de boîtes. Oscar avait été son premier amant après qu'elle se fut mise en ménage avec Leigh, mais cette liaison n'avait pas survécu à leurs différends politiques assez fréquents. Oscar préférait les idées aux gens jugeait-elle, et était prêt à sacrifier tout à la victoire sur le papier. Malgré son amour pour la dialectique, elle se sentait proche de lui. Quand le copain d'Oscar avait fait de la prison pour avoir refusé de s'engager dans l'armée trois mois auparavant, Vida avait passé toute la nuit à le tenir dans ses bras et à le consoler pendant qu'il pleurait.

Bob Rossi était grand et aussi lourd que Daniel, mais ses cheveux, ses yeux et sa moustache en guidon de vélo étaient châtains. C'était un maoïste obsédé par l'action et, encore une fois, Vida n'était pas toujours d'accord avec lui, parce qu'elle le trouvait par trop porté à se jeter dans la bagarre quelle qu'elle soit. Larkin Tolliver était le facteur inconnu. Originaire du Kansas, il avait certains maniérismes des Mouvements du Middle-West et s'adressait souvent à eux en leur disant « mon frère » ou « ma sœur », et ressemblait un peu à un prédicateur baptiste. Il avait la réputation d'être un engagé fervent et d'avoir un grand talent d'organisateur. Il était venu à New York essentiellement pour étudier l'organisation du secteur presse et pour prendre part à celle de la manifestation, la semaine suivante, pour protester contre la Réunion de l'association de Politique étrangère. C'était un petit homme mince et blond pâle, avec des taches de rousseur et des yeux bleu foncé qui étaient justement en train de regarder Vida avec une franche curiosité. Or, elle était elle-même animée de ce sentiment à son égard.

A part Lohania, Natalie et Vida, deux autres femmes siégeaient au Comité directeur : Jan, la petite amie d'Oscar, et Brenda, celle de Bob Rossi. Toutes deux étaient en première année d'université, toutes deux blondes, petites et mignonnes. Lohania, qui se déclarait incapable de les distinguer l'une de l'autre et qui était furieuse parce qu'elles votaient toujours comme leurs jules, les appelait les jumelles chewing-gum.

Pélican, lui, était un anarchiste qui tenait beaucoup à défier tout acte d'autorité. Il était membre de l'IWW (les Travailleurs industriels du Monde) pour des raisons essentiellement sentimentales. Les trois autres garçons, Bill, Marv et Big Al étaient tous des sous-fifres et de fidèles amis de Rossi et d'Oscar. Larkin Tolliver, qu'on appelait Lark, devrait se créer sa propre bande s'il s'incrustait, au lieu de retourner à Kansas.

— Lark et Pélican, dit Oscar en se grattant la tête, ça commence à tourner au poulailler, ici. Où diable est Natalie ? Elle est encore absente ?

— Un gamin de l'Université de New York était censé garder Sammy, mais il n'avait toujours pas débarqué quand je lui ai parlé, il y a cinq minutes, dit Vida.

— La barbe ! Elle ne peut pas siéger au Comité directeur si elle ne peut pas assister aux réunions..., dit Oscar d'un air sinistre. Ce n'est pas une activité facultative qui peut s'exercer quand on a fini de cirer son parquet !

— C'est ta faute, tu ne veux pas qu'elle emmène Sammy, dit Lohania, l'air condescendant. Moi, je trouve qu'on devrait les former dès le berceau.

— Je préférerais qu'elle vienne avec un chien, dix chiens ! s'écria Bob Rossi.

— Hé, que voulez-vous qu'elle fasse de son enfant ?

Vida se rendit compte qu'elle était seule parce qu'elle avait pris la défense de sa sœur.

— Aucune idée. Elle pourrait peut-être le donner aux pauvres, dit Bob Rossi de sa voix traînante.

— Toi qui passes ton temps à nous répéter que nous devrions réorganiser le prolétariat, tu vas leur dire de donner leurs gosses ?

— Natalie est censée être cadre, dit Oscar. Les cadres doivent se sacrifier.

— Bien, dit Larkin malicieusement. Dans ce cas, les cadres

peuvent garder les enfants. Toi, mon frère, pourquoi ne te portes-tu pas volontaire ? Ce serait un grand sacrifice de ta part.

Un bref silence tomba parmi eux, bruissant d'armes que l'on fourbit. Rossi déclara :

— Je propose que nous demandions à Natalie de démissionner du Comité si elle manque encore une réunion.

Son fidèle copain Marv soutint immédiatement la motion. Vida et Lohania échangèrent un regard. Certes, elle votaient en bloc sur certaines questions, mais Vida n'avait jamais senti à quel point cela irritait Oscar et Bob Rossi. Dans ce cas, pourquoi ne s'en prenaient-ils pas ouvertement à Lohania ou à elle ? Mais elle devinait aisément la réponse : Natalie était la seule femme mariée du Comité, la seule mère. Elle s'aperçut qu'elle ne se considérait pas comme une femme mariée, pas plus que les autres ne la considéraient comme telle. Ses compagnes et compagnons étaient donc tous théoriquement libres d'être des objets sexuels les uns pour les autres, sauf Natalie ; d'une façon ou d'une autre, cela signifiait donc qu'ils pouvaient lui taper sur le dos. C'était injuste, mais impossible à dénoncer tout haut sans se faire unanimement traiter de folle. Hormis par Natalie, qui comprenait toujours les réactions sous-jacentes dans les groupes. Vida et Lohania se regardèrent à nouveau, en s'exhortant à la prudence. Elle gratifia Larkin d'un sourire de reconnaissance.

— Ouais, Natalie devrait s'inscrire au Groupe des Mères pour la Paix ; lança Jan, sarcastique, en regardant Oscar pour voir s'il l'approuvait.

Peut-être Larkin était-il plus ouvert aux femmes sur le plan politique qu'Oscar ou Bob Rossi ? A voir. Seuls, Vida, Lohania, Larkin et Pélican votèrent contre l'excommunication de Natalie. Rossi parla interminablement de la Chine. Vida déclara qu'elle était en faveur d'une collecte de fonds dans le but d'envoyer Bob Rossi faire le tour des Etats-Unis et trouver des paysans sincères pour former l'alliance entre paysans et étudiants. Sa grande gueule lui valut des ennuis.

Pourquoi Oscar était-il en colère ? Elle sentit qu'il l'accusait de devenir présomptueuse. Sa photo avait paru dans *Life,* pas celle d'Oscar. Elle avait été amoureuse d'Oz — c'était le diminutif tendre qu'elle lui donnait — en partie parce qu'elle lui était reconnaissante de ne pas la définir uniquement comme une femme mariée. L'année précédente, Leigh, très désinvolte, moissonnait les belles d'un jour dans les soirées ; il flânait dans le bazar des bonnes affaires, à Sheep Meadow, cueillant ici un abricot, là une figue fraîche ou un ananas. Et elle, la femme de Leigh, elle était censée écouter les peines de cœur de chacun, sympathiser avec tous, panser les blessures, pleurer les absents ; on pouvait la tâter, la pincer, mais interdiction à elle de nourrir le moindre désir sexuel à l'égard de ses compagnons. Oz se comportait envers elle exactement comme avec tous ceux qui travaillaient avec lui, tant dans les groupes d'enseignement organisés dans chaque université autour de New York, qu'à la grande manif de printemps à laquelle ils avaient participé, et qu'aux séances durant lesquelles ils fournissaient aux étudiants de la documentation sur la guerre pour leur prouver à quel point l'opinion publique se trompait. Il traitait tout le monde avec bonté et équité, se dit-elle. Mais, au fond, elle sentait qu'il était terriblement seul. Quand elle l'embrassait, il fondait comme un esquimau. A présent, il la punissait à cause de sa réussite, et elle se sentait trahie. Elle entendit Lohania présenter des bribes de leurs projets avec la plus grande prudence.

— L'éducation politique mène à l'action ; voilà comment progresser. Nous ne leur demandons pas de former des groupes d'études, non. La semaine prochaine, nous descendrons dans les rues.

Larkin voulait-il l'enrôler sous sa bannière ? En tout cas, il ne la soutenait pas sans raison. Elle se sentit farouchement solidaire de Leigh. L'amour de Leigh était l'essentiel de sa vie, sa force. Il était son soutien, son point de ralliement, son havre ; pourtant, il ne lui faisait pas payer son amour, comme les autres hommes. Il la laissait être elle-même, survivre intacte. Elle vivrait avec lui pour toujours, jusqu'à son dernier soupir, et bien entendu, elle mourrait avant lui. Les autres hommes n'étaient qu'amuse-gueule, badinage, une façon de colorer les amitiés. Explorations. Fantasmes.

Vida et Lohania obtinrent à peu près la moitié de ce qu'elles voulaient. Vida et Lark se virent attribuer la rédaction du texte de propagande pour la manifestation, texte qui devait être distribué dans tous les bureaux du Mouvement avant la fin de la semaine. Le délai était court. La manif était programmée pour le mardi soir de la semaine suivante, c'est-à-dire à l'heure où l'Association de Politique étrangère se réunissait au Hilton sous la présence de Dean Rusk qui devait prononcer un discours. Dresser les jeunes contre Dean Rusk, le beau parleur des affairistes, le vautour libéral, était chose facile. Il était beaucoup plus difficile de les dresser contre l'Association de Politique étrangère, de leur expliquer comment la classe dirigeante contrôlait les options politiques et la discussion. Il eût fallu pouvoir leur donner un enseignement plus subtil sur le fonctionnement des institutions du pouvoir en temps de paix comme en temps de guerre, contrôlant les enquêtes, établissant les termes de la discussion, définissant les questions et les problèmes. Elle ne pensait pas que Larkin comprenait le combat. Il la soutenait parce qu'il voulait l'emporter sur Oscar et Rossi. Demain soir, elle allait devoir rédiger le pamphlet avec lui. Natalie pourrait lui rapporter ce qui avait été dit au Comité électoral des Femmes. L'essentiel d'abord. Et la manif était primordiale. Le comité des Femmes, lui, se réunirait dans deux semaines. Quoi qu'il en soit, elle n'avait jamais eu de problèmes avec

138

les hommes. Depuis le printemps, certaines des femmes du Mouvement s'étaient réunies pour discuter de leurs problèmes à l'intérieur et à l'extérieur de l'Organisation et pour se soutenir mutuellement.

— Que diriez-vous d'un peu d'action interne ? suggéra Bob. On pourrait lâcher quelques bombes puantes...

— Vous allez parler de ça au Bureau ? demanda Lark en le regardant droit dans les yeux.

— Pourquoi ? Tu as quelque chose contre les tartes à la crème et les boules puantes dans le système d'aération ? Tu as peur ? railla Bob Rossi.

— Comment peut-on être aussi con ! Envoie les plans secrets au FBI, pendant que tu y es. Cette pièce doit être truffée de micros. Rassemble tes volontaires et tire dehors les plans que tu veux garder secrets, rétorqua Lark, cynique à son tour.

Ils tombèrent des nues.

— Tu crois vraiment qu'il y a des micros ? demanda Vida.

— Vous ne vous prenez pas assez au sérieux pour l'envisager ? demanda Lark avec une candeur toute feinte.

— D'accord, déclara Rossi. Je me porte volontaire pour marcher un peu, histoire de savoir pour quoi je me porte volontaire.

— Moi aussi ! J'adore le cogne brûlé ! s'écria Lohania en faisant voltiger ses griffes draculéennes. (Elle se leva et tendit le bras à Bob Rossi :) Ami, viens-tu avec moi goûter la fraîcheur du soir ?

Jan se leva d'un bond, le visage déformé par la jalousie. Oscar l'avait ignorée toute la soirée.

— Moi aussi je descends, je n'ai pas peur des flics.

Après leur départ, Vida resta tout de même un peu ébranlée. Tout le monde plaisantait à propos du FBI, de la CIA et de la brigade antirouges, mais c'était la première fois qu'un des leurs suggérait de modifier les plans en vertu d'une éventuelle surveillance de routine.

La rhétorique et l'authenticité du Mouvement étaient manifestes et ouvertes.

Tout le monde pouvait assister aux réunions, proposer un projet, tenter sa chance. Un froid étrange pesait sur l'atmosphère.

C'était la première fois que Vida travaillait avec quelqu'un d'étrange. Jusqu'à quel point Larkin céderait-il et résisterait-il ? Où et à quel stade en viendraient-ils à l'inévitable bagarre ? Automatiquement, elle s'assit devant la machine à écrire, comme elle le faisait avec Oscar qui, lui, marchait de long en large derrière elle en dictant des idées qu'elle traduisait en anglais courant ou qu'elle remettait en cause. Larkin tira une chaise et s'assit en face d'elle et de la vieille machine rouillée. Mince, frêle, avec des cheveux et des cils de la couleur du sable mouillé, il était voûté et tendu. Elle s'imagina qu'il attendait une entrée en matière, mais laquelle, et pour dire quoi ?

— Je souhaite que cette manif serve un enseignement politique, dit-elle brutalement en lui montrant le canevas qu'elle avait brossé avec Lohania et Natalie. Il s'agissait d'une critique et d'une remise en cause des personnalités invitées au dîner du Hilton et de leurs relations avec les industries capitalistes ainsi qu'une analyse des moyens employés par l'Association de Politique étrangère pour manipuler l'opinion publique.

— Il faut que les jeunes apprennent le fonctionnement des structures du pouvoir, ajouta-t-elle.

Il lut le document.

— Que signifie ce laïus sur l'Afrique du Sud, la République dominicaine et les magouilles de la CIA ? Le sucre, le pétrole, les banques, mais tout ça n'a rien à voir avec une guerre des banques ou des mots. Qu'est-ce que cela a à voir avec la guerre sanglante que nous voulons stopper ?

— Ce groupe manipule l'opinion publique. Les grosses sociétés américaines font la majorité de leurs bénéfices à l'étranger et veulent influencer l'opinion publique en faisant croire aux gens qu'ils sont au courant de ce qui se passe à l'étranger et que leur choix est le meilleur. Il faut commencer à manipuler l'opinion publique avant d'envahir, raisonna-t-elle.

— Il ne s'agit pas d'un cours, mais d'organiser une manifestation pour démontrer notre force.

— Chaque fois que nous agissons, les jeunes apprennent quelque chose ou bien ils laissent tomber.

Elle arpenta la pièce, tournant autour du vieux bureau délabré. Une lampe en métal suspendue à un vieux fil électrique crasseux se balançait au-dessus de leurs têtes.

— Tes bouts de papier n'auront aucun impact sur eux.

— Mais tout est papier. Y compris la guerre.

Il fit la grimace.

— J'aurais préféré connaître une guerre en papier, dit-il en faisant la grimace. Mais pour cela, il aurait fallu que je sois né avec un peu plus de veine.

— Tu es un ancien combattant ? demanda-t-elle étonnée par cette réflexion.

— Oui, c'est pour ça que je peux parler aux gars. J'ai gagné leurs saloperies de décorations. J'ai fait mon temps, moi.

Il s'était perché sur le bord du bureau comme un oiseau, un héron. En passant devant lui, elle remarqua qu'il portait des chaussettes de couleur différente. Un signe d'indifférence à l'égard de lui-même. Sa guerre la déconcertait. Les anciens combattants commençaient tout juste à se joindre nombreux au Mouvement Antiguerre. D'un côté, elle était enchantée de se trouver en face d'un homme qui avait l'expérience du Vietnam ; d'un autre côté, elle se demanda ce qu'il avait réellement fait, là-bas. Son histoire paraissait coller un peu trop bien : je me bats, je suis décoré et je décide que tout ça, c'est de la foutaise.

— A quel moment as-tu commencé à t'opposer à la guerre ?

— Trop tard pour mon bien, dit-il avec un reniflement de mépris.

— Quel bien crois-tu que les objecteurs de conscience en tirent ?

Elle pensait à l'ami d'Oscar qui croupissait en prison, à son copain qui s'était brûlé le cerveau à force de prendre des amphétamines en gagnant du temps, d'appel en appel. Larkin paraissait sur le point de lui répondre sèchement, mais il se contint.

— Ecoute, pour moi, l'essentiel c'est que la guerre cesse.

— Moi aussi, je veux que la guerre finisse, dit Vida. Mais je veux également créer un Mouvement pour un changement social qui survivra à la fin de la guerre. Crois-tu qu'une fois la paix signée, le racisme, la pauvreté n'existeront plus dans ce pays ? Et qu'après le Vietnam nous n'envahirons plus personne ?

— Tout ça c'est de la théorie. Ce que je veux arrêter est une réalité. De vrais gens qui meurent vraiment dans de la vraie boue, exactement en ce moment.

— Ma guerre à moi est ici. Pour mon pays.

— Oh, bien sûr. Difficile de récolter la mort au bout d'un fusil, dans ce combat-là.

— Je ne suis pas certaine que nous n'en viendrons pas là, si nous sommes sérieux, dit-elle.

— Tu penses ce que tu dis ?

Il la considéra en fronçant les sourcils.

— Oui, suffisamment pour m'asseoir à la machine et rédiger ce pamphlet. Nous n'avons pas beaucoup de temps.

Vida finit par rédiger pratiquement tout le texte, simplement parce que Larkin n'était pas un grand faiseur de phrases.

« A l'école, on vous apprend à analyser un problème, écrivit-elle. A l'interpréter objectivement pour éviter les interprétations économiques gênantes et surtout pour que vous ne posiez pas la question suivante : Qui sont les possédants et qui les enrichit ? Vous apprenez à " discuter " sans soulever de questions dérangeantes. Vous prenez une grande décision après l'autre, vous remplissez votre questionnaire qui offre plusieurs choix et vous partez, après avoir exercé vos dons de décision. Et à quoi vous serviront ces dons ? A choisir entre deux marques de dentifrice, entre deux candidats à la présidence. Et, enfin, à décider si vous achèterez votre information dans le *Time* ou dans *Newsweek*... »

Quand Larkin réfutait certains arguments, il parvenait rarement à concrétiser sa pensée. Il était motivé par une haine farouche de la guerre, mais sous ce fanatisme, elle sentait qu'il était plutôt sympathique. Un mec équilibré, pas macho pour deux sous. En admettant qu'il reste parmi eux, voyons, à qui pourrait-il plaire ? Il ne fallait pas le gâcher. A Lohania ? Non, il n'était pas assez dur pour elle. Kevin, lui, jouait le fauve des rues, comme pas mal d'hommes du Mouvement, mais cet amour de la bagarre cachait une capacité réelle et éprouvée pour l'action. Leigh était dur de manière différente : il était un vrai new-yorkais, capable de tirer parti de n'importe quelle situation grâce à son bagou — mieux qu'un survivant, ou un débrouillard, c'était un compétiteur victorieux. En comparaison avec ces hommes, Lark paraissait indécis. Elle parlerait tout de même de Lark à Lohania. Elle écrivit la conclusion :

« ... Les dirigeants sont responsables. Responsables du pain chimique que vous mangez et de l'air pollué que vous respirez. Ils possèdent les maisons qui bordent vos rues, les moyens de produire et de distribuer. Vous êtes corrompus par leur publicité mensongère. C'est avec votre corps que vous faites leurs guerres. Vous leur appartenez. Ils vous imposent leurs critères sexuels grâce à *Playboy*, et leur credo d'avidité, leur science au service du pouvoir et leur art stérile, aliéné. Ce sont des marchands de malheurs. Venez tous au Hilton. Vous devez réagir ! »

A 4 heures, ils étaient rompus. Le texte devait être chez l'imprimeur à 9 heures. Ils n'avaient pas le temps matériel de rentrer chez eux pour dormir et de revenir avec la copie. Ils se confectionnèrent un lit avec les fringues restées en surplus après leur vente-bazar, et qui s'entassaient toujours dans l'atelier, car Vida n'avait pas eu le temps de chercher un chiffonnier. Oscar avait promis de s'en occuper, mais lui non plus ne l'avait pas fait. On verrait après la manif. En attendant, les jupes d'été tachées, les robes de coton passées et les frocs démodés leur faisaient un nid. Larkin n'était certes pas un athlète et il se mouvait avec gaucherie parmi les monceaux de fripes.

Couchée dans l'atelier quasiment sombre avec les lumières de la rue qui entraient par les hautes fenêtres et la lumière rouge qui indiquait la sortie au bout de la pièce, elle avait beaucoup de mal à se détendre. Des bestioles — elle espérait qu'il s'agissait de souris et non de rats ! — s'affairaient dans les vieux tracts, près du monte-charge. Elle ne se sentait pas confortable, allongée près de lui. Il ne s'était pas déshabillé et elle l'avait imité ; elle était étendue là, toute raide dans des vêtements qui seraient froissés demain pour aller travailler. Lark ne dormait pas non plus. Elle le sentait nerveux. Il farfouilla dans sa chemise et alluma une cigarette ; la flamme dansa, immense dans l'obscurité. Elle sentit l'irritation la gagner : elle détestait fumer au lit, même si le lit n'était qu'une pile de vieilles fringues.

142

— Ça ne t'ennuierait pas d'éteindre ta cigarette et de ne pas fumer dans ce qui nous sert de couche ?

— Que dis-tu ? Oh, ça te dérange ?

— Oui. Je n'ose pas m'endormir de peur de me réveiller au milieu des flammes.

— Je vois. Puisque tu as peur, prends-moi dans tes bras. Tu veux ? dit-il en éteignant sa cigarette sur le plancher.

La logique de son raisonnement lui échappait. Elle était abrutie, à demi malade de fatigue, avec une légère sensation de tremblement dans les membres. Elle avait surtout envie de sombrer dans le néant. Docilement, sans enthousiasme, elle mit ses bras engourdis autour de lui. Il était petit, fluet, léger comme un enfant. Inconsistant, en comparaison de Leigh ou de n'importe lequel de ces hommes costauds et fermes qu'elle avait aimés — Vasos, Oscar. Quand vous les teniez dans vos bras, vous saviez que c'était du vrai, du solide. Avec Larkin, vous aviez l'impression de tenir un échafaudage d'homme, un bâti. Il restait étendu, tout raide. Elle s'endormait déjà lorsqu'il lui parla, la faisant sursauter.

— Es-tu sujette aux nausées ? Si les gens ont quelque chose qui ne va pas ?

A moitié endormie, elle se vit soutenir la tête de Natalie quand elle avait des nausées matinales et lui essuyant le front, tous les matins, pendant deux mois.

— Non, ça va, j'ai le cœur bien accroché. Je tiens ça de ma mère.

— Quel effet ça te fait, quand tu vois un amputé ?

— Que veux-tu dire ? demanda-t-elle prudemment, tout à fait éveillée, cette fois.

— J'ai la jambe droite coupée. Ça te dégoûte ?

Elle oublia de respirer pendant une seconde.

— Je ne le savais pas, dit-elle. (Elle s'en voulut aussitôt et se força à le questionner :) Tu as perdu la jambe à la guerre ?

— Ma guerre, pas la tienne.

— Tu ne crois pas que nous sommes du même côté, maintenant ?

— Alors, dis-moi la vérité, tu as envie de dégueuler ? Je te dégoûte, oui ou non ?

— Bien sûr que ça me dégoûte de voir un être humain subir ça. Comment pourrais-je faire semblant de rester insensible ? Mais ça ne te diminue pas à mes yeux, sache-le.

— Ça ne diminue pas l'homme ?

— Non ! dit-elle d'une voix forte.

Seigneur, pourquoi est-ce que je me flanque toujours dans des situations pareilles ?

Elle était consciente d'une certaine curiosité à l'égard de Larkin, de la même façon qu'elle était sexuellement curieuse à propos de tous les hommes qui évoluaient dans le cercle du Mouvement. Elle savait aussi qu'elle avait flirté avec lui, par habitude, de la même façon qu'elle faisait du charme à tous les hommes, à moins de ressentir une véritable animosité contre l'un ou l'autre. C'était sa façon de mettre de l'huile dans les rouages. Il lui arrivait même de se surprendre en train de regarder un homme d'une certaine façon, au beau milieu d'une discussion sérieuse. C'était un truc qu'elle avait acquis avec les années pour leur demander pardon d'être agressive, politisée, compétitive. Une rouerie pour s'excuser d'être elle-même. Elle n'avait jamais songé à coucher avec Lark. Mais à présent, si elle refusait, il s'imaginerait que c'était à cause de son invalidité, au lieu de comprendre qu'elle était à bout de forces et pas particulièrement attirée. Jusqu'où lui a-t-on coupé la jambe ? se demanda-t-elle et elle refoula vite sa curiosité comme on écrase une punaise. Quelle importance ? Une jambe n'est pas un organe sexuel. Elle tendit le bras pour prendre son sac et son diaphragme. Puis elle se colla contre lui et posa sa bouche sur celle de Lark, froidement, avec la sensation d'être une professionnelle en train de travailler un client. Elle commença à l'embrasser et à le caresser. Elle l'excita et vérifia subrepticement si elle était assez humide pour le recevoir. Elle se glissa sur lui, prit son pénis, l'introduisit en elle et le fit jouir. Elle se libéra doucement et roula de côté. Il resta un instant allongé, détendu ; elle crut que l'épisode était terminé jusqu'au moment où il se hissa sur les coudes ; petit à petit, avec une lenteur qu'elle comprenait, il se glissa entre ses jambes et lui écarta les cuisses. La jambe de chair et la jambe en plastique étaient allongées derrière lui.

— Je n'aime pas les faveurs, dit-il. A moins de pouvoir les rendre. Tu vas voir si je ne sais pas te bouffer. Si je ne te fais pas jouir.

Il l'embrassa des lèvres et de la langue et la pénétra avec ses doigts. Il était adroit, patient et pourtant, elle sentait quelque chose de sauvage en lui ; il vivait avec une énorme colère, savamment rentrée par petits épisodes. Si seulement Lohania pouvait ressentir son fanatisme, se dit-elle. Et elle cessa de penser.

— Tu veux jouir encore une fois ? proposa-t-il.

— Je suis fatiguée, dit-elle. Merci Lark.

Elle l'entendit marmonner rêveusement.

— Je n'ai jamais été une bonne affaire. Je jouissais toujours trop vite... Et puis une infirmière m'a appris à faire ce truc-là. Elle pratiquait ça avec les hommes comme avec les femmes. Maintenant, je vous comprends mieux. La plupart d'entre vous n'aiment pas vraiment baiser, mais si on sait vous grignoter, on peut vous faire jouir.

Vida préférait la pénétration, mais elle savait que Natalie n'aimait pas ça.

— C'était merveilleux, ajouta-t-elle doucement.

— Je n'ai pas la force de le faire souvent. Tu comprends, j'ai besoin de toute mon énergie pour tenir le coup pendant la journée. Je ne veux pas que les gens se doutent que je suis handicapé : un pauvre type, un invalide. A présent, toi tu le sais. Toutes les femmes qui couchent avec moi le savent. Forcément.

— Tu peux avoir confiance en moi. Mais pourquoi t'en caches-tu ?

— Je déteste la pitié. Je la hais ! (Il se tut un instant, puis il reprit sur un ton bourru :) Un invalide ne peut pas être un leader.

— Tu as l'air de vivre comme tout le monde.

— Peut-être, mais je ne peux pas courir. C'est dur, aux manifs. Alors je me porte volontaire pour répondre au téléphone ou des trucs comme ça. Mais j'ai toujours la frousse qu'un salaud à deux jambes vienne me traiter de lâche... Tu vas le dire à ton journaliste ? Ton mec à la radio ?

— Non. Je sais des tas de choses qu'il ignore. Nous ne sommes pas toujours d'accord sur le plan politique... Mais pourquoi en faire un secret ? Tu peux être fier de ce que tu accomplis.

— Jamais de la vie. Je ne veux pas de leur pitié... Seulement, je ne couche pas avec beaucoup de femmes. Tu as été heureuse ?

— Tu ne l'as pas senti ?

D'une certaine façon, elle avait aimé ça. Il l'émouvait énormément.

— Malheureusement, je suis coupé de mon corps. Je suis obligé de le désensibiliser. J'ai des tas d'autres problèmes, tu comprends ? J'ai marché sur une mine. Alors, j'endors la douleur et tout ce qui est physique.

— Avec de la drogue, ou mentalement ?

— Je déteste la drogue ! Je suis sous médicaments... mais pas contre la douleur. Je n'ai plus que mon cerveau. Mais toi, tu me plais. Tu es sérieuse. J'aime les femmes intelligentes. Les femmes qui savent se débrouiller seules... (Il se tut si longtemps qu'elle crut qu'il s'était endormi et en effet, sa voix lui parvint, ensommeillée, entrecoupée...) Quand je jauge les gens, je me dis : Qu'est-ce qu'ils auraient fait dans le merdier où j'étais, dans la boue jusqu'à la taille, sous les feux croisés ? Est-ce qu'ils me sortiraient de là ? Est-ce qu'ils détaleraient comme des lapins ?

Sa voix faiblit pour devenir un souffle qui s'exhala encore plus loin, tout au bout d'un tunnel.

— ... Le sergent gueulait : vas-y, enfonce-lui ta baïonnette dans le cul... Ils lui ont coupé les seins... brisé la colonne vertébrale... Moi, j'ai sorti mon flingue et je lui ai tiré une balle dans la tête ; c'était plus gentil... Alors, je regarde tous ces connards et je me demande : qu'est-ce qu'ils feraient ! Toi, tu es sympa. Tu me sortirais de la boue. Tu tiendrais le coup longtemps... Oui, je crois, les femmes sont plus courageuses que les hommes, quand on y pense...

Son discours l'avait bercé et, bientôt, il ronfla doucement. Cette nuit-là, Vida ne dormit pas.

Elle retira ses boucles d'oreilles, releva ses cheveux avec des épingles, enfila des boots, un jean et la veste de cow-boy en tweed de Leigh sur une chemise d'homme. Un casque ou pas de casque ? Les casques vous protégeaient la tête des matraques capables de vous réduire le cerveau en bouillie. Mais, parfois, ils semblaient attiser la haine des flics, surtout si les autres n'étaient pas nombreux à en porter. Et puis ils empêchaient de bien entendre. Elle remit le casque de football bleu dans le placard du couloir.

Leigh vérifiait son Nagra en sifflotant, vêtu de la même façon que les autres jours, hormis le coupe-file de presse épinglé sur sa veste. Avant une manif, elle se sentait toujours loin de lui. Leigh y allait, bien sûr, mais pas en manifestant. Son rôle de journaliste leur était utile à tous ; il était la voix qui expliquait les événements aux absents, le spectateur. Pourtant, il ne risquait pas grand-chose. Son ventre ne serait pas dur comme la vieille planche en bois sur laquelle sa grand-mère lavait le linge avec du savon casher ; son côlon ne se contracterait pas spasmodiquement, pour le clouer sur le siège des toilettes pendant des heures, en le forçant à tout évacuer, absolument tout, jusqu'à ce que son anus le brûle.

Finalement, elle émergea avec un sourire figé de masque de comédie et croisa Lohania déguisée en femme de chambre du Hilton.

— Ça, c'est du cinéma. Pas vrai ? dit Lohania avec amertume.

Son appartement n'avait jamais paru plus intime à Vida, plus chaud, plus agréable. Les bouquins qu'elle n'avait pas le temps de lire roucoulaient comme des pigeons sur les étagères. Toutes deux descendirent bruyamment l'escalier de service jusque chez Natalie.

— Je te l'interdis, tu m'entends ! hurlait Daniel, armé de son survêtement de manif, avec lequel il ressemblait à l'arrière de rugby qu'il avait autrefois été. Si tu veux te débarrasser de cet enfant, paye un bon avorteur, mais ne le tue pas connement dans les rues !

— Daniel, je n'ai pas l'intention de me disputer avec toi, mais j'ai tout autant le devoir de manifester que toi !

— Tu as le devoir de te préoccuper de ton gosse à naître ! Tu restes à la maison.

— Ils ne demandent pas aux Vietnamiennes si elles sont enceintes avant de les bombarder au napalm ! hurla Natalie. Tu crois que je vais rester dans la cuisine pendant que les autres vont s'exposer physiquement ? Tu me prends pour une lâche ? Un déserteur ? Tu crois que j'ai un mot d'excuse pour ne pas manifester, simplement parce que je suis une mère ?

— Natalie, je voudrais savoir si tu peux t'occuper du téléphone avec Larkin. C'est très important, ce soir, dit Vida en essayant de calmer les esprits. De plus, Lark méritait de faire la connaissance de Natalie puisqu'il avait voté en sa faveur. Peut-être Natty tomberait-elle amoureuse d'un autre homme ; s'il te plaît, Natty, aimes-en un autre, rien qu'une fois. Lark était beaucoup plus gentil que Daniel. Il voudrait peut-être d'une famille préfabriquée. Elle avait raconté quelques détails juteux à Lohania sur la scène qui s'était déroulée sur le tas de fringues dans le bureau. Lohania avait paru tout à fait intéressée. L'invalidité de Lark ne lui répugnait pas le moins du monde.

— Nat, je t'en prie, va vite au Bureau et emmène Sammy avec toi. Nous avons besoin de volontaires pour s'occuper des médias et des cautions des gars qui se feront épingler.

— Tu essaies de me faire croire que j'ai encore une activité politique, dit Natalie, au bord des larmes. J'irai à cette imbécillité de Bureau quand je serai enceinte de huit mois, pas avant. Mais à ce stade, mon enfant ne craint pas les tremblements de terre, même pas les coups dans le ventre !

Néanmoins, Natalie fut expédiée au Bureau du Mouvement. Lohania était contrariée.

— Pourquoi ne l'as-tu pas soutenue ? Elle a le droit de manifester avec nous !

Lohania partit seule pour essayer de pénétrer dans l'hôtel Hilton. Daniel, Pélican et ses amis partirent avec Vida. « Elle est si petite », se dit Vida en songeant à Natalie. Elle avait l'impression que sa sœur n'était plus capable de courir dans les rues. Pour une fois, elle était d'accord avec Daniel, le patriarche. En sortant du métro, au milieu des passants qui foulaient les pavés du centre, dans l'air du soir, ils reconnurent des groupes de manifestants. On hissait les banderoles, les chants commençaient. Brusquement, ils commencèrent à se regrouper, de plus en plus nombreux. Un groupe d'enseignants pour la paix chantaient : « Nous vaincrons. » Sa poitrine brûlait d'excitation. Oui ! Regardez ! Oui ! Les siens arrivaient de tous côtés, défilant bras dessus bras dessous, soudés les uns aux autres. La manif commençait. Cela se produisait pour de vrai. Il suffisait de quelques phrases écrites sur un morceau de papier et les gens leur répondaient.

Le segment légal de la manif, où les contestataires circulaient avec des banderoles dans un long couloir bordé de cordons de police, se trouvait à deux blocs de là. A ce point, les manifestants arrêtaient les voitures officielles, les limousines, les Cadillac et les Chrysler conduites par des chauffeurs. Ils se mirent à crier sur le passage des véhicules. Des visages débonnaires les regardaient s'agiter à travers les vitres épaisses, comme si la menace, le danger, c'étaient eux ! Eux, qui n'avaient jamais ordonné une mort ; eux qui ne possédaient pas de bombes, pas de rayons de la mort, pas d'armements, pas d'armes chimiques pour semer la terreur, engendrer la famine et modifier à jamais les gènes de l'humanité ; eux qui ne portaient pas de diamants découverts dans les mines creusées par les esclaves noirs dans les entrailles brûlantes de l'Afrique du Sud, et qui n'avaient jamais investi dans ces entreprises d'Afrikaanders qui se frottent les mains de tous les bénéfices volés.

Un gosse, traîné sur cent mètres par une voiture qui ne voulait pas ralentir, fut récupéré par un infirmier, les jambes bizarrement tordues et le nez en sang.

— Non ! pas les voitures normales, les gars ! Tenez-vous-en aux officielles ! Seulement aux limousines ! hurlait-elle.

Il fallait rappeler aux troupes la cible qu'elles devaient attaquer. Trop de mascarade. Ils risquaient de se laisser intoxiquer par le vent de la folie et du désordre, l'exaltation de courir dans les rues.

— Seulement les richards ! Laissez passer les autres !

Avaient-ils seulement pris la peine de lire les tracts ? Comment éduquer des gens qui ne savent même plus lire ? Peut-être était-ce le but de la lente désagrégation des écoles, détruire lentement la jeunesse ? Les médias étaient soigneusement contrôlés alors que n'importe quel gus avec une presse dans son garage pouvait imprimer la bonne parole. Le nouvel analphabétisme imposé par les écoles. Elle rédigea mentalement un pamphlet en courant à toute allure pour rester dans l'action : « Les richards ! Les limousines ! » Les avocats des multinationales qui se spécialisaient dans les contrats d'armements, les salauds qui avaient fondé la CIA et inventé les missiles à longue portée, les magnats du sucre qui venaient de concocter une invasion de la République dominicaine, les fonctionnaires de la banque d'Import-Export, le Conseil protecteur des Actionnaires étrangers, Mobil Oil, Continental Edison, IBM, le Conseil des Citoyens de Dallas, la Chase Manhattan Bank, Alcoa, ITT, Pan American, le *New York Times, Time et Life* — tous ceux-là se trouvaient dans ces grosses voitures. Elle connaissait leurs dossiers, péniblement compilés dans les bibliothèques par les documentalistes du Mouvement. Ils avaient tous la même gueule débonnaire qu'elle était incapable de reconnaître.

Des barbares ! Un professeur de l'université de Columbia les avait traités de barbares, dans le *Time* de ce matin. Les barbares, les sauvages n'étaient-ils pas ceux qui détenaient le moins d'armes meurtrières ? Des arcs et des flèches contre les tanks et l'artillerie. Des corps frêles dansant devant des tonnes d'acier. Voilà ce qui faisait d'eux des sauvages ; il leur manquait le métal : pas d'armures, pas d'armées, pas de chair à canon pour se battre à leur place.

La nuit était fraîche, mais Vida avait chaud à force de courir avec sa chemise en laine. Le pavé résonnait jusque dans sa chair. Elle avait les nerfs à fleur de peau, bondissant par-dessus les obstacles, les poubelles renversées ; courant de toutes ses forces pour semer un flic à cheval qui galopait pour essayer de la rattraper et de la terrasser. Elle évitait les sabots du cheval en restant collée contre un immeuble, mais il se pencha en dehors de sa selle, sa matraque étincelante l'atteignit à l'épaule et elle faillit s'écrouler sous la douleur. Les sirènes de police hurlaient frénétiquement dans la première rue à gauche, pendant qu'elle se contorsionnait pour éviter les coups de matraque ; elle plongea dans un groupe de gens en tenue de soirée qui sortaient d'un bar. Une femme poussa un cri en voyant le cheval se cabrer. Mon bras, merde, le salaud, est-ce qu'il m'a cassé le bras ? Elle essaya de le remuer tout en continuant à courir. Elle dévala un escalier qui descendait et bondit dans un passage étroit entre deux immeubles où le cheval ne pouvait pas la suivre. Le flic partit au galop traquer une autre proie. Elle se laissa tomber contre un mur, haletante. Son bras la lançait. Elle se palpa doucement, puis le remua. Aïe. Son muscle était déchiré, mais l'os était intact.

Dans les rues voisines, les manifestants scandaient : « LBJ *, combien de gosses as-tu tués, aujourd'hui ? »

Sa respiration se calmait ; elle se remit péniblement debout, titubante, et rejoignit les troupes. Il était temps de se rassembler. Temps de se ruer à nouveau sur le Hilton. De les empêcher de charger au hasard des rues. De retourner au point de ralliement. Elle était vexée d'avoir été matraquée par un flic à cheval. Pourquoi était-ce toujours eux les victimes, ceux qui devaient fuir ?

Vitres brisées, hurlements. Elle escalada une clôture faite de chaînes, sauta et atterrit dans un parking en contrebas, en se ramassant sur le pavé. Puis elle courut dans la rue, tel un coureur de fond solitaire parmi la jungle des voitures. Elle aperçut Kevin en train de tabasser un contre-manifestant. Aucune raison d'agir aussi brutalement. C'était politiquement inutile, même si, elle devait le reconnaître, cette vision lui procurait un certain plaisir. La manif avait commencé pacifiquement, pourtant, elle avait par deux fois été brutalisée par des contre-manifestants qui avaient réussi à l'isoler. Ils aimaient beaucoup piéger les femmes du Mouvement et essayer de les défigurer en leur criant : *Putain !* Kevin n'était pas une proie aussi facile ; mais se battre avec des voyous n'entrait pas dans les buts du Mouvement. Ils étaient descendus dans la rue pour manifester et ce soir tout spécialement, pour montrer au gouvernement invisible, aux preneurs de décisions à quel point ils haïssaient leur guerre.

Elle courut dans la rue en criant d'une voix enrouée : « Retournez au Hilton ! Au Hilton ! Dépêchez-vous, on les aura ! » Elle eut un instant de panique, au moment où elle tournait pour entraîner un groupe vers le centre de l'action, et se dit : Tout ceci n'est pas

* Lindon B. Johnson.

normal ! Elle se dédoublait, tout lui semblait étrange. Aux moments les plus inattendus, son comportement lui paraissait bizarre, choquant, inconvenant. Ses barrages intérieurs étaient aussi étayés que ceux de la police qu'elle apercevait, un peu plus loin. La foule des manifestants défilait entre les cordons de flics, scandant des slogans et brandissant des banderoles. Là, l'ordre régnait. La foule piétinait dans l'étroit couloir autorisé, à un pâté de maisons de l'endroit où se réunissait l'Association de Politique étrangère, tandis que les flics contenaient la foule en l'injuriant et en faisant tournoyer leurs matraques, pfouett pfouett... au-dessus des têtes. Ils faisaient des remarques sur les femmes en ricanant.

Nous avons exhorté tous ces gens à venir ici, songea-t-elle, pourtant, elle avait peur d'eux, pour eux, avec eux. D'une façon générale, la presse se tenait de l'autre côté de la rue et les regardait comme des singes dans un zoo. Les photographes des journaux prenaient des photos, comme tous ceux qui travaillaient pour la brigade antirouge. Etait également présent le camion-vidéo qu'ils appelaient le WFBI. C'était l'aspect officiel de la manif. Bien entendu, la véritable action se déroulait de l'autre côté du Hilton où elle avait arrêté des voitures avec des groupes irréguliers du Mouvement et où de petits groupes tentaient des assauts de guérilla contre l'hôtel, destinés à une dislocation éventuelle des forces de police. Ils ne comptaient pas pénétrer dans le Hilton, mais ils espéraient faire peur aux puissants, troubler leur sérénité. Parfois, celui qui se sent coupable frissonne à la simple vue d'enfants sautant sur place avec de la peinture sur la figure et des inscriptions tracées à l'intérieur des paumes ; c'est-à-dire ceux qui ne sont pas trop las. La pression qu'ils exerçaient sur le public était nécessaire pour que l'escalade ne dépasse pas un certain stade. Ils n'avaient pas encore fait cesser la guerre, mais ils l'avaient contenue.

Où était Lohania ? Avait-elle réussi à entrer au Hilton ? Vida vécut une minute de terreur quand la douleur de son épaule menaça soudain de la terrasser. Elle avait mal au côté. A force de courir sur les pavés, ses pieds la brûlaient. Elle s'était coupé la main quelque part, sans doute en escaladant la clôture. Elle ne saignait plus, mais cela aussi était douloureux. Près d'un mur, un infirmier soignait une fille blessée à la tête, le sang dégoulinant dans les yeux à travers ses lunettes brisées. Il retirait les éclats de verre fichés dans son visage. Oscar apportait du café aux capitaines ; il s'arrêta pour réconforter la jeune fille, aperçut Vida et se dirigea vers elle.

— Tu veux du café ? lui demanda-t-il en lui tendant un gobelet en carton.

Il avait l'air d'un pirate avec son bandage grossier autour du front. Oscar l'érudit.

— Ils ont fait Rossi et Marv aux pattes.

Que ressentait-il ? Etait-il accablé par le poids de la responsabilité ? Avait-il peur ? Vous les appeliez et ils accouraient par milliers, ce qui vous rendait responsable de chaque blessure, de chaque accident, de chaque mutilation. Non. Ils avaient le choix, ceux qui répondaient. Ils étaient en colère. Ils avaient besoin de riposter. Elle ne savait plus ce qu'elle ressentait, sinon que le fait de s'arrêter et de penser lui donnait envie de s'écrouler de fatigue.

— Ils arrêtent beaucoup ce soir, dit-elle. De quel commissariat sont-ils, Oz ?

Elle l'appela par le diminutif qu'elle lui donnait à l'époque où ils étaient amants, mais il ne remarqua rien.

— De partout, pour nous en faire baver encore plus. (Il se rapprocha d'elle :) Bonne idée d'avoir envoyé Natalie au téléphone. Comme ça, Lark a pu se libérer.

Lark ! Oh, mon Dieu, c'était mauvais pour lui...

— Je me suis dit qu'on pourrait avoir besoin de deux personnes, dans ce secteur-là, reprit Oscar.

— Tu sais où il est ? demanda Vida.

Oscar se rapprocha suffisamment d'elle pour pouvoir lui parler à l'oreille :

— Oui. A l'intérieur.

— Avec Lohania ? dit-elle, regardant le Hilton et l'interrogeant du regard.

— Elle est entrée la première. Rossi s'est fait piquer quand il a essayé de passer à son tour. Ensuite, Lark s'est porté volontaire.

— C'est dangereux, dit-elle d'un air désemparé.

— Jan s'apprêtait à y aller, mais elle s'est dégonflée, dit-il brutalement en parlant de son amie.

— Je bats en retraite. De toute façon, il est temps de faire diversion.

— Excellent entraînement à la tactique du combat de rues, dit Oscar, l'air lugubre, en voyant un détachement de police traverser la rue pour rejoindre les manifestants.

— Ils arrivent ! Restez en rang ! Restez en rang ! cria-t-il.

Vida laissa tomber le gobelet, s'aplatit contre un mur avant de pouvoir bouger. Puis elle commença à lutter pour sortir de la mêlée. Se baissant pour ramasser une banderole : ARRÊTEZ LES BOM-BARDEMENTS. RAPPELEZ LES TROUPES, elle échappa au piège et, criant d'une voix rauque, mena une charge de l'autre côté de la rue bordée de flics. Ils pourraient tirer, se dit-elle. Un jour, ils le feront. Mais la police ne s'était pas attendue à une attaque aussi subite et ils percèrent les lignes de flics par surprise et se retrouvèrent sur le trottoir, devant l'hôtel. Elle avait envie de rire. Elle souriait en courant avec ses camarades. On a foncé et on les a débordés, qu'est-ce que vous en dites ? Elle aurait aimé se voir sur un écran de cinéma.

Elle s'aimait ; elle les aimait tous. Elle vit Kevin courir à sa droite et parer les coups en force, à mains nues. Il était courageux dans la rue, elle l'admettait. Elle se demanda s'il savait que Lohania était en train d'essayer de poser une bombe puante au Hilton ; le lui avait-elle dit ? Elle bondit au-dessus d'une barricade en s'étonnant elle-même. C'était dans ces moments-là qu'elle était le plus opérationnelle, quand elle ne s'arrêtait pas pour réfléchir, mais qu'elle sautait sur l'occasion. La masse des manifestants attaqua l'aile droite du cordon de police, et déferla dans la brèche. On se battit bientôt devant le pâté de maisons.

Quelque chose bougeait à sa droite. Elle se tourna pour voir la matraque s'abattre sur elle, la vit suspendue en un moment de terreur comme son bras commençait à se lever pour protéger sa tête et que ce bras blessé refusait de bouger — elle ne pouvait pas se servir de son bras gauche à cause de sa blessure à l'épaule. A ce moment Kevin se jeta entre le flic et elle, donna un coup de poing au flic, en plein dans le coude, et la matraque alla voltiger dans les airs. Ils étaient passés.

— Merci, lui dit-elle en courant à côté de lui, et elle tourna la tête pour lui sourire en s'excusant.

— A ton service. (Il souriait dans sa barbe blonde hirsute.) Qu'est-ce que tu as au bras ?

— J'ai reçu un coup. Un flic à cheval m'a matraquée.

— Ici, pas moyen d'amener leurs chevaux, au moins. (Il examina la rue d'un air presque tranquille.) Ça c'est de la bagarre, dit-il.

Elle comprit qu'il s'amusait et elle se demanda si elle était impressionnée ou choquée. Brusquement, elle vit Daniel s'écrouler sous les coups de trois matraques sifflantes et disparaître ; comme elle luttait pour le rejoindre, elle vit qu'on le flanquait dans un panier à salade. Il n'atterrit pas avec un bruit sourd, parce qu'il tomba sur un tas de corps entassés à l'intérieur. Et les flics verrouillèrent les portes. Un instant plus tard, elle consulta sa montre et s'aperçut qu'il était 10 heures. La foule commençait à s'amenuiser. Arrestations, blessures, fatigue. « Dispersez-vous », fit-elle passer. « Il est temps, dispersion. » Les traînards seraient épinglés à coup sûr. Elle ne retrouva que Pélican et son copain Fred. Ils effacèrent les dernières traces de bagarre sur leurs vêtements pour ne pas être ramassés en entrant dans le métro. Puis, épuisés, ils rentrèrent chez eux, en silence. Pélican et Fred la suivirent machinalement dans son appartement, l'un des centres nerveux du Mouvement. Leigh les attendait, avec une bouteille de sangre de toro débouchée sur la table.

— Tu as fait un bon reportage ? lui demanda-t-elle.

— Assez bon. A un moment donné, un flic m'a couru après pour me piquer mon Nagra, mais je l'ai semé. Natalie est toujours au téléphone, dans le centre.

152

Elle ouvrit le robinet de la baignoire : « Dieu que je suis fatiguée ! », prit un verre de vin et le posa dans le porte-savon. Son épaule était blême, trop douloureuse pour supporter qu'on la touche. Le téléphone sonnait sans arrêt. Que les autres s'en occupent.

Leigh entra en coup de vent dans la salle de bains :

— Lohania s'est fait piquer dans l'hôtel avec une bombe puante. Elle va écoper plus que les autres. Vite, filons au tribunal de nuit.

Encore humide et endolorie, elle mit des vêtements convenables et s'habilla comme pour aller à son travail. Leigh prit la trousse de secours et leur chéquier. Ils descendirent par l'ascenseur en laissant Fred et le Pélican se défoncer par terre dans le living, heureux comme deux joueurs après un match de foot. Ils pourraient toujours décrocher le foutu téléphone et répondre.

— Daniel s'est fait piquer, lui aussi.

Vida s'en rappela subitement, au moment où ils atteignaient Broadway. L'air était froid, abrasif. Sa fatigue avait un goût de fiel.

— Ils l'ont brutalisé, reprit-elle. Je ne crois pas que Natalie soit au courant. Il faut que nous sachions dans quel commissariat ils l'ont emmené.

Leigh s'arrêta à un coin de rue et héla un taxi. Elle était étonnée, mais heureuse et le suivit lourdement dans le véhicule. Il la prit au creux de son épaule et elle se blottit contre lui.

— Ils n'ont pas parlé de Larkin ? demanda-t-elle.

— Larkin ? Qui est-ce ? Non, je ne crois pas...Ah, mais si, Natalie m'a dit qu'un mec allait venir pour l'aider à répondre au téléphone et qu'elle pourrait peut-être rentrer vers minuit. Je crois qu'elle m'a dit qu'il s'appelait Lark.

Il était donc sorti du Hilton indemne. Avait-il atteint les conduits d'aération avec sa bombe puante ? Elle le saurait bien assez tôt. Elle n'était pas très sûre de ce qu'ils avaient fait à Daniel en prison, mais elle avait quelques bonnes idées là-dessus. Elle le revit tomber sous la matraque des flics et se demanda comment l'annoncer à Natalie sans lui faire peur. Peut-être lui dirait-elle simplement qu'elle l'avait vu se faire arrêter.

— Fatiguée, bébé ? Repose-toi sur moi... Voyons, Natalie m'a dit que Sammy dormait comme un ange... Je te réveillerai aussitôt en arrivant.

Bientôt, ils seraient de retour chez eux, tous les deux ; ils se reposeraient sous la tapisserie crétoise. En attendant, il fallait retrouver Daniel et Lohania et, si possible, les faire libérer sous caution. Mais pas maintenant, il fallait qu'elle trouve de la force, Dieu sait où, pour pouvoir être opérationnelle. Elle s'appuya contre Leigh et ferma les yeux. Sa chemise en flanelle était douce à sa joue. Il avait retiré sa veste en cuir et les en couvrit. Elle se pelotonna contre lui et respira son odeur : sueur, odeur écœurante du hasch, santal de Lohania, huile de bain épicée, le tout mélangé à une odeur de cuir et de feu de bois, souvenir de leur dernière excursion à Mount Marcy, où ils avaient campé. Sa poitrine était ferme et chaude. Son bras, recouvert d'une toison épaisse et bouclée, la protégeait. Elle gémit lorsqu'il toucha les ecchymoses, mais elle était trop fatiguée pour lui expliquer. Elle lui prit la main, la posa sur sa taille et se serra encore plus près de lui. Ils seraient bien assez tôt dans l'atmosphère sordide du tribunal de nuit, avec les prostituées, les avocats qui marchandaient leur libération et les ivrognes jetés pêle-mêle dans la cage à poules. Il faudrait alors qu'elle se réveille, qu'elle trouve le moyen de s'exprimer d'une façon cohérente, qu'elle plaide la cause des siens, qu'elle les sauve. Pour l'instant elle pouvait somnoler près de Leigh. Comme c'est merveilleux d'être liée si ouvertement et si généreusement avec des gens dans le monde entier, se dit-elle, des gens qui essayaient de changer les choses, de les faire évoluer — d'être liée à un réseau dans chaque ville, chaque université. Comme c'était merveilleux d'avoir une famille, des amis et des amants, une communauté, une raison d'être. Merveilleux de l'avoir lui, Leigh.

TROISIÈME PARTIE

Ce mois d'octobre

9

Ce samedi de la mi-octobre, Filene, grand magasin dans le centre de Boston, était assailli par les acheteurs. Ici au moins, pas de désaffection au profit des autres quartiers. Elle repéra le rayon lingerie sur le plan de l'établissement et abandonna Joel aux vêtements pour hommes.

— Bon, eh bien, amuse-toi. Essaie des trucs.

— Les hommes ne sont pas habitués à ça, dit-il, l'air maussade. Ils s'attendent que ce soit vous, les femmes, qui leur achetiez quelque chose.

— Ecoute-moi bien : je viendrai te prendre à deux heures au rayon des blue-jeans. Si jamais il y a le moindre problème, rendez-vous à six heures, côté nord de Faneuil-Hall. Autre point de repère qu'elle avait découvert sur le plan.

— Ça m'est égal de la rencontrer ou pas.

— Je sais, mon cœur ; mais tout dépendra des circonstances. De son humeur.

— Elle ne m'aimera pas, je le sens. D'ailleurs, pourquoi m'aime-rait-elle ?

— Natalie ? Penses-tu ! Elle va être excitée comme une puce à l'idée de me voir avec quelqu'un, pour changer. Maintenant, je file.

— Tu as intérêt. Moi, je ne te traînerais pas à Sacramento pour voir mes vieux et te larguer dans un magasin ou un autre. Tu as tort de voir ta sœur. C'est dangereux. Franchement, je ne te croyais pas si sentimentale.

— Il faut que je parte ! Je vais être en retard.

Il était aussi collant que du papier tue-mouches ; elle dut se dégluer de lui, couper court à la conversation, s'arracher et fuir. En descendant par l'escalier mécanique, elle eut un sentiment d'exaspé-ration. Quel besoin avait-elle de s'encombrer de lui ? Il était maussade, boudeur. A la minute ou elle le perdit de vue, pour la première fois depuis des jours, la panique s'empara d'elle. Elle avait envie de retourner là-haut en courant. Peur de le perdre. Peur de ne jamais plus le revoir, lui aussi, un de plus. A vivre ainsi dans l'instant, de quoi pouvait-elle être sûre, sinon de la nécessité d'ouvrir constamment l'œil. Elle descendit jusqu'au dernier étage, fit lentement le tour et reprit l'escalator. Aux aguets, sur les nerfs, observant tout, son corps entier était regard. Cette femme avec son vieil imper vert, elle n'avait aucune raison de porter un manteau. Sûrement une voleuse à l'étalage. Elles se dévisagèrent l'espace d'une seconde, se tournèrent le dos. Elle erra lentement devant les chemises de nuit vaporeuses, puis les corsets. Une femme fouillait parmi les boîtes de culottes en solde, sans les regarder particulièrement. Elle restait debout là, sans que la vendeuse vînt lui demander ce qu'elle désirait. Une femme flic, d'accord, mais quel genre de flic ? Elle surveillait les autres femmes. A présent, elle suivait nonchalamment la cliente à l'imper, qu'elle avait immédiatement repérée, comme Vida. C'est une détective ; ne touche à rien, garde tes distances. Elle flâna autour du rayon des soutiens-gorge en décrivant des cercles de reconnaissance. Là-bas, devant le mur du fond, Natalie faisait glisser des peignoirs sur une tringle. En fait, elle les examinait attentivement. Elle en prit un, mordoré transparent, l'étudia de près, hocha la tête, le fit glisser avec les autres. Brusquement, Vida comprit. Natalie pensait à elle, à son goût pour les peignoirs légers, froufroutants, qui invitaient le toucher. A l'époque où elle avait les cheveux roux, elle eût été magnifique dans ce peignoir et c'était à cela que Natalie pensait. Tout à coup, cela lui faisait rejeter ce vêtement. Elle tripotait à présent un peignoir mauve. Bien, Natalie, beaucoup mieux ; après tout je t'aurai peut-être appris à aimer les belles choses. La petite, la mignonne, l'excitante Natalie, penchée, avec son cul rond bien en vue parmi les peignoirs, scrutait les boutons sur le satin mauve. Ses bouclettes serrées, à force d'être coupées court depuis des années, lui faisaient une coiffure Afro. Elle portait un gros pull-over foncé, avec des boots, une assez vieille veste en daim jetée sur une épaule et son sac en raphia à la bretelle du même côté. Doucement, tout doucement, Vida arriva derrière elle.

— Non, Natty. Daniel aurait une crise cardiaque en te voyant sortir de la salle de bain avec ça.

— Daniel ? Il ne s'en apercevrait même pas ! (Natalie masquait sa surprise en prenant un ton dégagé.) D'ailleurs, il n'est pas là, le matin, en ce moment. Est-ce que je n'ai même pas le droit de t'embrasser ?

Elles s'étreignirent brièvement, sauvagement. Le corps chaud, doux, tant aimé de Natalie heurta le sien ; ses frisettes lui chatouillèrent le nez. Les yeux de Natalie se mouillèrent et elle se passa vigoureusement le doigt sous le nez, en fronçant les sourcils et en serrant le déshabillé.

— Tu serais magnifique là-dedans ! Magnifique, tu ne crois pas ?

— Mais si tu as vraiment envie de me faire un cadeau, j'ai terriblement besoin d'une paire de boots.

Natalie palpait le tissu :

— Bon, va pour le rayon des chaussures... Mais je te répète que tu serais magnifique là-dedans.

Vida dégagea l'étiquette du prix :

— Natty, ce peignoir coûte soixante-cinq dollars ! Je sais très bien que tu ne t'offres pas de peignoir à ces prix-là. Allons, viens ; mes petons ont besoin d'un manteau d'hiver ; sinon, ils vont bientôt geler.

Mais, tout en marchant bras dessus bras dessous avec Natalie, elle était vachement tentée. Elle avait envie de ce truc mauve. Elle le voulait pour exciter Joel, son amant. Pour le vamper. Pour marcher de long en large devant lui, séduisante et somptueuse. Tous les plaisirs qui lui avaient semblé si naturels avec Leigh, elle en était sevrée avec Joel. Le rayon des chaussures était bondé. Elles s'assirent côte à côte dans l'attente d'un vendeur, avec une liste des numéros et des modèles à essayer, pendant que, autour d'elles, des femmes et des jeunes filles glissaient leurs pieds dans des chaussures à hauts talons aux couleurs vives.

— Catastrophe ! Les hauts talons redeviennent à la mode, dit Natalie en regardant du même côté que Vida. Tu te rappelles ces saloperies de chaussures pointues ? Un vrai martyre. Toujours en train de se coincer quelque part ou de se casser.

— Et toi, tu te souviens du temps où tu étais amoureuse de ce snobinard de Trot ? Il t'a fait faire huit kilomètres à pied sur des hauts talons et tu as dû rester couchée une semaine.

— Ne m'en parle pas, j'étais complètement tarée, dit Natalie. Une vraie maso. J'en ai honte. Et maintenant, voilà qu'ils veulent relancer les machines à tortures des années 50 !

— Ce qu'ils veulent, c'est abolir l'acquis des années 60, oui, nos victoires. Reprendre tous les avantages qu'ils avaient lâchés sous la menace. Et rran ! en avant, dans le corset de grand-maman ! Retour au vieux système, quoi !

Natalie se pencha sur Vida en désignant sa blouse casaque :

— Dis, c'était pas une robe, ça ?

Vida baissa le nez sur son pull-over en velours vert mousse.

— Oui. C'est à peine croyable aujourd'hui. Tu te rappelles ? Lohania, toi et moi, nous avions la même robe dans des tons différents ? Tu as gardé la tienne ?

— Bof ! elle a dû atterrir chez les pauvres depuis le temps... Nous ne les laisserons pas nous reprendre le terrain si durement gagné.

D'accord, c'est du pied à pied, mais on savait bien que ce ne serait pas du tout cuit.

— C'est vrai, dit Vida en souriant. Ne t'inquiète pas. Je suis moins déprimée qu'avant. Devine pourquoi.

— Tu as rencontré quelqu'un ?

— Comment le sais-tu ? (Elle se sentait transparente.)

— Ton sourire, ma choute. Tu n'as pas souri comme ça depuis des années et des années. (Natalie lui donna un coup de coude dans les côtes.) Raconte, qui est-ce ?

— Un homme. *Jeune.*

— Un type qui te planque ?

— Non... il est... comme moi, oui.

— Je le connais ?

Les sourcils de Natalie se rejoignirent. Elle pensait sans nul doute à tous les machos, têtes de mule, sans cœur et je-sais-tout qui lui donnaient envie de vomir, au Mouvement, vers la fin, au stade des vociférations et de l'écume à la bouche.

— Il ne fréquentait pas nos cercles, Nat ; c'est vraiment un *jeune.*

— Tu répètes ça sans arrêt. Quel âge a-t-il ? Quinze ans ?

— Non. Vingt-sept. C'est sérieux ; j'en suis folle. Ça te choque ? Dis ? Parle. Est-ce que je suis dingue ?

— Mais non, ma choute. Les très jeunes mecs ou les femmes, voilà tout ce qui nous reste. Les hommes de notre âge refusent d'évoluer avec nous. Ils ne renonceront jamais aux anciens privilèges. Ils ont la trouille parce que ça a changé pour nous. Alors, ou bien ce sont les minets sans les vieux enjeux à défendre, ou les femmes !

Vida éclata de rire :

— Avec toi, tout paraît si logique. Tu passes ton temps à dire : Sauter par la fenêtre avec le feu au cul ? Mais voyons ! quoi de plus normal dans une civilisation d'ascenseurs et d'immeubles surpeuplés ?

— Mesdames, je suis tout à vous.

Le vendeur sourit sans les regarder et consulta sa montre. Natalie avait préparé les numéros à lui débiter. Vida était bizarrement excitée, comme une enfant à laquelle on va acheter des chaussures neuves. Il y avait si longtemps qu'elle n'avait pas mis les pieds dans un grand magasin. Existait-il des grands magasins à Los Angeles ? Quand elle pensait aux mots « faire des courses », elle se rappelait May, à Cleveland, à l'époque où Ruby et elle allaient dans le centre acheter des choses pour l'école : brèves expéditions de septembre, sa petite main dans celle de Ruby, et chaque sou compté d'avance. Puis elle se souvint du temps où Natalie lui avait appris à utiliser une carte de crédit, certainement la première qu'elle eût jamais vue et Ruby aussi. Natalie et Vida, à New York, en train de choisir des tricots chez Marshall Field, si fières de se sentir adultes qu'elles ne cessaient pas de ricaner tout le long du trajet de retour par le métro aérien. « C'est trop large. Donnez-moi le même, la taille au-dessous » — voilà ce que les grands magasins évoquaient surtout pour elle. Elle songeait à tous ces plaisirs différents envolés : Bloomingdale, Alexander, frères et pourtant représentant deux mondes ; et Altman, Macy, et les raids chez Lord and Taylor, Bonwit, Bendel. L'époque des vols à l'étalage, quand, super-relaxes, elles piquaient un foulard, une mini. Et celle où son sac était plein de cartes de crédit et s'accompagnait du bruissement soyeux des petits paquets. Leigh, Lohania, Bébé Sammy, Natalie.

— Ils te vont ? Tu es bien dedans ? Sûr ? (Natalie regardait les boots d'un air soupçonneux.)

Vida marcha de long en large dans les boots neufs.

— Nat, j'ai confiance en lui. Je lui fais confiance. Qu'est-ce que tu en penses ?

— Tu veux que je fasse sa connaissance, c'est ça ?

— Tu veux bien ? répondit-elle en essayant la souplesse des boots.

— J'ai quelque chose pour toi. Si tu dois faire un bout de chemin avec lui, il y a des chances qu'il y soit mêlé. Tu crois qu'il accepterait de convoyer une de nos femmes ?

— Si c'est non, autant le savoir tout de suite.

Le vendeur piétinait d'impatience.

— Bon, oui, d'accord, nous les prenons. Ça te va, Natty ? Tu es satisfaite ?

— C'est à toi de décider.

— Elles ne sont pas trop chères, au moins ?

— Vinnie, il y a combien de temps que je n'ai pas eu l'occasion de t'offrir quelque chose ? (Natalie fouillait dans son sac, cherchant son portefeuille.) J'espère qu'ils acceptent les cartes de crédit...

— Paie en liquide, Nat. Je t'en prie.

— Entendu.

Elle s'exécuta. Pendant que le vendeur allait taper sur la caisse enregistreuse, elle reprit :

— Je voulais garder le maximum de liquide pour te le donner.

— Je sais, mais les cartes de crédit laissent des traces. C'est dangereux. (Elle jeta un coup d'œil sur sa montre.) Nous avons encore une heure. Nous déjeunerons avec lui. Il aura faim. Où peut-on s'asseoir et bavarder ?

— Dans la galerie du haut, devant le salon de coiffure. On fera semblant d'attendre quelqu'un.

Elles s'assirent côte à côte, tournées l'une vers l'autre. Vida rejeta les boucles de Natalie en arrière, pinçota le nez retroussé qui avait fait l'envie de toute la classe, au lycée, et serra la main potelée d'où l'alliance avait mystérieusement disparu.

— Tu as perdu ton alliance ?

— Disons que je suis en train de la perdre, répondit Natalie en faisant une large moue. Pas trop tôt, j'imagine.

— Vous avez rompu ?

— Tu l'as dit. La fission de l'atome n'a pas pris plus de temps, je crois bien. Que veux-tu, je suis opiniâtre. J'aurais dû le quitter il y a des années, je le sais. Mais je l'aimais.

— Tu aurais pu en aimer un autre en même temps.

— Dans cette société gouvernée par les vieillards, les enfants doivent avoir un père. Autant s'y faire... Non que Daniel se croie vieux ; sa petite nouvelle a vingt-trois ans.

— Sans blague ? Au moins celle de Leigh en a vingt-six... Tu la connais, cette Susannah ?

— Oui. Elle est gentille ; elle te plairait bien, je crois.

— Et *toi*, tu la trouves sympa ?

Natalie avala sa salive.

— Elle est gentille, tu sais.

— Donc elle te plaît. (Elle avait envie de chialer, tant elle se sentait trahie.) Elle doit être exceptionnelle pour te plaire autant !

— Mais non, elle est gentille, c'est tout. Elle est folle de Leigh, elle est dans nos idées, et elle s'entend bien avec les gosses ; Peezie l'adore.

Cette chienne lui volait sa nièce !

— Comment est-elle, physiquement ? Décris-la moi.

— Ce n'est pas une beauté ; elle est jolie, un peu plus petite que toi, un peu plus lourde. Elle a des cheveux châtains qui tirent sur le roux. Une belle peau. Une peau de pêche, tu sais, lumineuse.

— Elle est beaucoup plus lourde que moi ?

— Veux-tu que je te dise quelque chose de drôle ? Eh bien ! elle te ressemble un peu... enfin, je veux dire, à l'époque où Leigh t'a épousée. Mais vous n'avez pas du tout le même caractère. Elle, c'est une mollassonne.

— Hum... et que fait-elle, en dehors d'être folle de Leigh et de vivre chez moi ?

— Elle fait la classe à des enfants handicapés. Quand Leigh a fait sa connaissance, elle travaillait à Manhattan et ils se voyaient seulement pendant les week-ends. Ensuite, elle a trouvé un boulot en ville et ils ont commencé à vivre ensemble.

— C'est sérieux ? Dis-moi la vérité. Très sérieux ?

— Vinnie, il t'a vraiment attendue, tu sais. Mais ça ne veut pas dire que ce soit mort pour vous deux. Il rencontre des quantités de femmes. C'est une petite célébrité. Il est libre. Susannah est encore ce qu'il a eu de mieux. Si tu avais vu l'actrice qu'il sortait cet hiver ! Une vraie garce avec un ego gros comme une pastèque. Une manipulatrice. Aucune conscience politique. Rien. Un monstre !

— Pourquoi la prend-il tellement au sérieux ? Pourquoi *elle* ?

Elle eut brusquement honte devant Natalie et se sentit coupable. Coupable de vouloir rayer cette jeune inconnue de la vie de son mari. Ce n'était pas exactement de la solidarité féminine. Natalie avait le pouvoir de lui révéler ses faiblesses.

— Disons que, physiquement, c'est le type de femme qui lui en met plein la vue. Et puis, il s'imagine qu'il va pouvoir, tu sais, la garder. Elle n'ira pas s'enrôler dans une guérilla quelque part dans la montagne, et elle ne me suivra pas dans les foyers pour femmes malmenées.

— Il s'ennuiera, dit Vida, se frottant les yeux et palpant la peau, autour, pour sentir les rides. Ça n'allait pas très fort avec Leigh, ces derniers temps : il n'est pas venu une seule fois dans l'Ouest, et moi je n'ai pas pu aller dans l'Est ; alors... le temps a passé. Sam a été formidable au téléphone. J'aimerais tellement le voir !

— J'ai bien pensé l'amener ; mais lui imposer une conférence sur la Santé des Femmes, ça m'a paru un peu dur. Figure-toi qu'il fait déjà un mètre quatre-vingts et que sa voix est en train de muer. J'ai peur qu'il ne mesure deux mètres ! Et il bouffe ! C'est un peu à cause de ça que j'ai hésité à quitter Daniel, parce que je n'ai pas les moyens de nourrir Sam. Il mange tellement que par moments j'en ai des sueurs froides ; j'ai l'impression d'enfourner des tonnes de charbon dans une locomotive.

— Il m'a paru très équilibré. Une vraie personne, déjà.

— Tu ne te trompes pas. Peezie aussi est comme ça. Ma gazelle, mon antilope. Fanon, lui, est un peu plus lent.

— Que veux-tu, il est plus jeune !

— Non, il est aussi plus lent. Il geint : *gna gna gna,* le petit bébé à sa maman. Trop gâté, quoi. Enfin, ça s'arrangera.

Natalie soupira, en retirant un grain de sable imaginaire du coin de son œil. Un tic quand elle était inquiète ; ça et tourner son alliance. L'alliance qu'elle avait enfin retirée.

— Peezie et Sam sont les enfants du Mouvement, reprit-elle. Frankie a grandi à Manhattan. Il paraît que le climat y est meilleur pour les enfants. Je n'en sais rien.

— Qu'est-ce qui se passe avec Daniel ? Pourquoi vous séparez-vous ? Pourquoi *maintenant ?*

— Ma choute, il n'y a plus rien entre nous. J'ai tout de même fini par le comprendre. Bon, je vais t'expliquer : un vendredi soir, Daniel a appelé pour dire qu'il ne rentrerait pas ; eh bien, je me suis sentie tellement soulagée que ça m'a paru bizarre ! Le lendemain, un orage terrible tombe sur la maison : sous-sol inondé, électricité coupée et arbres en travers de la route. Je lui donne un coup de fil chez sa Katie et je lui dis : " N'essaie pas de rentrer, tout est inondé. " Il reste chez sa pépée, et c'est drôle, tout un week-end sans lui, c'était la fête ! C'est à ce moment-là que j'ai compris que je n'aimais plus vivre avec lui. J'y ai mis le temps, d'accord, mais j'ai compris.

— Pourtant, vous avez vécu ensemble pendant si longtemps! dit Vida avec un air de doute. Tu ne crois pas que tu auras du mal à t'habituer à la solitude?

— Je ne crains pas la solitude. Ce n'est pas comme si je ne travaillais pas ou que je n'avais pas d'amis... Ça allait de plus en plus mal entre nous. On parlait de moins en moins, on faisait de moins en moins l'amour, et sur le plan politique on n'était plus d'accord. Tu sais, c'est comme un bruit qui commence si doucement que tu ne t'en aperçois pas. Tout doucement. Et, subitement, il devient fort, si fort qu'il te rend folle. Et brusquement, il s'arrête. Et à ce moment-là, tu sais que tu ne pourras plus jamais vivre avec ce bruit... (Natalie haussa les épaules.) Daniel, c'est ça, pour moi. C'est triste à dire. Finalement, il n'y avait plus d'amour, plus rien qu'une grande nuisance...

— Que vas-tu faire?

— Je ne sais pas, ma choute. Par moments, je me dis que je vais m'installer en ville. A Park Slope, ou à Brooklyn. J'y ai beaucoup d'amis. Mais je tiens vraiment beaucoup à ce foyer...

— Natty, comment va Ruby? Est-ce qu'elle ne m'en veut pas terriblement d'être restée si longtemps absente?

Natalie lui caressa la joue :

— Elle ne comprend pas très bien. Elle voudrait te voir. Elle compte les mois... Mais elle ne comprend pas vraiment ce que tu fais. Quand son cadeau d'anniversaire est arrivé de Cincinnati, elle a dit : " Tiens! Vida est à Cincinnati ", alors que je sais bien, moi, que tu n'enverrais jamais quoi que ce soit de l'endroit où tu es.

— Est-ce que le pull était à sa taille? C'est une amie qui l'a tricoté. (Alice, vers la fin de sa convalescence.)

— Ce bleu lui va à ravir. C'est un peu serré, mais elle juge que ça se prêtera sur elle.

— Je voulais m'arrêter près de Chicago, mais je n'ai pas pu. J'ai dû traverser le Sud-Ouest et remonter à travers l'Arkansas. J'avais du travail là-bas. Comment va Paul?

Bien que Paul et Natalie ne fussent pas parents, puisque Paul était le frère aîné de Vida, ils étaient assez proches pour que Vida sût que Natalie le voyait chaque fois qu'elle allait à Chicago.

— Toujours dans le pétrin. (Natalie secoua la tête.) Sa nouvelle femme a autant d'intelligence qu'un taille-crayon. Bien la peine de quitter Joy! Notre nièce Marsha va avoir un bébé. Et le petit garçon de Paul est un amour.

Vida demanda consciencieusement des nouvelles de Sharon et de Michael Morris, mais en écoutant les réponses d'une seule oreille. Tout en allant à la rencontre de Joel, Vida serrait le bras de sa sœur, d'un côté, et la boîte de chaussures, de l'autre. Elle n'avait jamais réussi à s'intéresser à Daniel et ne l'avait pas revu depuis 70. Pourtant l'imminence d'un divorce lui faisait peur. Les temps changeaient et elle ne pouvait plus influencer le cours des événements, elle ne pouvait plus être témoin, donner des conseils, aider, soutenir, réconforter.

— Natalie, tu es mariée avec ce crétin depuis 1964. Que vas-tu faire toute seule?

— Et toi, quand tu as cassé avec ce voyou de Kevin, tu n'as pas vécu des années sans personne? C'est la première fois depuis que tu, euh... que tu voyages que tu es sérieuse à propos d'un mec. Je ne serai pas seule, loin de là! Pas avec trois gosses!

— Il n'y a personne d'autre?

Natalie secoua la tête:

— Vinnie, je n'ai pas une minute à moi, je n'ai même pas le temps de lacer mes chaussures; tu crois que j'ai le temps de penser à la romance?

— Et Suki? Tu ne regrettes pas de ne pas avoir quitté Daniel quand elle te l'a demandé?

Natalie se fourra la main dans les cheveux:

— Je ne sais même pas si j'aurais pu tenir avec Suki aussi longtemps que j'ai supporté Daniel. C'était romantique, ma choute; j'avais sans doute besoin d'un peu de rêve après toutes ces années. Mais elle voulait que je laisse tomber le monde entier pour me consacrer à elle.

— Elle t'aimait peut-être pour de bon?

— Moi, j'aime bien l'idée de rester seule avec mes gosses. J'ai du mal à l'expliquer. Je sais que j'aurai des problèmes de fric, c'est sûr. Seulement... Vois-tu, quand Daniel et moi nous nous sommes installés, j'avais l'impression de jouer à papa-maman, tellement c'était amusant; eh bien, je ressens la même chose à propos de ma nouvelle vie avec les enfants; je meurs d'envie d'installer une autre maison, tu comprends?

— Et les enfants, qu'en pensent-ils? Que savent-ils?

— La vérité. Je n'ai jamais su leur mentir... Sam ne s'entend pas avec son père; il est trop entêté. Il prend mon parti. Peezie est plutôt tiraillée. Mais c'est Fanon qui va souffrir le plus; il est le chouchou de son père. Il est plus malléable que nous autres. Daniel l'emmène chez Katie. Il est encore petit, ça ne l'émeut pas. A voir Sam et Peezie, tout le monde croit que Katie est la fille de Daniel. C'est gênant. Alors évidemment il s'est un peu éloigné de ces deux-là.

— Le voilà! s'écria Vida.

— Attends, laisse-moi deviner. C'est le grand avec une barbe?

— Non! Celui qui erre près des frocs en velours, l'air paumé.

— Bravo! Sans blague. Il est beau gosse.

— Natalie, tu sais, ce n'est pas sa faute. Appelle-le Terry, si tu veux bien.

Elle se dirigea vers Joel sans se soucier des présentations :

— Ma sœur pense que le mieux est de déjeuner en haut, au restaurant. Il y a même de l'alcool. On pourra boire un verre ; une vraie fête !

— J'ai faim, dit-il. Je pensais que vous étiez en train de déjeuner.

— Sans toi ? Jamais !

Tendus, regardant droit devant eux, ils prirent tous les trois l'ascenseur ; Natalie n'ouvrit la bouche que lorsqu'ils furent assis à une table minuscule.

— Vous savez où aller, après ? Ne me dites pas de nom ; dites-moi simplement si vous devez vous rendre quelque part.

— Je vais rester dans l'Est, dit Vida. J'ai terminé mon boulot à LA.

Joel se contenta de se racler la gorge en regardant ses mains.

— Vida me dépanne de temps en temps, avança prudemment Natalie, en le dévisageant pour tenter de l'obliger à la regarder. Pour secourir des femmes qui ont besoin d'être assistées.

Il la considéra de son regard vert, dur et perçant.

— Si jamais vous avez des enfants, ils seront superbes, dit Natalie, dans un de ses célèbres élans de spontanéité gaffeuse. Enfin, c'est vrai... Vous êtes si beaux tous les deux, ajouta-t-elle, son élan coupé.

Joel daigna sourire pour la première fois. La serveuse vint à leur table.

— Ne vous gênez pas, prenez tout ce qui vous fait plaisir. C'est moi qui invite, reprit Natalie.

— Sans blague ? (Il la prit au mot et commanda deux sandwiches, une soupe et un gin tonic.) Du moment qu'elle dit que je peux te faire confiance, je la crois. De quoi s'agit-il ?

— J'ai une femme battue sur les bras. Mariée à un flic. Il la frappe avec son revolver. Il a balancé son fils contre un mur. Il est dangereux, armé et il la fait filer par les autres flics. Donc, c'est dangereux.

— N'en rajoute pas, dit Vida en souriant. Disons que c'est un cas intéressant. (Elle cherchait un peu à épater Joel, mais elle sentait l'excitation monter. Quelque chose d'utile à faire, enfin !) Que veut-elle, ta protégée ?

— Traverser la frontière de l'Etat de New York et passer dans le Vermont. Pour l'instant, elle est bien cachée ; mais elle ne peut pas rester terrée dans un appartement minuscule avec deux enfants. Plus vite elle partira, mieux ça vaudra.

— Elle est sérieuse ?

— Vinnie, quand elles nous arrivent dans un foyer de femmes

battues, elles sont toutes sérieuses. C'est un grand saut qu'elles font. Pour celle-ci, c'était une vraie déclaration de guerre.

— Comment sais-tu s'il ne l'a pas filée ? demanda Joel.

Les boissons arrivèrent. Vida mit son verre de côté en attendant le déjeuner. Elle ne pouvait pas se permettre d'être soûle. Il lui faudrait discuter avec Joel.

— Quand le flic a découvert qu'elle était chez nous, il a débarqué au foyer avec un flingue. Le lendemain, les autorités municipales ont commencé à nous harceler. Nous sommes quasiment une institution légale. Un inspecteur de la sécurité des bâtiments est venu fermer le foyer. Nous avons fait appel, mais en attendant nous avons caché toutes les femmes chez des particuliers. Elle, nous l'avons placée à Long Beach, chez une amie qui nous a aidées financièrement et qui loue une maison. Si jamais son flic l'apprenait, il forcerait la porte. Pourquoi attendrait-il ? Plus il tarde, plus elle a de chances de lui échapper.

Quand le déjeuner fut servi, ils établirent le plan de campagne, et Natalie leur dessina des cartes sur des bouts de papier : l'endroit où la voiture prêtée les attendrait ; le lieu où ils devraient conduire la femme et ses enfants ; ce qu'on pouvait lui dire ; l'itinéraire à suivre.

— Il faut l'emmener le plus vite possible, insista Natalie.

— Demain ? demanda Joel, dans l'attitude du Penseur.

— Non, c'est trop tôt, dit Natalie en riant. Je reprendrai l'avion demain et je m'arrangerai pour qu'elle soit prête mercredi. Elle vous donnera deux cents dollars, moitié au départ, moitié à l'arrivée.

— Deux cents dollars ? s'exclama Joel avec son accent traînant. Au poil !

Vida vibra avec lui et l'ambiance se réchauffa. Evidemment, Joel n'avait pas de sœur mariée pour arrondir ce qu'il pouvait grappiller, mendier, emprunter, voler ou gagner en bossant au noir. Les fausses cartes de sécurité sociale étaient possibles mais risquées. A l'époque où elle s'était appelée Joan Wagner, à Philadelphie, elle en avait eu une et elle avait pris un boulot de secrétaire, pendant la période où Leigh vivait en partie avec elle et où leur mariage était reparti pour de bon. Et puis le FBI avait resserré le cercle, et elle avait dû changer de nom et filer. Elle en voulait encore aux Fédéraux à cause du salaire qu'elle n'avait jamais perçu ; le gouvernement lui avait volé la somme de cent quatre-vingts dollars pour une semaine et trois jours de travail non rémunérés. Quand avons-nous eu deux cents dollars en poche, Joel et moi, pour la dernière fois ? se demanda-t-elle. Il lui restait cent quatre-vingt-quatre dollars et de la monnaie sur ce que Leigh lui avait donné. Elle se souvint des premiers temps où ils fuyaient et où la moitié de la police ne paraissait avoir rien de mieux à faire que de les chercher ; un détachement massif d'agents du FBI les poursuivait. Ils n'avaient pas le temps de fabriquer de fausses cartes d'identité, de s'inventer un nouveau personnage ; il fallait cavaler, fuir sans jamais passer deux nuits au même endroit. Des gens les cachaient. Des sympathisants les escamotaient en pleine nuit, d'une planque à l'autre — des étudiants, des gosses, des ouvriers et des enseignants, plus âgés, la gauche traditionnelle, les pacifistes, les quakers, tant de braves gens qu'elle n'avait jamais revus, mais dont certains, comme Laura, étaient toujours là pour les aider. Les moments les plus durs avaient été ceux où ils avaient perdu leurs contacts, où il avait fallu tenir avec leurs maigres ressources, sans abris, sans papiers, sans argent. C'était l'époque où Jimmy essayait de se prostituer dans les rues de Chicago, sans grand succès ; où Kevin et Vida avaient cambriolé un marchand de vins et spiritueux, revolver au poing. Elle l'avait caché à Joel, l'avait tu à Natalie, car elle considérait cette action comme douteuse sur le plan politique. Elle comprenait Rap Brown et la fusillade sur le toit du bar, si l'affaire était réellement vraie. A force de lire ses propres exploits dans les journaux pendant des années, elle s'était rendu compte que les journaux n'étaient pas plus crédibles que les bandes dessinées de Superman. Mais il y a un point où, sans argent et sans statut légal, on n'a plus le choix : il faut ou survivre ou lâcher la rampe. Elle avait brièvement vécu tout cela. Pour les réfugiés politiques de race blanche, l'existence était rarement aussi dure. Mais le cauchemar, elle l'avait bel et bien vécu. Dans le magasin de vins et spiritueux, elle avait tremblé à l'idée qu'un imprévu tragique pourrait les obliger à tuer un innocent qui n'était pas leur ennemi.

— Ça ne va pas ? demanda Joel.

Natalie se tut et, tous les deux, ils regardèrent fixement Vida.

— Je ne devrais pas boire pendant le déjeuner. Je ne suis plus habituée à l'alcool.

Mais le gin-tonic, amorti par la nourriture, ne lui avait fait aucun mal ; c'était l'assaut de souvenirs qui était pénible. Le gérant du magasin, un homme d'un certain âge, crâne chauve et taches de rousseur, était devenu très rouge, puis tout pâle. La colère étincelait dans ses yeux bleus derrière des lunettes à double foyer ; ses paumes en sueur glissaient sur le comptoir. Plastiquer le Centre d'Induction de Whitehall ou le siège de la Mobil Oil était une chose ; terroriser un type resté tard à son travail derrière un comptoir, un mardi soir, en était une autre.

— Natty, Lohania avait sa photo dans le *New York Times.* Debout derrière Kevin sur les marches du palais de justice.

— Vrai ? (Natalie jeta un coup d'œil vers Joel et se frotta son petit nez jusqu'à le faire briller.) Il y en a qui ont la tête dure.

— Peut-être qu'elle s'est fait un mythe de lui, reprit Vida, se forçant à revenir au présent, à leur table. On peut très bien adorer l'idée qu'on se fait d'un homme. C'est ça la religion. Comme les images saintes au mur de la chambre. Pour avoir quelqu'un à qui parler quand on a le moral à zéro... Il se peut que la réalité soit moins encourageante. (Elle but d'un trait l'eau de la glace fondue, au vague goût de gin, dans le fond de son verre.) On commande du café?

— Ce n'est pas ce que tu fais avec ton ex? demanda Joel sur le ton de la conversation, en se renversant sur sa chaise, avec un large sourire charmeur.

— Nous sommes toutes en train de divorcer. (Natalie agita la main à l'intention de la serveuse affairée et ses yeux bruns cherchèrent ceux de Vida.) Quel effet ça te fait?

Joel se redressa sur son siège :

— Sans blague? Tu es toujours mariée avec ce connard? Tu es encore *mariée* avec lui?

— Plus maintenant, sans doute, dit Vida, haussant les épaules pour faire la brave. Son avocat doit bien justifier ses honoraires.

— Trois cafés! dit Natalie à la serveuse en se tournant vers Joel.

— Il serait contraire aux exigences de la situation de te poser toutes les questions qui me brûlent le bout de la langue.

— Par exemple : « Aimez-vous ma sœur? Etes-vous en état de lui faire mener le genre de vie auquel elle a toujours été habituée? Vos intentions sont-elles honorables? Avez-vous de l'avenir, jeune homme? »

Le bon rire joyeux de Natalie retentit :

— A la bonne heure! Ce garçon-là a le sens de l'humour. Dis-moi, d'où es-tu, Joel?

— Je suis né dans le New Jersey. La boîte de mon paternel l'a expédié dans le Sud de la Caroline du Nord quand j'étais en septième. J'en ai bavé jusqu'à ce qu'on le flanque à la porte et que nous partions pour l'Ouest.

— Souffert pourquoi? Tu es juif, non?

— Tu n'en loupes pas une, dit-il en souriant. Si ma mémoire est bonne, j'avais du mal à comprendre les profs; tout le monde se moquait de moi. Quand j'essayais de parler comme eux, tout le monde rigolait, et quand je n'essayais pas, ça n'allait pas non plus. Le vrai petit youpin de New York ou tout comme. J'ai commencé à avoir ce qu'on appelle des difficultés à apprendre.

— Et le reste de ta famille? Il souffrait aussi?

— Mon frère a appris à parler comme les gens là-bas. Moi, j'ai essayé de compenser mes ennuis par la bouffe. Mon frangin n'avait aucun problème de poids; tout lui allait. A l'heure qu'il est, il est peut-être bourré aux as, je n'en sais rien. Ou bien il est pompiste.

— Tu n'as pas l'accent du Sud... enfin, à peine un soupçon, dit Natalie. Où habitais-tu, dans l'Ouest?

— A Sacramento... Ça me plaisait bien. J'y ai appris à bricoler les voitures. Mon oncle habitait déjà la ville. Mon frangin, lui, n'était pas content; mais, moi, j'étais heureux. Je n'en parlais pas à mes parents; je savais que c'était ma chance...

— De quitter le Sud?

— Non. De sortir de moi-même. De sortir de la peau de ce gros connard qui bégayait. J'ai commencé à courir, à nager. D'abord, je courais en rond tout autour du jardin. Du coup, ma mère, qui m'avait seriné toute ma vie que j'étais trop gros, continuait à essayer de me bourrer.

— Ah! les régimes, dit Natalie. Moi, j'ai fini par m'accepter comme je suis; tant pis, je reste grassouillette.

— Tu me plais comme ça, dit Vida. Tout le monde n'est pas obligé d'être fait comme un garçon.

Elle se demandait s'ils s'entendaient bien. Elle en avait l'impression, elle le souhaitait. En tout cas, Joel se libérait. Mais éprouvaient-ils de la sympathie l'un pour l'autre? Elle avait envie de s'agenouiller par terre et de les supplier de s'aimer.

— Alors, à Sacramento, ta vie a changé? disait Natalie.

— Là-bas, il n'y avait que des bagnoles à réparer. Je suis entré dans le Mouvement après avoir vendu de la drogue. J'ai même découvert que je pouvais faire l'amour. Mais je n'y croyais pas, je savais que je bluffais les gars et que, tout au fond, j'étais resté à Roanoke Rapids, j'étais toujours le gros minus qu'on choisissait en dernier dans une équipe.

Il est en train de regagner Natalie avec ses histoires de poids, se dit Vida. En lui racontant qu'il a encore l'impression d'être trop gros. Elle sourit. C'était à Natalie de passer aux confidences:

— Tu comprends, mon père et ma mère sont tombés secrètement amoureux l'un de l'autre, aussi incroyable que ça puisse paraître. Oh! Ruby a du chic, et même de la classe.

— Pendant des années, c'était même tout ce qu'elle avait, dit Vida. Du cran, de la ténacité, à force de s'imaginer que, pour nous autres, les choses seraient différentes.

— Vous aimez vos vieux, toutes les deux? demanda Joel, étonné.

— Oh, raisonnablement, répondit Natalie en riant. Ma mère est morte quand j'avais huit ans et je n'avais rien contre Ruby. J'étais contente de ne plus avoir à nettoyer la maison, avec juste une femme de ménage pour m'aider de temps en temps. J'avais l'impression de pouvoir redevenir une enfant, de ne plus être obligée d'être une adulte. Je sais qu'on est censé détester sa belle-mère, mais Ruby était pleine de chaleur humaine. J'avais un sentiment de supériorité parce qu'elle avait été pauvre et que ma mère sortait de l'université.

— Et subitement, Natalie et moi, on s'est trouvées, dit Vida. C'était merveilleux; un don du ciel, la sœur rêvée.

— Parce que vous n'êtes pas vraiment sœurs? demanda Joel en glanant les dernières miettes dans chaque assiette.

— Mais si! s'écria-t-elle. Il n'y a rien de plus authentique que ce lien entre nous.

Des yeux, je sens des yeux. On m'observe, je le sais, ces fourmillements partout dans le corps. Elle se retourna comme si de rien n'était, en jouant avec une mèche de cheveux, et découvrit les yeux : ceux d'un homme, assis à une table d'hommes et vêtu d'un complet bourgeois pas trop cher. Elle sourit et reprit à voix plus basse :

— On me surveille. Je vais me lever et aller aux toilettes. Restez assis encore un moment et payez l'addition. Prenez mon manteau. Veillez à ce qu'il ne vous suive pas. Je vous retrouve au rayon Lingerie dans vingt minutes. S'il suit, sème-le, Terry, et rendez-vous où tu sais.

Elle se leva avec désinvolture et bavarda encore un instant, debout devant la table, puis se dirigea tranquillement vers les toilettes. Elle en ressortit un moment après et quitta le restaurant. Un ascenseur chargeait des clients ; elle se serra à l'intérieur.

Natalie leur avait trouvé un logement dans une maison de Dorchester, en consultant la liste réservée aux membres de la Conférence sur la Santé de la Femme. Ils partagèrent une soupe aux courgettes trop claire et du pain complet, une salade trop généreusement garnie de brocolis mal lavés. La nourriture était gratuite et ils la mangèrent. Elle essaya d'éprouver de la reconnaissance et maudit son snobisme culinaire qui ne l'avait jamais totalement abandonnée, malgré sept ans d'exil. On envoya enfin les mioches se coucher et les adultes disparurent, permettant à Vida et à Joel d'installer leurs sacs de couchage dans la salle à manger.

— Que penses-tu de Natalie? demanda-t-elle.

— Je ne lui ai pas plu.

— Comment peux-tu dire ça? (Elle était étonnée. Elle les revoyait tous les deux en train d'échanger leurs souvenirs d'enfance.) Tu sais, elle se confie rarement aux hommes comme elle l'a fait avec toi. Elle m'a dit qu'elle t'aimait beaucoup.

— Tu mens, répondit-il, soudain rembruni.

— Pas du tout ; elle me l'a dit en partant.

— Combien t'a-t-elle donné?

— Deux cents dollars.

Elle eut du remords : Natalie n'avait guère d'argent de trop. Elle avait un emploi de prof à mi-temps et gagnait quelques sous au Foyer des Femmes Battues, où elle faisait plus de quarante heures par semaine.

— Chouette! Avec le fric qu'on se fera en allant planquer la bonne femme, on est peinards. Tu crois que ta sœur pourrait nous refiler souvent des petits boulots de ce genre ?

— En général, le foyer fonctionne normalement. Elles ne sont pas obligées de cacher les femmes. Mais Natalie est au courant de tout ; elle assure la liaison avec des quantités d'autres groupes politiques. C'est une organisatrice née. Je t'assure, Terry, elle est extraordinaire...

— Pourquoi m'appelles-tu comme ça ? Il n'y a personne.

— Parce que nous sommes dans une maison étrangère. Nous devons nous appeler par les noms qui figurent sur nos papiers.

— Tu débloques ! Nous sommes seuls dans ce foutu sac de couchage. Tu te figures peut-être qu'ils ont fourré des micros dans le duvet ?

— C'est une habitude à prendre. Il suffit que nous oubliions de dire « Terry » et « Vinnie » une seule fois, et...

— Je déteste ça. Je ne supporte pas que tu m'appelles Terry.

— Mon cœur, je t'en prie, ne crie pas. Je te comprends...

— Appelle-moi par mon nom. (Raidi, il serrait rageusement les poings.)

— C'est dangereux.

— Nous ne sommes pas arrivés jusqu'ici sans prendre de risques. Appelle-moi par mon nom !

— Pourquoi ne supportes-tu pas que je t'appelle Terry ? Explique-moi ça.

Il se tourna sur le ventre, la tête enfouie dans le duvet :

— Je suis paumé ! Qui suis-je, de toute façon ? Qui ? Où allons-nous ? On cavale et c'est tout. Et pour fuir qui ? Tu crois qu'on s'intéresse encore à nous, après toutes ces années ? Appelle-moi Joel quand nous sommes seuls ! Appelle-moi par mon nom !

Elle s'assit à côté de lui en se tordant les mains. Elle ne pouvait pas s'y résoudre. Des années de méfiance, de prudence. Des années sans savoir si elle n'était pas épiée, photographiée, filmée, enregistrée ! Et toutes ces années, pendant lesquelles elle avait dû rompre avec de vieilles routines, lui avaient paralysé, tétanisé la langue. Tout est si difficile pour nous, songea-t-elle en promenant son regard sur la pièce sommaire, mais gaie, avec ses plantes suspendues et les affiches politiques et touristiques qui tapissaient les murs. Pourquoi était-elle avec ce type ? Comment avait-elle pu s'imaginer que la vie avec lui serait un lit de roses sans épines machistes ? Elle aurait pu se trouver cent autres maisons, cent autres chambres, cents lits meilleurs où s'agenouiller en compagnie d'hommes plus simples, plus forts — ou encore mieux, seule ! Qu'attendait-elle pour se tirer en vitesse ?... Il leva la tête et la considéra de ses yeux bruns accusateurs, qui lui rappelèrent un instant ceux de Natalie.

172

— Tu en auras vite marre de merdoyer avec moi. Laisse-moi tomber et cherche-toi un type sans problèmes.

— Je n'en ai jamais rencontré, dit-elle.

Elle ne pouvait pas le quitter pour un autre. Il était difficile, mais ils se comprenaient et elle était restée seule si longtemps. Elle s'agenouilla pour le prendre dans ses bras et lui murmura à l'oreille : « Joel, Joel, mon amour... »

10

Elle avait espéré pouvoir appeler Leigh d'une cabine téléphonique au bord de la route, le mercredi matin, longtemps après leur départ, direction nord, avec Tara, la femme battue ; mais, le mardi soir, ils apprirent que la mission était reportée au jeudi matin. Elle se retrouva avec Joel dans le motel le meilleur marché de Hampstead, et dans l'attente. Elle dut téléphoner à Leigh mercredi, d'une cabine à trois rues de l'hôtel.

— Tu quittes bientôt New York ? lui demanda-t-elle. Je ne suis pas très rassurée à l'idée d'y aller tout de suite. (Elle se sentait trop près pour être à l'aise.)

— Ça me paraît raisonnable, répondit Leigh. (Même au téléphone, il avait sa voix de berlingot et de cognac.) On ne sait pas très bien si ce vieux Kevin va être jugé pour trafic d'armes, pour des vieilles histoires ou pour l'ensemble.

— Tu ne lui as pas parlé ?

— Il a tenu une conférence de presse avec son mafioso d'avocat, la semaine dernière. Surprise totale. Il a joué les bravaches et les martyrs. J'y étais et il a fait semblant de ne pas me voir. Quand j'ai essayé de poser une question, il a feint de ne pas me reconnaître.

— C'est moche. (Etait-ce jalousie ou mépris ? Kevin avait toujours détesté Leigh, mais il s'intéressait d'ordinaire aux militants arrêtés.) Tu veux dire que son avocat appartient vraiment à la mafia ?

— Oui, et c'est un bon. Chérot.

Elle réfléchit tristement, mais elle né pouvait pas prolonger trop la communication.

— Quel est ton programme de voyages ?

— Une seconde ; j'ai mon agenda sous la main... Pour Thanksgiving, je vais voir ma mère à Miami.

— Comment veux-tu que j'aille en Floride ? D'ailleurs, c'est dangereux. Trop d'exilés cubains, trop de mecs du FBI.

174

— Voyons... Nous allons passer le week-end chez des amis de Susannah qui ont un chalet de ski près de Twin Mountain, dans le haut du New Hampshire.

— Tu fais du ski maintenant ? Pas possible !

— Penses-tu ! Je me contente de regarder les idiots risquer leurs abattis, pendant que je sirote un verre à leur santé au coin du feu.

— Ce week-end ?... Leigh, je peux me débrouiller, je peux te retrouver quelque part dans la région... Tes amis, ils sont engagés ?

— Oui, dans la musique classique. Deux super-têtes de coloquinte avec une caisse de résonance en superbe acajou à la place du cerveau. Mais pleins de cœur, et quels cordons bleus ! Lui fait de la cuisine romaine ; elle, de la cuisine indienne et mexicaine. Il est italien, et elle, vieille société protestante. Tu pourrais me téléphoner chez eux en disant que c'est mon bureau. Ils passent leur vie à me faire la morale. (Il toussa.) Mais nous n'aurons pas beaucoup de temps ; je ne peux pas disparaître pendant des heures. Ce sera une brève rencontre, si tu estimes que ça en vaut la peine.

— Oh oui, répondit-elle avec flamme. Pour moi en tout cas.

Elle ne l'avait que trop perdu, déjà. Allait-elle être obligée de violer ses propres consignes en faisant la connaissance de Susannah ? Leur liaison semblait si sérieuse qu'il serait peut-être plus habile d'obliger cette femme à compter avec elle. Pourtant, Leigh avait eu au moins une quinzaine de femmes au cours de ces dernières années.

Il était l'heure d'appeler le réseau. Elle composa le numéro.

— Salut, c'est Faucon Pèlerin. Qui est à l'appareil ?

— Moi, dit la voix haute et mordante de Kiley, certaine, à juste raison d'être aussitôt reconnue. (Mais tout de même, quelle arrogance ! songea Vida.) Nous avons besoin de parler. Avant la réunion plénière du CA.

Le CA, le conseil d'administration, était en réalité le nom code du comité central du réseau. Mais le surnom, à force, était devenu le véritable nom. Il devait se réunir, mais Kiley préconisait pour l'instant une réunion moins officielle.

— Pourquoi pas à Goat Heaven ? (La ferme d'Agnès dans le Vermont.) Ou à Hardscrabble Hill ? (C'était ainsi qu'Eva avait baptisé la ferme où ils avaient tous habité ; le nom était tiré d'une vieille chanson à propos des événements de 73-74 et qui n'étaient pas loin de ressembler à leur situation désespérée à l'époque.)

— Nous laisserons un message aux deux endroits. Quelle date ?

Elle réfléchit : en supposant qu'ils emmènent Tara demain, plus une journée pour les difficultés imprévues...

— Vendredi ?

— OK. Vendredi. Tu trouveras les messages aux deux endroits. Réunion un jour ou deux après.

— Je ne suis pas seule, dit Vida. Je crois que tu le connais assez bien.

— Ah, oui ? (Kiley attendit.)

— Il a des grands yeux verts de chat empaillé.

— Oh... Mécano ?

Mécano ? Elle fit le rapprochement, deux fils se touchèrent enfin. J'y suis : Mécano, c'est Joel. Le déserteur bricoleur qui répare les bagnoles dénichées par Kiley.

— Doit-il venir ? Ou plus exactement : peut-il venir ?

— Jamais je ne l'emmenais nulle part, dit Kiley. Mais si ça te fait plaisir. Après tout, ce n'est pas une réunion officielle.

Kiley raccrocha — point, c'était tout. Je ne devrais peut-être pas l'emmener, se dit Vida, avec une grimace. Mais ce sera sûrement une façon de sonder sa sincérité politique... Elle se hâta vers le motel. Qu'est-ce que Kiley remuait dans la froide logique de son vaste cerveau ? En tout cas, c'était une chance que Joel soit mécanicien, vu l'état de la voiture dont ils devraient se servir : elle appartenait au fils de la dame qui hébergeait Tara et restait au garage, car elle avait besoin d'un embrayage neuf. Une fois qu'ils auraient conduit Tara et ses enfants en lieu sûr, ils étaient censés la ramener à Goddard, près de Plainfield, dans le Vermont, où le fils de la dame était étudiant en écologie. C'était une vieille Subaru couleur bronze, qui avait bravé la boue, le feu et la tempête, mais Natalie leur avait affirmé que le garage l'avait vérifiée et équipée avec des pneus à clous.

Joel portait des lunettes noires et un bonnet de ski si bien enfoncé qu'il lui cachait les cheveux. Vida arborait une perruque en nylon blond platine, sur ses cheveux teints en brun, et une nouvelle paire de lunettes bon marché. Le jour commençait à poindre lorsqu'ils pénétrèrent dans l'allée, à l'heure pile. Mais la femme ne les attendait pas. Vida dut aller frapper à la porte du petit appartement rajouté derrière la longue maison en brique. Elle espérait avoir trouvé la bonne porte, pour ne pas réveiller les autres familles qui habitaient la maison, composée de trois appartements en tout. Le froid était si vif qu'elle voyait son haleine ; le ciel plombé laissait prévoir de la pluie ou même de la neige. Des nuages bas se bousculaient en dégringolant les uns par-dessus les autres, sous le vent qui soufflait de la mer glaciale et grise, à deux pâtés de maisons plus à l'est. Dans le calme du petit jour, elle entendait le chant des vagues. Les maisons voisines étaient toutes plongées dans l'obscurité. Un chat qui traversait lentement les jardinets se réfugia sous une remorque. Mais où était-elle, cette bonne femme ? Son estomac se serra. Elle frappa tout doucement à la porte pour ne pas se faire repérer. Joel, debout dans l'allée, était grotesque avec son bonnet de ski et ses lunettes de soleil, à l'aube d'une journée pluvieuse. Elle frappa de nouveau en se retenant pour ne pas crier. La porte s'ouvrit enfin.

Tara, une blonde rondelette d'une vingtaine d'années et quelques, portant un tailleur pantalon en tissu imprimé et au cou, une minerve, dévisagea Vida ; un petit enfant pleurait derrière elle. Un garçonnet, si bien emmitouflé dans son manteau rouge foncé qu'il ressemblait à une betterave, était assis sur une chaise de cuisine, les deux jambes raides tendues. Un verre de lait était posé sur la table devant lui. Une substance rosâtre maculait le sol.

— Bonjour, je suis Cynthia. Nous venons vous chercher. Vous étiez censée être prête.

— Je suis à vous dans une minute. Tommy ! Bois vite, nous partons.

— Non, z'en veux pas ; c'est froid.

— Bon, mais ne viens pas me dire dans une heure que tu as faim.

Tara, faisant sauter le bébé en larmes sur son bras droit, prit le verre de la main gauche et le vida dans l'évier.

— Plus que la vaisselle du petit déjeuner à faire, et je suis à vous.

— Laissez ça.

— J'en ai pour cinq minutes ; je ne peux tout de même pas partir en laissant de la vaisselle sale.

Vida se durcit, pas question de manigances dilatoires :

— Nous partons immédiatement. Si vous voulez de notre aide, enfilez votre manteau et suivez-moi. La dame qui vous a hébergée rangera ; ça ne fera jamais qu'un service de plus qu'elle rendra. Pour le moment, la plus grande faveur que vous puissiez lui faire, c'est de déguerpir avant que votre mari arrive et tire dans le tas.

— Tout de même, on ne prend pas l'avion ! Je vous dis que je vais juste donner un coup à la cuisine...

— Tara, la voiture part tout de suite. Ou vous montez ou vous restez. Nous devons respecter d'autres horaires ; vous n'êtes pas la seule femme dans le pétrin.

— Ah, bon ! Vous aidez d'autres femmes ? (Elle interrompit ses allées et venues.) Juste une seconde. (Elle prit le marmot hurleur sous le bras et se précipita vers une valise.) Vous pouvez déjà prendre celle-là et les affaires du bébé. (Elle désignait un fourre-tout en plastique.)

Je suis un génie, se dit Vida. C'était la seule chose à dire pour qu'elle se dépêche. Elle se baissa pour soulever la valise — Seigneur, elle emporte tout son or ! — prit le fourre-tout et partit en titubant vers la voiture.

— Qu'est-ce que vous foutez là-dedans ? ronchonna Joel à voix basse.

Ses lunettes de soleil étaient relevées sur son bonnet rayé de ski comme des lunettes d'aviateur.

— T'occupe. Fourre ça dans le coffre. Et mets des journaux sur nos affaires pour qu'elle ne voie pas à quoi ressemble notre attirail.

177

— D'accord, mais je t'en supplie, grouillez-vous, il ne faut pas qu'on nous voie !

— J'essaie, mon cœur.

Leurs lèvres sèches s'effleurèrent, fugitivement, nerveusement. Faisant demi-tour, elle lui lança par-dessus son épaule :

— Mets les provisions dans la voiture ; Sam nous a donné un sac de sandwiches et de fruits.

— Z'ai faim ! z'ai faim ! hurlait Tommy. Rends-moi mon lait !

— Tu m'as dit qu'il était froid et que tu n'en voulais pas, dit Tara tout en écrivant un mot à la femme qui l'avait hébergée : Désolée de ce désordre.

— Vilaine, tu as zeté mon lait. Réchauffe-le !

— Nous avons des provisions dans la voiture, dit Vida. Qu'est-ce qu'il y a encore à charger ? Où est votre manteau ?

— Ton toutou, Tommy, où as-tu mis ton toutou ? demanda Tara, en essayant frénétiquement de mettre son manteau de fourrure sans lâcher le bébé.

— Donnez-moi le bébé, dit Vida.

Tara lui tendit l'enfant à contrecœur et Vida le berça. Elle n'avait pas tenu un bébé dans les bras depuis l'hiver 74, dans le Vermont. Elle vit une tétine sur la table et comme les sanglots s'arrêtaient, elle la donna à l'enfant qui s'en empara.

— Ouf. Comment s'appelle Bébé ? (Elle évita le pronom.)

— Beverley. Elle est gentille comme tout. Je ne sais pas ce qui lui prend, ce matin.

— Pas toutou, Ralph. Appelle-le Ralph, dit Tommy.

— Ralph ? Je crois que je l'ai déjà mis dans la valise, dit Tara.

— Ze ne pars pas sans Ralph ! cria Tommy en donnant des coups de pied dans la chaise. Ze veux pas partir !

Tara rassemblait des choses ici et là et les jetait dans un fourretout.

— Regardez dans le living, dit-elle à Vida. C'est un chien en peluche.

Prenant le bébé avec elle, Vida chercha un interrupteur et regarda dans la petite salle de séjour. Elle trouva une chaussure de tennis d'enfant, une voiture de pompiers en plastique et encore une tétine. Dans la chambre à coucher à côté, elle découvrit une couverture chauffante encore branchée, une canne et un flacon de maquillage liquide ; un collant et, dans le berceau, une poupée blafarde qui devait être Ralph.

— Je l'ai trouvé ! cria-t-elle.

Tara venait de faire tomber son sac et se baissait avec difficulté pour le chercher à tâtons. Elle comprit que Tara avait le cou raide et qu'elle était handicapée par la dernière séance de brutalités. Elle eut honte de lui en vouloir de son manque d'organisation.

— Voulez-vous que je vous aide ? J'ai trouvé ça.

— Si vous pouviez ramasser mon sac, je vais prendre Beverley.

Vida s'exécuta et laissa tomber tous les objets dans le second fourre-tout, après quoi, elle poussa Tommy vers la porte. Tara avait besoin d'une canne pour descendre l'escalier en boitant. Elle s'installa enfin sur le siège arrière avec Tommy à côté d'elle et le bébé sur les genoux. Vida prit le volant. Elle avait promis à Joel, que le réseau de routes autour de New York intimidait un peu, de conduire pendant la première étape du voyage.

— Tara, je vous présente Dick.

— Dick !... Ah mon Dieu, c'est le prénom de mon mari.

En regardant dans le rétroviseur, Vida vit Tara regarder la nuque de Joel d'un air effaré.

— Appelez-moi... Sam, si vous préférez, c'est mon deuxième prénom.

Vida sourit, car Sam, le messager de Natalie, leur avait donné rendez-vous à l'aube, avant d'aller en classe, pour leur remettre les provisions et leur donner les dernières directives. Un instant, elle avait serré son grand dégingandé de neveu dans ses bras et lui avait donné une plume d'aigle qu'elle avait traînée pour lui partout depuis une réunion des Indiens d'Amérique, partisans de l'activisme.

— Ils courent plus de danger en restant assis dans leur cuisine, que moi en fuyant la justice, avait-elle dit à Sam. (Le garçon appartenait à la génération suivante, il était son héritier, l'enfant qu'elle risquait de ne jamais avoir.) Le FBI est une armée d'occupation des réserves. La guerre de cavalerie continue. On les fait tomber dans des embuscades, on incendie leurs maisons, on lance des voitures sur eux pour les écraser sur les routes départementales...

— Ce pauvre gosse, qu'est-ce qu'il peut comprendre à ta pub éclair sur la révolution ? lui avait demandé Joel. Une plume d'Indien, mais c'est complètement débile de lui donner un truc pareil.

— Sam n'est pas n'importe qui, c'est le fils de Natalie.

— Quand il sera grand, il entrera dans un parti d'extrême-droite, dit Joel en riant.

— Il est presque adulte, Joel. Même en Amérique, tout le monde ne hait pas ses parents, tu sais ? Leigh a toujours adoré les siens. C'étaient des vieux cocos, soit, et ses opinions ont toujours été différentes des leurs, mais le respect existe. Son père est mort, eh bien, il continue tout de même à aller voir sa mère à Miami, deux fois par an.

— Vivent les vertus bourgeoises ! Allons, tout ça, c'est de la foutaise. Tu veux aller voir ma vieille ? Tu la trouveras à l'institut de beauté du coin, en train de se faire décolorer le poil, ou couchée avec la migraine et une bouteille de vodka en plein après-midi, parce que soi-disant cela ne laisse pas d'odeur dans l'haleine, mais moi, quand elle avait picolé, je le sentais toujours.

Ils roulaient dans un silence gêné, jusqu'au moment où Joel mit de la musique rock à la radio. Il s'était assis de façon à pouvoir surveiller la route dans le rétroviseur et voir si on les suivait.

— Ecoutez, dit-elle avec embarras, on nous a dit que vous nous donneriez la moitié de la somme au départ et le reste à l'arrivée.

— La moitié? (Tara avait l'air vaguement suspicieux, et s'agrippait à son sac.) Oh, elles vous ont dit ça?

— Elles nous ont dit ça, répéta humblement Joel. Mais si elles vous ont dit autre chose...

— La responsable du Foyer nous l'a confirmé, dit fermement Vida.

Si jamais l'aventure tournait au vinaigre et qu'il faille abandonner Tara et ses gosses, qu'ils aient au moins gagné ça.

— Ah, la moitié? C'est-à-dire cent dollars maintenant?

— Exactement, dit Joel. De toute façon, vous avez de l'argent avec vous, n'est-ce pas?

Tara avait vivement porté la main à sa bouche molle et plutôt large. Elle avait peur.

— Et imaginez que vous me laissiez tomber, ensuite?

— Tara, nous avons aussi peur que vous, mais nous ne vous laisserons pas n'importe où. C'est juré! dit Joel en se retournant.

Tara compta les cent dollars avec précaution et les donna à Joel.

— Et mon reçu?

— Nous assurons votre sécurité, dit-il sombrement. Enfin, espérons-le. Votre reçu, c'est vous-même.

Ça commençait bien mal et le chemin était long, jusqu'à Battleboro.

— M'man, z'ai faim.

— Oh Tommy, pourquoi n'as-tu pas voulu de ton petit déjeuner?

— Mais c'est toi qui as zeté mon lait.

— Parce que tu ne voulais pas le boire. Tu ne t'en rappelles plus?

— Z'aime pas le lait froid. Berk. Pourquoi t'as pas fait chauffer mon lait dans la casserole?

— Je n'ai pas eu le temps, Tommy, la dame était pressée.

— Il y a des provisions dans le sac, servez-vous. Tommy peut manger quelque chose, proposa Joel, sur un ton enjôleur et conciliant.

— D'habitude les gosses sont très sages, dit Tara. Mais tout ça les perturbe. Ils ne comprennent pas pourquoi on court sans arrêt. Vous comprenez, on n'a jamais déménagé. On a toujours habité la même maison.

Vida entendit un froissement de papier et en conclut que Tara inspectait le sac à provisions.

— Des sandwiches au poulet. Tu en veux un, Tommy ?

— Non, z'aime pas le poulet, ze veux mon lait.

— Une pomme. Mange une pomme.

— Non ! (Il se mit à hurler et le bébé, réveillé, pleura avec lui.)

— Une banane, alors ? implora Tara par-dessus le vacarme.

— Mange une banane, Tommy, dit Joel, venant à son secours. On va manger une banane tous les deux comme les petits singes, tu veux ?

Il se gratta en faisant des grimaces. Le bébé pleurait toujours, mais Tommy se tut aussitôt.

— Dis, M'sieur, pourquoi que t'as mis des lunettes de soleil ?

— Parce que j'aime ça. Et j'aime aussi les bananes, pas toi ?

— Voui, z'aime ça...

— Parfait, tu vas en manger une, si ta maman te l'épluche ?

— Non, pèle-la-moi, toi. Pourquoi t'aimes les lunettes de soleil ?

— Dis, et toi, pourquoi tu aimes les bananes ? (Joel prit la banane et l'éplucha comme un singe.)

— Parce que c'est bon.

— Eh bien, les lunettes de soleil, c'est bon aussi.

Tommy engloutit sa banane pendant que le bébé reniflait copieusement et se rendormait sur les genoux de Tara. Un très bref silence fut interrompu par Tommy qui demandait si on était arrivé. Puis il déclara :

— Z'ai envie, M'man.

— Oh, Tommy, déjà ?

— Vite, maman.

— La grosse commission ou la petite ?

— La petite !

— Est-ce qu'il peut faire au bord de la route ? demanda Vida.

— Dans le parking de Cross Island ?

— Bon, d'accord. (Vida prit la première sortie, s'arrêta à une station Shell et se gara sur le côté. Emmenez-le, dit-elle.

— On ne peut pas aller aux toilettes comme ça, sans rien leur acheter.

— Tara, il le faut, dit Joel. Ils le comprendront très bien. Sinon, on s'arrêtera à la prochaine pompe à essence. Ils ne vont pas vous tuer parce que vous avez envie de pisser.

— Vous ne pouvez pas prendre un petit peu d'essence ou quelque chose ?

— Pipi, maman !

— Non. Le réservoir est plein. Nous n'avons pas roulé suffisamment longtemps pour en prendre, dit Vida, agacée.

Furieuse, Tara sortit de la voiture avec raideur en clopinant sur sa canne, avec Tom agrippé à un bras et le bébé dans l'autre.

— Bon Dieu, c'est pas de la tarte, dit Joel.

— Je veux absolument sortir de cette ville, dit Vida.

— On ne peut tout de même pas laisser les gosses pisser dans leur culotte, Vida. Sois un peu plus gentille. Qu'est-ce qui t'arrive?

— J'peux pas l'encadrer! Je voudrais la trouver sympa, je te jure que c'est vrai, mais je ne peux pas. Je sais, c'est une femme battue, nous accomplissons enfin une mission politique et, en plus, on nous paye pour le faire, mais j'ai envie de la balancer sur l'autoroute. Si j'étais son mari, je la tuerais. Ne le dis à personne, mais elle me rend folle.

— Vida, elle a peur. Comment peux-tu être aussi dure avec elle? Elle ne nous connaît pas. On doit lui paraître bizarres. (Joel lui pressa la main.) Maintenant, arrête le moteur et détends-toi.

— Est-ce qu'il y a du café dans ce sac, regarde, demanda-t-elle, lui obéissant.

Il se tourna pour s'agenouiller sur le siège et farfouiller plus à l'aise.

— Il y a quelque chose dans un thermos, annonça-t-il.

— Je parie que c'est le bon café de Natalie! Donne-m'en un coup et laisse-le devant, c'est nous qui conduisons.

— Chérie, sois gentille avec Tara. Elle souffre. Elle a vécu un enfer. Je sais, ce n'est peut-être pas une bonne femme formidable, mais elle est dans le pétrin.

— Pour ça, elle n'est pas très marrante, d'ailleurs, quand on épouse un flicard...

— Elle n'a pas épousé un flic, elle s'est mariée avec son petit ami. S'il te plaît, Vida, détends-toi. Explique-moi, qu'est-ce qui te chiffonne?

— Madame s'attend à être servie, à des égards, à du confort. Merde, à la fin, on prend des risques pour elle...

— Elle n'en sait rien, et il vaut mieux qu'elle continue à l'ignorer.

— C'est gênant. La seule manière de s'en sortir aimablement, ce serait de pouvoir établir des contacts personnels, mais je préfère ne pas être obligée d'inventer toute une histoire. J'ai l'impression qu'elle n'essaie même pas de calmer les gosses.

— Elle se sent probablement coupable d'avoir quitté son flic. Elle a peur. Nous, nous sommes habitués à faire les valises tout le temps, mais je parie qu'elle n'a jamais été nulle part.

Vida bouda un instant, mais la honte eut raison de sa mauvaise humeur. Elle serra la main de Joel.

— Tu as raison, je vais faire un effort, dit-elle.

— A la bonne heure. Conduis et laisse-moi lui faire la conversation. Tu vas voir, je vais arranger tout ça. (Joel lui massa la nuque.) Les voilà.

Vida cala le thermos à l'avant et se força à accueillir Tara avec le sourire. Comme ils traversaient le pont de Throgs Neck, Joel commença à baratiner Tara en lui posant gentiment des questions.

— Quel âge aviez-vous ? Du tonnerre... Alors, vous vous êtes mariés drôlement jeunes. Vous savez que nous avons le même âge, tous les deux ?

— Vraiment, vous avez vingt-cinq ans ? J'aurais cru que vous étiez plus jeune que moi, dit Tara.

— Merci, mais j'ai deux ans de plus que vous, répondit Joel et Vida lui donna un coup de coude en douce. (« Pas de faits précis ! ») Je parie que vous fréquentiez déjà Dick à l'école..., reprit Joel. Comment était-il, en ce temps-là ?

En se remémorant le passé, Tara devenait tendre et songeuse. Elle caressait le crâne moite du bébé, l'air absent.

— Oh, en ce temps-là, il était *gentil*. Je me souviens, quand je me suis cassé la jambe, il allait cueillir des fleurs chez les voisins pour me les offrir... Je n'avais jamais connu d'autre garçon avant lui, c'était la première fois que je tombais amoureuse. On a appris à danser ensemble, à plonger du grand plongeoir, on faisait du patin à glace ; il était dans l'équipe de basket et moi, dans l'équipe de natation de l'école. On ne le croirait jamais...

— Tara, Tara, je parie que vous étiez folle de lui. Racontez-moi, à quel poste jouait-il dans l'équipe de basket ?

— Panier. Et vous, Sam, qu'est-ce que vous faisiez au lycée ? Vous jouiez aussi au basket ?

— Non, j'étais trop petit. Et ensuite ? Vous vous êtes mariée avec Dick tout de suite après le bac ?

— Mes parents étaient très stricts, vous voyez, alors, j'avais peur de faire des bêtises avec lui. J'allais à confesse toutes les semaines... Vous êtes catholique, vous, Sam ?

— Non. Témoin de Jéhovah, répondit-il en faisant un clin d'œil à Vida.

— Mince ! C'est protestant, ça ?

Lorsque Vida eut atteint la route 22, au Nord, Tommy s'était assoupi, le bébé dormait et Tara pleurait sur les lambeaux de son mariage. S'il continue à la baratiner, elle va tomber amoureuse de lui avant Battleboro, se dit-elle avec un mélange d'amertume et d'admiration réelle.

— Et puis, il arrivait en uniforme à la maison, tout rouge et tout excité. Fou de rage. Un peu comme s'il avait bu, mais en même temps comme si la colère lui faisait du bien... Moi, quand je me mets en rogne contre quelqu'un que j'aime, j'ai mal à l'estomac. Mais lui, on aurait dit que ça le soulageait de crier après moi ; c'est drôle, mais il avait l'air presque heureux, disait Tara.

Là était le vieux problème de Vida : savoir compatir avec les opprimés à distance, était souvent plus facile que d'avoir en face de soi un être déchiré, abîmé par l'oppression. Si la souffrance ennoblit véritablement, pourquoi s'acharner à vouloir l'éliminer de la Société? Elle était heureuse d'être engagée dans une vraie mission et elle avait envie d'aimer Tara, mais elle n'y parvenait pas; Joel y arrivait en puisant à l'expérience commune, les sentiments communs aux êtres humains, Natalie aussi. Elle savait écouter, compatir. Natalie était capable de travailler avec toutes sortes de gens de tous les milieux, avec ou sans conscience politique, sans jamais se lasser, s'énerver, devenir hautaine.

— ... Alors, il m'a offert mon manteau neuf. Celui que je porte. C'est du phoque, vous savez. Et j'en avais vraiment envie. Mon autre, il était minable, une petite laine bleue avec un col de rat. Mais attention, s'il m'a payé le phoque, c'est parce qu'il m'avait flanqué une telle raclée que j'ai dû aller aux urgences, à l'hôpital.

Tout en roulant sur la route 22 dans un matin qui s'assombrissait, Vida conduisait avec précautions en respectant chaque signal et en veillant à ne pas être filée. Elle se sentait coupable. Joel mettait Tara à son aise. Puisque tous deux ne pouvaient communiquer à cause de cette femme, dans son silence forcé, Vida cachait des choses à Joel. Elle ne lui avait pas parlé de la réunion organisée avec Kiley. Kiley avait dit « nous », ce qui pouvait signifier Kiley et Roger, Kiley et Eva, Kiley et Larkin. Ou une combinaison des trois. Cela pouvait également signifier que Kiley travaillait avec un personnage qui n'appartenait pas au Comité. Pourquoi n'avait-elle pas posé de questions? Elle avait le sentiment d'avoir accordé un léger avantage à Kiley en s'excusant elle-même d'être accompagnée, sans vérifier la situation de l'autre camp. Elle espérait qu'il s'agissait d'Eva. Chère Eva, où était-elle? Au moins, Kiley lui donnerait de ses nouvelles.

Ils étaient les siens, au sens le plus profond du terme, comme Joel l'était devenu, sans l'être tout à fait encore. Devrait-elle l'introduire dans leur réseau? Essayer de collaborer avec lui sur un plan politique? Ou bien allait-elle collaborer plus étroitement avec Leigh? La réussite de son projet de radio exigeait la participation de Leigh, mais était-ce bien réaliste? Elle en jugerait bientôt, lorsqu'elle le verrait dans le Vermont, de même qu'il lui faudrait tenter d'abattre les derniers obstacles de leur séparation. Il le fallait absolument. Et Joel? Elle sentait que son attachement était plus fort qu'elle ne l'aurait souhaité. Mais quelle était la mesure exacte de leur lien? En revoyant Kiley, il pouvait parfaitement la plaquer. Tout leur univers pouvait s'écrouler sur une simple querelle. Si seulement elle avait été capable de retourner Leigh et Joel comme deux gants puis de les analyser froidement avant d'examiner objectivement ce que chacun de ces hommes ressentait pour elle!

Brusquement, Tara s'aperçut qu'ils étaient sur la nationale 22 et commença à geindre. Vida se mordit la langue pour ne pas répondre par une attaque.

— Dites donc, je ne vous paye pas pour faire du tourisme. On va perdre un temps fou, c'est le chemin le plus long ! Mes gosses peuvent pas rester toute la journée dans cette voiture.

— Croyez-moi, Tara, c'est plus sûr. Pas de péages, moins de contrôles. Vous ne savez pas si votre mari ne vous recherche pas. Il peut très bien avoir organisé quelque chose, officiellement ou officieusement. Mieux vaut éviter les frontières entre Etats. Je suis la route jusqu'à la New York 55 et, ensuite, je prends la US-7. Nous serons alors dans le Connecticut. De cette façon, nous aurons passé la frontière dans trente-cinq ou quarante minutes.

— Il paraît que la 7 est très jolie, dit Joel sur un ton conciliant. Dès que nous y serons, nous pourrons nous arrêter aussi souvent que vous le voudrez.

— J'ai mal au cou. C'est crevant de rouler. Mince, j'ai le dos en compote...

— Pauvre Tara, c'est une minerve que vous portez, hein ? Ça doit être pénible, ce machin-là ! Qu'est-ce qui vous est arrivé ?

Non que Vida n'eût jamais fait l'expérience de la brutalité : les coups, elle connaissait ça. Elle avait été battue par les forces de police tactique et tabassée par le Parti nazi américain. Elle se rappelait que les FPC s'étaient appliquées à cogner sur la tête et les épaules, et les nazis sur le corps. Dans les deux cas, ils s'étaient mis à plusieurs pour la brutaliser avec une jouissance manifeste, et elle avait tenté de parer les coups, hélas ! bien inutilement. Kevin l'avait tapée une ou deux fois ; non, pas une ou deux : deux, pas plus. Après la première, elle avait refusé de lui adresser la parole pendant une semaine ; la seconde, elle n'avait plus jamais couché avec lui. Non, la douleur avait une source plus ancienne. C'était Ruby sortant de sa chambre, le visage tuméfié, le matin. A l'époque où Vida était encore toute petite, Tom s'était engagé dans les marines pour faire la guerre aux Japonais. Quand il venait en permission, l'ambiance était sacrément chaude ; tout le monde riait, s'embrassait, et Vida, Grand-Mère et Paul, le frère aîné, étaient souvent expédiés au cinéma. Paul, Grand-Mère et Vida habitaient tous avec Maman, qui travaillait dans un chantier naval. Elle partait au boulot dans une Hudson bleue avec les collègues qu'elle passait chercher, puis ramenait chez eux. Grand-Mère, Vida, Paul et Maman faisaient le dîner tous ensemble, et aussi la vaisselle. Et Vida aidait toujours aux travaux domestiques. Tom s'était enrôlé trop tard pour pouvoir être libéré le jour de la victoire sur le Japon. On le garda donc pour l'armée d'occupation et, lorsqu'il rentra fièrement à la maison, Vida avait cinq ans, et Paul dix ans. Les seules fois où Tom avait battu Vida, c'était quand Ruby venait lui annoncer qu'elle avait fait une très, très grosse bêtise — ce qui devint de plus en plus rare, à cause des conséquences — ou quand elle faisait trop de boucan s'il avait la migraine ou la gueule de bois, ou encore s'il se sentait trop exploité. Mais ça n'arrivait pas souvent. En revanche, il calottait souvent Paul. Tom avait l'air furieux d'être revenu à la maison pour y trouver un fils à demi adulte. Il criait : « Respect, s'il vous plaît ! » Il se mettait souvent en colère contre Paul, et Paul cédait. Ses oreilles devenaient toutes rouges sous ses pauvres cheveux carotte coupés en brosse, et il serrait et desserrait ses grandes et belles mains, les mêmes que celles de son père. Mais Paul ne donnait jamais de coups à Vida ni à personne, sauf aux garçons de sa classe : « *Moi*, je me bats seulement avec les plus forts que moi ! » cria-t-il un jour à Tom qui l'avait puni pour s'être bagarré dans la cour de l'école, et Tom lui avait envoyé une bonne taloche de plus, qui l'avait atteint en pleine bouche.

Vida souffrait pour son frère ; elle se sentait déchirée, perdue. Mais quand Ruby sortait de sa chambre le matin, avec un bleu à la joue ou au bras — quand la figure de Ruby était toute rouge, qu'elle se mettait trop de fond de teint et qu'on voyait bien qu'elle avait du chagrin, alors Vida haïssait son père et n'avait qu'une envie : qu'il fiche le camp ! Pourtant, elle était sa préférée. Il la prenait sur ses genoux et lui chantait : *L'ancre est levée, les gars,* ou bien : *Nous arrivons sur les ailes du vent et de la prière.* Ou encore : *Tous solidaires,* ou : *Dans les palais de Montezuma,* ou : *Fils du labeur et du danger, voulez-vous servir un étranger et vous incliner devant l'Angleterre ?*... Sa belle voix de baryton s'élevait, vibrait en elle, tandis qu'il la faisait sauter sur ses genoux en battant la mesure avec le pied. Il y avait des jours où il faisait gonfler son biceps — et l'aigle tatoué faisait de l'œil à Vida — ou alors il lui montrait son autre tatouage : « Tom et Ruby », dans un cœur entouré de feuilles et de fleurs aussi jolies que celles sur les manches des cuillers en argent de Maman, qui lui venaient du service que Grand-mère avait commencé à lui monter pour son mariage, mais qui s'était arrêté aux petites cuillers à thé. Vida aimait d'abord et avant tout Ruby, d'un amour sincère et loyal, mais cette complicité avait quelque chose de louche. D'une façon, elle le sentait responsable des bleus, des bruits et des gémissements, des plaintes étouffées au beau milieu de la nuit. Lorsque Tom quitta la maison après une mauvaise passe interminable pendant laquelle il avait été sans travail, Vida s'était sentie coupable, à la fois parce qu'il lui manquait terriblement et parce qu'ils étaient heureux sans lui.

Et puis, Grand-mère était morte subitement d'une crise cardiaque. Elle n'avait pourtant que soixante-deux ans, mais elle était trop grosse et travaillait dans une boulangerie. Un soir qu'elle avait terminé tard, elle avait couru pour attraper le bus et elle était tombée dans la rue, comme ça. Le temps que quelqu'un appelle une ambulance, elle était morte. Ruby l'avait pleurée pendant des semaines. C'était une génération de femmes qui aimaient leur mère. Elle se demanda si Peezie perpétuerait cette tradition, le processus d'identification, la solidarité face à la souffrance, à la mort, à la pauvreté, à l'adversité, à la persécution, ou simplement face aux difficultés de l'existence : l'homme, l'Etat, l'argent, la justice et la destruction du corps, lente ou foudroyante. Ses mains étreignirent convulsivement le volant. Elle regardait fixement la route, dans le clair-obscur de ce jour crépusculaire, plein de nuages lourds et menaçants. Ruby lui manquait désespérément, année après année... Bien entendu, Tom était revenu au bout de six mois et les avait tous emmenés vivre à Chicago...

— Expliquez-moi, Tara, pourquoi aviez-vous l'impression que tout était de votre faute ? Je ne comprends pas, disait Joel.

— Parce qu'il me le faisait sentir, vous voyez, comme si c'était moi qui le forçais à me battre, répondit Tara.

— Vous aviez envie qu'il vous dérouille ?

— Oh non ! Seulement, je faisais tellement d'efforts pour ne pas le mettre en colère que j'en tremblais et que ça le mettait hors de lui...

— En somme, on peut dire qu'il vous mettait en condition pour craquer, mais que c'était de votre faute si vous craquiez ; tout à fait comme quand on dit à quelqu'un : Attention, tu vas tomber ! et qu'il tombe parce qu'il a peur. Alors l'autre dit : Je t'avais bien dit de faire attention ! dit Joel d'une voix lente.

— C'est marrant, vous parlez comme Natalie Brook. Vous la connaissez ? demanda Tara.

— Non, qui est-ce ? dit Vida.

Tara se tut un instant, sidérée d'entendre la voix de Vida.

— C'est une femme qui s'occupait du foyer où j'étais avant qu'on me transfère dans ce petit appartement minable... Ça soulage de pouvoir lui parler quand on est mal dans sa peau. Je connais des femmes qui se cachent comme moi, et qui travaillent au foyer... il y en a aussi qui ont été battues, avant. Mais c'était Natalie Brook ma préférée... Elle est juive, mais elle a une famille et quatre gosses, et j'ai entendu dire qu'elle avait des problèmes dans son ménage. C'est la dame qui me cachait qui m'a dit ça, expliqua Tara.

Je ne suis pas aussi utile politiquement que Natalie et pas aussi sociable que Joel, se dit-elle en serrant le volant. Elle avait mis des années à acquérir la force de Natalie. Elle, Vida, avait été la plus combative, la plus éloquente, la plus connue, une meneuse d'hommes. Natalie était partie de son côté. Il avait fallu que le temps broie son arrogance avant qu'elle ne comprenne les termes de ses vieilles disputes avec Natalie et n'apprenne à apprécier ses qualités. A présent, il leur fallait être prudents ; Tara pouvait parfaitement retourner chez son flic. Il ne fallait pas qu'ils laissent échapper le moindre indice ni qu'elle voie trop leur visage. Il fait si sombre, peut-être devrais-je allumer les phares ? se demanda Vida.

— Je crains de ne pas connaître Long Island, c'est la première fois que j'y vais aujourd'hui, ajouta-t-elle tout haut à l'intention de Tara. Vous êtes d'où ?

Et voilà, se dit-elle. Mais refuser de répondre serait encore pire...

— D'Erie, en Pennsylvanie, vous connaissez ?

— Non... Sam, qu'est-ce que vous faites dans la vie ? demanda Tara en ignorant Vida, à laquelle Joel lança un coup d'œil en biais de derrière ses lunettes noires, comme un éclair de contacts verts.

— Moi ? Je vends des marquises en alu.

— Ah oui, pour les gens qui ont des vieilles maisons. C'est pratique, l'aluminium, on n'est pas obligé de le peindre. Notre maison à nous était en brique... Je ne sais pas ce que nous allons devenir, maintenant, dit Tara qui recommença à pleurer ; le bébé se réveilla et pleura lui aussi.

— Merde, c'est de la neige ? dit Joel en scrutant la route.

— On dirait, répondit Vida sombrement. Elle ne prendra peut-être pas.

— M'man, z'ai faim ! (Tommy remettait ça.) Où est Ralph ? Tu l'as laissé là-bas ?

— Ralph est dans le coffre de la voiture, dit Vida.

— Ralph ! ze veux mon Ralph, t'as laissé mon Ralph !

— La dame te dit qu'il est dans le coffre, Tommy.

— On est arrivé ? Je veux qu'on s'arrête maintenant.

Le bébé pleurait de plus belle.

— Elle a faim, pauvre trésor, dit Tara. Il faut que je chauffe son biberon. Vous avez dit que nous pourrions nous arrêter sur la 7, et je vois marqué : Route 7.

— Je sais, mais il commence à neiger, dit Vida.

— J'ai besoin d'aller aux toilettes, Beverley a faim et j'imagine que Tom aussi. Pas vrai mon tout petit ?

— Ralph ! Maman ! Ze veux descendre. Où on va, dis, M'man, où qu'on va ?

— J'ai un chauffe-biberon électrique dans mon sac écossais, au cas où ils refuseraient de le faire eux-mêmes. Je pourrais le brancher aux toilettes...

— Si on s'arrêtait ici ? dit Joel en désignant un endroit sur le bord de la route.

— Franchement, Joel, on dirait une halte de routiers !

— M'man, dis-moi où on va ! hurla Tommy.

— Dans une jolie maison, dit Tara avec un air de doute.

— On aura une télé couleurs ? Ou une noire et blanc, comme chez Mémé ?

— Une télé couleur, répondit fermement Tara. Nous n'y resterons pas longtemps, Tommy. Ensuite, nous aurons une maison à nous.

— Avec d'autres zenfants ?

— Bien sûr. (Tara se forçait à paraître gaie et sûre d'elle.)

— Dis, M'man, qui, comme zenfants ?

— Je ne connais pas leurs noms. (Elle hésitait à nouveau.)

— Ouais, mais y aura des balançoires et des toboggans, comme sur le terrain de jeu ?

— Nous verrons. Qu'est-ce que c'est que cette route que vous avez prise ? Tous les restaurants sont fermés. Sur l'autoroute, ils auraient été ouverts. Mince, celui-ci aussi est fermé.

— Nous arrivons bientôt dans une ville, dit Vida dont la patience était mise à rude épreuve.

Elle avait envie de pisser, elle aussi. Et trouver un restaurant pour Tara et sa tribu n'arrangeait pas ses problèmes.

— Et là ? demanda Joel, comme ils arrivaient dans une ville. Regardez : cuisine-maison. Ce doit être le resto des gens du coin.

— Sûrement, dit Tara qui berçait Beverley en larmes. Essayons-le.

Vida s'arrêta devant l'établissement et demanda :

— Est-ce que vous avez une montre ?

— Non, pourquoi ? dit Tara qui tâtonnait pour trouver son sac à main et son fourre-tout.

— Aucune importance, il doit y avoir une pendule ou une horloge dans le restaurant. Dans quarante-cinq minutes, à 11 heures 30, nous viendrons vous chercher devant la porte.

— Vous voulez me laisser entrer toute seule là-dedans et aller manger ailleurs ? Pourquoi vous faites ça, je ne comprends pas ?

— Nous serons de retour dans quarante-cinq minutes. Ça vous suffira ?

— Pas pour faire manger Beverley, la changer et prendre un petit quelque chose. Mon pauvre Tommy n'a même pas pris son petit déjeuner.

— Ouais, t'a zeté mon lait dans l'évier. Ze veux un hamburger avec des frites.

— Entendu. Nous serons là à midi. Cela vous va ?

— Bon. Bon. Mais mon chauffe-biberon est dans la valise écossaise, dans le coffre. Franchement, je ne vois pas pourquoi vous ne pouvez pas entrer avec moi et vous asseoir un moment !

— Il faut que je téléphone au bureau et à des clients, dit Joel. Je ne peux pas m'absenter pendant une semaine sans donner de nouvelles. Et... il faut qu'elle appelle la baby-sitter. A tout à l'heure, Tara.

Ils retournèrent à l'endroit réservé aux pique-niqueurs sur le bord de la route et posèrent le sac de Natalie sur une table.

— Tu vois comme tout devient compliqué quand il faut mentir ?

dit Vida. J'ai l'impression que je vais m'emberlificoter dans toutes ces histoires.

Joel urina contre un arbre en gémissant de plaisir et elle alla se soulager un peu plus loin, dans les buissons.

— Maintenant, on va tous les deux être de meilleure humeur, lui dit-il en la voyant revenir.

— Maman, je n'en pouvais plus ! Voyons un peu les sandwiches de Natalie.

La neige tombait, légère, sur la table en bois, sur le sol rocailleux et dans les eaux bondissantes de l'Housatonic avec un sifflement ténu. La neige poudrait la casquette de Joel, les lunettes qu'il avait repoussées sur son front, le sac posé entre eux. Elle rit du ridicule de la scène : un pique-nique sous une neige qui fondait en tombant.

— Il y a du poulet et du pain blanc, du rosbif avec de la sauce tartare sur le pain de seigle noir, dit-il en explorant le contenu du sac.

— Mmm. Donne-moi un rosbif !

— Bien sûr, prends-le, dit-il en faisant la moue.

— Mon cœur, il doit y en avoir un autre, je connais Natalie. Cherche.

C'était exact. Ensuite ils mangèrent chacun un sandwich au poulet et finirent le café.

— La prochaine fois qu'elle voudra s'arrêter, je lui demanderai de faire remplir le thermos, dit Joel en se frottant le ventre de contentement. C'est bon de leur échapper un instant ! Ce gosse me rend fou. Je meurs d'envie de lui flanquer une bonne fessée.

— Vraiment, mon cœur ? Je ne l'aurais jamais deviné. Tu as été un ange.

— Il me rappelle mon petit frère. Gâté pourri. Et rien n'est jamais assez bien. Quand il sera grand, il sera exactement comme mon paternel.

Repu, Joel se nettoya les dents avec l'un de ses cheveux qu'il utilisa comme cordonnet dentaire.

— Je ne m'habitue pas à l'idée qu'elle soit plus jeune que moi. Pourquoi n'as-tu pas voulu aller au resto ? Pour ne pas être obligée de lui parler ou ne pas dépenser d'argent ?

— Ni l'un ni l'autre. Simplement parce que je ne veux pas qu'elle puisse nous regarder. Dans la voiture, elle voit ma perruque, mon écharpe verte et ta casquette. Si nous nous asseyons à table en face d'elle, elle n'aura rien d'autre à faire que de nous dévisager pendant une heure. Et à l'intérieur, on ne peut pas garder ces imbécillités de lunettes.

— Tu as aimé le coup des marquises en aluminium ?

— Génial !... Elle me fait peur avec toutes ces questions. Il faut lui répondre gentiment, bêtement, d'une façon précise, c'est le meilleur moyen d'avoir la paix.

— Au fait, on a combien de gosses au total? demanda-t-il en mangeant un biscuit au chocolat.

— Une petite fille de seize mois, Amy. Sam, Cynthia et Amy. Nous sommes tombés sur une vraie pochette-surprise.

— J'aimerais bien me coucher dans une pochette-surprise avec toi. Là, tout de suite. Viens, allons faire l'amour dans la voiture.

— Joel! Je ne peux pas.

— Ah?

Son visage se rembrunit aussitôt comme si l'angoisse du crépuscule s'était abattue sur lui. Quand il boudait, elle aurait juré que ses traits s'empâtaient.

— Excuse-moi, mais nous devons préserver une certaine façade. Je suis incapable de baisser le rideau simplement pour un quart d'heure. Incapable de baisser la garde sur commande.

— Tu en as déjà marre de moi? Je t'ennuie?

— Rien ne m'ennuie, sinon la compagnie de Tara... J'ai des amis qui nous logeront peut-être pour la nuit. A Hardscrabble Hill, dans la ferme d'Agnès.

— Moi aussi, j'ai des copains, là-haut, là où j'habitais. J'avais un boulot au noir, dans les fausses antiquités. Et à côté, je réparais les bagnoles.

— Des fausses antiquités? Raconte.

— Il est bien évident que des vraies, il n'y en a pas assez pour tout le monde, dit-il en souriant. Tous les estivants, tous les touristes en veulent. C'était un bon boulot. Sauf pour cette mauvaise aération, l'hiver. Cette saleté vous rentre dans les poumons... Tu m'aimes toujours, dis?

— Bien sûr! (Elle le soupçonna de deviner qu'elle pensait à Leigh, mais sa raison lui dit qu'il s'agissait tout simplement de son insécurité habituelle.) Tu regrettes que nous ayons accepté ce boulot?

— C'est bon pour nous de travailler ensemble. Moi, j'en ai envie. Et toi, qu'est-ce que tu en dis?

— Pourquoi pas? (Elle appuya son menton sur sa main.) Tu as une idée précise?

Tous les problèmes récents lui revinrent subitement à l'esprit comme un jeu de cartes abattu : avortement, droits des homosexuels, chute du dollar, chômage, racisme dans le Nord, droits des locataires, Afrique du Sud, scission des syndicats... Elle se sentait prisonnière de l'étau du temps. Il fallait qu'elle présente au moins une initiative à la réunion où, elle le pressentait, Kiley aurait un projet à soumettre. Arriver les mains vides, c'était lui concéder trop.

— Ces histoires nucléaires me rendent malade, dit Joel. C'est trop fort de café. Ils veulent nous faire croire qu'il n'y a aucun danger sur les terres inhabitées. C'est bien ça? Moi, j'ai toujours cru les baratineurs qui racontaient que ces machins-là ne pouvaient pas exploser. Mais n'importe quel réacteur peut exploser! Une foutue petite pincée de plutonium à peine visible suffit à anéantir une ville entière et ses habitants. A cette minute même, il y a des mecs qui sont en train de crever en Angleterre parce qu'ils y ont travaillé. C'est un poison qui n'existe même pas à l'état naturel, et ils veulent en produire à la tonne.

— Humm...

Elle marchait autour de la table de pique-nique tout en pensant que, d'un côté il y avait là matière à discussion, mais que de l'autre, cela lui poserait énormément de problèmes politiques. Bien sûr, il y avait fort à faire; il ne fallait négliger aucun combat. Elle se rendait également compte que si Joel prenait feu et flammes pour un sujet concret, cela lui ferait du bien. Il avait besoin d'un idéal en dehors de la nécessité de survivre. S'ils restaient ensemble, ils auraient besoin de tâches et d'objectifs communs. S'ils restaient ensemble. Tout arrivait en même temps : les retrouvailles avec Leigh, sa réinsertion dans le réseau, Joel qui allait revoir Kiley et elle qui devait préparer et se faire une opinion à présenter devant la réunion du conseil. Le réseau devait agir ou pourrir. Quelles étaient les intentions de Kiley? Vida jeta un coup d'œil à sa montre et s'exclama :

— Il est temps de partir!

Tara n'était pas devant la porte, mais elle sortit dans les cinq minutes qui suivirent avec ses enfants. Ensuite, il fallut repêcher Ralph dans le coffre. Tara surveillait les opérations de sauvetage, en berçant le bébé, pendant que Vida cherchait la poupée dans le fourre-tout, parmi les jouets, le talc pour enfant et les sels de bain.

— Comment ça se fait que votre voiture ait une plaque de New York, puisque vous êtes de Pennsylvanie? demanda Tara.

— Ce n'est pas notre voiture, dit Vida. Avec la nôtre, on aurait pu vous retrouver trop facilement.

Joel la relaya au volant. Il mit ses lunettes sur son front, les retira et finit par les poser sur le tableau de bord. Avec cette neige qui s'épaississait, il ne pourrait pas rouler à plus de soixante à l'heure. L'herbe, les buissons étaient déjà tout blancs, et des tourbillons couraient en rafales sur la route. Il se concentra sur la conduite, tandis que le bitume devenait de plus en plus glissant et la visibilité plus difficile. Les essuie-glaces pagayaient au rythme du rock lent et sucré qui sortait à flots de la radio. Vida scrutait la carte tout en déchiffrant les panneaux de signalisation et en veillant à ce qu'on ne les suive pas.

Elle se rappela le jour où elle roulait dans la neige dans une vieille bagnole, il y avait bien longtemps. Elle conduisait, et Eva était venue avec elle pour convoyer deux déserteurs, de Hardscrabble Hill au Canada. Une mission dangereuse, mais elles étaient payées, leurs fausses cartes d'identité étaient bien faites, et elles n'en étaient pas à leur première expérience. La route qu'elles auraient dû emprunter était fermée à cause de la tempête. La guimbarde tanguait en rechignant et elles savaient que le voyage durerait plus longtemps qu'elles ne l'avaient prévu. Pour tout arranger, une violente discussion éclata entre les deux soldats et elles deux, à propos du Mouvement de Libération de la Femme et de l'avortement. Un des militaires s'était mis dans une telle colère qu'il les avait traitées de putains et de criminelles, et elle sentait qu'il les aurait volontiers frappées si elles n'avaient pas été indispensables à son salut. Quand elles arrivèrent enfin et que les types descendirent de voiture, Eva tremblait de tous ses membres.

« Pour moi, tout ça, c'est de la théorie. Les femmes ne peuvent pas vous faire d'enfants..., avait balbutié Eva. J'ai mal aux mains à force d'avoir serré ce couteau dans ma poche. J'avais tellement la frousse qu'ils nous agressent. » Elles avaient eu très peur toutes les deux, mais elles ne racontèrent cet épisode à aucun des habitants de Hardscrabble Hill. C'était l'époque où Kevin faisait encore la loi et ni l'une ni l'autre n'avaient envie d'admettre qu'elles avaient tremblé devant deux hommes. Vida mourait d'envie de rapporter l'histoire à Joel, mais devant Tara, il n'en était pas question.

Tara faisait un petit somme, quand Tommy ne la bourrait pas de coups de coude. Dans l'après-midi, ils s'arrêtèrent pour prendre de l'essence et Tara leur fit encore une petite scène piquante quand il lui fallut payer le pompiste ; elle ne semblait pas disposée à lâcher le moindre sou. Et Vida la comprenait. Quand en aurait-elle ? Comment vivrait-elle ? Mais Vida n'avait pas le choix, il fallait qu'elle insiste. Ils poursuivirent leur chemin dans l'obscurité précoce, sous la neige qui tombait en rafales sur le pare-brise et s'amoncelait sur la route. Elle avait repris le volant et s'estimait heureuse de pouvoir rouler à cinquante sur une section récemment déblayée. Les chasse-neige étaient au travail et, par moments, une longue file de véhicules s'immobilisait au milieu de la circulation dense d'une fin d'après-midi.

Ils s'arrêtèrent pour prendre une collation à 4 heures, pour dîner à 6 heures et pour une halte-toilettes à 8 heures moins le quart. La neige tombait toujours. Joel et Vida mangèrent leurs derniers sandwiches en faisant les cent pas autour de la voiture en se donnant de grandes tapes pour secouer la neige de leurs vêtements et attendre Tara. Lorsque, pour la seconde fois, Tara oublia de leur rapporter un thermos plein de café, Vida la renvoya au restaurant, en lui disant sévèrement :

— Nous ne pouvons pas nous en passer. Je regrette, mais si l'un de nous d'eux s'assoupit au volant, nous risquons un accident.

— Allez-y vous-même, répliqua Tara en se croisant les bras.

— Ecoutez, Tara, je n'ai pris aucun repas dans cet établissement et je doute qu'ils acceptent de remplir ce thermos pour mes beaux yeux. Si vous voulez que cette voiture avance, allez chercher du café, je vous dis !

La route numéro 9 était encore plus mauvaise. Ils virent des voitures dans le fossé et une camionnette retournée. Ils durent attendre vingt minutes, entre Woodford et Searsburg, avant qu'un camion ne soit dégagé de la route. Leurs visages étaient éclairés par les phares gyroscopiques des voitures de police. Joel profita du moment où la voiture était au point mort pour faire signe à Vida et la relayer au volant. A 9 heures, le flot de véhicules commença à s'ébranler lentement le long du tas de ferraille. L'auto dérapait, mais elle continuait à rouler dans la neige qui s'amoncelait dans les creux et dans les virages. Ils atteignirent péniblement Battleboro, un peu avant 11 heures du soir, et se garèrent dans la rue principale. Vida se pencha sur la carte que Natalie avait tracée, avant de dire :

— Encore deux pâtés de maisons, ensuite, tu tournes à gauche vers la colline, en t'éloignant de la rivière.

La voiture escalada péniblement la colline ; les roues patinaient sur la glace. Vida avait hâte d'en finir et de se coucher. Elle avait l'impression d'être un glaçon brûlant de fatigue. A force d'avoir tenu le volant pendant des heures, ses épaules, son cou et son dos lui faisaient mal. Elle avait beau essayer toutes les positions, aucune n'était confortable. Ils se taisaient, n'ayant plus la force de parler. Il y avait dix centimètres de neige au sol et pourtant les flocons tombaient toujours, drus, mouillés. Là où les rues n'avaient pas été déblayées, Vida ne distinguait plus la route des champs où des voitures étaient paralysées, çà et là. Ils parvinrent péniblement à la lisière de la ville, où les maisons obscures s'espaçaient de plus en plus, et où il n'y avait plus d'éclairage urbain. Vida dut descendre dans la rue et patauger dans la neige pour déchiffrer une pancarte.

— Ce n'est pas encore là. J'espère que nous ne sommes pas allés trop loin.

— Donnez-moi la carte, ordonna Tara, tout à fait réveillée. Demandez à quelqu'un ; regardez, il y a un homme qui déblaye la neige.

— Personne ne doit savoir où se trouve le refuge, mais je vais lui demander où est la rue. (Elle baissa la vitre pour crier :) Hé, là-bas...

— Quoi... C'est en haut de la colline... Vous avez encore un bon bout de chemin... Attention, vous risquez de vous enliser dans la neige.

Les roues tournèrent à vide : impossible d'avancer ; ils assirent une

Tara tremblante derrière le volant qui gémissait : Je ne sais pas conduire ! Vida et Joel poussèrent la voiture jusqu'à ce qu'elle se dégage. Puis Joel retourna à la place du conducteur et ils avancèrent comme des tortues.

— C'est une route, ça ? demanda Vida en scrutant l'obscurité.

— Descends et regarde, répliqua Joel avec humeur. Comment le savoir autrement ?

Vida alla déchiffrer le panneau et dit :

— Non, toujours pas. Ils auraient pu nous fournir une carte plus détaillée.

— Oh, elle a pensé que ce serait marrant de jouer à cache-cache. A colin-maillard. A trouver l'aiguille dans une meule de foin. C'est peut-être une plaisanterie que ta...

Vida lui flanqua un coup de coude avant qu'il n'ait eu le temps de prononcer le mot.

— Pauvre Sam, tu es fatigué. Très fatigué...

— Ça, alors, c'est une grande nouvelle ! Rien d'autre à m'annoncer ? dit Joel.

— Arrête, c'est peut-être ici.

Cette route-là avait été déblayée quelques heures avant. C'était la bonne. Vida regagna péniblement la voiture et s'assit dans la petite flaque d'eau qu'elle avait créée sur son siège. Malheureusement, la route grimpait dans la montagne. La voiture prit son élan, peina, tourna à vide et dérapa des quatre roues. L'incident se produisit très tranquillement ; Joel eut le temps de dire « Bon Dieu » et Vida de prévenir : « Cramponnez-vous ! » et ils se retrouvèrent enlisés, le capot dans le talus et l'autre moitié de la voiture dans le fossé. Tout était arrivé si lentement que personne n'éprouva plus qu'un choc. Quand Vida descendit pour examiner la situation, elle vécut un instant de terreur en imaginant l'arrivée de la police et leurs questions. Sa panique lui faisait l'effet d'une injection de glace dans tout le corps. Peu à peu, elle entendit que Tara hurlait.

— Taisez-vous. Vous faites peur aux enfants, lui dit sèchement Vida. (L'amour maternel devait logiquement la réduire au silence...) La maison doit être tout près. J'y vais et nous viendrons vous chercher et sortir la voiture du fossé.

Joel s'apprêtait à suivre Vida, mais Tara lui saisit le bras d'un air suppliant :

— Vous ne pouvez pas nous abandonner dans ce désert !

— Reste avec elle, lui chuchota Vida. S'il y a le moindre problème, tire-toi, rendez-vous à la prochaine ville au sud, à l'arrêt du car.

Elle s'éloigna en trébuchant dans la nuit, en se disant qu'au cas où il serait obligé de se sauver, elle espérait qu'il aurait le temps de retirer leurs affaires du coffre. Elle se sentait toute nue sans son sac à dos. Son nez coulait à cause du froid et chaque pas faisait naître mille douleurs dans son corps. Elle était exténuée, affamée. Elle ne savait plus si elle devait souhaiter qu'une voiture passe, ou non. Mais il n'y eut personne. Elle trouva enfin une boîte aux lettres au nom de Crowder et bifurqua dans une allée non déblayée. La maison en bardeaux à deux étages était plongée dans l'obscurité. Et maintenant, que faire ? N'était-ce pas la bonne maison, la bonne ville, le bon endroit ? Ou bien il était si tard que tout le monde dormait à Ultima Thule sous le blizzard nocturne ? Elle n'était pas bien sûre d'elle, en frappant à cette porte tout en secouant la neige de ses vêtements et de sa perruque. Cette saleté de perruque en acrylique empestait le chien mouillé, et si ses boucles se défrisaient comme de vrais cheveux, elles exposaient la résille plastique sur laquelle elles étaient plantées. Elle noua résolument son foulard trempé sur sa tête et frappa plus fort.

— Il y a quelqu'un ? Ohé, quelqu'un ?

Une lumière s'alluma à l'étage. Elle attendit impatiemment en tapant des pieds. La lumière de l'entrée s'alluma juste après celle de la véranda. Une tête parut au guichet vitré encastré dans la porte. Après quoi, la porte s'entrebâilla sur une chaîne...

— Qu'est-ce que vous voulez en pleine nuit ? Qui êtes-vous ?

— Vous savez très bien qui nous sommes. Nous vous amenons une personne de Long Island.

La femme la fusilla du regard en ouvrant la porte pour la laisser entrer ; elle attendit en serrant sa robe de chambre écossaise sur elle.

— Vous deviez arriver hier soir. J'ai passé une bonne partie de la nuit à vous guetter.

— La dame n'était pas prête. Nous avons dû passer deux nuits dans un motel miteux à l'attendre. Nous sommes crevés et la voiture est dans un fossé au bas de la colline, pas très loin.

— Bravo, vous êtes vraiment efficaces ! Et bien entendu, la bagnole a les roues en l'air ?

— Ecoutez, nous conduisons depuis 6 heures et demie ce matin et il a neigé toute la journée. Nous avons été bloqués sur la route par un accident de camion et cette foutue carte est incomplète, et nous sommes crevés. Maintenant, venez chercher cette femme et donnez-nous un endroit où dormir. Et nous avons besoin d'aide pour sortir la voiture du fossé. Elle n'est pas à nous. Nous l'avons empruntée pour le convoyage.

— Je regrette, la voiture devra rester là où elle est jusqu'à demain matin, ronchonna l'aimable hôtesse en s'éloignant à pas lourds. Je vais m'habiller.

Elle avait une forte poitrine, un front haut et luisant sous des cheveux clairs coupés court et elle ne décolérait pas.

— Merci pour l'accueil, lui cria Vida.

196

— Taisez-vous, bon sang, vous allez réveiller mon amie et nos gosses !

Quand la femme redescendit vêtue d'un blue-jean et d'un pull-over par-dessus lequel elle enfilait rageusement une jaquette, son humeur ne s'était pas améliorée.

— Il faut que nous l'emmenions à l'abri.

— L'abri ? Comment, ce n'est pas ici ?

— Vous êtes marteau ? Vous vous figurez qu'on donne une carte et l'adresse de l'abri ? aboya-t-elle en fronçant les sourcils. (Elle la fit passer par la cuisine jusqu'à un garage rattaché à la maison où se trouvait une jeep.) Les gens comme vous n'observent donc aucune précaution ?

L'espace d'une seconde, dans un brouillard de fatigue, Vida eut peur ; le doigt du danger toucha son cœur : « les gens comme vous... » signifiait les fugitifs politiques. Puis elle comprit le sens du pronom vous et répondit :

— Je ne fais pas partie du foyer des femmes battues. Mon ami et moi nous rendons simplement un service.

Tu as compris, espèce de casse-pieds ! Vida monta dans la jeep et elles repartirent en cahotant dans la neige qui semblait tomber moins fort. La harpie conduisait trop vite étant donné l'état des routes, mais Vida se taisait, bien trop fatiguée pour s'inquiéter. Il ne fallut pas plus de deux minutes pour retrouver la voiture basculée dans le fossé. Joel avait éteint les phares et ils étaient tous les trois réfugiés comme des malheureux sur le bord de la route. Tommy pleurait, Tara marchait de long en large avec le bébé.

— Allez-y, montez, ordonna le cerbère assis au volant. Non, pas lui... Pas d'homme dans l'abri.

Vida se pencha et tourna la clé de contact.

— Entendons-nous bien, je vais où vous voulez, mais nous avons cette femme sur les bras depuis trois jours. Maintenant, ou vous nous donnez un endroit où dormir, et vite, ou bien vous allez entendre de mes nouvelles et tout de suite. Mettez-nous n'importe où, je m'en fous, mais grouillez-vous !

La femme la regarda d'un air ahuri, puis dit à contrecœur :

— D'accord. Rentrez à pied, la porte est ouverte. Vous pouvez dormir dans la chambre à côté de la cuisine. Le lit est fait. Maintenant, descendez, je les emmène à l'abri.

Vida s'exécuta.

— Nous allons mettre vos bagages dans la jeep, Tara.

— Surtout, n'oubliez pas mon fourre-tout écossais ! dit Tara.

Pendant que Joel déchargeait la voiture, Vida prit Tara par le bras et lui murmura :

— Désolée de toutes ces salades. Je ne sais pas comment nous allons dégager la voiture, mais vous, au moins, vous êtes en sécurité de toute façon. Et vous nous devez encore cent dollars.

— Vous avez un sacré culot ! dit Tara. Et une pierre à la place du cœur.

Elle fouilla dans son sac et compta l'argent. La femme les observait et dit finalement :

— Vous parlez d'un service !

— Vous l'avez dit, rétorqua Vida en rejoignant Joel. Viens, reprit-elle à son adresse. Prenons notre barda, la maison n'est pas loin. A peu près à dix minutes en montant la côte.

Ils regardèrent la jeep s'éloigner.

— Quelle femme délicieuse ! J'ai cru qu'elle allait me laisser sur la route, dit Joel.

Main dans la main, ils grimpèrent péniblement la colline en direction de la maison, où, cette fois, les lumières étaient allumées.

11

— Alors, vous partez pour Erie?

La femme avait remis la même robe de chambre en laine écossaise pour faire frire les œufs et les beignets pour elle et sa vieille amante, une femme légèrement plus âgée qu'elle, qui ressemblait à un lévrier grisonnant et sifflait comme un oiseau tout en vaquant aux travaux ménagers jusqu'à ce que son amie l'attrape au passage et l'asseye de force à la table du petit déjeuner.

— Bien sûr, dit sèchement Vida.

Elle se sentait horriblement mal à l'aise dans cette cuisine inconnue où elle tournicotait en essayant de concocter un petit déjeuner pour Joel et elle, alors que ce dernier, assis le dos voûté à l'autre bout de la table, faisait l'impossible pour disparaître et rentrait la tête dans les épaules comme une tortue. Son refus de bouger l'obligeait à le servir sous le regard attentif des deux femmes.

— Si vous vouliez bien nous aider à pousser la voiture, nous pourrions partir, dit Vida.

Elle posa une tasse de thé devant Joel. Il baissa le menton comme si le moindre mouvement risquait de lui faire perdre un avantage. Elle avait envie de hurler contre ces femmes qui l'obligeaient à jouer un rôle sorti tout droit de leurs idées préconçues. Joel boudait et jouait les victimes.

— Pourquoi n'appelez-vous pas la dépanneuse? demanda la plus jeune.

— Je ne pense pas que la voiture soit endommagée. Et nous sommes pressés. Je vous en prie, aidez-nous. Le remorquage est trop cher pour nous.

— Avec l'argent que vous lui avez pris, vous pouvez avoir un garage entier!

— Nous avons attendu cette femme depuis lundi, répondit Vida.

Alors, faites le compte. En outre, nous devons payer une baby-sitter pendant tout ce temps. Et il faut que nous rendions cette voiture avant de pouvoir récupérer la nôtre. Je ne pense pas que la personne qui nous a prêté sa voiture aimerait qu'elle soit esquintée par une remorqueuse. Elle a voulu aider le foyer en nous la prêtant.

Sale petite bourgeoise, vertueuse et moraliste ! Elle travaillait probablement pour le Foyer depuis deux mois, était lesbienne depuis un an et, dans un an, elle bazarderait tout pour épouser un courtier d'assurances. Les enfants, un petit garçon de l'âge de Tommy et une petite fille un peu plus âgée, descendirent bruyamment l'escalier. Et pendant vingt minutes, Joel et Vida mangèrent leurs céréales en tournant la tête de tous les côtés comme s'ils étaient sur un circuit automobile.

— Qui êtes-vous ? demanda la petite fille, qui reprit, sans attendre leur réponse : Ne mets pas cette saleté dans mon panier. Je veux du beurre de cacahuète et de la marmelade de pommes ensemble.

Quand les gosses eurent été expédiés au car de l'école qui passait au bout du chemin déjà déblayé qui menait à la route, le lévrier poivre et sel entra dans la cuisine et se planta devant Joel et Vida.

— Je vais sortir la voiture du fossé, dit-elle gaiement.

Et elle partit rapidement vers la jeep en sifflant un air entraînant et baroque, fourmillant de notes rapides.

Ils durent s'y mettre à quatre avec accompagnement sifflé du Chœur des Métiers d'*Il Trovatore* pour tirer le véhicule de la neige et du fossé. La plus âgée des deux femmes était aussi forte et beaucoup plus patiente que Joel ; elle ne perdit ni son souffle ni le fil de sa mélodie. La plus jeune faisait des chichis, marmonnait et se plaignait, mais elle les aidait.

— Si on peut démarrer comme ça, tirons-nous, murmura Joel.

Il donnait des grands coups dans le pare-chocs pour le dégager du pneu, puis il se servit d'un levier.

— Monte dans la voiture et tourne le volant quand je te le dirai, le pare-chocs frotte toujours, dit-il, sa barre de fer bien calée et prête à forcer la tôle.

Nous ne rendrons pas cette voiture en parfait état, se dit-elle ennuyée. Et elle songea qu'il fallait qu'elle prévienne Kiley et Leigh, dès aujourd'hui. Si seulement je pouvais garder la voiture jusqu'à demain... Après tout, le gamin s'en passe depuis au moins un mois.

Lorsque la voiture fut prête à repartir, Joel grimpa sur le siège du passager et léchota son poignet écorché. La jeep démarra enfin. Cette fois, le lévrier sifflait du Bach et la plus jeune conduisait trop vite, comme si elle eût voulu rattraper l'heure perdue.

— Foutues harpies ! Elles ne pouvaient pas m'encadrer. Mais qu'est-ce que je leur ai fait ? demanda Joel.

— La musicienne ne détestait personne, dit Vida.

Elle roulait vers le nord en longeant le fleuve Connecticut sur la numéro 5, jadis une route nationale avant que l'autoroute inter-états ne soit construite en parallèle. La 5 vagabondait à travers les vieilles villes bâties au niveau de l'eau, on escaladait les premières falaises qui surplombaient le large cours de l'eau.

— Les lesbiennes n'aiment pas les hommes qui gouvernent notre société et les en excluent. Elles en veulent aux hétéros qui ont le privilège de pouvoir se marier, d'avoir de bons boulots et d'élever leur famille dans la légalité, sans craindre la justice ou la méchanceté des voisins.

— Tu parles d'une loi. Ha! Nous deux, on ne peut même pas se marier. En tout cas, j'aimerais beaucoup habiter leur maison. Mais pourquoi as-tu dit la musicienne? Elle allait lui répondre qu'il fallait être musicien pour siffler les variations Goldberg de Bach, mais elle songea qu'il valait mieux ne pas s'aventurer sur le terrain miné de la culture avec Joel; autant l'éviter.

— Parce qu'elle sifflait tout le temps et juste.

— Ah ouais? J'ai pas trouvé ça terrible. Sacrées gouines!

— Joel! J'ai été gouine. J'ai vécu avec Eva pendant *trois ans*.

— D'accord, mais tu n'étais pas vraiment gouine.

— Tiens donc? Alors, selon toi, une vraie gouine, c'est quoi? demanda Vida.

— Toi, tu aimes les hommes.

— Pas systématiquement. Mais toi, tu me plais. En fait, je t'aime.

— Ha! (Il lui étreignit l'épaule.) C'est la première fois que tu me dis ça en dehors du lit.

Elle se sentait coupable de lui parler tout en pensant à Leigh, qui aimait baigner dans une ambiance musicale. Il devait arriver au chalet de Twin Mountain dans l'après-midi. Le ciel n'accusait aucune trace de neige, la route déblayée avait été sablée; la nature se cachait sous dix centimètres de neige dont on voyait, à sa blancheur étincelante, qu'elle ne fondrait pas, sauf au bord de la route où des talus pleuraient sous les assauts du soleil, puis gelaient à nouveau.

— Ça me fait tout drôle de me promener en disant : je t'aime, à quelqu'un. Voilà des années que j'ai dépassé le stade où l'on éprouve le besoin de le dire. J'ai l'impression d'être ridicule.

— Le stade! Tu as honte?

— Non, mais je n'arrive pas à le croire, à mon âge.

— Allons, tu n'es pas encore une vieille peau coriace, ricana-t-il.

Au bout d'une heure, Joel lui dit de s'arrêter dans un garage où les pompes à essence appartenaient à Monsieur Getty et où des mécaniciens réparaient une armada de voitures démontées.

— Je vais ausculter cette bagnole. Il y a quelque chose qui cloche. Va faire un tour et trouve-nous du café, tu veux bien?

Lorsqu'elle sortit des toilettes, Joel était déjà en grande conversation avec le jeune pompiste. Il se gara sur le côté et tous deux passèrent lentement devant elle en l'ignorant involontairement. Elle prit le thermos de Natalie avec un sourire un peu amer et partit à la recherche d'un café ou d'un snack. Elle dut faire un kilomètre et demi depuis l'extrémité sud de la ville jusqu'à l'extrémité nord, où le café était ouvert. Le type qui se trouvait derrière le comptoir voulait absolument lui vendre du café dans des tasses en plastique. Et elle dut les verser dans le thermos.

— Vous voyez bien que ces tasses ont un rebord, dit-elle, furieuse. (En secouant la tête avec dégoût, elle s'aperçut qu'elle portait toujours son affreuse perruque acrylique et le fichu vert.) Ce n'est pas pratique de verser du café dans un thermos avec une tasse !

— Ça, c'est votre problème, ma petite dame. Moi je vends du café à la tasse.

Elle dut s'exécuter, renversa la moitié du café sur le comptoir et commanda deux autres tasses avant que le thermos ne fût plein.

— Vous voyez bien, dit le gars triomphant. Ça fait quatre tasses !

— Mais, cher monsieur, je les aurais payées, rétorqua Vida, furieuse.

A présent, il fallait qu'elle se tape à nouveau le kilomètre et demi. Elle se demanda si elle pouvait retirer son horreur de perruque, mais elle avait peur d'être repérée. Lorsqu'elle franchit le gros tas de neige gelée sur le bord de la route pour entrer dans la station-service elle vit Joel, fasciné, penché sur un moteur trafiqué de voiture sport que les mécaniciens vérifiaient.

— Le café est servi ! dit-elle depuis l'entrée.

Pas de réponse. Peut-être ne l'avait-il pas entendue.

— Joel, j'ai apporté du café, répéta-t-elle.

Il releva la tête en lui faisant signe qu'il avait compris et se tourna. Elle se sentait ridicule, avec ce thermos. Elle s'assit dans la voiture en songeant combien les hommes étaient sensibles au manque de considération des femmes et peu sensibles à leur manque de considération envers elles. Eh bien c'est comme ça, à prendre ou à laisser, comme on dit. Pourquoi éprouvait-elle des remords à l'idée de voir Leigh ? Après tout, Joel connaissait l'existence de Leigh. Il avait même dû deviner qu'ils continuaient à se voir. Elle imagina la présence de Leigh, si infiniment moins susceptible et torturé que Joel.

Et puis elle éprouvait le désir croissant d'entrevoir Susannah. De mettre un visage, un corps sur ce nom. Elle s'imagina en train de la suivre dans un supermarché, de s'asseoir dans un box voisin au restaurant, surprenant une conversation entre Susannah et sa meilleure amie. Même ces élucubrations avaient un côté dangereux. Elle ne pouvait pas prendre le risque que Susannah voie son visage. Elle déboucha le thermos et but doucement du café. Puisqu'il s'en fichait, pourquoi l'attendrait-elle ? Elle termina son petit gobelet et s'en versa un autre.

Elle vit enfin Joel se diriger vers elle en s'essuyant les mains. Il parlait toujours avec le mécanicien. Non, il s'arrêtait de nouveau en riant à la vue d'un objet que l'homme avait tiré de sa poche. Elle avait eu le temps de replier la carte avant qu'il monte en voiture et se soit installé au volant en lui demandant de se pousser, ce qu'elle fit obligeamment plutôt que de commencer une dispute dans cette station-service.

— C'était une goupille dans les relais de la transmission, dit-il avec entrain. Je l'ai redressée au marteau. Elle est comme neuve. Sympa, le mécano. Ils sont vachement serviables, dans ce garage, dit-il.

— Je ne l'ai pas remarqué.

— Ecoute, j'ai des copains à environ une heure d'ici, au nord. Donnons-leur un coup de fil, on pourra se planquer chez eux, manger et dormir.

Elle étudiait la proposition de Joel tout en évaluant Kiley par rapport à Leigh et à Joel.

— Tes amis, que savent-ils au juste ?

— Que j'ai des ennuis. Steve m'a dit un jour : « Toi, je parie que tu as plaqué ta femme et tes gosses, et que tu cours encore. »

Elle enleva sa perruque, se coiffa et dit :

— Bon, appelle-les, mais n'insiste pas trop sur moi.

Il alla téléphoner dans un drugstore et en ressortit rayonnant de joie.

— C'est au poil : ils nous attendent et je connais le chemin.

Le magasin d'antiquités, la station d'essence et l'atelier de réparations des deux frères se trouvaient au centre de la ville, mais leur maison, une bâtisse victorienne jaune surmontée de tourelles avec une grange rouge par-derrière, se situait à la lisière de la ville, là où les rues se perdaient dans la campagne. Steve, l'énorme patriarche ventripotent, supervisait les antiquités et la famille. Cal était aussi mince que Steve était gros. Le plus jeune frère avait le même teint coloré et des yeux gris et durs. La station d'essence lui appartenait. Sa femme, Ellen, était enceinte. Minuscule, elle parlait sans arrêt ; on aurait dit qu'elle poursuivait un monologue, tout en sachant très bien que personne ne l'écoutait.

— Oh, Terry, comme je suis heureuse de te voir. Quelle bonne surprise. Tout de même, tu aurais pu nous prévenir. Et maintenant il faut que je prépare un repas. Mais qu'est-ce que je vais vous donner à manger ? Si seulement je pouvais étirer ce poulet...

— Tu as vu, Ellen et la vache sont toutes les deux grosses ! Ha-Ha ! tonitrua Steve. Elles y ont mis le temps, pas vrai ?

Vida attendit que Joel soit bien inséré dans la scène familiale pour annoncer sur un ton faussement désinvolte qu'elle avait des courses à faire, des amis à voir et qu'elle rentrerait pour le dîner. Elle espérait pouvoir s'éclipser sans problème, mais Joel la rattrapa devant la voiture.

— Où vas-tu ?

Il fallait bien qu'elle fasse un petit sacrifice et elle lui avoua :

— Ecoute, il y a réunion, ce week-end. Je vais voir Kiley. Si tu veux venir, tu peux...

— Kiley est ici ? ICI ?

Elle hocha la tête, profitant de l'émoi de Joel pour grimper dans la voiture et démarrer. En chemin, elle trouva un téléphone et fixa un rendez-vous à Leigh pour le lendemain matin, à 11 heures, à Twin Mountain. Ensuite, elle se dirigea vers la ferme d'Agnès où elle trouva un message précisant que le rendez-vous avec Kiley était fixé à 10 heures, mardi, sur un chemin de montagne.

— Qu'est-ce que ça signifie ? demanda-elle à Agnès, une quaker entre deux âges qui hébergeait régulièrement des fugitifs. Kiley n'est pas là ?

Agnès fit non de la tête et ajouta :

— Ils sont partis pour deux jours ; ils ne sont restés qu'une seule nuit.

— Qui ça : Ils ?

— Kiley et Lark. Cette fois, il n'y avait personne d'autre.

Vida ne pouvait conserver la voiture plus longtemps. Il fallait qu'elle essaie d'en emprunter une à la ferme, à Hardscrabble Hill. Mais pourquoi Kiley avait-elle reporté la réunion ? Elle aurait bien aimé comprendre ce qui se tramait. En tout cas, inutile d'essayer de tirer les vers du nez d'Agnès. Elle pourrait peut-être obtenir des renseignements supplémentaires à Hardscrabble Hill, mais cela lui faisait trop loin à aller pour aujourd'hui. Elle prit ses vêtements d'hiver et repartit.

Elle se tenait dans la grange où Joel venait de traire deux vaches pendant qu'elle le regardait faire. Elle aurait aimé que Natalie fût là pour pouvoir lui parler de l'identification qu'elle voyait entre elle-même et les vaches : toutes de chair et de seins. Elle éprouvait un sentiment de compassion à l'égard de ces bêtes et se sentait honteusement semblable à ces créatures chaudes et laiteuses aux grands yeux tendres. Leurs gros pis pendaient de façon embarrassante, roses et douloureux. Indécents. Deux d'entre elles requéraient qu'on leur enduisît les pis avec de la graisse de volaille. Elle sentit le bout de ses seins frotter contre son pull-over. Joel lui, était plein de projets :

— Ecoute, Cal peut nous avoir une bagnole. Une Chevrolet de 66 avec un moteur impeccable.

— Une voiture ? Pourquoi faire ?

— Pour quatre cents dollars seulement, et elle a même des pneus à clous de l'année dernière.

— Une voiture ? Tu es fou ! Pourquoi pas un dinosaure ?

— Je t'assure, ça ne coûterait pas très cher. Pas si je la bricole. Comme ça, on pourrait voyager facilement. On pourrait même dormir dedans, ce serait notre maison.

— Mon cœur, mais enfin, pourquoi veux-tu une voiture ?

— Pourquoi n'en veux-tu pas, toi ? rétorqua Joel en la fusillant du regard. Et puis, ne m'appelle pas mon cœur sur ce ton. Souviens-toi comme c'était chouette quand on avait la petite Subaru. L'assurance n'est pas très chère, par ici. Je pourrais la bricoler et, quand il fera beau, nous irions camper. Terrible, non ?

— Pourquoi ne pas camper tout de suite ? Ce serait aussi pratique que de jeter notre fric dans la gueule d'un monstre assoiffé d'essence qui expirera sur la première route de montagne ! (Agacée, elle tira sur une mèche de ses cheveux.)

— Tu n'as pas confiance en moi. Tu ne crois pas que je sois un bon mécano. Ecoute, je suis capable de démonter cette bagnole et de la remonter en pleine nuit, avec un bandeau sur les yeux et des gants.

Vida marchait de long en large, pendant que les vaches faisaient bruire la paille.

— Il faut décider de ce que nous allons faire, dit-elle enfin.

— Je peux travailler ici pendant quelque temps. J'ai parlé à Steve, je suis plus calé pour les petits travaux que le couple qu'il a en ce moment.

— Moi, je suis incapable de rester. Ces gens me rendent cinglée.

Steve la faisait penser à un gros Kevin sans défense, en train de jouer les seigneurs en régnant sur sa maisonnée.

— Juste quelques jours... J'ai demandé à Steve cinq dollars de l'heure, net d'impôts, et sans Sécu. Si je bosse pendant une semaine, on les a, nos deux cents dollars.

— As-tu décidé si tu venais à la réunion de mardi ?

— Ouais, pourquoi pas ? Mais qu'est-ce que ça veut dire, tu es encore engagée dans le ré...

— Qu'est-ce que tu crois ? repartit-elle vivement en lui marchant sur le pied. Si nous voulons nous opposer à l'implantation des centrales nucléaires, il faut élaborer un projet. Cela n'a pas besoin de prendre corps avant, disons, la fin du mois, sans doute après Thanksgiving. Mais ce qu'il nous faut tout de suite, c'est un étendard à brandir sous le nez de Kiley pour provoquer sa réaction. (Un plan commençait à germer dans son esprit.) Ecoute, reprit-elle. Je vais prendre la voiture et aller la rendre. Ensuite, je resterai à Hardscrabble Hill. Achète ta bagnole, remets-la en état et je t'attendrai là-bas. Si tu peux venir lundi soir pour la réunion de mardi, parfait, sinon rejoins-moi dès que tu auras achevé ton contrat d'une semaine.

— Je t'en prie, reste avec moi. On ne sait jamais, nous pourrions être séparés.

— Mon cœur, si je suis obligée de supporter encore un repas avec Steve, je ne pourrai pas m'empêcher de lui jeter une assiette à la figure.

— Je vois. Il est trop bruyant. Toi, tu aimes les mecs raffinés, les universitaires.

— Ecoute, mon père était un ouvrier, un vrai de vrai. Mais il ne se tenait pas à table comme un cochon vautré sur son trône. Il ne savait peut-être pas se servir de la bonne fourchette, mais il savait traiter les gens qui prenaient un repas avec lui. (Elle fit un pas vers Joel.) Toi, tu n'agirais jamais comme ça. Il traite Ellen pire qu'une vache.

— Je ne veux pas que nous nous séparions, ça me fait peur.

Elle découvrit que, elle aussi, cela lui faisait peur.

— Je t'attendrai, mon cœur. Et maintenant, viens dans mes bras.

Ce voyage en voiture pour aller retrouver Leigh la comblait de joie — c'était un vrai rendez-vous galant avec son mari, auquel elle se rendait en grande pompe. Oh, elle avait suffisamment bourlingué dans les cars et les bagnoles des autres pour toute une vie, mais elle n'avait pas conduit pour le plaisir depuis des temps immémoriaux. Par habitude, elle fit le nécessaire pour réduire les contacts avec autrui. Elle emporta du poulet froid et un thermos de café express qu'Ellen avait bouilli jusqu'à la viscosité, mais c'était chaud et plein de caféine. Le cadeau de Natalie ne la quittait pas. Elle aurait tant aimé qu'il fût l'heure de l'appeler ! Pouvoir décrocher le téléphone pour appeler un ami quand on a envie de prendre de ses nouvelles, de savoir ce qu'il devient, était certainement l'une des joies de l'existence dont elle était le plus privée. Elle n'avait pas assez apprécié son ancienne vie à son juste prix et, désormais, ce plaisir lui était interdit.

Tout en conduisant, elle parla tout haut, comme si elle se fût adressée à Natalie. « Tu sais, Natty, l'euphorie des premiers jours est passée. Joel et moi nous nous agaçons mutuellement. C'est dur de voyager ensemble, pourtant notre attachement résiste. Incroyable, non ? Ou bien désespoir pur et simple ? Est-ce le fait d'avoir quelqu'un à aimer, après si longtemps ? Non que je ne vous aime plus, toi et Leigh ; il y a des êtres qui ne peuvent se passer de ceux qu'ils aiment. Moi, je ne peux pas m'habituer à votre absence ; vous êtes là et je suis ailleurs. Pourquoi ? Tu sais, Natty, on entre dans la clandestinité avec un groupe de gens et on est condamné à les subir ; si tu ne peux pas aimer l'un d'entre eux, trouver un compagnon, c'est la grande malchance. Eva était une consolatrice, pas une passion. Je te cherche en toutes les femmes et je m'étonne chaque fois que ce ne soit pas toi. Sauf avec Lohania. Mais là encore, Lohania était unique. Pourtant même Lohania est devenue jalouse de toi.

Lohania et Vida avaient passé des soirées épuisantes à se demander si oui ou non, elles devaient coucher ensemble. Elles tombaient d'accord sur un point : le fait de ne pouvoir coucher qu'avec des hommes était en réalité une terrible inhibition. La preuve, elles éprouvaient une chaude attirance l'une pour l'autre. Pourtant, il leur semblait plus confortable d'en parler que de passer à l'action. La plupart de leurs camarades les prenaient pour des amantes, supposition qu'elles avaient encouragée fortement, mais ce mythe les combla pendant des mois. Elles restaient tendrement dans les bras l'une de l'autre, elles se caressaient, mais au-dessous de la taille, c'était zone interdite. Elles buvaient du vin, elles se défonçaient, elles laissèrent tomber l'acide ensemble, mais ce qu'elles éprouvaient ressemblait davantage à de l'affection qu'à une véritable attirance sexuelle. Un beau jour, Lohania décida qu'elles étaient allées trop loin pour reculer : il s'agissait d'un acte politique de la plus haute importance.

Lohania décréta que cela devait s'accomplir dans un motel, mais Vida n'était pas d'accord. Elles flanquèrent donc Leigh et Kevin à la porte pour le week-end, décrochèrent le téléphone (préliminaire normal aux séances amoureuses, qui avaient toujours lieu sur fond de protestations mécaniques de l'appareil mis en attente) et se dirigèrent vers le lit d'un air conquérant pour liquider la question. Stupéfaite, Vida avait découvert qu'elle aimait faire l'amour avec Lohania. Au début, bien sûr, elles étaient assez empruntées, mais leur gêne se dissipa vite et elles s'aperçurent qu'elles pouvaient goûter à de multiples orgasmes. Elles firent l'amour jusqu'à en avoir mal au zizi, après quoi elles se sentirent tout de même un peu cochonnes de consacrer tout un week-end à leurs expériences sexuelles pendant que la guerre faisait rage et que leurs frères et leurs sœurs militaient courageusement.

Frères et Sœurs, Seigneur ! Et dire qu'on s'appelait comme ça... Elle loucha pour lire les panneaux de signalisation : s'il te plaît, neige, ne tombe pas ! Incroyable, mais vrai, on s'appelait Frère et Sœur. Influence religieuse noire, époque des droits de l'homme ? Bref, tout ça était passé de mode et personne ne s'appelait plus Frère et Sœur. C'était trop chaleureux, trop sentimental pour les années 70. Mais moi, je trouvais ça beau. On ne peut pas dire : Mes frères, mes sœurs, vous n'êtes qu'une bande d'ordures, de laquais serviles de l'Impérialisme, alternativement coupables d'opportunisme de droite et d'infantilisme de gauche. Chacun de nous voulait être un frère pour l'autre, non sans une forme de dialectique pompeuse : exemple, le chef mâle qui jouait les culs-terreux avec un accent de Harvard mâtiné d'une intonation traînante empruntée à Bob Dylan, à la musique pop et au ciné, le tout pour parler de fraternité. « Ecoutez, Frères et Sœurs, quéque chose, oui, quéque chose me dit qu'on devrait ben faire la paix... » En tout cas, ça permettait de penser un peu plus aux autres. Et, curieusement, nous nous faisions confiance. Nous étions ouverts. Tout le monde pouvait entrer chez nous, et beaucoup venaient. On se mettait en ménage, d'accord, mais on essayait de rester disponibles. De s'intéresser aux autres. Nous étions pleins d'Amour majuscule. Bien souvent, ça n'allait pas plus loin qu'un bourdonnement dans la tête et un sourire idiot, mais parfois cela signifiait qu'on essayait un peu plus fort de se rapprocher, d'écouter, de comprendre.

Lohania et Vida n'étaient pas restées amantes. Pourquoi ? Parce que cela demandait trop d'efforts. Il était beaucoup plus facile de s'ajuster au programme des hommes, plus facile de se concentrer sur leurs exigences ; pour rester ensemble, il aurait fallu bouleverser l'ordre établi. Lohania accusait Vida d'être amoureuse de sa sœur, Natalie. Un jour, elles se disputèrent à propos de cette relation. Lohania lui affirma que, si elle n'était pas capable de plus d'efforts pour les femmes, c'était qu'elle était amoureuse de sa sœur et que, en réalité, elle avait envie de coucher avec Natalie.

Cette année-là, il faisait un froid bestial. Tout le monde tournait en rond, fou de désespoir et d'impuissance à cause de la guerre. Elle était descendue en courant chez Natalie, qui essayait de vociférer plus fort que Sam, lequel avait donné un coup sur la tête de la petite Peezie avec une grue en plastique. Peezie s'appelait en réalité Phyllis Ziporah, du nom des défuntes mères de Daniel et de Natalie ; mais quand Sam l'eut rebaptisée, elle resta Peezie. C'était le résultat d'un concordat entre Daniel et Natalie : Daniel n'aimait pas « Ziporah », et Natalie détestait « Phyllis ».

— Natalie, fais-les taire et écoute-moi !

— Fais-les taire toi-même, dit Natalie en s'effondrant sur une chaise. Vas-y, prends la relève ; fais régner l'ordre et la sécurité. Moi, je renonce.

Elle pouvait à peine entendre sa sœur dans tout ce vacarme.

— Les marmots, taisez-vous ! hurla-t-elle à son neveu et à sa nièce. Un peu de discipline ! Croyez-vous que les enfants des cadres chinois passent leur temps à brailler en se matraquant avec leurs jouets ? D'ailleurs, tu ne devrais pas leur acheter des jouets dans les grands magasins, Natty : tu les fais entrer dans le circuit de la société de consommation.

208

— Parfait, parfait! trompetta Natalie. Vas-y! Prive-les de leurs jouets!

Les mioches hurlèrent de plus belle. Vida grimpa sur une chaise et prit son ton sévère : « Taisez-vous, j'ai dit! Ça suffit! » Peine perdue. Elle pensa bien à leur donner la fessée, mais elle se dit que les Vietnamiens ne battaient pas leurs enfants et elle savait que les Indiens d'Amérique s'en abstenaient. Ce n'était sûrement pas bien. Mais alors, comment les museler?

— C'est bon, en avant marche! Dans votre chambre, ouste!

Elle prit dans ses bras Peezie, qui lui rua aussitôt dans les côtes, de ses grosses petites jambes, et la fourra dans son berceau. Ensuite, elle retourna chercher Sam la Terreur et l'enfourna dans son lit.

— Vous resterez là jusqu'à ce que vous soyez sages! dit-elle en claquant la porte, ce qui eut tout de même l'avantage d'assourdir leurs cris.

Elle s'écroula sur une chaise et reprit :

— Ça va mieux?

— Les pauvres gosses! Ça te plairait qu'un individu trois fois plus grand que toi t'enferme dans un cagibi? Imagine un flic de deux mètres en train de t'empoigner...

— Natty, arrête ta guimauve; tu les gâtes et je ne leur ai fait aucun mal. Ecoute-moi plutôt; j'ai à te parler de choses sérieuses.

— D'accord, je sais, tu vas me raconter que les enfants, eux, ne sont pas sérieux.

Natalie se croisa les bras sur la poitrine. Elles ne s'entendaient pas très bien, toutes les deux, ces derniers temps. Elles avaient constamment des différends politiques.

— Natty, tu sais que Lohania et moi, nous sommes ensemble?

— C'est ça, tes choses sérieuses? Davida, je t'en prie, par pitié!

— Tu ne penses pas que le mot puisse s'appliquer aux rapports entre deux femmes?

— J'ai des relations autrement plus sérieuses avec les femmes de mon groupe d'éveil de la conscience féministe et politique que toi avec n'importe quelle bonne femme. Y compris Lohania. Lohania a des relations sérieuses avec Kevin, et tes relations avec Leigh le sont aussi; oui, vos relations avec Kevin et Leigh sont sérieuses, mais pas celles entre vous deux.

Un orgasme ou deux ne signifie pas que chacun de vous fait passer l'autre avant tout, dit Natalie en faisant tourner son alliance autour de son doigt.

— Nierais-tu l'importance de l'orgasme? Serais-tu en désaccord avec Reich? Natty, Lohania prétend que, toi et moi, nous avons une relation fondamentalement incestueuse, mais que nous avons peur de la consommer. Nous nous aimons, mais nous sommes trop inhibées pour nous exprimer sexuellement.

— Ma choute, nous nous exprimons sans arrêt. Je reconnais que nous sommes plutôt en froid ces derniers temps ; mais tu es ma meilleure amie. Tu es ma sœur. Nous avons besoin de renouer le dialogue. Et toi, tu devrais cesser de me bourrer le mou avec tes directives pour la semaine. Ce qu'il nous faut, c'est parler seulement, comme avant. Tu devrais avoir ton groupe de femmes à toi.

— Alors, tu nies la nature de nos relations ? Tu ne veux pas briser le tabou qui nous sépare ?

— Non, pas particulièrement. Ecoute, Vida, je crois que nous avons toutes les deux suffisamment de difficultés à vivre notre « relation », si tu tiens à employer ce mot, avec Jimmy... Jimmy qui n'est qu'un enfant, un enfant adulte que nous partagerions.

— Tout ça, ce sont des restes d'esprit bourgeois. Lohania pense que tu es obsédée par des contradictions mineures... le problème de la femme, par exemple. A cause de tous ces résidus.

Natalie fronça les sourcils :

— Quels résidus ?

— Regarde ta vie : un mari, des enfants, des jouets, des dîners. Es-tu si éloignée de Ruby et de Sandy ? Nous ne pouvons pas bâtir une nouvelle société dans le moule de l'ancienne en menant une existence bourgeoise.

— Je suis engagée dans le mouvement féministe parce que je suis une femme. Une femme avec des enfants. Et je n'ai pas l'intention de les jeter à la poubelle parce que Lohania estime que ce n'est pas révolutionnaire d'avoir des enfants cette année.

— Natalie, tu refuses d'aller jusqu'au fond du problème de nos rapports ?

— Vida ! Le fond du problème, c'est l'amour. Oui, j'obéis à des tabous qui m'empêchent de coucher avec toi. Bon, admettons : toi et moi, on renverse les tabous, on couche ensemble. Mais demain, il faudra en renverser d'autres et coucher avec les gosses. Et la semaine suivante ce sera avec le chien. Non, Vida, il y a des limites à tout : pas de crottes de chien dans la cuisine, et pas de partouze avec le chien. Ni avec les gosses. Et pas de partie de jambes en l'air entre sœurettes, ma jolie. (Natalie s'adossa à sa chaise en riant et en regardant Vida d'un air épanoui.) Ce que tu peux être bête, quand tu t'y mets ! Enfin, je t'adore quand même !

Elle se promenait avec Leigh à Crawford Notch, sur un chemin qui était en réalité une ancienne voie carrossable, une grimpette facile dans la neige. Ils s'asseyaient sur un ressaut de roche nue, au sommet d'une petite montagne dominant les gorges de Crawford, face aux abrupts des Frankenstein Cliffs. Elle avait ôté son gant gauche, et Leigh son gant droit, pour pouvoir se donner la main en admirant le V majuscule de la vallée à leurs pieds. La circulation était assez rare sur la route en lacets et ils n'avaient croisé personne en chemin.

— Tu sais, je croirais presque que nous prenons en ce moment des petites vacances, normalement... Tu te souviens, Leigh ? On décidait brusquement de s'octroyer trois jours et on filait à Assateague, en Virginie, ou à Shenandoah, ou dans les Berkshire ou les Adirondack. On s'évadait et on se refaisait une santé formidable ! Tu es la seule personne avec laquelle j'aime vraiment voyager.

— Tu sais, le temps des vacances, c'est pratiquement fini. Ce week-end est l'exception. Je n'ai plus guère de loisirs à présent.

— Peut-être, mais tu as accès aux gens. Dans tout New York, il n'y a pas un seul journaliste de gauche qui dispose de cette possibilité d'antenne. Et tu le sais.

Elle n'avait aucune envie qu'il refît avec Susannah toutes leurs belles randonnées vers leurs oasis d'autrefois.

— C'est vrai, reconnut Leigh en frottant sa barbe. Même Harvey s'est fait sacquer. Je suis le dernier des Mohicans des ondes. Le meunier de Sans-Souci du grand capitalisme.

Elle l'enviait de pouvoir mettre quotidiennement son talent au service de la politique et rentrer chez lui avec le sentiment du devoir accompli. Il avait apporté des enregistrements pour les lui faire écouter et elle en avait apprécié quelques-uns, puis l'avait persuadé de la laisser emporter le reste : elle ne voulait pas empiéter sur le peu de temps qu'ils passaient ensemble, malgré l'intérêt qu'elle portait à son travail à la radio. Il avait immédiatement précisé qu'ils n'iraient pas dans un motel : il craignait d'être vu. Et elle avait songé avec amertume et résignation à la fois qu'il se gardait pour Susannah plus tard. Il lui avait donc proposé de se promener, chose qu'ils n'avaient pas faite depuis fort longtemps.

— Nous devrions redescendre, dit-elle sans en éprouver la moindre envie (sauf qu'elle commençait à avoir froid à force de rester assise sur cette pierre glacée).

— Tu as raison, répondit-il en faisant mine de se lever, mais sans bouger.

Elle sentait qu'il allait sortir quelque chose et elle attendit. Quelque chose dont il avait du mal à accoucher.

— Et le divorce ? demanda-t-elle à brûle-pourpoint.

— Oh, ça suit son cours... Ecoute, j'ai parlé avec ta sœur, la semaine dernière.

— Elle a des ennuis ?

— Les flics la surveillent pas mal, oui ; mais il ne s'agit pas de ça. Ruby ne va pas très bien.

— Ruby ? Elle est solide comme un roc !

Comment ! Quand Vida était toute petite, Ruby avait reçu une médaille des chantiers navals pour n'avoir pas manqué un seul jour.

Oui, elle avait des rhumes, des maux de gorge — elle fumait à la chaîne, cigarette toujours aux lèvres ou aux doigts, ou achevant de se consumer dans le cendrier quand elle en allumait déjà une autre à son briquet, avec ce petit coup de poignet et de menton en même temps. Mais malade à s'aliter? Jamais! Chaque fois que Joel parlait de sa mère à lui, avec ses migraines, ses lumbagos, ses gueules de bois en douce, ses règles catastrophiques, ses mélancolies; quand il parlait de sa mère couchée avec des compresses glacées ou avalant des drogues antidéprime, Vida pensait à Ruby qui se méfiait de l'aspirine. Elle avait grandi dans la conviction que les femmes sont plus résistantes que les hommes. Tom tombait malade; Ruby, jamais. Tom se couchait en gémissant; Sandy avait besoin qu'on le soigne. Et Ruby faisait l'infirmière.

— Qu'est-ce qu'elle peut bien avoir?
— Je ne sais pas exactement. Rien de... très grave.

Il lui cachait une nouvelle, elle le sentait dans l'air, et la colère montait en elle. Encore ses manipulations! Sa manie de dissimuler les problèmes et de tenter de canaliser à sa guise les réactions de Vida.

— Dis-moi ce que c'est, tout de suite!
— Ne t'énerve pas.
— Ce qui m'énerve, c'est tes cachotteries. Je veux les paroles exactes de Natalie. *Exactes.*
— Comment veux-tu que je me les rappelle?
— Tu as une foutue mémoire quand tu veux, journaliste!
— Ruby souffre d'un léger anévrisme.
— Un anévrisme? C'est quoi?
— Une histoire de vaisseaux sanguins; un resserrement, je crois.
— Un anévrisme... Une crise cardiaque?
— Oui, légère.
— Mais encore?
— Elle est à l'hôpital. Les médecins pensent qu'elle pourra rentrer chez elle dans une semaine ou deux.
— A quel hôpital?
— Au service de cardiologie du Mont-Sinaï.

Il lui prit la main:

— Calme-toi, tu n'y peux rien.
— Une crise cardiaque, rien que ça! Sandy doit être fou d'inquiétude. Mais pourquoi une crise cardiaque?
— Apparemment, elle avait déjà eu un léger accident avant, mais elle ne s'en était pas vantée.
— Oh, je connais ma Ruby: « N'en parlons pas et ça guérira tout seul! » Qu'est-ce qui a déclenché la crise?
— Il y a eu une tempête de neige, Sharon l'attendait et elle était en

retard ; elle a voulu dégager la voiture. De toute façon, Natalie est là-bas.

— Si Natalie a pris l'avion pour Chicago, ça prouve que c'est grave.

— N'exagère pas. Ne te monte pas la tête. Natalie pense être de retour lundi. Elle est simplement partie pour le week-end. Elle m'a donné des numéros de téléphone pour que tu puisses l'appeler mardi, à East Norwich.

— Mardi. Je ne vais jamais pouvoir attendre aussi longtemps.

— Du calme, poupée. Ruby a eu cette crise mercredi ; tu as attendu quatre jours avant de le savoir. Tu peux patienter encore trois jours. Ce n'est pas dramatique, je t'assure ; Ruby devra maigrir, s'arrêter de fumer et surveiller son régime, et surtout être sage.

— Ruby n'est pas grosse ! s'écria Vida, en prenant automatiquement la défense de sa mère.

— On ne peut pas dire que ce soit une sylphide. Sandy et Ruby n'ont pas cessé de grossir un peu plus tous les ans, tu le sais bien. (Il se leva et l'aida à en faire autant.) Partons, Vida, et ne t'inquiète pas. Natalie te fera un rapport complet mardi, à dix heures.

— Vinnie. Appelle-moi Vinnie, s'il te plaît.

Il rit, l'air soulagé :

— Toi, quand tu commences à faire tes leçons de sécurité, c'est que tu vas bien. Tu crois qu'ils ont caché des micros dans la queue des écureuils ?

— La force de l'habitude ça peut sauver. Comme ça peut tuer.

Le chemin était si mauvais qu'ils ne pouvaient pas se donner la main. Et le sol enneigé semblait rayonner sa lumière propre sous le ciel bas.

— Et toi, comment va la vie ? demanda-t-elle. La vie privée d'abord.

— Tu veux parler de Susannah ? Elle a comme une envie de se marier, ces temps-ci.

— Comme une envie de se marier, voyez-vous ça ? dit-elle en se forçant à rire. Tant que c'est l'envie seulement, ça va. C'était la légitimité que nous avons trouvée chiante. Mais Susannah n'a probablement pas l'habitude.

— Non, Susannah ignore tout des joies du mariage. J'ai beau lui expliquer que ça devient la barbe après la première année, elle fait la sourde oreille.

— Tu te rappelles le mal que nous avons eu à nous libérer du moule ? Avec les gens qui nous rappelaient tout le temps que nous étions mariés, si bien que nous avions l'impression d'être devenus papa-maman.

— Oui ! C'est là que pour la première fois j'ai eu l'impression d'être un vieux. Un vieux vicelard. Je ne pouvais pas faire un pas

sans que les gens me demandent : « Mais où est donc votre femme ? »
Et sur quel ton ! Accusateur. Complaisant.

Elle glissa sur une dalle de granit couverte de glace et il la rattrapa
tout juste sous les bras, puis l'aida à reprendre pied.

— Et moi, reprit-elle. Tous les mecs qui me prenaient pour leur
mère. Consolations, repas et soutiens en tous genres. Et si j'avais le
malheur de leur demander de me rendre un service, ils s'écriaient :
« Mais tu es une mariée ! » J'étais le bureau de bienfaisance, pour
ainsi dire ; et toi, le seul être au monde capable de répondre à mes
besoins.

— Et la première fois que les gens ont su que je couchais avec une
autre !...

— Marcie, oui. La grande bringue aux cheveux frisés qu'elle
faisait défriser, et qui avait l'air pas vraie à cause de ça.

— Si tu veux tout savoir, Marcie elle se les repassait, les cheveux.
A l'époque, la mode était aux cheveux raides.

— Pour les femmes seulement. Vous les hommes, vous pouviez
vous coiffer comme vous en aviez envie, du moment que c'était long
et qu'il y en avait beaucoup.

— Quand j'ai commencé à sauter Marcie, tous nos amis chucho-
taient que nous allions nous séparer.

— Tu vois bien, mon cœur ? Alors, pourquoi récidiver ?

Elle s'aperçut qu'elle l'avait appelé « mon cœur », expression
qu'elle réservait à Joel. Leigh et elle évitaient les mots tendres entre
eux, jugeant que toutes ces fadaises puaient le conformisme, et ils
balayaient d'un même mépris les « chéri », « mon chou », « ma
douce ». « Poupée », « bébé » et une bonne bourrade dans les côtes,
tel était le style de Leigh... Mais Leigh n'avait pas entendu.

— Je n'ai aucune envie de me marier, dit-il. C'est Susannah qui
estime que ça signifie quelque chose. Moi, je lui dis : « Et comment !
Un enterrement de première, oui ! » Si tu mêles la société à ton
mariage, elle te fait cracher, elle fiche le bordel dans ton état civil, elle
augmente tes impôts... bref tout ce qui peut te compliquer la vie !

— Refuse. Il y a treize ans que tu n'as pas été célibataire !

— Elle oubliera ; c'est un caprice, à mon avis. (Il fit la grimace.)
J'aimerais que mon bouquin ne pose pas plus de problèmes.

— Ton bouquin ? Quel bouquin ?

— Tu ne te souviens pas de ces émissions que je t'avais fait
écouter... si, tu sais bien, sur la santé des femmes ? Eh bien, je suis en
train d'écrire un papier pour le *New York Magazine* et un autre pour
Voice. Et tout ça fait partie d'un projet de livre. Une analyse des
conditions sanitaires dans les grandes villes, en l'occurrence cette
bonne vieille porcherie de Brooklyn.

— Donc, tu écris un livre ? Sincèrement ? Leigh, je ne voudrais pas
te paraître...

214

— Mon agent en a parlé à deux, trois éditeurs et le sujet les intéresse. Tous les gens sont furax à cause du prix des soins médicaux. Le moindre rapport avec un hôpital les met en boule ; c'est la raison pour laquelle mon agent pense que le bouquin aura du succès.

Elle sentait une arrière-pensée sous les paroles.

— Dans ce cas, pourquoi as-tu des doutes ?

— Tu ne crois pas ça normal, avec un gros truc de ce genre ? Est-ce que ce n'est pas transiger avec mes opinions publiques ?... J'ai fait une émission sur une clinique de femmes à Park Slope. Passionnant ! On y soigne environ cinquante femmes par semaine. Façon de démystifier le truc, oui, mais après ?...

— Sans doute manquent-ils de moyens pour en soigner davantage ?

— Non, simplement le Mouvement veut s'assurer que sa communauté locale a les soins qu'il faut. Mais ça n'atteint pas les femmes de Red Hook ou de Bedford Stuyvesant, qui sont atrocement soignées, quand elles le sont. (Il donna un grand coup de pied dans un bout de bois.) La moitié des mecs que nous connaissions sont devenus infirmiers. Infirmiers, tu parles d'un boulot ! Mais, Bon Dieu, qu'est-ce qu'ils peuvent la ramener ! Ou alors ils ont fait leur médecine... enfin, tous ceux qui ne sont pas entrés à la Fac de Droit. Il doit y avoir au moins un avocat par mec de gauche en activité dans ce pays. Bref, il y a un hôpital de Brooklyn où ça bagarre dur entre les politiques du syndicat, qui se sont battus pour entrer dans celui-ci, et les gauchistes de la communauté qui veulent investir le conseil d'administration de l'hosto. Ils se bouffent entre eux. Quoi que j'écrive, on me tordra le cou.

— Il faut que tu les montres dans une perspective telle que chaque organisme fait sa place, Leigh.

— Bien sûr, tout le monde a raison, personne n'a tort dans notre Grand Syndicat Unique !

Ils escaladèrent un tronc d'arbre tombé en travers du chemin et continuèrent à descendre, en croisant les empreintes inverses qu'ils avaient laissées en montant dans la neige.

Les gants de Vida n'étaient pas assez chauds ; elle avait les doigts gourds.

— Laisse-moi t'affranchir un peu sur le Plan de bataille de Maman, déposé SGDG.

— Je préférerais un grog bien chaud.

— La clinique d'autoassistance des femmes a pour fonction d'offrir un espace médical échappant au contrôle de l'American Medical Association, aux compagnies pharmaceutiques, aux assurances et aux mutuelles. On y découvre beaucoup de choses, par exemple que ce qu'un grand nombre de gynécos apprennent à l'école n'est que contes de bonne femme. Parfois, un choix différent devient majoritaire : il se peut qu'un jour les sages-femmes finissent par accoucher la moitié des enfants de ce pays. Ces institutions font leur maximum, mais sont pauvres, tu me suis ? Aussi facilement créées que liquidées... Mais impossible d'ignorer les établissements publics...

— C'est exactement mon point de vue. A part le côté jardin d'enfants, à quoi riment-elles, ces fameuses institutions ?

— Sans elles, pas de changement ni d'espoir. De plus en plus de médicaments et d'hystérectomies. Mais l'attaque en profondeur des organismes publics doit se faire en tenaille. Toute stratégie doit englober les besoins des consommateurs — enfants et parents pour les écoles, malades dans les hôpitaux — et le personnel des établissements : enseignants et gardiens scolaires, infirmiers, ambulanciers, préposés aux cuisines dans les hôpitaux. Tout concentrer sur les besoins des travailleurs *ou* des consommateurs pousse les sans-défense à se combattre mutuellement.

— Tu te souviens d'Ocean Hill-Brownsville ? dit Leigh. (Ils étaient arrivés dans le creux de la vallée et se dirigeaient vers la grand-route où elle avait laissé sa voiture. Il lui prit le bras.) Par moments, je me dis tout à coup : « Quel dommage qu'elle ne soit plus dans le coup, politiquement. Tu as une espèce de bon sens comme on en trouve rarement. »

Plus dans le coup — les mots faisaient mal.

— Je vois les choses plus clairement, dit-elle.

Comme elle était heureuse, à l'époque où elle prenait la parole dans les réunions, quand Oscar et Leigh l'approuvaient. Elle avait toujours été comme ces insectes aquatiques qui glissent avec aisance sur les eaux profondes et glacées. Elle prononçait les mots justes, elle savait se servir de sa colère et de son indignation, mais ne comprenait rien aux vastes structures analytiques des hommes. Et puis quelques années après être passée dans la clandestinité, elle avait découvert qu'elle ne dépendait plus d'un homme pour lui dire si elle avait raison. On pouvait discuter ses idées, la faire changer d'avis, elle n'en restait pas moins seule juge de ses arguments. Elle connaissait les critères sur lesquels elle se fondait, et les autres ne pouvaient l'influencer que sur ces bases. Ce n'était plus du théâtre ; c'était le boulot.

Leigh s'assit machinalement à la place du passager.

— Ocean Hill-Bronwsville, répéta-t-il. Qu'est-ce qu'on a lutté, toi et moi, hein, ma vieille chatte ?... Je vais te dire, je suis arrivé à un point de saturation tel, dans mon sujet, que le fait d'exposer mes idées à un cerveau intelligent m'aide à les éclaircir. Ecoute, poupée, ce bouquin va faire sensation. Il y aura pas mal de gus qui m'en voudront à mort, mais je n'en ai rien à foutre !

216

— J'en suis certaine, Leigh. Tu me le feras lire au fur et à mesure ?

— Bien sûr... N'oublie pas de brûler les bandes.

Il se pencha en arrière, tambourina des doigts sur le tableau de bord.

— Ralentis. Il y a des chambres libres dans ce motel. Ça te dit ?

Elle eut un sourire en coin. Petite victoire. Elle freina aussitôt, manœuvra pour entrer au motel et s'arrêta devant la réception.

— A toi de jouer, dit-elle.

— Rien ne m'oblige à rentrer au chalet en même temps qu'eux. Je leur dirai que je suis allé faire une balade parce que j'avais besoin de prendre l'air.

Leigh continua à se persuader tout haut de son droit d'être en retard, tout en descendant de voiture pour aller prendre une chambre. Elle resta assise au volant, folle de joie. Elle le retrouvait, le reprenait. Leur intimité se resserrait de nouveau. Ce ne fut qu'après l'amour, quand il eut pris sa douche et qu'il se mit à marcher de long en large dans la chambre en se séchant qu'elle remarqua un certain pli des yeux, une certaine fausse intonation, indiquant que quelque chose n'allait toujours pas.

— Tu m'as bien dit toute la vérité sur Ruby ? demanda-t-elle, à genoux sur le lit et les bras croisés sur la poitrine.

— Je t'ai dit ce que je sais. (Il toussa.) L'Irlandais parle beaucoup.

— Leigh, fais attention à ce que tu dis. C'est une accusation sérieuse. Qu'est-ce qui te donne le droit d'avancer une chose aussi grave ?

— Il est seulement accusé de transport illégal d'armes d'un pays à l'autre, et de port d'armes aussi, ce genre de trucs ; ils ont laissé tomber les autres chefs d'accusation, et sa caution a été réduite. Il se balade dans New York, libre comme l'air.

— Kevin et Randy dans la même ville, c'est difficile à imaginer. S'ils se croisent, ils vont s'entre-tuer. Randy a sûrement une de ces trouilles... !

— Tu repasseras, poupée. Je crois que Lohania les a réunis et que Randy est en train de conclure un marché. Notre vieux pote Randy est actuellement dans le Bureau du Procureur de la République et il revient en force. Ça ne m'étonnerait pas qu'il se soit offert les services d'un gros bras travaillant sur les quais de Hoboken...

Ce ne fut qu'au moment de rouler vers le Nord que le cafard la prit. Pas à cause de Kevin (puisque rien n'était officiel et qu'elle remisait la chose en attendant d'en avoir parlé à Kiley), mais à propos de Leigh : Que représentait-elle pour lui ? A quoi rimait cela ? Tout projet de travail avec Leigh n'était que rêve pur ; curieusement, leur petite séance d'amour lui laissait l'impression d'être manipulée plutôt qu'aimée. Des bribes de leur conversation restaient accrochées à elle comme des bouts de barbelé. Il ne lui avait même pas demandé de ses nouvelles à elle. Rien. Elle avait envie d'être avec Joel, de foncer vers lui ; mais elle avait organisé les choses de façon à ne pas le voir avant le lundi soir au plus tôt. Elle savait qu'il n'y avait rien à faire et le regrettait amèrement. Dès qu'elle eut commencé à rouler vers le nord, Joel lui manqua de plus en plus ; à chaque kilomètre cela devint pire, plus fort, comme une longue plainte qui ne cessait de lui mordre le cœur.

QUATRIÈME PARTIE

Mai 1970

12

A midi, Vida prit la parole à la manifestation du Mouvement des Etudiants Antiguerre, sur le campus de l'université de Queens, devant un millier d'étudiants debout en plein soleil. Elle sentait la colère, l'indignation, le sentiment de frustration bouillonner dans la foule.

— Ils disent que nous — *nous!* — avons envahi un autre pays et que *nous* massacrons des humbles, des gens comme les autres, chez eux, au nom de la paix — la paix de la mort et des ruines, la paix des corps qui pourrissent au soleil. Morts, nous sommes tous de la même couleur et, là-bas, des êtres humains meurent chaque jour et vous payez pour qu'ils meurent, chaque fois que vous donnez un coup de téléphone ou une heure de travail... (Elle avait la voix rauque à cause des gaz lacrymogènes respirés plus tôt.) Et cette université est censée vous former pour financer d'autres Vietnams, d'autres Cambodges, sans jamais vous poser de questions. Et si vous échouez dans vos études, vous avez le droit d'aller crever là-bas! De vieux richards entourés de gardes du corps vous ont démocratiquement élus candidats à l'assassinat et à la mort.

Elle devait rester pour le vote sur la grève et pour aider le comité d'action à dresser le plan d'investissement des locaux administratifs. Après quoi, métro et long trajet pour regagner l'Upper West Side.

Dans le wagon, elle se blottit dans un coin, fatiguée par le flux d'adrénaline provoqué par son discours. Elle était en retard pour la réunion du Petit Wagon Rouge, son propre collectif. Ces temps-ci, elle était toujours en retard, elle courait sans arrêt, sans jamais arriver nulle part. De la seconde où elle s'extirpait du lit jusqu'au moment où elle se couchait tout habillée, ivre de fatigue, elle ne s'appartenait plus. Elle n'avait plus le temps de lire, de faire un gâteau, d'écouter de la musique, de bavarder tranquillement, et tout était palabre inutile, qui ne dénonçait pas le racisme, l'impérialisme, l'esclavagisme, l'oppression du Tiers Monde, la guerre, la guerre, toujours la guerre ! Quand elle allait à la campagne, c'était pour se rendre à un meeting secret, à un entraînement au maniement d'armes ; quand elle tombait sur un vieux copain, elle pensait uniquement à ses talents, ses relations, au genre de discours, de collecte, de travail d'organisation ou de liaison qu'il pouvait accomplir pour eux. Et malgré cela, elle n'éprouvait aucun sentiment d'avoir fait œuvre utile, parce que, chaque matin, dans le paquet de pages du *New York Times,* chaque soir à la télévision, l'escalade de la guerre allait croissant comme sa fatigue. Ils n'en avaient pas assez fait ; ils n'avaient pas pris suffisamment de risques ; elle en avait la preuve chaque matin et chaque soir, puisque la guerre continuait à faire rage. Dehors, il pleuvait du sang ; le sang éclaboussait la terre et le vent brûlant qui soufflait sur la ville apportait une odeur de cendres et de chairs calcinées. Non, ils n'avaient pas fait assez d'efforts puisque la guerre sévissait toujours.

Comme Vida entrait, essoufflée, dans la minuscule et sombre chambre pour une personne que Kevin avait louée sous le nom de Joseph Blow dans un hôtel du secours municipal du quartier d'Amsterdam, les membres du collectif lui lancèrent un regard chargé de reproches : Kevin, du rebord de la fenêtre ouverte où il était assis ; Lohania, allongée sur le lit de camp ; Randy qui arpentait furieusement la pièce, et Jimmy, blotti dans un coin et buvant Randy des yeux. Leur colère lui était familière. Ces derniers temps, elle avait l'impression que, plus elle essayait de se rapprocher des gens, plus ils lui tombaient dessus.

— D'où sors-tu ? demanda Kevin, la bouche torve, tirant sur les poils de sa barbe.

— De la manif du Mouvement à Queens. Ils avaient besoin d'un orateur. Ils sont censés voter la grève pour protester à propos du Cambodge...

Lohania contemplait le plâtre écaillé du plafond.

— La réunion d'aujourd'hui est importante, dit-elle.

— Ça fait deux heures qu'on t'attend ! rugit Randy. Es-tu avec nous, oui ou non ?

Le Petit Wagon Rouge ne se réunissait jamais dans l'appartement de l'un ou de l'autre ni dans les bureaux du Mouvement, tous ses membres étaient convaincus qu'appartements et locaux étaient des nids à micros.

— L'action sur les masses est importante elle aussi, dit Vida d'une voix forte.

Kevin et Randy n'étaient pas engagés dans le Mouvement. Mais Jimmy et Lohania auraient pu la soutenir. Elle n'avait pas l'intention d'abandonner l'organisation du travail clandestin du Petit Wagon Rouge. Sa déclaration laissa froid Randy, qui dit :

222

— Assez de ces conneries.

C'était un type râblé aux cheveux fous blond paille. Il nouait un foulard rouge autour de sa tête pour empêcher les mèches soyeuses de lui tomber dans les yeux — des yeux bleus et doux dans un visage à la mâchoire carrée. Il avait des mains courtaudes tachées de nicotine à force de fumer une cigarette après l'autre, en aspirant si fort que le filtre, souvent, se carbonisait. Quand il ne pouvait pas fumer (il fumait même au cinéma, aux concerts de musique rock, dans le métro), il mastiquait du chewing-gum.

— Il faut agir, et vite, reprit-il.

— Pourquoi vite ? demanda-t-elle en s'asseyant sur le lit à côté de Lohania. J'ai grandi avec cette guerre. Nous devrions prendre le temps de mener notre action comme il faut.

Kevin, assis en équilibre sur le rebord de la fenêtre comme s'il avait médité de sauter, se retourna brusquement :

— On n'a pas de conseils à recevoir de toi, Davey. Attends seulement de voir ce que Dolpho nous a apporté, petite connasse.

Kevin, qui n'aimait pas appeler les gens par leur vrai nom, les affublait de surnoms de son invention : Lohania était Lulu ; Randy, Dolpho. La première fois qu'ils avaient fait l'amour, Kevin avait demandé à Vida :

— Pourquoi tu portes un nom aussi bizarre ? Vida, c'est tarte.

— Mon père s'appelait Tom, et son père, David. Davida, c'est en souvenir de lui. Ça se fait chez les chrétiens.

— Ah ouais ? Pas chez les Juifs ?

— Non.

— Alors, ton vrai blaze, c'est Davida ? OK, ça sera Davey.

Le tout s'était passé sous une table, à Washington où ils s'étaient réfugiés pour dormir et éviter d'être piétinés. Et ce, le jour de l'investiture de Nixon, soit, pour eux, le Jour de l'Anti-investiture. Ils avaient tous les deux pris un maximum de gaz lacrymogène, ce qui les avait rendus terriblement malades. Ils avaient perdu Lohania et Jimmy et ne les avaient retrouvés que le lendemain. Entre-temps, ils s'étaient mis à l'abri dans une maison où l'on savait qui ils étaient, sans toutefois les connaître personnellement. Et sous cette table, endoloris, épuisés par les nausées, inquiets pour leurs amis, ils avaient cherché un réconfort contre la lassitude dans les bras l'un de l'autre, et le désir avait explosé.

— Tu ne m'écoutes pas ! lui dit Randy, aigrement.

— Mais si, répondit-elle.

Randy était parmi les tout nouveaux du Mouvement, il n'avait rien du genre la-cause-du-peuple-d'abord, pas plus que pacifiste, bébé-coco, anarcho-communiste, trotskyste ou gaucho-catho — non, le gars avec une vraie haine de la guerre et du gouvernement, une bombe ambulante ; ce qui ravissait Kevin et suscitait l'admiration de Jimmy.

Vida, elle, restait dans l'expectative, le dédaignant et l'approuvant tour à tour. Ce jour-là, Randy paradait devant Kevin. Sous le T-shirt, ses bras bien musclés se gonflaient et ses coudes fendaient l'air dans la gesticulation.

— Je ne vous l'avais pas dit que je les aurais, les plans ? Je ne vous l'avais pas dit ? Alors, ne venez pas chanter que je débloque quand je promets quelque chose ; je ne suis pas un bluffeur, moi ! D'accord, les mecs ?

— C'est le plan des étages ? demanda Lohania, soudain, réveillée comme une chatte et lissant ses boucles brunes.

— Comme tu dis. (Randy caressa légèrement l'épaule nue de Lohania ; la journée était chaude et elle portait un haut sans bretelles, à rayures.) Venez tous autour de moi et rincez-vous l'œil.

Il sortit une série de plans photocopiés de son sac à dos. Jimmy — le fi-fils maigreux et osseux à Natalie et à Vida, qui ne mangeait pas si personne n'était là pour le lui rappeler — était bêtement fasciné par Randy et lui témoignait une adoration de chiot empoté. Il gambadait de joie autour de lui :

— Tu as dégotté les plans, tu les as vraiment ? Comment as-tu fait ?

— J'ai un pote qui travaille au service d'inspection de la Construction. Une sacrée bande de pourris. Je lui ai filé vingt dollars et il n'a pas posé de questions. Il n'en a rien à foutre.

— Je n'aurais jamais cru que ce serait si facile ! dit Vida, excitée malgré elle. C'est formidable, mais il faut quelqu'un qui sache lire ça.

— Moi, dit Lohania en s'étirant et ondulant jusqu'à eux. J'ai passé la semaine à étudier des plans. J'ai demandé à Belinda de m'apprendre. Elle a fait une école d'architecture et puis, vous savez quoi... elle n'a pas pu trouver de boulot.

Les plans étaient ceux du bureau de recrutement militaire du Centre Rockefeller et du centre d'affectation de Whitehall.

— Et les plans de la Dow Chemical ?

— On ne peut pas demander la lune à un mec qui n'en a rien à branler ! Il ne peut tout de même pas passer ses journées à faire des photocopies.

Jimmy intervint :

— J'aurais voulu me faire une idée pour la Dow Chemical. D'un côté...

— Ou de l'autre, dit Kevin en sautant par terre pour marcher de long en large. Allez, au boulot !

La chambre parut se rétrécir subitement. Deux pas en avant, deux en arrière. Vida dit :

— Tu es certain que ce type aura oublié quels plans il a photocopiés ?

— Je te répète qu'il s'en tape. Je l'ai payé ; à ce prix-là, il ne signalerait même pas un meurtre. Je le connais; il n'a pas lu un canard depuis dix ans. Tout ce qui l'intéresse, c'est le foot et le hockey. (Il frappa du poing les plans.) Et maintenant, assez parlé, au boulot! comme dit Kevin! Choisissons notre cible. Moi, je suis pour le Centre Rockefeller. Le bureau de recrutement. Whitehall, c'est trop dangereux, trop surveillé, dit Randy.

Kevin hésitait entre la bagarre parce qu'il n'avait pas parlé le premier ou l'approbation pour ne pas perdre de temps. Il choisit de se montrer plus dur que Randy.

— Qu'est-ce que ça peut foutre? Jouons-le à pile ou face. Du moment qu'on fait sauter ces ordures...

— Je n'aime pas beaucoup laisser les décisions importantes entre les mains du hasard, dit Vida. Ce qui compte, c'est le plan politique. Le résultat que nous espérons.

— Que ça pète, dit Randy. Histoire de montrer qu'on peut faire du mal, nous aussi.

— L'un et l'autre sont de bonnes cibles, dit lentement Lohania, les sourcils froncés. Leur destruction ralentira le départ des gars pour l'armée et montrera aux gens qu'il existe des moyens d'empêcher qu'on envoie leurs gosses se faire tuer. Nous ferons sauter l'autre après.

A condition que nous survivions à ce boum, pensa Vida. Mais elle n'ouvrit pas la bouche. Elle s'en voulait de songer à l'éventualité d'un échec. Tous les jours, des Vietnamiens mouraient dans des tunnels, dans des champs marécageux, dans la jungle, dans leur lit ou balancés d'un hélicoptère. Personne ne leur demandait s'ils préféraient vivre ou mourir. Le privilège d'être Américaine et de race blanche lui permettait de chicaner.

— Bon, va pour pile ou face, dit-elle en désespoir de cause.

— Voilà une pièce. Pile : Rockefeller; face : Whitehall, dit Randy.

Il lança la pièce et la plaqua sur le dos de sa main, puis, lentement, la découvrit :

— Pile. C'est décidé.

— Maintenant, il s'agit de faire les repérages, dit Vida.

— Connerie! rétorqua Randy. On a les plans; tu veux leur mettre la puce à l'oreille?

— Quel mal y a-t-il à jeter un coup d'œil? demanda Lohania. J'ai déjà fait ce genre de boulot de reconnaissance intérieure et je trouve que c'est une bonne idée de commencer par y aller les mains vides.

— Lulu, ne nous raconte pas de salades. Tu n'as jamais fait ce genre de boulot. C'est du gros calibre, et c'est justement ce qui te fait peur, lui dit Randy en souriant.

— C'est faux. Je n'ai absolument pas peur, protesta-t-elle. Mais je veux que tout se passe bien. (Lohania se dégagea brusquement de sa main qui la caressait.) Pourquoi es-tu si sûr de ces plans?

— Tu te figures qu'on rase Rockefeller chaque année pour le reconstruire ? dit Randy en haussant les épaules avec affectation. Vas-y, fais ce que tu veux, je m'en fiche, mais si jamais ils se doutent de quelque chose, ce sera pour notre cul.

Lohania passa majestueusement devant lui pour aller se mettre à côté de Kevin, qui s'était rassis, très détendu, sur le bord de la fenêtre.

— Ne t'inquiète pas, ils ne s'apercevront de rien.

Kevin lui poussa du doigt le ventre avec un geste de propriétaire.

— On a un contact, pour la dynamite ? demanda-t-il.

— Et comment ! Ces gars du bâtiment, tu sais ?

— Je me demande ce que nous deviendrions sans toi, dit Vida.

Randy la considéra avec des yeux mauvais :

— Vous resteriez sur votre cul, ou bien vous iriez emprunter des bouquins de chimie à la bibliothèque du quartier. En fait de flingues, vous n'avez jamais vu que des agrafeuses !

— Ce n'est pas toi qui m'as appris à me servir d'une arme à feu, répliqua sèchement Kevin. C'est mon vieux. Et je savais tirer quand tu étais encore à l'université.

— Sûr, mec, dit Randy en lui giflant l'épaule, mais ces gosses-là n'ont jamais vu de revolver qu'à la télé.

— Les flingues, si, je connais ça, dit Lohania qui jouait les pépées du gang accotée à l'encadrement de la fenêtre. Par moments, songea Vida, ils jouaient vraiment les ringards de série B. Pourtant, l'excitation de viser avec un fusil pour la première fois, un vieux Remington 788, restait pour elle un souvenir mémorable. Lohania parlait de son père :

— ... et il avait aussi un colt 45 qu'il gardait dans le tiroir de sa commode.

— Ton vieux est dans les rackets ? demanda Randy.

Lohania le fascinait. D'habitude, il la dévorait du regard et il ne perdait pas un mot de ce qu'elle disait. Mais elle ne voyait en lui qu'un membre de la cellule. Elle haussa les épaules :

— Quelle importance ? On ne se parle pas, eux et moi.

Son père était directeur d'une blanchisserie de Queens et sa famille était une blessure que Vida prenait soin de ne pas rouvrir : elle ne posait jamais de questions, mais la laissait s'épancher sur son épaule, quand la source d'amertume cachée en Lohania débordait, tard dans la nuit, parce que quelque chose avait ébranlé son assurance, lui rappelant la maison.

— Tu veux dire que tes vieux ne t'adressent jamais la parole ? s'enquit Randy.

— Non, mes vieux ne m'adressent jamais la parole, singea Lohania.

Kevin vint à son secours en lui passant un bras autour des épaules.

— Maintenant qu'on sait ce qu'on va faire sauter, il reste à se procurer la dynamite, à se répartir le boulot et à choisir l'heure H.

Vida suffoquait; dans la pièce il faisait brusquement chaud, étouffant, ou était-ce une illusion? Allaient-ils vraiment faire sauter ce bâtiment? Elle se demanda si chacun d'eux n'épiait pas son voisin en espérant qu'il se dégonflerait...

Oscar cachait un fusil dans un cagibi. De temps en temps, il le sortait, le caressait, le nettoyait, lui faisait prendre l'air autour de sa chambre, le lui faisait admirer. Ensuite il le replaçait soigneusement dans sa cachette, sous une latte de bois du plancher, bien démonté et rangé dans un étui en plastique. Grâce à ce fusil, Oscar était certain d'être un révolutionnaire, en guerre avec le gouvernement. Mais elle doutait qu'il s'en fût jamais servi. Une fois, Oscar l'avait montré devant elle à Lark, qui l'avait engueulé : « Espèce d'idiot! Ils peuvent t'épingler pour une connerie de ce genre. Un fusil n'est pas un jouet! » Mais pour Oscar, ce fusil était une preuve de sérieux, un talisman contre la phagocytation, sort dont la crainte les hantait tous. Bien entendu, personne n'avait jamais manifesté la moindre intention de phagocyter les vrais militants du Mouvement. Dans l'autre monde, celui des « gens normaux », on les appelait « les barbares » : enseignants, journalistes, gens de télévision, rédacteurs en chef, chroniqueurs, tous ces personnages qui regardaient tous les soirs le sang couler au Vietnam, bien assis dans leur fauteuil, les accusaient d'être des sauvages lorsqu'ils couraient dans les rues en brandissant leurs drapeaux et en brisant les vitres. Personne ne voulait plus d'eux. Avec les années, les liens de Vida avec l'extérieur s'étaient atrophiés; elle connaissait le nom et le visage de deux mille membres du Mouvement, mais n'avait plus d'amis en dehors de lui. Depuis que le FBI avait rendu visite à son patron et qu'elle avait été renvoyée de chez Kyriaki, elle s'était rarement aventurée dans le monde normal. Elle n'avait pas cherché à recruter dans son quartier ni parmi d'autres gens ordinaires depuis la fin de 68. Sauf de l'autre côté des cordons de police, elle ne voyait plus que des activistes à plein temps. Elle travaillait en plein centre nerveux de l'activisme antiguerre, écrivant des textes de propagande, prononçant des discours, collant des enveloppes, exhortant à manifester, organisant des comités de défense, mais rien de tout cela ne la satisfaisait. Rien n'apaisait les tourments dont elle était la proie, la nuit, tandis que des visions atroces la hantaient et flottaient devant ses yeux comme des haillons sanglants.

Encore une foutue manif. « Descendons dans la rue, les mains nues, camarades volontaires pour la matraque! » Les mobilisations de printemps, d'automne, les défilés, les rassemblements, les discours, ces interminables discours truffés de slogans qui ne voulaient strictement rien dire. Chaque jour, la voix onctueusement diabolique du Président-robot, prononçant de nouveaux mensonges, ordonnant de nouveaux crimes. Bombardez les digues, bombardez les hôpitaux ! Guerre biochimique ! Mutations jusqu'à la quinzième génération ! Une terre riche en riz, en acajou, en bateaux de pêche et en hévéas transformée progressivement, régulièrement, en paysage lunaire. Chaque jour le cancer de la guerre gagnant du terrain. Elle y vivait dans cette guerre, elle l'habitait depuis son plus jeune âge, et elle lui avait coûté des années de son existence. Elle avait été brutalisée à plusieurs reprises, elle avait pissé le sang du nez, souffert d'ecchymoses, de contusions, de foulures, respiré les gaz lacrymogènes jusqu'à en avoir les poumons abîmés pour toujours et un enrouement perpétuel. Mais elle avait de la chance : elle avait conservé la vue et la liberté ; certains de ses amis avaient perdu les deux.

Elle se tourna vers Kevin, calé sur son rebord de fenêtre, le coude appuyé sur l'épaule de Lohania, et se sentit soudée à eux tous. Ils avaient créé ce groupe par haine de la futilité. Devinant ce qu'elle ressentait, Kevin posa légèrement son autre main sur son épaule. Jimmy, assis par terre, regardait tour à tour Kevin et Randy pour savoir ce qu'il devait penser, tout en calculant la quantité de dynamite nécessaire pour faire sauter deux ou trois pièces dans un local. Une bombe, quoi de plus naturel ? Les quotidiens annonçaient tous les matins de nouveaux objectifs, de nouvelles attaques. Les alertes à la bombe étaient plus fréquentes que jamais ; les écoles et la plupart des bureaux new-yorkais étaient régulièrement évacués à cause d'un étudiant ou d'un employé qui cherchait à rompre l'horrible routine quotidienne. La moitié des gens qu'elle connaissait rêvaient de faire sauter un de ces temples à la gloire du veau d'or financier ou du pouvoir militaire, qui rutilaient comme des diamants sertis dans des écrins d'acier autour de Manhattan.

— Ce n'est vraiment pas le moment de peloter tes petites amies, on n'est pas réunis pour blaguer, dit Randy à Kevin, sur un ton acide. On travaille, oui ou non ? Les couples, c'est une source de tension dans le groupe.

— Foutaise ! railla sèchement Vida. Nous avions déjà ces rapports avant. Ils n'ont jamais entravé la création du collectif ni le boulot. Rentre tes salades, Randy ; tu n'as qu'à aller satisfaire tes besoins ailleurs.

— Je ne vois pas pourquoi, répondit-il en souriant. On partage tout, non ?

— D'accord. Quand on aura la dynamite, tu pourras mettre en place les détonateurs.

Travail délicat, pour lequel tous avaient l'air de penser que Jimmy et Vida étaient les plus qualifiés. Une légère pression de trop, et toute la charge de dynamite exploserait à la figure. Tous deux s'étaient entraînés avec un bout de dynamite, le mois dernier, en faisant sauter des pierres dans une carrière abandonnée. L'attente derrière la planque avait été atrocement éprouvante pour les nerfs. Ils avaient essayé avec une bombe chimique à retardement, en utilisant un tuyau bourré de dynamite et amorcé avec un mélange de chlorate de potassium et de poudre à canon, et suffisamment d'acide sulfurique pour ronger un bouchon de liège. La bombe avait bien explosé, au bout non pas de trois heures comme prévu, mais de quatre heures et vingt minutes, en les assourdissant et en faisant trembler toute la carrière ! Expérience terrifiante et excitante en même temps. Mais cette fois, pas question : il fallait que la bombe explose à l'heure dite, afin de leur laisser le temps de filer, après avoir donné l'alerte pour l'évacuation des locaux, mais non de permettre à la brigade des explosifs de pouvoir fouiller les lieux et désamorcer. Vidés physiquement et émotivement, muets, ils étaient remontés en voiture pour regagner la ville. Le soulagement et la terreur qu'ils avaient ressentis au moment de l'explosion avaient suffi à les convaincre de l'accomplissement de l'acte... Cette fois, ils projetaient d'utiliser une bombe à mouvement d'horlogerie, aussi classique que sûre.

— Rendez-vous demain, même heure ? demanda Vida.

— Ils ont condamné le groupe qui a fait sauter le bureau de conscription de Brooklyn, annonça Jimmy, qui découpait fidèlement le *Times* tous les matins, comme à l'époque où il effectuait des recherches sur les structures du pouvoir.

— Sans blague ? Ils en ont pris pour combien ? demanda Lohania en feignant un vague intérêt.

— Trente ans, répondit Jimmy dans un souffle.

— *Trente* ans ? répéta Lohania, les yeux ronds.

— Ça fait une sacrée paye ! dit Kevin. Ça, je peux vous le dire. Un an, c'est déjà l'éternité. Même avec une remise de peine pour bonne conduite, ils seront plutôt déjetés quand ils reverront le soleil.

— Je vous signale qu'un certain député républicain réclame la peine de mort, dit Vida. Et Rockefeller demande la condamnation à perpétuité... Alors, à demain ?

— Avec tout ce que je suis censé faire ? Il me faut vingt-quatre heures, les mecs, geignit Randy. Il nous faut un jour de plus pour rassembler nos merdes.

Vida sourit malgré elle. Cette expression — très à la mode dans le Mouvement ces derniers temps — lui rappelait les bousiers noirs et brillants s'activant sur les sentiers de montagne à charrier inlassablement leur provision de crottes de bique parmi les pierres des collines crétoises.

— ... et alors on pourra la boucler et passer à l'action, finissait de dire Kevin, en se frottant les mains avec bonne humeur. Hé, Vida, on va baiser à la maison ?

Son idée était non pas de rentrer précipitamment avant Lohania et

Kevin et de bondir au plumard, mais plutôt d'asticoter Randy à son point le plus sensible. Randy crevait d'envie de coucher avec Lohania, mais, faute de mieux, se serait contenté de Vida.

Il fallait « dégager » un à un, en prenant soin d'espacer les départs ; Vida sortit la première, pour aller faire le dîner. De retour à la maison, elle mit le rôti de veau à rissoler dans un poêlon et chercha des oignons. Mais les tiroirs ne contenaient plus que quelques vieilles pelures desséchées. Personne ne faisait donc jamais les courses ? Ils allaient être de sept à douze à table, ce soir-là ; mais, ça, ils s'en fichaient. C'était horripilant ! Cependant, elle contint sa mauvaise humeur, comme elle prenait l'habitude de le faire. Ils ne mourraient pas de faim ; mais les oignons étaient indispensables à la cuisson d'un rôti de veau. Et elle était affamée. Debout depuis 6 heures du matin pour distribuer des tracts aux comités du Mouvement partout en ville, elle n'avait pas déjeuné. L'odeur du veau la faisait saliver et son estomac gargouillait. Elle mit le rôti à cuire avec un fond de gros rouge et courut presque chez Natalie, pour lui emprunter des oignons : son ménage était beaucoup mieux organisé que le sien et Natalie aurait certainement eu le temps de faire des courses. Elle frappa. Natalie répondit à travers la porte :

— Daniel ? Si c'est toi, tu es en avance. Je t'avais dit que la réunion durerait jusqu'à quatre heures. Descends boire un café ou va voir s'il y a du monde chez Vida.

— J'en viens, il n'y a personne. Tu es en réunion, Natty ? demanda Vida.

Natalie ouvrit :

— Salut. On finit à l'instant. Je ne veux pas de Daniel pendant les réunions. Il adore débarquer au beau milieu d'une discussion féministe. Ça le rend fou de penser qu'il existe des choses qui échappent à son contrôle.

— Tu le laisses toujours à la porte ? Et Sam, tu le flanques dehors, lui aussi ?

— Je le ferais, si Sam se comportait comme son père : « Tiens, tiens, ces dames sont là ? Alors, comme ça, je ne peux pas rester ? On ne veut pas de moi parce que je suis un bonhomme ? »

Pourquoi faire semblant de ne pas comprendre ? Daniel prenait des airs condescendants avec elle tout aussi bien. Il feignait de croire que tout ce qu'elle pourrait dire sur le plan politique ne serait jamais aussi intéressant que ce que *lui* aurait à raconter et que, s'ils n'étaient pas d'accord, cela prouvait seulement que la finesse de son raisonnement masculin lui échappait. Pourtant, ce groupe de femmes assises sur le vieux divan rouge, sur les fauteuils à bascule et sur le sol la mettaient mal à l'aise. Elles la dévisageaient, puis détournaient poliment les yeux pour se regarder entre elles sauf une ou deux qui continuaient à la détailler. Que leur disait Natalie à son sujet ?

230

Jugeaient-elles toutes que Vida eût mieux fait de travailler avec elles que de s'occuper du Petit Wagon Rouge ? Elle reconnut soudain celle qui continuait à l'observer — une femme épaisse, courtaude : Jan, qui avait appartenu au comité directeur new-yorkais du Mouvement, à l'époque où elle était avec Oscar. On disait que Jan avait mal réagi à la rupture, quand Oscar l'avait plaquée. Vida ne l'avait revue qu'aux manifs, depuis. Et l'autre, là, c'était celle dont Lohania disait que, avec Brenda, elle faisait la paire — « les jumelles Chewing-gum ». Elle était assise par terre, avec dix kilos de plus, des cheveux noirs à la racine et surtout un air aimable à vous glacer le sang, dans son treillis de l'armée. Jan va me parler d'Oscar, songea-t-elle, ou essayer. Sa propre colère vis-à-vis d'Oscar était d'ordre strictement politique ; il ne s'agissait pas de confondre le dégoût qu'elle ressentait à l'égard de son schactmanisme et la détresse de cette femme délaissée. Oscar avait été éjecté du comité et léchait ses blessures à C.W. Post où Daniel, qui soutenait son opposition aux nouvelles directives de violence, lui avait obtenu un boulot d'enseignant.

— Ne vous dérangez pas, je peux repasser, dit nerveusement Vida. Je passais comme ça...

Elle ne voulait surtout pas avouer devant ces femmes qu'elle était venue chercher quelques oignons. Ces féministes en auraient conclu que Vida était en régression totale, si elle en venait à faire la cuisine, alors que Vida et Lohania détestaient les spaghetti en boîte et étaient les deux seules à savoir faire cuire quelque chose.

— Il est quatre heures, dit Natalie. Si nous n'observons pas les horaires, nous n'en finirons jamais.

Jan se leva :

— Avis à toutes celles que cela intéresse ! Je dispose d'un atelier d'imprimerie, à partir de demain soir, pour qui veut apprendre le métier. Nous avons une presse au Centre. Une petite polycopieuse ; mais regardez nos tracts sur le viol et vous serez étonnées de voir ce dont nous sommes capables...

Une imprimerie de plus — juste ce dont le Mouvement avait besoin. Le Mouvement en possédait déjà une, excellente. Ce qui lui rappela qu'il y avait eu des incidents entre un groupe féministe et les imprimeurs, à propos d'un texte qu'elles voulaient faire imprimer et que les imprimeurs, tous des hommes, avaient refusé de composer et de tirer. Jan poursuivait :

— Cette initiation peut être très amusante. On peut imprimer en même temps son papier à lettres et donc apprendre aussi la mise en page !

Et voilà ! Pendant que, eux, ils affrontaient les flics, les gaz lacrymogènes et les baïonnettes, ces dingues faisaient du design de papier à lettres !... Comme Jan se retirait avec le groupe, Vida tourna le dos et feuilleta les tracts antiviol. Quel étrange sujet! Bientôt, ce serait contre les rages de dents et les vols de sacs à main.

— A quoi rime toute cette paperasse ? demanda-t-elle à Natalie, comme la dernière féministe s'en allait sans se presser.

— A la faveur de nos réunions, nous avons découvert que la moitié d'entre nous ont été violées. Tu comprends, quand les femmes commencent à parler entre elles, tous les tabous tombent. Contente de te voir, ma choute, dit Natalie en l'embrassant.

— Qu'est-ce que tu me chantes ? La moitié des femmes de vos groupes ? Tu as hérité des cinglées de naissance ?

— Tu n'ignores pas que le viol est un crime très répandu ?

— Très répandu ? Et le meurtre, alors ? En tout cas, au Vietnam, je t'assure que le meurtre est chose courante !

Natalie se frotta les yeux avec lassitude.

— Et toi ? Tu l'as bien été, violée, toi.

— Moi, violée ?

Elle se mit à marcher prudemment de long en large. L'appartement de Natalie n'était pas un endroit où l'on pouvait se mouvoir nerveusement, ni passionnément, sans se retrouver les quatre fers en l'air, avec un jouet sous le derrière et deux mioches hurlant que vous veniez de casser Jérémie... Natalie s'assit à la table de la salle à manger en soupirant.

— Tu as oublié Vasos ? Il te violait régulièrement.

— Oh, ça ?

Elle se revit clouée au lit sous le poids de Vasos et incapable de protester, parce qu'il est humiliant de crier non, non ! lorsque votre époux légitime exerce ses droits conjugaux. Quand il la prenait, c'était douloureux ; elle avait l'impression d'être déchirée. Avec un peu de chance, ça ne traînait pas ; sinon, il redoublait ses assauts, chaque coup de boutoir la brûlant à vif. Ensuite, elle avait mal en faisant pipi et toute la nuit... Vida s'assit en face de sa sœur.

— Ce n'est pas du viol quand tu connais le mec, dit-elle.

— Et quand tu connais ton assassin, ce n'est plus de l'assassinat, alors ? Même chose pour un voleur, etc.

— Vasos n'avait ni revolver, ni couteau.

— Tu crois qu'il avait besoin de ça ?

— J'aurais pu me débattre encore plus fort. Je résistais tant que je pouvais et puis je capitulais.

— Pourquoi n'as-tu pas essayé de le tuer ?

Elle se tortilla sur sa chaise. C'était une époque qu'elle aurait voulu enfouir au fond de l'oubli, ces mois avant qu'elle réussisse à s'enfuir.

— Vasos répétait tout le temps : « C'est mon droit. » Il était beaucoup plus costaud que moi. Rien que sous le poids il m'écrasait. Et c'étaient *sa* maison, *sa* famille, *ses* parents dans la pièce à côté, *ses*

232

frères au bout du couloir, *son* pays, *sa* langue, *ses* tribunaux, même *ses* lois !

— C'est la règle, non ? dit Natalie en lui versant de l'infusion de menthe et en poussant la tasse du poignet. Moi, j'ai bien été violée à l'université, tu ne te rappelles pas ?

— Violée, toi ?

Oui, elle se souvenait maintenant de Natalie rentrant, le chemisier déchiré, et prenant soin de ne pas ouvrir son manteau avant d'être dans la chambre qu'elles partageaient au dortoir. Elle s'était assise sur le bord du lit, comme hébétée, incapable même de pleurer, pendant des heures.

— Ce type, tu veux dire ?

— Est-ce que tu te rends compte de ce que ce type m'a fait, sous prétexte qu'il était noir, et moi, blanche ? Et moi, pauvre idiote, qui me figurais que tout était ma faute. On était sortis ensemble pour la première fois. (Natalie pinça son nez retroussé et le tordit un peu.) A l'époque, une fille « bien » ne s'attendait pas à des ennuis avec un homme, quand ils sortaient tous les deux pour la première fois.

— Ça ne t'a pas un peu l'air d'un cliché raciste, non : un Noir viole une Blanche ?

— La plupart des viols sont perpétrés entre individus de même race. En général, les Blancs violent des Blanches...

— Pour l'amour du Ciel, Natty, j'espère que tu ne te balades pas dans tes groupes féministes en racontant que tu as été violée par un Noir ! Ce type devait probablement se sentir affreusement opprimé. C'est aussi ignoble que de rabaisser les Noirs parce que le taux de criminalité est élevé dans leurs ghettos.

— Quand un homme viole une femme, il ne le fait pas pour nourrir une famille affamée. Ce mec m'a dit : « Pourquoi une Blanche sortirait-elle avec un Noir, sinon pour se faire sauter ? » Je lui ai répondu : « Je sors avec toi, parce que j'ai aimé la façon dont tu t'es exprimé à la réunion. »

— Natalie, mets ça au froid et n'y pense plus. Tu veux qu'on te prenne pour une belle du Sud en flagrant délit de racisme ?

— Ecoute-moi bien, Davida, dit Natalie en lui prenant la main. (Ses yeux étaient rouges et elle semblait au bord des larmes.) Je me suis fait botter le cul aussi souvent que toi pour la défense des droits de l'homme et je ne suis pas raciste. Mais je refuse de continuer à mentir sur des choses que j'ai vécues. Ça, zéro.

Si Kevin avait entendu Natalie, il l'eût traitée de fasciste. Vida frémissait à l'idée de Natalie se répandant dans tout New York en racontant qu'elle avait été violée par un Noir.

— Il y a des années de ça ; c'est de l'histoire ancienne.

— Peut-être, mais nous nous sommes interdit d'en parler, toutes les deux.

Natalie lâcha la main de Vida et recommença à faire tourner sans fin son alliance autour de son doigt. Elle était réellement en colère, remarqua à la longue Vida. Peut-être lui avait-elle fait du mal en l'empêchant de s'exprimer ? Dans ce cas, elle allait certainement le payer maintenant. Elle se voyait déjà en train de lui ré-expliquer toute l'idéologie du Mouvement et de lui demander comment elle allait pouvoir rationaliser une aventure aussi... embarrassante.

— Tu as vraiment eu très peur ? lui demanda-t-elle lentement. Tu te méfies des hommes depuis ? Tu ne prends pas de risques comme moi ?

— Non, dit Natalie en se ressaisissant. Franchement, ça n'en vaut pas le coup.

— D'être très proche de quelqu'un ?

— J'ai suffisamment de gens à aimer, à ma façon.

Vida se demanda si Jimmy faisait partie du lot. Elle venait de repérer sa casquette de mécano sur le radiateur. Jimmy aimait à s'habiller en prolo, par exemple en blancs de peintre en bâtiment et en chemise de flanelle. Jimmy avait été amoureux de Vida pendant tout 69, où ils avaient essayé deux fois de faire l'amour, sans que Jimmy y parvînt. A présent, Jimmy vivait un amour plus heureux avec Natalie (en cas d'échec, essayez l'autre sœur) ; mais Vida doutait qu'ils couchent ensemble. Après tout, Natalie était restée fidèle à Daniel à travers les années, et cette fidélité épargnait peut-être à Jimmy l'inquiétude de savoir s'il pouvait ou non. En temps ordinaire, elle aurait posé franchement la question à Natalie ; mais elles s'entendaient plus mal que jamais en ce moment ; et puis Vida jugeait indigne d'elle de fouiner dans la vie d'un ex-amant comme de reconnaître qu'elle ignorait tout de la vie privée des membres de son collectif. Elle aurait dû faire cadeau de Jimmy à Natalie de gaieté de cœur, puisqu'elle ne l'aimait pas plus qu'un ami ou qu'un jeune chiot. Pauvre Jimmy ! Il avait l'adoration trop facile pour être apprécié à sa juste valeur. Elle se força à penser à autre chose :

— Si tu te fermes, tu exclus les autres et tu ne t'enrichiras plus jamais.

— Je ne me ferme pas, ne me coupe pas des autres, Allons donc ! Je suis très proche de la plupart des femmes de mon groupe, et ça d'une façon tout à fait nouvelle.

En un éclair, Vida revit le cercle de femmes assises sur le plancher, serrées les unes contre les autres :

— Quand on appartient à un groupe, c'est toujours comme ça. On lutte ensemble avec le sentiment d'être unies. On dit *nous*. (Exactement comme elle avec son Petit Wagon Rouge.) Seulement, tes deux enfants t'ont empêchée de faire vraiment copains-copines avec les gens qui travaillent avec toi.

— C'est différent ; ces gens-là ne me punissent pas sous prétexte que j'ai des gosses. Quand je prends la parole, ils n'ont pas les yeux braqués sur mes seins. Ils ne me tournent pas le dos en voyant que je porte une alliance et que j'ai deux gosses. Et quand je m'exprime, ils ne me traitent pas d'hystérique.

Hystérique...

— D'accord, Natty, le viol est une forme d'agression vécue par certaines femmes...

— Tu te rappelles le jour où Brenda s'est fait violer dans son vestibule par un type armé d'un couteau ? Eh bien ! il a suffi de prouver devant le tribunal qu'elle était du Mouvement et la petite amie de Bob Rossi...

— Peut-être, mais ça ne donne pas au viol un caractère politique.

— Comment ? La terreur exercée par une moitié de la population sur l'autre n'a rien à voir avec la politique ? Cite-moi quelque chose de plus politique que la contrainte ?

Natalie se balançait sur sa chaise, la tête penchée de côté, et la regardait. Vida la sentit soudain lasse de cette conversation ; elle venait de passer un long après-midi tendu avec son groupe et n'avait plus envie de discuter :

— Tu as maigri. A quoi riment toutes vos dingueries de secrets ? Nous ne prenons plus jamais de repas ensemble. Je te vois à peine.

— Au fait, prête-moi quelques oignons ; il faut que j'aille mettre le dîner en route.

— Sers-toi ; il y en a de pendus dans un filet, à la cuisine... Ça marche avec Leigh, en ce moment ? Je ne vous vois plus jamais ensemble ; tu es toujours avec Kevin, et il est rare que je passe un moment avec Lohania : elle me fait la tête.

— Désaccord politique, dit Vida. Tu le sais bien. Entre Leigh et moi, entre toi et moi, entre Lohania et toi.

— Mais pas entre Lohania et toi, ni entre Kevin et toi ?

— Nous sommes des marxistes-léninistes.

— Depuis quand ? Et pour quelle raison, ma choute ? A quoi sert d'être léniniste dans les Etats-Unis de 70 ? Tous ceux qui ont fait une révolution ont enfreint les règles en étant totalement de leur époque et de leur pays.

— Exceptionnalisme ! Les Etats-Unis sont un cas si différent, si spécial que nous ne pouvons pas nous abaisser à tirer la leçon de ce qui a réussi en Chine ou à Cuba. C'est ça ?

— Ce n'est pas Lénine qui a réussi en Chine ni à Cuba.

— Ce n'est pas l'avis des Chinois, ni celui des Cubains. Ils disent : « Lisez bien Marx et Lénine ! » (Elle sentit qu'elle s'emportait. Natty n'était pas sérieuse.)

— La révolution américaine doit résulter d'une situation américaine, dit Natalie. Tu me suis ? Elle ne ressemblera à aucune autre révolution. Tu te moquais des groupuscules qui récitaient leur petit livre rouge, de Bob Rossi qui se tournait vers les paysans pour prendre la tête du combat...

— Je suis plus engagée qu'avant.

— Non. Tu es simplement plus désespérée. (Natalie se pencha et lui prit la main.) Allons, ne nous disputons pas. Qu'est-ce qui cloche entre Leigh et toi ?

— Ecoute, Natty, Leigh et moi nous ne formons pas un couple comme Daniel et toi. Quand Leigh et moi nous sommes proches, c'est parce que nous nous sentons proches. Pour le moment, nous ne sommes pas d'accord politiquement. (Elle dégagea sa main.) Leigh n'est pas le centre de ma vie, ma relation avec lui n'est pas une carrière. Tu devrais le comprendre, en tant que femme. Donner à Leigh le sentiment qu'il est heureux et qu'il est amoureux de moi n'est pas ma mission en ce monde. Oké ?

— Oké, Vida. Tu as mille fois raison, je suis trop bourgeoise, tout le monde le dit. Mais enfin, Leigh et toi, vous vous aimez vraiment et tu es malheureuse quand vous êtes en bagarre. Tu as l'air lessivée. Tu ne prends pas soin de toi. Tu dors deux heures par nuit.

— Erreur. Je suis plus solide que jamais. Mon opinion est que les femmes ne résoudront pas le problème du viol en restant assises sur leur derrière à larmoyer en chœur. Soyons fortes dans nos actes. Armons-nous, et personne ne nous violera plus.

Natalie s'adossa à la chaise en faisant la grimace :

— Ben, voyons ! Baladons-nous dans Broadway avec un pistolet automatique ! Cachons une grenade sous notre chemise de nuit !

— Je te répète que si nous sommes fortes dans nos actes, les hommes ne s'aviseront plus de nous tyranniser. Tout est dans le rapport de forces.

Elle se leva brusquement et alla chercher les oignons dans la cuisine.

— Les Noirs ont toujours été forts, Vida, physiquement. Les femmes noires travaillaient aux champs quinze heures d'affilée, et les hommes les violaient !

— Parce qu'elles n'avaient pas d'armes ! (Elle prit les oignons et sortit par la porte de la cuisine en criant :) Les esclaves n'ont jamais d'armes !

En courant dans l'escalier de service, elle croisa Jimmy, un bouquet de jonquilles à la main. En la voyant, gêné, il se figea sur un pied.

— C'est pour Natalie, hein ? Elle va être ravie, dit-elle.

— Je sais que c'est bourgeois, dit Jimmy en se dandinant sur un pied, comme un héron qui aurait des ulcères. Pas un mot aux autres, là-haut, d'accord ?

— Promis. Elles sont belles et les petits bourgeois de chez nous s'offrent rarement des fleurs entre eux.

— J'ai pensé que ça lui remonterait le moral et qu'elle en aurait besoin.

Elle l'observa attentivement. Il était exactement de sa taille et sans doute ne pesait-il pas plus lourd qu'elle.

— Pourquoi lui remonter le moral ?

— A cause de Daniel. Et tout.

Elle étendit le bras pour lui barrer le passage.

— Explique-toi.

— Elle ne t'a rien dit ?

— Non. Nous nous sommes disputées à propos des priorités. (Elle lui prit le menton et l'obligea gentiment à la regarder de ses yeux bruns, cachés derrière les lunettes d'aviateur.) Ses idées politiques commencent à m'inquiéter, Jimmy. Il va falloir la reprendre en main. Vas-y, avoue, elle m'a caché quelque chose. Quoi ?

— C'est-à-dire que... enfin... Daniel a eu une liaison avec une étudiante.

— J'imagine que ce n'est pas la première fois ?

— Non, mais, avant, c'était en passant... des parties de jambes en l'air, quoi, dit Jimmy, gauchement. (L'argot sexuel ne lui venait pas facilement à la bouche. Il était bien le seul à prononcer le mot « baiser » du bout des lèvres, quand par hasard, il osait.) Cette fois, c'est sérieux. Daniel raconte qu'il est amoureux.

— Et Natalie ? Elle aime bien la fille ? Elle a du chagrin ?

— Oui, dit Jimmy, l'air malheureux. Mais personne ne lui remonte le moral. Saloperie de monogamie !

Elle ressentit un léger pincement de jalousie en apprenant que Natalie s'était confiée à Jimmy et pas à elle. Sans doute craignait-elle que Vida ne prît le parti de Daniel et ne lui conseillât le divorce. C'était vrai qu'elle était convaincue que sa sœur eût été beaucoup plus heureuse sans son mari, qui freinait son évolution politique. C'était un libéral à la gomme, un socialiste du dimanche qui serinait qu'on se coupait des masses en adoptant une ligne trop à gauche, sans jamais rien faire lui-même pour les masses. Daniel et Oscar ! Qu'ils aillent camper sur la plage de Long Island et endoctriner les mouettes : elles leur chieraient sur la tête. Ces gars-là divaguaient. L'histoire allait trop vite pour les universitaires.

Dès l'instant où elle pénétra dans l'appartement, elle sentit la présence de Kevin. Elle eût été incapable de dire comment. Mais l'accord de leurs longueurs d'ondes était total, ou en tout cas *elle* était en osmose avec lui. Elle hacha les oignons et les fit revenir en feignant d'ignorer qu'il l'attendait. La chambre de Lohania, à côté de la cuisine, était fermée, mais elle entendait parler à l'intérieur. Elle ajouta pour finir une feuille de laurier, du thym et remit le rôti au four. Puis elle gagna sa chambre, sans se presser. L'appartement était un véritable foutoir. Elle se força à ne pas voir les sacs de couchage qui jonchaient le living-room, les piles de tracts, les pots de peinture, les stencils, les serviettes de toilette qui moisissaient et les cendriers pleins à ras bord. Puisque l'appartement devait servir de caserne, plus ou moins, elle finissait par comprendre que la disciplina militaire s'imposât : si seulement on avait pu l'appliquer au groupe et que chacun de ces foutus troufions eût nettoyé son coin ! Elle n'avait même pas la moindre idée du nombre de gens vivant chez elle cette semaine-là ; cela variait sans cesse et de nouveaux campeurs poussaient dans la nuit comme des champignons ; on écrasait leurs ronflements en se levant le matin. Kevin, Jimmy, Leigh, Lohania et Vida habitaient là, bien que Lohania ne lâchât ni son boulot ni sa piaule dans le New Jersey. Leigh était le seul à avoir une chambre à lui. Le jour où les « invités » avaient commencé à lui emprunter son matériel, à lui piquer ses bandes et ses magnétos, il avait accroché un écriteau à la porte, après l'avoir cadenassée, en prévenant les pillards : le premier qui essaierait de crocheter sa porte ou de forcer le cadenas passerait par la fenêtre. Maintenant, la chambre où continuait à coucher Lohania était transformée en laboratoire, également cadenassée ; mais chaque membre du Petit Wagon Rouge avait la clé, sauf Leigh. Jimmy y dormait souvent sous l'établi qu'il avait construit. En ce moment même, une boîte de détonateurs électriques était cachée dans le laboratoire. Kevin et Lohania l'avaient volée sur un chantier de construction de Newark. S'y trouvaient également plusieurs échantillons de mouvements d'horlogerie, des fils électriques et des batteries. Ne manquait plus que, oui, la dynamite. Miraculeusement, le loyer était payé chaque mois, sans qu'elle sût très bien comment, Lohania et Leigh étaient les seuls à avoir un travail régulier. Les autres vivaient de la générosité de leurs amis et de dons. Personne n'avait le loisir de garder un boulot régulier.

Kevin était nu, assis sous le drap remonté jusqu'à la taille. Il fumait un joint.

— Où étais-tu, bon Dieu ?

— Descendue chercher des oignons pour mettre le rôti au four.

— Ne me fais pas le coup de la bonne ménagère, garde ça pour Micro. (C'était le nouveau surnom qu'il avait attribué à Leigh.) Je boufferai une boîte de haricots. Pour le moment, j'ai envie de bouffer une chatte. Déshabille-toi.

— Où est Lohania ?

— Dans sa carrée.

— Je sais, j'ai entendu parler. Avec qui est-elle ?

— Dolpho. (Kevin sourit.) A poil, j'ai dit.

En se déshabillant lentement, elle dit :

— Avec Randy ? Comment ça se fait ?

— Par-devant, je suppose... Hé, t'as pas de soutien-gorge ! Terrible ! Il me semblait bien. Quand tu es entrée, j'ai pensé que c'était ça.

— Pourquoi est-ce que Randy est dans sa chambre ?

Elle n'aimait pas cela. Lohania n'avait aucune envie de coucher avec Randy. Elle avait rarement envie de faire l'amour, même avec Kevin ou Leigh. L'automne précédent, quand Lohania s'était aperçue qu'elle était enceinte malgré son diaphragme, elles avaient pris toutes les deux l'avion pour Porto-Rico où devait se faire l'avortement. Porto-Rico avait beaucoup frappé Lohania — la misère, la détérioration du pays et des gens — mais elle avait été folle de joie de se trouver dans un endroit où tout le monde, hormis les touristes et les richards, parlait l'espagnol. Elle conservait de vieux souvenirs de Cuba, et le paysage était à la fois le même et différent, oui, le même et différent...

Un an après s'être mariée avec Leigh, Vida s'était retrouvée enceinte. Leigh était violemment contre cet enfant. Elle hésitait : son boulot n'était pas une carrière, elle militait, mais sans être dévorée par la flamme. C'était avant son entrée au Comité directeur ; simple militante seulement, elle se sentait un peu en porte à faux dans le Mouvement, à la fois retranchée de sa vie d'étudiante et attirée par cette organisation antiguerre, la plus active de toutes et celle dont l'essor était le plus rapide. Elle n'était pas loin de penser qu'elle devait cet enfant à Ruby, qui était plusieurs fois grand-mère, mais radotait des gosses. Son avortement avait été l'habituel boulot illégal et vite fait dans l'officine d'un toubib : sans anesthésie, sans aucun recours quand les douleurs et les saignements avaient commencé. Mais elle avait supporté cela avec stoïcisme en ne manquant qu'une seule journée de bureau. (« Désolée, j'ai une rage de dents, il faut que j'aille chez le dentiste. ») Leigh, qui l'avait accompagnée et attendue, avait fait de son mieux pour la réconforter cette nuit-là, pendant qu'elle pleurait, autant de douleur que de tristesse à cause de la froide cruauté, du côté furtif de la chose.

L'avortement de Lohania s'était révélé beaucoup plus difficile, avec des séquelles plus pénibles et plus longues. Elle avait mal en faisant l'amour et, même quand elle ne souffrait pas, elle n'éprouvait aucun plaisir. Elle n'avait pas envie qu'on la touche. Elle ruminait la blessure que la sonde avait infligée à son corps et la souffrance morale que lui avait valu l'intervention pendant laquelle on avait retiré la sonde et l'embryon pris dedans, l'enfant qui ne serait jamais parvenu à terme. Elle refusait de prendre la pilule ; elle disait que le diaphragme lui faisait mal et laissait le soin à Kevin et à Leigh de mettre un préservatif. Vida et Natalie s'étaient d'ailleurs disputées à ce propos. Vida pensait que, en agissant ainsi, Lohania exprimait son refus du contact, qu'elle tenait à sentir cet isolement de la capote entre sa chair et le pénis. Natalie rejetait cette interprétation en affirmant que la pilule provoquait la formation de caillots de sang ; les spermicides, le cancer, et la sonde, des lésions internes —

pourquoi Lohania ne laisse-t-elle pas aux hommes le souci de veiller à la contraception ? Natalie prenait parti pour Lohania.

Son désintérêt sexuel avait réchauffé les rapports entre Kevin et Vida ; mais celle-ci, tout en s'y abandonnant à corps perdu, regrettait la défection de Lohania. Elle se sentait à la merci de Kevin, de son énergie, de son dynamisme, de sa fureur, de son pouvoir. Elle connaissait Kevin comme force à l'état pur. En ce moment, il l'appelait impérativement et elle se livrait à une action de retardement.

— Explique-moi ce que Lohania fricote avec Randy.

— On lui en a foutu plein les bras. C'est le mec qui bosse le plus de tout le groupe ; il a dégoté les plans ; il nous a appris à nous servir des explosifs ; il va nous trouver de la dynamite ; à lui seul il prend la moitié des risques et, nous, on se pavane sous son nez. Il faut partager.

— On partage déjà la bouffe, le fric et le risque. Mais Lohania n'est pas un objet, surtout de consommation. Personne ne t'empêche de lui donner ton cul, s'il en a tant besoin que ça.

— Après ton départ, on s'est engueulés à cause de ça. Lohania a accepté.

— Pour le martyre ? Pour humilier son corps ? (Nue, elle marchait de long en large, les bras croisés sur la poitrine.)

— Randy est un mec formidable ; tu devrais avoir envie d'être gentille avec lui.

— Toi aussi, Kevin. Qu'attends-tu pour te mettre à genoux et le sucer ?

Kevin sourit, nullement offensé.

— Viens ici, motte de carotte ; j'aime que tu répondes. Amène-toi, que je t'en bouche un coin.

Il l'attira sur le lit, lui écarta brutalement les jambes et lui fourra sa tête chevelue entre les cuisses. Ses lèvres et sa langue étaient douces, et elle soupira. Mais son esprit restait de glace ; elle pensait à Lohania. Elle n'avait aucune envie d'être au lit avec Kevin ; elle voulait empêcher Randy de faire du chantage à Lohania pour la forcer à coucher avec lui. Et dire que cela se passait à côté de sa cuisine ! Elle avait le devoir de mieux protéger Lohania. Elles avaient été trop farouchement proches l'une de l'autre à Porto-Rico. Comme les effets de l'anesthésie se dissipaient, elle avait tendrement tenu la main fine et brune de Lohania dans la sienne avec ses longs doigts élégants aux ongles argentés. Lohania était la seule femme du Mouvement, à New York, qui portât du vernis à ongles. Si elle avait eu la peau moins mate, jamais on ne le lui eût passé. Sur sa coiffeuse s'alignait une rangée de flacons : Blue-Jean Baby, Shanghai Express, Fruits de la Passion et Café au Lay.

— Allez, Davey, suce-moi et, si tu es gentille, je te fourrerai.

Elle détestait la façon dont il lui parlait, au lit. Son vocabulaire la mettait hors d'elle en lui prouvant le degré de sa soumission. L'amertume de l'humiliation ne faisait qu'accroître son sentiment de se perdre en lui. C'était comme s'il lui avait dit : « Je suis une brute, une ordure, c'est moi qui ai le pouvoir et je suis assez fort pour t'obliger à l'admettre. » Il était tragiquement beau, allongé ainsi sur le dos, un grand sourire aux lèvres, tous les longs méplats maigres et musclés de son corps d'une minceur et d'un dessin parfaits, son phallus dressé dominant la forêt blonde du pubis si pareille à la dure prairie de sa barbe. Il n'était pas circoncis et ce prépuce la fascinait. Il était le premier homme non circoncis avec lequel elle couchât, bien que son propre père ne le fût pas non plus. Cela lui rappelait une dispute entre Tom et Ruby, dont le sujet était de savoir si Tom se lavait suffisamment ou insuffisamment la queue et si c'était ou non à cause de ça qu'il avait collé une infection à Ruby. Les murs de la maison étaient aussi minces que du papier hygiénique.

L'homme non circoncis était doublement non juif. Dans sa vie, elle était passée du juif au goy et retour, exactement comme Ruby. A présent, elle était follement amoureuse de Kevin : pendue à lui comme à un long crochet lui transperçant le sein. Quand il la touchait, elle prenait feu. Elle ne pouvait pas séparer la soif brutale et douloureuse qu'elle avait de lui, de son désespoir, de la guerre qui faisait rage en eux et dehors autour d'eux. Ils étaient compagnons d'armes. Entre eux, peu de tendresse, encore moins de douceur, pas de badinage. Pas moyen de tisser la trame de ces petits plaisirs domestiques et de ces rites qui avaient caractérisé pour beaucoup son amour de Leigh, cet amour, dont elle avait parfois la sensation terrifiante qu'il était mort. On eût dit que Kevin, comme une lame acérée, s'était littéralement glissé entre eux, l'empêchant de sentir encore Leigh. Ils se querellaient trop souvent.

Lorsque Kevin la pénétrait brutalement et se déchaînait en elle, elle s'arrêtait de penser pour ne plus sentir que son poids, sa violence, son désir, son plaisir. Quand elle jouissait, c'était plus émotif que physique : elle avait envie de pleurer. Depuis que Lohania avait cessé de coucher avec lui plus d'une fois par semaine ou à peu près, ils faisaient l'amour une fois par jour, parfois deux. Elle avait souvent mal à cause de lui, et pourtant elle ne pouvait résister. Le contact de Kevin l'excitait, même quand elle savait qu'elle ne jouirait pas ou n'en avait pas envie. C'est la réalité, songeait-elle sous lui. Le sens de l'inévitable la convainquait.

Après l'amour, ils restèrent étendus, vidés et trempés de sueur. Les fenêtres étaient ouvertes et l'écho de la circulation à la chaîne dans Broadway rugissait tristement dans la chambre. Les rideaux pendaient, sales et inertes. La journée était presque torride. Elle était lourde des menaces d'un été long et brûlant, puant le goudron et les gaz lacrymogènes. De fatigue, elle se coula presque dans un demi-sommeil. Kevin fumait, secouant la cendre sur les draps. Il ne se rendait même pas compte du gâchis. Rien de commun avec Leigh, le maniaque en tout, qui remarquait le moindre faux pli. Naguère, elle avait admiré ce souci du détail ; à présent, il lui paraissait soudain mesquin et harassant. Qu'importait ! Le je-m'en-foutisme, le beau mépris rageur et tranchant de Kevin faisait paraître Leigh comme un bourgeois soumis... Elle somnola contre ce corps, avec la sensation du long bras musclé passé autour d'elle. Le profil maigre de Kevin se découpait sur la fenêtre, parfaitement décontracté, soufflant des ronds de fumée au plafond où la peinture rouge foncé suivait un tracé dingue, souvenir d'un après-midi où Kevin, soudain furieux, avait lancé les jets de peinture n'importe comment, pistolet à la hanche, en criant : « Je l'emmerde, ta saloperie de chambre ! D'abord, de quel droit occupes-tu tant d'espace ? C'est ma chambre autant que la tienne ! Finies les vies privées ! Finies les chambres à coucher et la propriété privée ! Nous sommes des soldats ! »

Une immense fatigue s'empara d'elle, telle une brume chaude inondant ses veines. Comme elle était fatiguée ! Elle était toujours si fatiguée... Et cette lassitude lui donnait un sentiment de culpabilité, si bien qu'elle se surmenait plus encore... Il lui fallait faire les valises. Il fallait qu'ils partent ! Un serpent de fumée se coula sous la porte, le living-room brûlait ! Les rideaux étaient en flammes. Vite, sauvons-nous, il ne faut pas que j'oublie de prendre nos affaires, sinon l'incendie va tout dévorer... Mais elle oubliait toujours quelque chose. Son manteau d'hiver, les bandes magnétiques et les cassettes de Leigh. Son Nagra le plus sophistiqué. La tapisserie crétoise. Et Mopsy ? Oh, mon Dieu, Mopsy... Sa culpabilité lui donna un tel choc qu'elle eut l'impression de recevoir un coup de pied dans le ventre. Ma Mopsy, comment vais-je te retrouver dans toute cette fumée ? Elle l'entendait aboyer.

Les murs s'écroulèrent sur elle. Elle suffoquait, les flammes lui mordaient les bras et le dos, les flammes lui brûlaient le visage et les yeux. Elle entendit ses cheveux crépiter et pourtant elle persistait à vouloir fourrer la nappe brodée de la mère de Leigh dans la valise pleine... Mopsy aboyait... Lohania entra, Mopsy sur les talons. Vida vécut une seconde de terreur ; il lui semblait encore voir les flammes noires et oranges dévorer la chambre.

— Frappe, mec, à moins que tu veuilles goûter à ma force de frappe, dit Kevin.

Lohania portait le peignoir bleu nuit que Vida lui avait offert lors de leur voyage à Porto-Rico. Randy avait enlevé sa chemise et trottinait pieds nus derrière elle. Vida contempla le plafond ; les traînées hachurées de peinture rouge sang l'irritaient. Puis elle s'assit sur son séant en drapant le drap autour de son épaule. Elle refusait de se montrer nue devant Randy.

— Ta mère est au téléphone, lui dit Lohania.

Vida refusait tout simplement de circuler en tenue d'Eve devant ce garçon. Elle arracha le drap en découvrant Kevin qui s'en fichait complètement et passa devant eux en marchant en crabe jusqu'au couloir.

— Allô, Ruby ? Comment vas-tu ?

Tout en parlant, Vida jeta un coup d'œil sur la pendule. Ruby téléphonait toujours à l'heure où le tarif des communications était le moins cher. Leigh devait donc être à l'antenne. Si elle allumait la radio après avoir parlé avec sa mère, Kevin serait furieux.

— Comment vas-tu, mon bébé ? demanda Ruby de sa voix forte et rapide.

— Très bien, Ruby, et toi ?

— Dis donc, je ne t'appelle pas pour faire des mondanités.

— Dommage, c'est amusant.

— Les agents du FBI sont revenus à la pharmacie. Ça fait du tort à Sandy, cette affaire-là. Tu le sais ? Alors ils me sortent : Votre fille vit dans une communauté hippie avec quatre hommes en plus de son mari. Vous le saviez ? Elle dit qu'elle est communiste. Et patati, et patata. Ils essaient de me faire peur et ils recommencent : « Ecoutez bien, Maman. Tu vois ça d'ici, un gars du FBI qui m'appelle Maman. Alors là, j'ai vu rouge. Ils ont un sacré culot ! Je ne suis pas assez vieille pour être ton infortunée mère, voilà ce que je lui ai lâché dans les dents. Alors il m'a répondu : « Vous êtes née en 1916 à Cleveland, Ohio, de parents émigrés qui sont arrivés sur cette terre de liberté en 1907. « Si c'est un crime, que je lui dis, allez-y, foutez-moi en taule.

— Ruby, ne parle pas avec ces gens-là. Ne corrobore pas leurs déclarations. Ne discute pas avec eux. Ne leur dis rien. C'est compris ?

— Moi, j'ai discuté avec eux ? Je préfère crever que de leur parler.

— Très bien, mais ne leur réponds pas derrière ta porte.

— Je te le dis, ils vont tuer ton pauvre père d'une crise cardiaque, à force de l'embêter à la pharmacie. Ce n'est pas bien.

Ruby disait toujours « pharmacie » au lieu de drugstore, elle trouvait que ça faisait plus chic.

— Ils sont aussi allés trouver ta sœur, ajouta Ruby.

Vida mit une seconde à comprendre que Ruby parlait de Sharon. Elle ne pensait jamais à Sharon comme à une parente, pourtant Sharon était la sœur cadette de Natalie.

— Elle m'a téléphoné ; elle en crachait de rage. Tu ne peux pas empêcher Vida et Natalie de faire leurs trucs ? qu'elle a dit. Ça fait du tort à la carrière de mon époux. Ce sont ses propres paroles.

Vida s'amusait à draper le drap autour d'elle comme une toge en s'admirant dans la porte en glaces du living-room. Un rayon de soleil pollué fit mouche sur la vitre et se prit dans ses cheveux.

— Et où sont-ils encore allés ?

— Voir Paul. A l'usine. Ces sales gens, c'est dégoûtant ce qu'ils font.

— Ecoute, Ruby, ça s'appelle du harcèlement, de l'intimidation. Téléphone à ton député et plains-toi à lui. Dis-lui que le FBI t'empoisonne l'existence avec les calomnies qu'il raconte sur ta fille, et les questions qu'on te pose.

— Mon député ? Il s'en fout pas mal.

— Peut-être, mais il est là pour ça. A part ça, comment va la famille ?

Elle écouta d'une oreille à la fois intéressée et distraite, heureuse d'entendre la voix de sa mère et, en même temps, se sentant un peu coupable de ressentir cette joie. Leigh était le seul à éprouver le même sentiment de tendresse envers sa famille que Natalie et elle envers Ruby.

— Alors, quand viens-tu me voir ? demanda Ruby.

— Maman, pour l'instant, ma vie ne m'appartient pas.

— Elle est à qui, ta vie ? A Ho Chi Minh ?

— Il est mort, et ne plaisante pas là-dessus. J'ai du travail ici. Dis à Nixon d'arrêter la guerre et je pourrai prendre des vacances et venir te voir.

— En tout cas, ça me fait plaisir de savoir que je représente des vacances et pas une corvée.

— Tu l'es, et j'ai envie de te donner un gros baiser.

— Est-ce que tu prends soin de toi ? Natalie m'a dit que tu te baladais en haillons. Que tu ne prenais pas de vitamines et que tu te nourrissais mal. Il paraît que tu veilles des nuits entières dans les réunions. Tout de même, est-ce que je ne t'ai pas appris à manger convenablement ?

— Natalie est une enquiquineuse. Franchement, Maman, tu n'entends pas que je suis en pleine forme ?

En raccrochant le téléphone, elle entendit une vive discussion. Elle ramassa ses vêtements sur le sol et fila dans la salle de bain adjacente en laissant la porte entrouverte pour écouter.

— J'exprime simplement mes doutes, disait Lohania sur un ton de défense.

— Alors, écrase-les comme des cafards. On n'a pas de temps à perdre, répliqua Kevin.

Vida enfila son pantalon et se précipita dans la chambre en remontant sa fermeture éclair. Elle aussi, elle avait des doutes, de grandes fosses à serpents qui grouillaient de doutes. Lohania tenait son peignoir serré autour d'elle en fronçant les sourcils, et disait :

244

— Je crois que nous sommes en train de renoncer à atteindre les gens. Oui, je sais, j'ai vu *La bataille d'Alger* aussi souvent que vous. Mais nous ne sommes pas dans une situation coloniale. Nous n'avons pas de Parti, nous agissons seuls.

Randy, rouge de colère, hurla :

— Pendant combien de temps tu veux courir dans les rues en bousculant les gens ? Tu nous prends pour des comédiens en tournée qui jouent *West Side Story ?* Vous dites que vous êtes en guerre. Alors, commencez par vous battre. Et pas à coups de slogans.

Vida s'en mêla : — Les slogans sont le seul moyen de faire passer ce que nous avons à dire. Ils remplacent une analyse de fond, intervint Vida.

— Ils remplacent une belle merde. L'idéologie est un fléau social. Si tu ne peux pas nuire à l'Etat, c'est comme si tu pissais dans un violon.

— Si les gens ne comprennent pas pourquoi ils agissent, ils ne savent plus où ils en sont, dit Vida. Je veux un Mouvement qui change la façon de penser des gens.

Kevin assis dans le lit, nu, princier, les écoutait se quereller avec un calme sourire. Il prêtait l'oreille, puis les rabrouait violemment jusqu'à ce qu'ils adoptent sa façon de penser.

— C'est ça ! vous donnez des cauchemars à Westmoreland, avec tous vos beaux discours ! Mais penser, ça ne coûte rien. Les pierres et les gourdins peuvent briser mes os, mais les mots ne me troueront jamais la peau. Vous, les gonzesses, tout ce qui vous intéresse c'est de fabriquer à la chaîne vos tracts à la noix que personne ne lit, sauf les mômes à l'université, dit Randy.

— Sans idéologie, l'homme sombre dans l'aventurisme. Sans idéologie, on ne vaut pas mieux qu'une équipe de démolition, dit Lohania.

La porte d'entrée claqua et ils se figèrent. Kevin roula du lit en un mouvement fluide et du même geste saisit sa chemise, sa drogue et se prépara à l'avaler. Jimmy fit irruption dans la chambre et ils poussèrent tous un soupir de soulagement.

— KKKevin, hoqueta Jimmy qui ne bégayait que lorsqu'il était extrêmement bouleversé.

Vida fut heureuse qu'ils se soient tous habillés. Elle ne voulait pas mettre sous le nez de Jimmy l'évidence de sa liaison avec Kevin.

— Salut, Jimmy, ça va ? dit-elle.

— La radio. On était tous en tr-train d'écouter Leigh à la radio...

— Le pied, les mémés ! Une secousse à la minute, dit Kevin en lui tournant le dos.

— Leigh a annoncé que que la garde nationale avait tiré sur un groupe d'étudiants, à Kent State. Tués net. La garde a tiré dans la foule.

— Où est Kent State? demanda Lohania.

— Dans l'Ohio, dit Vida. Le Mouvement a une section là-bas. Il s'agit simplement d'une école comme les autres.

— Une école pour les Blancs? demanda Lohania avec incrédulité.

— Je vous dis qu'ils ont tué des étudiants, répéta Jimmy. Deux garçons et deux filles. En pleine manif, là, sur le campus.

— Mon Dieu. (Kevin se leva lentement.) Ils nous assassinent au grand jour et en public maintenant.

Ils avaient des amis qui mouraient mystérieusement en prison : X s'est pendu dans sa cellule avec un bout de corde qu'elle a trouvé on ne sait où... Naturellement, il a tenté de s'évader en plein jour et au beau milieu de la cour de la prison, alors, évidemment, il a récolté quarante pruneaux dans le corps. D'autres avaient trouvé la mort dans des accidents de voiture en revenant du Canada, dans un wagon de métro qui emmenait les objecteurs de conscience et les déserteurs hors du pays ; ils mouraient dans des accidents où l'empreinte des pneus prouvait qu'on les avait forcés à sortir de la route. Mais, à sa connaissance, c'était la première fois que des étudiants de race blanche avaient été assassinés pour avoir protesté. Elle était horrifiée et pourtant, tout au fond d'elle-même, elle savait que c'était inévitable. Tout ce qu'ils avaient dit sur la furie répressive du gouvernement se révélait vrai. La guerre éclatait chez eux. Des larmes coulèrent sur son visage et elle croisa les bras sur sa poitrine.

— La guerre a éclaté dans notre pays, dit-elle, encore assommée par le choc de cette nouvelle.

Randy les dévisageait les uns après les autres, hochant la tête de contrariété et de chagrin.

— Vous avez des gueules de zombies. Qu'est-ce qui vous prend, vous ne connaissiez même pas ces gosses. D'ailleurs, on riposte, non ?

Kevin donna du poing dans le mur et le plâtre tomba en cascade. Lohania prit Jimmy par les épaules. Il tremblait. Vida alla se joindre à eux et ils se serrèrent les uns contre les autres. Meurtre officiel. Le gouvernement américain venait de tuer des étudiants non armés. Mais il était dans son bon droit, le gouvernement, et peut-être en tirait-il un certain plaisir.

Kevin s'éloigna du mur en titubant, le visage cramoisi, les yeux étincelants de colère.

— On va leur flanquer un LDV. On va leur foutre un LDV qui va leur faire mal.

Le LDV, c'était le sigle argotique pour désigner les manifestations de représailles qui avaient lieu le Lendemain de la Veille d'une nouvelle atrocité, d'une nouvelle escalade, d'une nouvelle arrestation, d'un nouveau traquenard, d'une nouvelle arme entrée en jeu.

Elle espérait que Leigh rentrerait dîner pour en savoir davantage.

— Tout le monde reste pour bouffer, leur dit-elle d'un ton sans réplique. Je vais servir.

— Désolé, mais il faut que je me tire, dit Randy.

— Comment ça, mec? Je croyais qu'on devait faire une descente dans le Bronx où les gars organisent des piquets de grève devant l'hosto? Histoire de s'agiter un peu, dit Kevin en lui envoyant une ombre de coup de poing dans le biceps.

— Mec, si nous voulons passer à l'action pour un lendemain de la veille, il faut que je me grouille : y a de la relance à faire. D'accord?

— T'as pas envie d'un peu de compagnie?

— Non, mec, pas pour ça. En fait, tu me gênerais plutôt.

Randy fit demi-tour en souriant, alla prendre son sac dans le couloir, puis il sortit. Kevin suivit Lohania dans sa chambre où elle s'habilla. Jimmy commença à mettre le couvert pendant que Vida concoctait un assortiment de légumes surgelés. Kevin s'appuya au chambranle de la petite chambre nette, peinte dans un blanc quasiment aveuglant avec des rechampis bleu foncé.

— Alors, Lulu, t'as baisé avec lui?

— Pourquoi le demander?

Lohania examina ses doigts parés de vernis cuivré. L'un de ses ongles étant écaillé, elle prit le bon flacon sans même hésiter dans le fatras sur son bureau et répara l'accident.

— Tu prétends que ça ne me regarde pas? Tout ça parce qu'on baise plus ensemble.

— Ferme-la, Kevin. (Elle lui tourna le dos en tirant sur la fermeture Eclair de son pantalon.) C'est toi, espèce de salaud, qui m'as dit de lui rendre service.

— C'est lui qui voulait coucher avec toi. Personne ne t'a forcée.

— Vous l'avez forcée tous les deux, alors foutez-lui la paix! hurla Vida. Arrêtez de lui tomber sur le dos!

— Je n'ai pas baisé avec lui, si vous voulez le savoir, répondit Lohania en se tortillant pour entrer dans son haut-brassière en leur tournant toujours le dos.

— Tiens! Et qu'est-ce que vous avez fait? Joué au docteur? Tu étais à poil.

Lohania passa rapidement son peigne afro dans ses cheveux :

— Je lui ai fait une pipe.

— Ah bon! (Kevin tambourina des doigts le chambranle.) Et lui, qu'est-ce qu'il t'a fait?

Jimmy entra et recula aussitôt avec une grimace gênée. Vida avait envie de s'enfuir, elle aussi. De se terrer dans sa chambre jusqu'à ce qu'ils aient fini de se déchirer mutuellement. Si seulement Lohania voulait bien renoncer à cette abstinence sexuelle... Kevin ne le supportait pas et devenait chaque semaine un peu plus féroce.

— Rien. Je n'en avais pas envie.

Lohania passa devant lui pour entrer dans la cuisine. Comme elle se faufilait dans l'encadrement de la porte, il la saisit par l'avant-bras. Ils se foudroyèrent du regard et il la relâcha.

— C'est ta faute! C'est toi qui lui as permis de te demander ça, jeta Lohania.

— Il est dingue de toi.

Reprenant son masque souriant, Kevin s'appuya nonchalamment sur le frigidaire, bloquant l'espace à Vida.

— Peut-être, mais moi je ne suis pas dingue de lui. J'étais folle de toi, mais je t'assure que ça me passe un peu tous les jours.

— Tu es frigide! C'est pas un cul que tu as, c'est du béton.

— Ça se peut, mais c'est mon béton. Est-ce qu'il y a du pain? J'aime beaucoup le pain avec le ragoût.

Lohania entra dans la cuisine et se réfugia près de Vida, lui souriant délibérément. Vida entendit la porte d'entrée s'ouvrir et appela :

— Leigh?

— Oh, la bonne toutoute qui reconnaît la clé de son petit mari gratter dans la serrure! singea Kevin. Si c'est Micro, tant mieux; pour une fois, il va nous servir à quelque chose.

Leigh entra, l'air désinvolte, arborant une chemise à pois neuve et une jeune femme qui ressemblait à Vida et s'habillait comme Lohania et Vida quelques années auparavant : sandales, bas ajourés, mini-robe bleu foncé avec un haut ajusté et tout brodé. Sur ses cheveux raides d'un blond filasse, elle portait un chapeau retenu par une écharpe qui flottait sur son épaule comme un nuage bleu et un sac énorme que Vida connaissait : c'était une sacoche de selle du Péloponnèse qui n'était pas bon marché. Surprise dans sa cuisine, pieds nus, en blue-jean et T-shirt, Vida se sentit profondément humiliée. Voilà son type de femme, se dit-elle. C'est moi, moi avant! Et dire que je ne me suis pas acheté de robe depuis dix-huit mois. Ne faudrait-il pas que je prenne de l'argent dans la cagnotte pour m'en acheter une?

— Eh Leigh, ah, Leigh, c'était vraiment extraordinaire. Je veux dire que je suis tout simplement impressionnée par ce que vous réalisez tous avec si peu de moyens; je t'assure, je suis éblouie. Vous avez un esprit de corps absolument féroce. Mais est-ce que les ingénieurs sont tous aussi désagréables et mal élevés? demanda la visiteuse.

— Tous! répondit Leigh avec flamme en la pilotant dans l'appartement, une main délicatement posée au creux de ses reins. Tu risques de rencontrer des gens vraiment très désagréables à New York, et même ici!

Kevin obstruait nonchalamment le seuil de la porte de la salle à manger, une cigarette pendue à la lèvre et sa chemise déboutonnée jusqu'à l'endroit où son pantalon aurait dû se trouver. Seulement, il ne l'avait pas remis. Très désinvolte, Kevin se gratta les couilles de la main gauche et tendit sa main droite pour donner une poignée de main.

— Qui parle de mauvaise éducation ? Nous aimons trop les visiteurs, surtout les dames. Les mecs, on les fout par la fenêtre. Sacrée chute, personne n'est jamais remonté.

La jeune femme rit d'un air gêné en prenant soin de rester à côté de Leigh tout en plongeant son regard dans les yeux bleus de Kevin pour ne pas qu'on la soupçonne de regarder plus bas... Lohania poussa Kevin pour donner à Leigh un petit baiser de pure forme.

— Salut, chéri ! Tu as eu au moins quarante-deux coups de fil. Mais il y a un fana qui en totalise au moins la moitié à lui tout seul. Un nommé Angio. Il t'a appelé de Cleveland, Ohio, toutes les cinq minutes et en PCV.

— Parfait. Eh bien, espérons qu'il retéléphonera. (Il se tourna vers la jeune femme.) Je vous présente Karen, qui est journaliste au bureau de Washington de *New Day*. Elle est actuellement en reportage à New York. Angio est notre correspondant à Kent State ; il devrait donc avoir des informations à nous communiquer.

Karen examina soigneusement Lohania d'un seul coup d'œil et conclut qu'elle devait être la petite amie de Leigh. Elle ne prêta pas la moindre attention à Vida, ce qui exaspéra cette dernière. Vida et Leigh n'échangèrent pas un mot, pas même un bonjour, et se regardèrent en coin. Franchement, ne pouvait-il pas rentrer une seule fois à la maison sans traîner une journaliste à la con ? On aurait dit qu'il avait peur de se retrouver en face d'elle sans le soutien d'une comparse, d'une fan ou d'une admiratrice.

— Combien sommes-nous à table, ce soir ? lança Leigh sur un ton cavalier en s'adressant aux murs. Cent ? Deux cents ? Des centaines ?

— Non, juste nous quatre, répondit timidement Jimmy. Les autres sont tous allés faire le piquet de grève, devant cet hôpital...

Jimmy était mal à l'aise avec Leigh, en souvenir de l'époque où il l'avait vénéré, mais cette dévotion s'était reportée sur Kevin et, tout dernièrement, sur Randy. Jimmy avait effectué des recherches sur la structure des hautes sphères des compagnies pétrolières. Leigh avait fait sa connaissance le jour où il couvrait une manif à la Continental Edison, dans la 14ᵉ Rue ; il l'avait ramené à la maison pour partager la fortune du pot. Jimmy était un génie bégayant, timide, sous-alimenté, qui se nourrissait de l'instant présent, candide et fragile comme une pâquerette d'un mètre quatre-vingts. Un mois après, Jimmy emménageait dans l'appartement. Cette pâquerette-là avait besoin de beaucoup d'amour et de beaucoup de soins pour fleurir. Mais petit à petit, Jimmy avait commencé à se rendre compte que son cerveau, la capacité qu'il avait de s'orienter à travers les manœuvres labyrinthiques et les institutions que la classe dirigeante avait inventées pour brouiller les pistes étaient bien inutiles lorsqu'on les soumettait au dynamisme et à la capacité d'action de Kevin.

— Oh, cette viande est délicieuse! s'écria Karen, visiblement stupéfaite. Qui a fait la cuisine?

— Moi, répondit sèchement Vida. *New Day.* Je connais ce journal. Ça se veut à gauche, mais ça publie des placards de publicité pour Coca-Cola, RCA et Polaroïd. Le texte dit : « Essayez donc une autre vie », mais la pub dit : « D'accord, mais achetez du neuf. »

— Si les abonnements constituaient l'unique support du journal, le numéro coûterait cinq dollars. Un peu prohibitif, qu'en pensez-vous? dit Karen en souriant à Leigh.

— Il est bien inutile d'effectuer des recherches sur les sociétés si les membres du Mouvement sont les seuls à les lire, non? déclara Leigh, subitement expansif.

— Le violoniste joue du violon, le boxeur boxe et l'intello fabrique des mots. Hé Hé!

Kevin se gratta la poitrine à l'intérieur de sa chemise. Il n'éprouvait aucune espèce de démangeaisons, mais il voulait choquer la fille. Il ne se grattait jamais qu'en présence des bourgeois. Il mit ses deux coudes sur la table et mangea la tête basse, jouant les goinfres et buvant son vin à grandes goulées en faisant claquer ses lèvres.

— Comment savoir ce qu'il faut attaquer? Les intellectuels ont fait leur travail en dénonçant des noms, des sociétés et en ajustant les maillons de la chaîne. Marx ne passait pas son temps à briser des vitrines. Il le passait au British Museum, dit Lohania, secouant sa frousse évidente. Mais il ne nous a pas conseillé d'y passer notre vie! La théorie sans application n'est que masturbation.

— Et ceux qui agissent à l'aveuglette n'ont rien dans le cerveau. Pourquoi se donner tant de mal pour être idiot? Cela nous est déjà bien assez naturel, répondit Leigh.

Cette discussion dure depuis un an, songea Vida en mangeant sans aucun plaisir. Les différents rouages de sa vie grinçaient comme une machine qui a besoin d'huile et dont les pièces refusaient de s'ajuster. Jamais aucune femme n'avait subi un chantage sexuel aussi ignoble que celui auquel Lohania avait été soumise cet après-midi. Leigh, lui, n'aurait jamais poussé à la roue comme Kevin l'avait fait.

Jimmy et Kevin se levèrent de table pour aller dans le Bronx. Vida coinça Lohania dans la cuisine :

— Reste, nous allons parler. Ces salauds se sont ligués contre toi, aujourd'hui.

Lohania lui adressa un petit sourire de défi en relevant le menton.

— A quoi bon? Quand je réfléchis trop, j'ai le cafard. Mieux vaut sortir d'ici et faire quelque chose d'utile. Nous allons *lui* montrer de quoi les femmes sont capables.

— Tu ne viens pas avec nous ? demanda Jimmy à Vida, comme Lohania jetait une veste sur ses épaules pour suivre Kevin.

— Non, dit Vida. Il vaut mieux que je travaille aux plans.

C'était la seule réponse capable de les satisfaire. Elle ne pouvait pas leur expliquer qu'elle avait participé à tant de manifs, à tant de grèves au cours du mois dernier, que tout cela lui paraissait dénué de sens, la laissant avec un besoin désespéré d'être seule. Elle était totalement désorientée. Le groupe était trop astreignant pour qu'elle puisse savoir ce qu'elle voulait et ce qu'elle ressentait. Et puis elle se disait que si Leigh la voyait seule dans l'appartement, il se débarrasserait peut-être de sa rose trémière et passerait plus de temps avec elle. Sa mobilisation s'était arrêtée à un stade balbutiant et il persistait à penser qu'on pouvait lutter contre le gouvernement tout en menant une existence confortable — départ quotidien pour le travail, dentiste deux fois par an, petit déjeuner au lit, soupers tardifs en compagnie de sa femme, avec pain noir et délicatesses ou pâté de canard. Tout comme Oscar et comme Daniel, sa conscience l'autorisait à s'offrir quelques petits luxes auxquels, elle, Vida, avait dû renoncer, et la tension qui régnait entre eux vibrait dans l'appartement comme un ventilateur défectueux.

Vida, elle, se réveilla le matin déjà épuisée de n'avoir pris que quatre heures de sommeil, le corps à vif, l'esprit douloureux et les nerfs en compote, tout en se sentant coupable d'être encore en vie. Tant de gens étaient morts que ce tronçon de vie qui lui restait exigeait d'être utilisé au mieux. Elle était un outil. Kevin disait de lui : Je suis une machine de combat. Voilà ce qu'il eût fallu qu'elle soit. Alors, pourquoi restait-elle couchée sur son lit à contempler le plafond que Kevin avait salopé avec sa peinture, et à lutter contre la colère que provoquait cet horrible barbouillage qui brutalisait son sens de l'esthétique ? Il faut que j'essaie d'être plus simple, se dit-elle. Si j'étais une vraie révolutionnaire, je ne verrais pas cette merde au plafond. Peut-être Lohania refuse-t-elle de faire l'amour parce qu'elle veut se dépouiller jusqu'à l'os. Peut-être a-t-elle découvert la voie de la plus grande simplicité ? Le renoncement à la sexualité lui paraissait extrêmement séduisant, devant le gâchis qu'était devenu sa chambre, son havre de paix.

A l'époque où elle avait connu Leigh, elle l'avait trouvé beaucoup plus engagé politiquement qu'elle et elle l'en avait admiré passionnément. A présent, il restait peinard, bien à l'abri de sa profession. Elle entendit Kevin imitant Leigh à une manif : « Quand les matraques s'abattent sur vos têtes, comment réagissez-vous ? Pourriez-vous le décrire pour notre public à l'écoute ? » Vrai : Leigh venait pour enregistrer, pour interviewer, pour informer. Il possédait un coupe-file et s'il avait été un peu malmené de temps à autre, il n'avait jamais été frappé, ni battu, ni arrêté. Il était évident qu'il fallait un journaliste pour couvrir les manifs, mais ce travail le mettait à l'abri des échauffourées. Il n'évoluait ni ne changeait comme eux, qui se trouvaient en première ligne. A présent, Leigh était le directeur de l'information de cette station de radio privée. Il était célèbre au sein du Mouvement à New York et bien au-delà. Le mois dernier, il avait participé à une table ronde sur le journalisme engagé, à l'Université de New York. Le travail de Leigh lui valait un respect accru quand il couvrait leurs actions, ce qui les éloignait de plus en plus des limites de la légalité.

Mais une partie d'elle-même avait besoin de lui tout le temps, chaque jour et chaque nuit. Elle n'avait jamais eu le loisir de se rendre compte à quel point elle était seule. Là, à son côté, où elle s'était habituée à un corps chaud, à une amitié, à de chaleureux échanges, elle était dépouillée, nue. Elle ne s'était pas sentie aussi profondément et constamment seule au sein d'un chaos depuis la Grèce. Elle ne se sentait pas aimée.

Leigh lui en voulait et elle se sentait coupable, comme si elle l'avait négligé en se liant trop avec Kevin. Mais elle était furieuse de le savoir en colère : il la punissait parce qu'elle prenait leurs idées trop au sérieux, qu'elle les poussait trop loin. Si seulement il essayait de changer son attitude envers elle. Sans quoi, elle ne tarderait pas à accomplir un acte qu'elle ne pourrait jamais lui avouer. Et une fois la chose commise, impossible de revenir en arrière. Ces temps-ci, elle se méfiait de toutes les décisions ; le fait de réfléchir, de peser le pour et le contre lui paraissait une lâcheté. Penser était suspect en soi, car c'étaient les héros libéraux et sensés qui avaient déclenché cette guerre. Elle n'avait jamais rien caché à Leigh, sinon les secrets des autres. Pour rien au monde, elle ne lui parlerait de l'invalidité de Lark ou de l'impuissance occasionnelle d'Oscar ; mais elle lui confiait honnêtement ses actions, et ses sentiments. Elle n'avait pas le droit de lui parler du Petit Wagon Rouge, mais son silence était en train de devenir un mensonge.

Incapable de se reposer, elle s'assit à sa coiffeuse. Ses cheveux brillaient en craquant sous la brosse dans le long crépuscule de mai. Voilà des semaines qu'elle ne s'était pas assise à cette place. Elle repoussa le fatras des tracts et des stylos feutres pour se mettre un soupçon de Madame Rochas, son parfum préféré, celui que Leigh lui offrait à chacun de ses anniversaires, même cette année. Puis elle prit son crayon à sourcils et dessina un trait sur les paupières et sous ses yeux verts pour les mettre en valeur. Ensuite, elle s'appliqua une légère couche de maquillage sur le visage, qu'elle puisa dans un vieux flacon en train de sécher à force d'être inemployé. Enfin, s'accordant un dernier luxe, elle mit une mini-robe vert pâle qu'elle appelait sa robe de poupée. Elle était de coupe simple avec un empiècement tombant comme les robes que Ruby avait piquées à la machine pour ses deux poupées, Betsy et Marylin. Un instant, elle crut humer l'odeur de Ruby : une légère odeur de sueur (elle n'utilisait pas de déodorant, persuadée que c'était un produit cancérigène) alliée à celle d'un parfum bon marché, violette ou myosotis, et puis l'oignon, la cannelle, le thym, le gingembre, oui, toutes ces senteurs mélangées, c'était le parfum de Maman. Elle avait envie de se reposer dans les bras de sa mère, et de pleurer. Et de dormir.

Lentement, Vida se dirigea vers la lumière et les voix. Elle n'avait le temps de s'occuper d'elle que lorsqu'ils étaient sortis. Si Kevin rentrait trop tôt, il interromprait son petit jeu. Leigh et Karen étaient assis à la table de la salle à manger ronde, sur laquelle Karen avait étalé des photos qu'elle lui montrait. La sacoche grecque bâillait sur la table, si bien que Vida put voir les deux appareils photos et un assortiment d'objectifs. Mopsy, qui passait son temps à dormir dans la chambre de Leigh, était venue s'asseoir contre lui, serrée dans la chaleur de sa cuisse en essayant d'attirer l'attention. De temps à autre, Leigh lui ébouriffait les oreilles d'une main distraite.

— Non, pardon, ça, c'était le Kenya, disait Karen de cette voix douce et roucoulante. Et voilà un village massaï. Ces jeunes garçons sont tous des guerriers.

Comme Vida pénétrait dans le cercle de lumière, leurs visages hostiles se levèrent simultanément.

— Hé ! Je te croyais sortie, dit Leigh.

— Non, non. Les autres sont allés faire le piquet de grève dans cet hôpital du Bronx.

— Au fait, tu trouves qu'on a fait un bon reportage, là-dessus ?

Elle se demanda s'il fallait lui avouer qu'elle ne l'avait pas écouté.

— A vrai dire, la mort de ces étudiants de Kent State m'a tellement bouleversée, que je ne me souviens de rien d'autre.

— J'ai mon point de vue sur la question, dit Leigh à Karen. Quand on annonce une nouvelle sensationnelle, inutile de la commenter, d'essayer de raconter quelque chose d'autre : personne ne vous écoute. Je vais essayer de monter des scoops. Enfin, des gros coups.

— Ah oui ! (Karen éclata d'un rire métallique et aigu.) A la manière de ces vieux journaux anglais si démodés qui publiaient des histoires de chiens perdus à la « une » et la mort de la reine en page vingt ?

— Quelqu'un a placé une bombe incendiaire dans les locaux de la Dow Chemical, à l'aube, au Centre Rockefeller, dit Leigh. Un peu comme du napalm. Heureusement, l'endroit était désert. Ils doivent commencer à comprendre que leurs bons produits peuvent parfaitement revenir là où ils sont nés.

— Comme c'est malin ! Tellement Robin des Bois, tous ces joyeux drilles qui font sauter une nouvelle multinationale tous les soirs ! Les compagnies d'assurances doivent être rudement chatouillées, pérora Karen.

Si tu trouves ça tellement folichon, suis-moi. Leigh, espèce de salopard, regarde-moi ! Comment peux-tu te pâmer devant cette caricature ?

— Il fait chaud, ce soir, dit Vida en se dirigeant lentement vers la fenêtre.

Mopsy trottina vers elle, toute contente de cette minute d'attention. Ces jours-ci, Vida se sentait coupable chaque fois qu'elle regardait Mopsy. Voilà qu'elle se sentait solidaire du chien en essayant, elle aussi, d'attirer l'attention de Leigh. Il la regarda remonter le châssis de la fenêtre à guillotine, la robe relevée sur ses longues cuisses.

— Tu es bien élégante, où vas-tu ?

— Nulle part. J'ai envie de faire un saut à l'épicerie pour acheter de la bière fraîche. Je m'offre une soirée de congé et je vais rester ici à lire tranquillement. Prendre un bon bain, me détendre.

Ma pauvre fille, comment veux-tu le séduire avec ce pot de colle assis à côté de lui.

— Ah oui, ils vendent de cette bière mexicaine que j'aime tant, tu sais, la Dos Equis.

— Je vais en acheter un carton de six. A tout à l'heure.

Elle ne supportait pas de rester à les regarder en contemplation devant les photos de Karen. Si elle descendait acheter de la bière, peut-être Leigh saisirait-il l'allusion et se débarrasserait-il de cette fille ? Ils n'étaient pas restés seuls dans l'appartement depuis si longtemps !

— Allons, viens, Mopsy, viens ma vieille branche, dit-elle gentiment.

Mopsy lui pardonna d'un seul coup tous les outrages passés et la suivit d'un bond en remuant passionnément la queue.

En remontant, quelques instants plus tard, après avoir promener Mopsy et l'avoir même fait courir un peu, elle remarqua, tout en rangeant la bière, que la salle à manger était encore allumée. Plus personne, sauf les photos qui gisaient sur la table. Elle les examina rapidement. Il s'agissait de clichés esthétiques d'un tiers monde follement pittoresque. Chère Karen, que dirais-tu si des voyeurs du Kenya débarquaient dans ta salle de bain pour filmer tes pittoresques ablutions d'indigène ? Femme américaine avec plantation de bigoudis. Femme américaine mettant son diaphragme, rite dominical. Homme américain tondant l'herbe dans l'enclos rituel...

Résistant à l'envie folle de jeter les photos de Karen par la fenêtre comme des confetti sur Broadway, elle regagna lentement sa chambre. Les pattes de Mopsy tic-tiquaient sur le plancher derrière elle, sa truffe mouillée effleurant ses paumes. Elle vit de la lumière dans la chambre de Leigh, elle entendit de la musique, mais on lui avait claqué la porte au nez. Leigh passait son temps au téléphone, un téléphone privé dont le numéro figurait sur la liste rouge, bavardant, flirtant, organisant des interviews, moitié travail moitié séduction. Elle attendit devant sa porte, remplie d'espoir, puis elle entendit le rire suraigu de Karen ; inutile de se bercer d'espoir...

Elle claqua la porte de sa chambre, enleva rageusement sa robe et la jeta par terre. Elle frissonnait dans la chaleur de la nuit torride. Ses draps étaient sales ; elle les arracha du lit et alla en chercher une paire propre dans le placard du couloir. Personne ne lavait donc jamais rien, dans cette maison ? Voilà comment son unique soirée de liberté volée allait se terminer : elle allait devoir faire la lessive au sous-sol, en compagnie du chien, pendant que Leigh s'envoyait cette snobinarde. Elle resta couchée à même le matelas, le visage enfoui dans le flanc chaud de Mopsy en s'exhortant à l'action. Elle fut reconnaissante au téléphone de sonner et se leva pour répondre.

C'était la voix de Lark :

— Asch ? Je suis bien content de te trouver. Viens immédiatement. Réunion d'urgence au comité directeur. Il faut répondre aux fusillades.

— Quand ?

— Tout de suite. Pélican est parti dans le Bronx chercher les gars qui font le piquet de grève à l'hôpital. Il faut descendre dans les rues très vite.

— Très bien, j'arrive.

Vida raccrocha, enfila son blue-jean et son T-shirt, et prit un malin plaisir à frapper à la porte de Leigh.

— Au revoir ! cria-t-elle. Le comité de direction du Mouvement des Etudiants antiguerre se réunit. On va leur flanquer un LDV en souvenir de Kent State. Dis-leur où je suis. Et bonne baise !

Va te faire foutre, salaud. Sur une impulsion, elle se rua à la salle à manger, prit une photo et écrivit un mot au dos du cliché, en gros caractères à l'encre rouge ; elle le plaça bien en évidence devant leur porte. Et voilà une petite vacherie à l'intention de la Vassarette. Et j'espère qu'elle te flanquera une vérole, mon cochon. « Non, Mopsy, reste ici, ma fille ! » Leigh n'a qu'à travailler pour *New Day*. Changement de pré réjouit les veaux.

Nous ne sommes plus ses frères et sœurs, nous sommes devenus son matériau, se dit-elle en sortant de l'ascenseur et en courant dans le hall où elle fit signe à leur ami Julio qui les avertissait toujours de la surveillance que les flics exerçaient sur eux. Elle se retrouva dans la rue. Elle avait l'impression de voler, comme Superwoman dans la ville. Vite, vite, elle franchit le pâté de maisons, ah ah, bien trop vite pour qu'aucun homme ne l'ennuie. Les chaussures de tennis étaient idéales pour ce genre d'aventure. Une fois dans le métro, elle sauta par-dessus le tourniquet et se rua dans un wagon. Ça c'était dans le style du Mouvement, et parfaitement exécuté. Vous allez voir si on n'est pas capable d'être des ordures, nous aussi. Nous allons donner l'exemple à toutes les autres femmes.

Demain, elle déchirerait cette mini-robe et en ferait un chiffon. Demain, elle descendrait dans la rue : ils arrêteraient le souffle de la ville. Le gouvernement verrait ce qui arrive quand on assassine des gosses innocents, ou qu'on essaie de terroriser le Mouvement. Roule, Petit Wagon Rouge ! Leigh ne comptait pas. Elle avait eu envie de rompre les règlements de sécurité pour discuter de leur action avec Leigh, elle avait pensé tromper la confiance des siens par amour pour Leigh, lui dire ce qu'elle était sur le point de faire, mais il l'en avait empêchée. Elle lui revaudrait cela. Il ne la respectait pas assez. Il ignorait la force de son engagement. Il ne savait pas à quel point elle prenait le Mouvement au sérieux. Tant pis pour lui. Il le regretterait.

13

La manifestation du Mouvement des Etudiants Antiguerre mit une journée à s'organiser. Et tous les plans furent chamboulés le lendemain, tandis que deux étudiants noirs étaient tués dans le Mississippi. Randy fulminait. Comme Vida passait à l'appartement pour se changer avant de descendre dans la rue, elle trouva Kevin et Randy s'affrontant dans le living-camping.

— Mec, tes priorités foutent le camp, aboyait Kevin. Pourquoi le moment exact de notre action aurait-il une telle importance, puisqu'on ne peut établir de rapport direct entre ce Centre de Conscription et le meurtre d'étudiants dans le Kentucky ou le Mississippi ?

— Suppose qu'on te pique dans la bagarre avec les flics ? Ça fout tout par terre, rétorqua Randy, qui suait la mauvaise humeur à grosses gouttes.

— Et alors ? C'est la même guerre ! (Kevin flanqua une grande claque dans le dos de Randy et s'en fut sans se presser.)

— Ça va faire saigner...

Randy sortit en claquant la porte de l'appartement. En voyant Vida, Kevin sourit.

— C'est là, ma vieille. Dans la chambre de Lulu.

— De quoi parles-tu ? Brusquement, Vida comprit et la nouvelle lui fit l'effet d'un coup de poing dans l'estomac. Elle dit : « Oh... » et ce fut tout. Ils entrèrent tous deux dans la chambre et examinèrent le trésor rangé dans sa boîte. Ses paumes étaient inondées de sueur, mais elle ne trouvait rien à dire. Ils verrouillèrent la porte et la dynamite avec. Ensuite, Vida n'eut plus le temps de penser : elle courut d'une réunion à l'autre — des enseignants aux mères assistées, aux fonctionnaires de l'urbanisme, chauffeurs de taxi... A l'heure de la manif, elle avait mal à la gorge et elle était quasiment aphone. Lohania, Jimmy et Kevin étaient descendus dans la rue avec le

257

comité directeur du Mouvement, des gosses d'une cinquantaine de comités, des membres de tous les mouvements antiguerre en dehors des campus. Elle repéra Oscar, Natalie, Jan, Bob Rossi dans un contingent maoïste distinct, et l'ex-amie de Bob, Brenda, avec un groupe à bicyclette, et Pélican. Ils étaient tous dans la rue, cavalant, tandis que la police s'en payait et cassait des crânes. Elle ne vit pas Randy : il disparut jusqu'à la fin de la manif, alors qu'il était généralement l'un des plus enragés au combat de rue, toujours à exhorter les manifestants à charger, toujours le premier à ramasser un pavé, à balancer les poubelles dans les vitrines, renverser les bagnoles ou incendier les ordures. Vida, qui faisait chaque fois son possible pour que l'action visât des cibles politiques, ne regretta pas son absence, tout en s'étonnant qu'il ait pu résister à la tentation. Elle se rappelait les cortèges pacifistes le long de la Cinquième Avenue, où, respectablement vêtus, ils défilaient avec des banderoles portant des slogans officiellement autorisés et suivaient un itinéraire accepté par la police. Leur joie était grande, de voir tant de vieilles gens se joindre à eux. Pourtant c'était au cours de ces manifestations licites qu'elle avait été molestée, les trois fois. Les journaux ne faisaient état que de la moitié du nombre des manifestants et la guerre sévissait de plus belle. Petit à petit, les activistes en avaient eu assez d'attendre, d'être piétinés et matraqués. Ils avaient commencé à courir, à se regrouper et à défier les flics, à riposter, à renvoyer les grenades lacrymogènes, à contre-attaquer à la matraque. En général ils étaient brutalisés de toute façon. Ils étaient rarement inférieurs en nombre, mais en armes, si, et les flics avaient tendance à s'acharner à plusieurs contre un. A présent, quand ils descendaient dans la rue, ils étaient prêts à se battre. Au début, elle était terrorisée, et cette frayeur maladive prenait la forme d'une douleur aiguë qui augmentait au fur et à mesure que l'heure approchait. Elle avait l'impression de s'être fait violence pendant des années, se contraignant chaque fois à courir un risque plus grand, sans que cela arrêtât la guerre. Les premiers temps, brandir une pancarte pour protester contre une guerre nationale était une question de courage moral, mais était devenu bientôt une simple question de courage physique.

Randy revint le lendemain soir, assagi et prêt à faire amende honorable. Elle sentit qu'il s'en voulait de s'être conduit en imbécile et d'avoir manqué la grande manif. Elle lui fit des frais, lui apporta du café et une assiette de bouillon de poule à l'orge, préparés de la main gauche, et alla même jusqu'à lui sourire.

— Qu'as-tu au bras ? lui demanda-t-il.

— Un flic m'a attrapée. Je l'ai échappé belle, mais c'est encore un peu douloureux, dit-elle en regardant son poignet bandé.

Ils étaient tous en train de panser leurs blessures, avec un réel soulagement en songeant aux camarades. Ces moments d'accalmie qui succédaient aux manifestations, étaient les moments de paix intérieure les plus doux qu'elle connût désormais. Ils étaient descendus dans la rue ; ils s'étaient battus ; ils étaient revenus sains et saufs ; pas de fractures des membres ni de la colonne vertébrale, pas de têtes fendues, pas d'aveuglés ni d'estropiés ni de touchés par balle. Avant de descendre dans la rue tel ou tel jour ou soir, ils ne savaient jamais quel genre de riposte leur serait réservé : matraques et grenades lacrymogènes ou fumigènes, ou bien balles en caoutchouc et armes chimiques plus sophistiquées, voire balles de petit ou gros calibre ? Les flics se contenteraient-ils de cogner seulement, ou bien allaient-ils tabasser dur, ou encore tabasser avec la volonté de laisser des traces pour la vie ?

Elle était lasse et parfois dégoûtée, à la fin, par les efforts qu'elle devait faire sur elle-même pour se prouver qu'elle était forte, comme si leur courage avait dû leur rapporter quelque médaille du mérite révolutionnaire. A ce stade, du moins, ils avaient testé leur bravoure, leur engagement à la cause, et ils y avaient survécu. L'ambiance dans la pièce était détendue. Ils se montraient plus chaleureux à l'égard les uns des autres que d'habitude. C'était l'unité de ceux qui se sont entraidés à faire front contre l'ennemi. Elle se sentait pleine d'amour pour le frêle Jimmy qui était passé au travers ; et pour Kevin, le bagarreur, le castagneur, le héros de toutes les échauffourées, la main droite bandée, et qui s'était brûlé la cheville en chassant du pied une grenade ; et aussi pour Lohania, un pansement au crâne, et qui mangeait sa soupe avec le sourire. Deux de ses beaux ongles verts avaient été cassés, et elle les restaurait amoureusement à l'aide d'un produit chimique nauséabond, couche après couche, pour qu'ils redeviennent aussi longs que ses autres cimeterres. Elle mangeait de la main gauche pour laisser sécher les ongles artificiels de la dextre. Vida chérissait même Randy, qui mangeait sa soupe tout en relisant le memo de ce qu'ils ne devaient pas oublier, tous, et qu'il avait rédigé uniquement à l'aide d'abréviations et d'initiales, pour plus de sécurité. Sans son opiniâtreté, ils eussent peut-être renoncé à leur projet, se disait-elle en mangeant lentement sa soupe ; car leur contentement était doublé d'hébétude et masquait une envie folle de tout oublier pour le moment !

Lark avait parlé à Kevin juste avant la manif, en lui demandant d'aller dans une usine du New Jersey où le Mouvement tenait des réunions avec les travailleurs les plus militants. Kevin n'appartenait pas au Mouvement, mais Lark voulait l'amener à s'occuper d'organisation du prolétariat. Il était sûr que Kevin saurait parler aux travailleurs. C'était possible. Vida aurait aimé voir Kevin s'occuper vraiment d'organisation et valoir mieux que sa grande gueule. Il était certain que, sans Randy, ils auraient beaucoup palabré, mais renoncé à la bombe. Ils étaient engagés trop à fond dans leur travail d'organisation pour ne pas être surchargés de boulot. Demain, elle devrait rogner sur les heures qu'elle était censée employer à distribuer des tracts et à se rendre à des réunions avec les représentants des journaux de lycées. Lohania et Jimmy, eux, manqueraient à d'autres obligations en l'honneur de l'acte de guerre collectif.

Jimmy et Vida préparèrent la bombe, à part le branchement du mouvement d'horlogerie, et la posèrent près de la valise qui la transporterait. Impossible de brancher le détonateur, vu que les mouvements d'horlogerie n'ont qu'un cycle de douze heures. Ensuite, ils allèrent tous faire une petite balade dans Riverside Park pour étudier encore leur plan. Randy les quitta pour rentrer chez lui. Toute la famille alla se coucher de bonne heure, avant le retour de Leigh. Kevin suivit Lohania dans sa chambre pour lui masser le dos et changer son pansement. Il n'en ressortit pas. Jimmy alla se coucher par terre dans le living. Vida était contente de savoir Lohania et Kevin ensemble dans cette chambre — celle où dormait la dynamite. Elle espérait qu'ils se réveilleraient pleins de bonheur commun. Elle n'éteignit pas et resta allongée tout habillée sur son lit dans l'espoir que Leigh rentrerait, et récapitula le programme du lendemain matin. Elle avait besoin de parler à Leigh. Les choses — tant de choses — risquaient de mal tourner. Elle avait envie de se sentir toute proche de lui de nouveau, brièvement, fugitivement.

Lorsqu'elle se réveilla, en pleine nuit, elle sut qu'il avait gagné directement sa chambre. Elle écouta à sa porte et l'entendit ronfler, sans savoir s'il était seul ou non. Elle alla aux toilettes et retourna à son lit, se déshabilla et se coucha confortablement en poussant Mopsy. Elle ne se rendormit pas et regarda les aiguilles de la pendulette glisser lentement vers leur destination inexorable, descendre jusqu'à six heures, remonter vers sept heures. Elle pressa le bouton du réveil au moment où la sonnerie se déclenchait. Elle alla à la cuisine et fit chauffer du café. Un bon bout de temps après, Kevin entra en titubant de sommeil, suivi de Lohania.

— Va te raser, chéri, dit Lohania avec plus de tendresse qu'elle n'en avait témoigné à Kevin depuis des mois. Montre à Vida comme je t'ai bien coupé les cheveux. Il faut que tu aies l'air respectable aujourd'hui, si tu peux.

— Ouais, c'est sûr.

Kevin ressortit en bâillant et en traînant les pieds jusqu'à l'autre salle de bain, pour se raser avec le rasoir de Leigh. Son pantalon lui tombait sur les hanches. Lohania lui avait coupé non seulement aux ciseaux les cheveux, mais la barbe, en ne lui laissant qu'un chaume à raser. Vida espéra que ses jurons et son vacarme réveilleraient Leigh. Elle était désespérée à la pensée de ne pas le revoir avant de partir. Et si elle était tuée ? Assommée et abattue sur place ? S'ils n'étaient tous que des néophytes et que la bombe pétât dans la valise et que ce fût la fin de tout ? Elle se sentait loin de Leigh comme si une vallée profonde s'était creusée entre eux, qu'un tremblement de terre eût ouvert une faille et que leurs continents fussent partis à la dérive chacun de leur côté. Elle ne pouvait pas aller le réveiller. Elle ignorait s'il y avait quelqu'un avec lui, et qui ; et les autres s'inquiéteraient. Mais s'il se réveillait et sortait de sa chambre, elle pourrait dérober un petit moment. Quand elle eut versé l'eau bouillie et que le café commença à passer, elle courut s'habiller et claqua la porte exprès. Robe de lin beige, courte sans excès, six centimètres au-dessus des genoux, modeste et décente, qu'elle n'avait pas portée depuis qu'elle avait perdu sa place. Boucles d'oreilles en or, sans rien de hippy. Elle remonta ses cheveux pour faire un chignon à la française, très réussi ; ses mains se souvenaient encore : elle s'était coiffée ainsi en Grèce. Pour que ça tienne, elle y planta le peigne d'ambre de sa grand-mère. Ruby portait toujours les cheveux courts. Sac à bretelle. Collant. Sandales passables, à talons bas, presque assorties au sac. Elle s'observa. Attention au maquillage ; éviter les taches ; elle avait oublié de commencer par là. Pour protéger la robe, elle dut prendre une serviette dans la salle de bain où Kevin, farouchement et non sans effusion de sang, rasait les restes de sa barbe d'or rêche. A la dernière minute, elle farfouilla au fond d'un tiroir, cherchant parmi les bâtons de rouge et les bigoudis d'antan, un petit pot d'ombre à paupières lavande. Quelques femmes du Mouvement employaient le crayon ou l'eyeliner ; pas une seule l'ombre à paupières, jamais. Encore une de leurs lignes de démarcation magiques. L'ombre à paupières, c'était ce que portait sa sœur Sharon dans sa banlieue. Les dames mariées qui avaient une bonne noire se mettaient de l'ombre à paupières. Là ! Un peu de fond de teint sur les mains pour cacher les brûlures de produits chimiques qui pourraient attirer l'attention.

Tout ce tralala bourgeois sur eux, quand ils s'examinèrent, avait quelque chose d'inquiétant : Jimmy avait l'air d'un lycéen qui s'apprête à recevoir son diplôme d'études secondaires ou à enterrer sa mère. Il portait une cravate marron sagement nouée, avec une chemise rayée et un costume bleu marine.

— Oh, Jimmy, tu t'es coupé les cheveux !

Et c'était vrai. Sacrifice terrible ! Avec ses oreilles rouges, toutes nues et qui regimbaient, il paraissait dix-sept ans.

Kevin n'était pas réussi dans le genre bourgeois. Il ressemblait plutôt à un prolo à la redresse. Avec sa musculature, la veste écossaise en coton qu'il avait empruntée était trop étroite pour lui. Il avait une chemise ouverte au col et un pantalon kaki retenu par une ceinture sûrement piquée à Leigh (qui détestait prêter ses vêtements) et il s'était plaqué les cheveux en arrière, à l'eau.

— C'est Lohania qui m'a coupé les cheveux, dit Jimmy. Oh dis donc, Kevin, ça te change drôlement d'être sans barbe !

Le fait était qu'elle s'était imaginé, un moment, que Kevin n'aurait pas de menton. Mais Kevin était superbe sans barbe, d'une beauté peut-être un peu moins fascinante, plus suave. Assez le genre du jeune homme qui vendait des ouvre-boîtes dans une quincaillerie. Lohania, elle, incarnait la parfaite secrétaire new-yorkaise sur le sentier du bureau : robe imprimée bleue et blanche, de la même longueur que celle de Vida, sac en paille et talons pas trop hauts. Et, pour faire secrétaire mariée, alliance.

— Natalie prétend que, l'anneau au doigt, toutes les femmes sont invisibles, dit-elle, grisée. Vida, on ne t'a pas vue en uniforme de carriériste depuis qu'on t'avait sacquée de chez Kiriaki. Quelle classe ! Tu pourrais entrer au Pentagone avec ces fringues-là !

Mais Randy était la surprise et le clou. Il venait d'arriver ponctuellement pour le petit déjeuner. Il avait les cheveux courts comme Jimmy.

— Lohania t'a aussi coupé les tifs avant de partir, hier soir ?

— Non, je suis allé chez le coiffeur ; je me suis dit : « Autant bien faire les choses. » Il y a un merlan qui est ouvert tard à Columbus Circle. Il avait l'air si respectable qu'elle n'en croyait pas ses yeux. Il portait un costume d'été marron lavable, une chemise à rayures, une cravate large avec des ancres minuscules, et des chaussures marron foncé bien cirées. Il avait même un mouchoir blanc en pochette. Habillés comme nous sommes, nous voilà passés à la classe au-dessus, songea-t-elle. Randy pourrait passer pour le cousin de Kevin, celui des deux qui en veut, l'acharné. De fait, Randy avait fréquenté une petite université catholique, en première année de droit.

— Prêts ? demanda-t-il nerveusement en consultant sa montre de poignet. Bon, comment se répartit-on le boulot ? Trois pour l'horlogerie, deux pour distribuer les tracts et donner l'alarme. Jimmy s'occupe forcément de l'horlogerie ; c'est lui qui l'a réglée.

— Et moi, je vais avec lui, dit Kevin. (C'était péremptoire, sans réplique.)

— Comme tu veux, mec, dit Randy, s'inclinant. Et puisque ces dames se plaignent de la domination mâle, une ira avec la bombe, l'autre passera l'alarme et les communiqués par téléphone avec moi. On le joue à pile ou face : face, Vida part avec la bombe ; pile, c'est Lohania.

— Face, face, allons, face ! chanta Lohania sur le ton de l'invocation.

Vida se taisait. La pièce brillait dans la paume de Randy. Elle savait que ce serait face et ce fut le cas.

— Bon, en route, dit-elle. (Plus ils tarderaient, plus elle aurait peur.) En descendant dans l'ascenseur (Randy et Lohania leur laissaient un quart d'heure d'avance sur eux), Vida dit à Kevin et à Jimmy :

— C'est tout de même curieux : chaque fois que Randy joue à pile ou face, c'est avec une pièce de vingt-cinq cents neuve, et chaque fois on a face. Je l'ai bouclée, parce que je préférais ce boulot.

Kevin se gondola :

— Tu parles ! C'est une pièce truquée. Face des deux côtés ! Moi non plus, je n'ai rien voulu dire ; mieux vaut que ce soit nous qui prenions les plus gros risques ; Lohania en a assez bavé l'an passé.

Sur le moment, elle eut un coup de cœur pour Kevin. Et elle pressa des deux mains sa main libre, celle qui ne portait rien.

— Oui ! s'écria-t-elle.

— Mais faut qu'elle guérisse, tu sais ; faut qu'elle s'en sorte toute seule.

— Kevin, il arrive qu'on ait parfois besoin d'un petit câlin, d'un peu de chaleur ; besoin d'être traitée en douceur.

— Pas en guérilla. Lohania est bien plus forte que tu ne crois. Elle commence à émerger.

— Je suis étonnée que Randy n'ait pas insisté pour prendre ma place, dit-elle.

— Il n'est pas venu non plus à la manif. (Kevin s'arrêta au coin de la rue, comme pour apprécier le temps qu'il allait faire, et ce, consciencieusement, d'un air désinvolte.) Ouais. Il se dégonfle. Il mollit. Quand on aura terminé ce truc, faudra lui faire sentir la discipline.

— Ah, bon ! Tu ne partages pas son point de vue sur la libération de la femme ? dit-elle.

Jimmy parla subitement, d'une voix de fausset étranglée :

— V-v-vous ne pensez tout de même pas qu'il a la trouille ?

— Pourquoi pas ? Je l'ai bien, moi.

Ce disant, elle contempla le ciel bleu marronnasse éclairé par un soleil pollué, entre les gratte-ciel de Broadway. Elle imagina des bois, les collines du Connecticut le long de l'Housatonic, où Leigh et elle et leurs amis allaient faire de grandes balades le dimanche, les promenades paisibles dans les bois jonchés de blocs erratiques. Comment oublier ce dimanche de printemps où les porcs-épics se coursaient entre eux, indifférents à leur présence ?

— D'accord, mais on y va tout de même. Et K-K-Kevin dit que Randy, lui, s'est dégonflé. (Jimmy sautilla anxieusement pour marcher au pas de Kevin.) Ce n'est pas possible ! Pas Randy !

— Ferme-la, aboya Kevin, les yeux rivés à la vitrine d'un magasin.

— Qu'est-ce qu'il y a ? (Elle sentait une main d'acier glacée l'étreindre intérieurement.)

— On nous suit.

— Tu en es sûr?

Elle tenta de saisir un reflet dans la glace malgré l'obstacle de Kevin. Puis, Jimmy se mit à courir. Kevin le rattrapa par le bras :

— Continue à marcher. Sans te retourner. On les sèmera dans le métro.

— Sensationnel! dit-elle. Et ils nous cueilleront gentiment au Centre Rockefeller.

— Tu parles sérieusement? Tu crois qu'on les a renseignés? dit Kevin.

— Semons-les d'abord. Ensuite, on réfléchira. (Elle prit trois tickets dans son sac, le plus naturellement du monde.) L'essentiel c'est qu'on ne nous pique pas avec le réveille-matin.

— Qu'est-ce que tu veux qu'on en fasse? aboya Kevin. Qu'on le flanque dans une poubelle? Ils nous verraient aussi sec. Ils ont déjà repéré la valoche.

Kevin allait son amble en agitant sa main libre, de l'air de quelqu'un qui poursuit une conversation anodine. Impossible de continuer à marcher lentement : elle avait envie de se retourner, de tourner la tête et de regarder, une envie si terrible qu'elle en avait mal de se retenir. Se retourner et faire face. Courir, foncer. Arracher la valise à Kevin et la jeter sous un porche. Filer! Mais ils continuaient à marcher lentement. A la première bouche de métro, celle de la 96ᵉ Rue, Kevin dit :

— Grouillez, j'entends un train, on saute dedans, n'importe lequel!

Vida fourra un ticket dans la main de Jimmy et un autre dans celle de Kevin, puis elle suivit celui-ci — il était champion pour bousculer et passer aux heures de pointe. Après avoir essayé de fendre la foule de son côté, Jimmy finit par se ranger derrière elle. Kevin sauta par-dessus le tourniquet; Vida et Jimmy compostèrent leurs billets.

— Il est là! cria Kevin.

Il se rua dans le wagon et maintint les portes ouvertes pendant que les deux autres se faufilaient sous son bras. Les portes claquèrent et le métro s'ébranla. Ils se regroupèrent et se tinrent aux courroies; la valise était coincée entre les jambes de Kevin. Une rame express les croisa juste après la 72ᵉ Rue. Ils descendirent à la 59ᵉ Rue et prirent au petit trot par Central Park, en surveillant les alentours et revenant en rond sur leurs pas, l'œil aux aguets. On ne les suivait plus. Enfin, ils s'écroulèrent sur un banc et se regardèrent, pantois.

— Restez là, dit-elle. Je vais retourner jusqu'à une cabine et téléphoner à la maison.

— Non. On reste ensemble. Il y a une cabine dans le zoo. Traînons nos culs jusque-là.

Kevin se leva. Elle sentait en lui une bougeotte irrépressible.

264

— Pourquoi nous suivre *aujourd'hui*? demanda-t-elle en essayant de raisonner. Ce n'est pas un hasard. Ils *savaient*.

— Un de nous a peut-être dit quelque chose au téléphone, suggéra Jimmy.

— Pour être drôle, t'es drôle! dit Kevin pressant le pas.

Ils durent trotter pour le suivre.

— Ça fait un an qu'on ne dit plus rien d'important au téléphone. Peut-être qu'ils ont branché un de leurs micros qui permet l'écoute à distance. Qu'est-ce que vous en dites?

— Peut-être, dit-elle lentement. Nous avons un peu parlé dans l'appartement, mais pas beaucoup. Pas suffisamment pour qu'ils mettent des choses bout à bout. Et je n'ai rien dit à Leigh, non je ne lui ai jamais rien dit, ajouta-t-elle en elle-même.)

— Qui nous dit qu'ils aient eu besoin de ça? demanda Jimmy, dont les poings se réfugiaient sans cesse au fond de ses poches et s'y débattaient comme des oiseaux en cage. Ils savaient que nous allions agir aujourd'hui, alors ils nous ont filé le train.

— Pas d'accord, dit Kevin. Toutes les discussions ont eu lieu dans cette autre chambre ou dans le parc. On n'a jamais parlé de cible ni de programme d'action à la maison.

— Et s'ils avaient branché des micros dans l'autre chambre? dit-elle.

— Possible, dit Jimmy. Ils auraient attendu que nous agissions, pour pouvoir nous piquer avec la bombe.

Ils traversèrent de bon pas le parc. Ils avaient très peur tous les trois. Mais ils étaient habitués à avoir peur et à agir en dépit de cette trouille, à la transcender pour en faire du courage. Elle était fière d'être avec eux :

— Je me demande si Lohania et Randy étaient suivis, eux aussi? Ils ont les déclarations sur eux. Peu importe que nous ayons la bombe ou pas. Ils sont dans le coup comme nous. J'espère qu'ils ont fait attention!

— Dolpho n'a pas trop de flair dans la rue; mais Lulu, si. Elle les repérerait... Voilà ton téléphone.

Elle composa le numéro privé de Leigh. Depuis que l'appartement s'était transformé en camping, Leigh avait sa ligne dans sa chambre et n'autorisait personne à s'en servir. Il disait avoir constamment besoin de pouvoir rester en contact avec et pour la station : « Le vôtre est occupé dix-huit heures par jour », disait-il.

— Leigh Pfeiffer à l'appareil. (C'était sa voix et elle éprouva un grand soulagement.)

— Allô? Leigh, c'est ta vieille copine grecque à l'appareil. L'ex-femme de Vasos.

— Comment? (Mais il la reconnut.) Que se passe-t-il encore?

— Peu importe. A quelle heure Lohania et Randy sont-ils partis?

— Ils ne sont pas partis.

— Formidable ! Alors, on peut les avertir. Sais-tu pourquoi ils ne sont pas partis ?

— Ils attendent votre retour.

— *Quoi ?*

— Tu ne les as pas appelés tout à l'heure à ce propos ? Qu'est-ce que c'est que cette histoire ? A quoi riment tous ces mystères ?

— Qui a répondu à mon coup de téléphone supposé ?

— Randy. Il m'a dit que c'était toi. Sur l'autre ligne.

— Leigh, il y a une merde ! Je ne peux pas t'expliquer. Lohania le fera ensuite. Va vite la chercher, mais ne dis pas devant Randy que c'est moi. Fais-la seulement venir dans ta chambre.

— D'accord... Attends, il y a quelqu'un à la porte. Je vais la chercher.

Elle attendit une éternité. De temps à autre, elle percevait des bruits confus ; impossible de dire quoi. Longtemps. Puis la voix de la téléphoniste : « Mettez trois cents pour les cinq prochaines minutes. » Elle s'exécuta et attendit encore. Pourquoi ne revenait-il pas avec Lohania ? Puis elle se dit que les flics étaient peut-être en train de localiser son appel, et la sueur inonda ses paumes tandis qu'elle s'agrippait au combiné en s'efforçant d'entendre quelque chose. Pourquoi ne revenait-il pas ? Il s'était écoulé plus de cinq minutes. Enfin, il y eut des voix. Pas celle de Lohania. Des hommes qui criaient. Elle ne comprenait pas un mot. Puis une voix tout près à l'autre bout.

— Hé, sergent ! Ce téléphone est décroché...

Elle raccrocha très doucement et sortit à reculons de la cabine. D'abord, en se tournant, elle ne vit ni Kevin ni Jimmy. Ses jambes étaient molles de panique. Sa vue se brouilla de milliers de petits points noirs cependant qu'elle s'efforçait de respirer lentement pour ne pas suffoquer. Jimmy et Kevin avaient regagné l'entrée et l'observaient de loin. Kevin buvait un café à une aubette. Comment réussit-elle à *marcher* jusqu'à eux, à se retenir de courir ?

— Filons d'ici. Direction est. Continuez à marcher. Ils ont fait une descente à l'appartement.

Elle prit le bras de Kevin et celui de Jimmy pour se donner du courage, puis se dégagea, leurs enjambées étaient trop différentes : Jimmy faisait deux pas pour un de Kevin.

— Ecoutez bien... Randy a dit à Lohania que tout était annulé. Qu'ils ne devaient pas bouger tous les deux. Que nous revenions. Il a annoncé à tout le monde que j'avais appelé pour dire que c'était décommandé. Et pendant que je parlais avec Leigh, on est venu à sa porte. Les flics. Je vous le dis : je suis certaine qu'il y a eu une descente.

— Comment se fait-il que Dolpho ait pensé que c'était toi ?

266

— Ou on a imité ma voix ou alors Dolpho est une mouche.

— Dolpho ? Autant te soupçonner *toi !* Ou moi. C'était son idée. Y a pas plus enragé que lui.

— Kevin, il faut renoncer au projet. Les flics ont les communiqués. Ils savent où nous allons, savent de quelle opération il s'agit et connaissent la cible. Ils savent même comment nous sommes habillés.

— Qu'est-ce que tu proposes ? Qu'on se livre ? Merde, non !

Kevin avait encore accéléré l'allure. La mallette neuve et brillante battait contre le muscle dur de son mollet dont on voyait le renflement à travers le tissu léger du pantalon.

— On ne peut pas laisser tomber comme ça, dit Jimmy. Si Randy est leur agent... s'ils ont piqué les communiqués, on nous accusera de complot contre la sûreté de l'Etat.

— Alors, autant faire sauter quelque chose, dit Kevin avec bon sens, en changeant la valise de main (à présent, elle était placée entre Vida et lui). Sinon, qu'est-ce qu'on va faire de ce joujou ? A moins qu'il ne soit réglé pour nous faire sauter tous les trois.

— Je l'ai bien réglé, je le certifie, dit Jimmy.

— Mec, ta vie en dépend. (Kevin rit, d'un rire rauque, sec.) Alors, merde, qu'est-ce qu'on en fout, de ce réveille-matin ?

— Les cibles ne manquent pas. Il n'y a qu'à en faire sauter une, dit Jimmy.

— Non, dit Vida. Si les flics savent que nous voulons faire sauter Rockefeller, ils sont au courant de Whitehall et des autres objectifs.

— Du tonnerre ! Alors choisissons un truc au hasard. La politique du hasard, c'est le bon sens même dans ce cas. (Le visage de Jimmy était violacé et il transpirait dans son costume bleu marine.)

— Ralentissons. Nous sommes tous en eau, dit-elle. Impossible d'entrer quelque part en ayant l'air d'avoir couru les cinq mille mètres... Qu'est-ce que vous diriez d'un commissariat de police ? Le commissariat central ?

— Avec un avis de recherches ou un mandat lancé contre nous ? Réfléchis, répondit sèchement Kevin. Allons, Jimmy, creuse-toi : trouve-nous un criminel de guerre. Tu dois bien en connaître un avec toutes tes foutues recherches. On va pénaliser une de leurs grosses sociétés de merde.

— Vous le voyez que Leigh avait raison ? dit-elle presque gaiement (elle était à la fois engourdie et alerte : la mort c'était ça — la fin de tout... il n'y manquait que la balle dans le dos). Les recherches ont leur utilité politique. Allons boire une tasse de thé et choisissons la cible. Il faudra rédiger des communiqués. Jimmy et moi, nous pouvons le faire en une demi-heure pendant que tu chercheras.

Se remuer, pensait-elle. Il faut agir, puisqu'ils nous tiennent. Ils peuvent nous condamner à vingt ans de prison pour complot contre la sécurité de l'Etat, même si cette foutue bombe n'explose jamais. De plus, ils essaieront de nous coller sur le dos tous les attentats non revendiqués à New York, et, si Randy est une mouche, il soutiendra.

— L'Est, dit Jimmy, l'air songeur. La Chase Manhattan tout au sud. La Union Carbide. Du Pont sur la Cinquième Avenue. ITT, Sylvania, Mobil Oil. Rien que des profiteurs de guerre. Je peux vous affranchir sur leurs combines ici et à l'étranger.

— Je me taperais bien un petit déjeuner, dit Kevin. Dans un café dans la Troisième Avenue, par exemple.

A l'idée de manger, un flot de salive acide emplit la bouche de Vida. Un instant, elle eut l'impression atroce qu'elle allait vomir.

— Il faut être certain que le mouvement est bien réglé, dit-elle. Il faut laisser le temps d'évacuer l'immeuble.

— Je vous répète que c'est impec, dit Jimmy avec entêtement (il avait l'air malheureux d'un lycéen en retard pour la remise des diplômes).

— Grouillez-vous, aboya Kevin. Je doute qu'on ait toute la journée.

— Tu te trompes, dit Jimmy, d'un ton froid et sérieux.

Vida ne comprenait pas très bien les associations qui se nouaient dans sa tête, tant elle s'efforçait de ne pas montrer sa panique.

— Quel que soit le temps dont nous disposons, il doit nous suffire. Fini de vivre ! Nous ne sommes plus que des armes. C'est très simple.

Elle leur acheta d'autres vêtements chez Altman avec sa carte de crédit et fourra les leurs dans une valise, également neuve, que Kevin alla déposer à la consigne de la gare de Grand Central, pendant que Jimmy et elle prenaient des rendez-vous par téléphone au coin de la 150ᵉ Rue Est et de la 42ᵉ : Vida sollicitait un emploi de secrétaire ; Jimmy était un jeune professeur de lycée, cherchant de la documentation pour un cours sur le Développement des Ressources naturelles de la Nation. Quant à Kevin, il opta pour essayer de pénétrer en passant par l'entrée marquée « Expéditions et Livraisons » à l'heure du déjeuner en tournant la 41ᵉ Rue.

Ils restèrent piqués un moment dans la 42ᵉ Rue, à bien regarder ensemble une dernière fois avant de se séparer. La Mobil Oil était installée dans un énorme gratte-ciel d'aluminium mal fichu occupant la place de tout un pâté de maisons. Les quelques étages les plus bas étaient vitrés de bleu. Les petites fenêtres au-dessus s'encastraient dans la monotonie des murs de métal ornés de bas-reliefs aux motifs ressemblant à des caractères cunéiformes. L'entrée principale était écrasée, comme une bouche sous une énorme moustache de marbre brun.

— Quelle horreur ! dit Vida en s'efforçant de paraître gaie. Dommage que nous ne puissions pas tout démolir. Nous aurions sûrement une médaille d'une association d'architectes !

Jimmy portait la bombe, sous le prétexte que la valise allait parfaitement avec sa nouvelle personnalité.

— Rendez-vous au 34ᵉ étage. Le fait est que j'y suis allé plusieurs fois déjà à l'époque de mes recherches sur les compagnies pétrolières.

Ils avaient envoyé leurs communiqués par la poste en expliquant leur action à la presse. Ils n'avaient aucun moyen de distribuer le reste.

— Bon, eh bien, salut! dit Kevin en s'éloignant nonchalamment.

Le hall du building était étroitement surveillé non par un seul, mais par cinq gardiens, qui examinaient tout le monde, interrogeaient fréquemment les gens sur le motif de leur visite et demandaient les papiers. Mais Vida entra à 13 heures dans le flot des secrétaires qui revenaient de déjeuner. Elle engagea la conversation avec deux femmes et s'avança tranquillement entre elles deux. Sans s'occuper de son rendez-vous, elle prit l'ascenseur et disparut rapidement dans les toilettes pour femmes pour laisser aux autres le temps d'arriver.

A 14 heures ils étaient montés tous les trois. Vida prit la bombe des mains de Jimmy et s'enferma dans une stalle des toilettes, posant la bombe sur le siège des cabinets pour déconnecter laborieusement les fils. Dans le cas d'un bâtiment aussi énorme, il fallait que la bombe explosât de nuit : les occupants n'auraient jamais le temps de jour, de l'évacuer en une demi-heure. Et s'ils alertaient en spécifiant qu'il s'agissait du seul 34ᵉ étage, la brigade des explosifs serait là tout de suite. Elle rebrancha le mouvement pour 23 heures et reconnecta les fils. Son travail terminé, à 15 heures, elle était en eau, tremblante, exténuée. Elle rendit la valise. Ils avaient décidé de dissimuler la bombe dans les toilettes pour hommes. Elle ne pouvait pas les aider et le travail leur prendrait du temps. Elle les gratifia d'un bécot, sec et rapide, et reprit l'ascenseur pour descendre. En quittant le hall de marbre, vaste mais nu, elle remarqua un bureau de voyages de l'American Express à sa droite. On aurait dit une blague que lui faisait le gratte-ciel. « Je devrais y entrer et réserver pour Calcutta », se dit-elle. Et pendant ce temps, là-haut, Jimmy et Kevin s'affairaient comme deux petites souris dans un mur. Elle se sentait faible et se souvint qu'elle n'avait rien mangé depuis la veille. En se dirigeant vers la gare de Grand Central, elle s'acheta un hot dog choucroute à un stand. Puis elle alla chercher la grosse valise déposée par Kevin à la consigne et commença l'attente sur le quai du métro. A cette heure, les communiqués naviguaient dans les entrailles de la poste. Elle tua le temps en envoyant encore des communiqués à des postes de radio et à des journaux de l'Underground. Ils étaient tous écrits de la main de Jimmy ou de la sienne. Pas le temps, cette fois, de rédiger des messages fantaisie avec des caractères d'imprimerie découpés dans des canards comme ceux que Lohania et Randy avaient été censés distribuer...

SOCONY MOBIL OIL est une des sociétés les plus importantes des Etats-Unis. Ses bénéfices annuels permettraient de nourrir et de vêtir tous ceux qui ont faim, et de rechauffer tous les vieilles gens, de Bangor à San Diego. Mais Mobil Oil est comme toutes les autres entreprises de l'empire de la famille Rockefeller : les hommes qui les dirigent n'en ont jamais assez. Les compagnies pétrolières tirent d'immenses bénéfices de la guerre. Toutes les machines qui se déplacent sur terre, sur mer et dans les airs se servent de leurs produits. Mais, en Asie du Sud-est, les intérêts de Mobil Oil ne sont pas sur terre, ils sont sous mer. Forer les eaux peu profondes au large du Vietnam, voilà l'un des buts de Mobil Oil. Et pourquoi ? Pour trouver du pétrole à vendre aux Japonais toujours assoiffés de carburant et prêts à le payer très cher. Nous voulons seulement donner à la Mobil un aperçu de ce qu'est la guerre, puisqu'elle l'aime tant. Oui, guerre ici à la Mobil et à tous les profiteurs de guerre !

Sentir une main s'abattre sur son épaule et être embarquée eût été presque une délivrance, songea-t-elle. Elle avait envie de pleurer, de dormir. Au lieu de cela, elle recopia nerveusement, glissa le papier dans une enveloppe, la cacheta, écrivit l'adresse et timbra. Le suivant était adressé au *Cafard*, le journal de Leigh. Où était-il, Leigh ? En prison ou en liberté ? Et eux, où iraient-ils ? Où pouvaient-ils courir se réfugier ? Les drôles de gants blancs qu'elle avait achetés pour l'entrevue sollicitée pour la frime étaient maintenant salis, tachés de bleu par le stylo-bille ; elle les gardait tout de même aux mains afin de ne laisser aucune empreinte digitale sur le papier. Comme ses précautions lui paraissaient dérisoires, à présent qu'elle savait que, au procès de Lohania, Randy ferait surface pour ce qu'il était : un indic.

Enfin, elle les vit descendre ensemble l'escalier : le petit Jimmy et le grand Kevin. Elle se leva pour aller à leur rencontre. Ils se regardèrent tous trois sans pouvoir s'empêcher de sourire sombrement — une torsion légère de leurs lèvres sèches — mais avec un réel soulagement.

— Vite ! Dans le métro ! dit Kevin d'une voix impérative.

Elle obéit avec joie, reconnaissante de cet ordre comme d'une façon de se raccrocher et de ne pas sombrer dans la boue de désespoir qui la submergeait intérieurement.

— Nous irons jusqu'au terminus de ligne et nous prendrons une bagnole. Ils vont nous rechercher à travers toute la ville. Faut se grouiller de mettre du champ. Pour l'alerte, on peut téléphoner une fois hors de la ville.

Ils s'assirent, serrés les uns contre les autres, la valise aux vêtements contre les genoux de Kevin, roulant en métro vers le diable vauvert et un destin inconnu. Lequel ? Elle n'en avait pas l'aube d'une idée. Qu'advenait-il des fugitifs ? Elle avait aidé des objecteurs de conscience et des déserteurs à passer au Canada. Il n'y aurait aucune sécurité pour leur trio là-bas. Elle était heureuse de ne pas être seule, heureuse de leur présence et de la chaleur animale de leurs corps, un de chaque côté, tandis que, assis tous les trois, regardant lugubrement devant eux, ils filaient dans le fracas et la nuit.

CINQUIÈME PARTIE

Ce mois de novembre

14

Les deux voitures étaient garées à l'entrée du chemin, la vieille Chevrolet noire de Joel et la camionnette de Hardscrabble Hill, la ferme où Kiley et Lark séjournaient. Lorsqu'ils se retrouvèrent dans le parking, le soleil perçait faiblement à travers les nuages qui gambadaient dans le ciel. Kiley se mit sur la pointe des pieds et embrassa Vida. Puis, sans aucune différence d'expression ni de chaleur, elle accueillit Joel qui la regarda en clignant les yeux à plusieurs reprises. Lark embrassa Vida et serra la main de Joel. Puis ils commencèrent à grimper. Quelques passants avaient pris ce chemin depuis la dernière tempête de neige, probablement pendant le week-end, leur facilitant la voie, sauf à l'endroit où la glace recouvrait les ornières.

— Une chose est certaine, dit Vida. (Son haleine s'envolait devant elle dans la neige.) Nous ne sommes peut-être pas en sécurité ni dans un quartier central, mais cet endroit est plus sain que nos locaux enfumés.

Kiley lui lança son célèbre coup d'œil bleu glacier. Vida, elle, essayait de deviner si Lark et Kiley étaient ensemble. Lark avait encore maigri. Elle se faisait du souci pour sa santé, mais il haussa les épaules lorsqu'elle lui demanda comment il allait, en s'efforçant de boiter le moins possible.

— Il faut riposter, dit Kiley en frappant son petit poing dans sa paume gantée. Effectuer une trouée efficace. Il ne faut pas que les gens restent sur une impression de défaite.

— Tu parles de l'arrestation de Kevin ? demanda Joel. Je croyais qu'il ne faisait plus partie du réseau ?

— Il faut que tout le monde connaisse nos intentions, reprit Kiley, ignorant la question de Joel. Les gens croient que nous en sommes restés aux années 60 mais nous avons évolué, ils doivent comprendre notre politique actuelle.

— La plupart des gens nous ont surtout oubliés, dit sèchement Vida. Mais trouver un moyen de les sensibiliser, ça, oui. Est-ce que vous vous souvenez de l'idée de bandes dessinées qu'avait eue Eva ? J'ai vu un album sur la vie de Karl Marx fait par un Mexicain, eh bien, c'était prodigieux.

— Il faut clarifier notre position, dit Kiley. Nous avons l'intention de rédiger un long texte-programme : crise de l'énergie, indépendance des Portoricains, racisme, apartheid, libération des femmes, néo-fascisme. Nous pouvons l'imprimer sur la presse d'Agnès. Cela remettrait les choses d'aplomb dans l'esprit des gens.

— Non, Kiley ! (Vida se donnait de grandes tapes sur les bras pour se réchauffer.) Ton expo leur fera autant d'effet qu'une crêpe froide sur l'estomac et personne ne lira, sauf les dix mille enragés qui gobent tout ce que nous disons.

— En voilà une façon de parler des cadres !... commença Lark ; mais Vida leur tint tête :

— Kiley, Lark, comment pouvez-vous imaginer une seconde que les gens ont envie de lire deux cents pages mal imprimées de notre inimitable rhétorique ? Mes pauvres enfants, quand elle sera passée entre les mains du collectif, votre prose sera aussi passionnante qu'une liste de pièces détachées pour Chevrolet 1974 ! Le Catalogue de Sears serait d'une lecture beaucoup plus émouvante !

— Votre charabia ennuie les gens, dit Joel. Si tous les slogans publicitaires étaient aussi indigestes, personne n'achèterait plus de mixers ou de tenues de week-end.

— Tu ne peux pas parler d'impérialisme sans employer le mot, dit Kiley. Le « jargon » est une nécessité.

Vida avait espéré que Lark serait de son avis sur cette question de jargon ; il l'avait parfois soutenue. Selon elle, Roger et Kiley étaient ceux du mouvement qui écrivaient le plus mal ; ils étaient donc chargés de bûcher sur la plus grande partie de la propagande. Mais Lark ne parlait pas beaucoup. Il semblait s'efforcer de mettre un pied devant l'autre, sur ce pare-feu couvert de neige.

— Lark, dit-elle, en s'adressant à lui personnellement. Tu te rappelles l'époque où nous étions à Montréal ? Les Vietnamiens nous avaient dit de parler moins d'impérialisme et davantage de souffrance et de nourriture. Tu crois que ma mère sait ce que c'est que l'impérialisme ? Mais si tu lui expliques pourquoi il n'y a plus de boulot dans le pays, elle comprendra tout de suite. Elle travaillait dans un chantier naval.

Au mot Vietnam, le visage crispé de douleur contenue de Lark se détendit.

— Oui, je me souviens très bien de la femme qui nous avait dit cela. Elle était commandant de compagnie à Quanh Binh, et elle n'avait pas vu son mari depuis sept ans...

— Nous devons corriger la politique de la gauche. Nous sommes à même d'expliquer les faiblesses de certains secteurs clés du Mouvement, dit Kiley. Ce que nous disons est important pour le public.

— Bien sûr, les copains qui font la claque la font toujours, rétorqua Joel la tête basse. (Il enrageait d'être ignoré.)

— Ce négativisme est-il nécessaire ? répondit Kiley en le regardant droit dans les yeux.

Plantée devant lui, elle barrait la route. Malgré ses dix centimètres de moins que Joel, Kiley vibrait de fureur, les yeux pâlis et agrandis par la colère, alors que, chez la plupart des gens, ils en eussent été étrécis. Ses cheveux blonds étaient coiffés à la mode Afro ; elle seule ne portait ni casquette, ni chapeau, et sa capuche était rejetée sur ses frêles épaules. Son nez ne coulait pas comme celui de Vida, et sa peau irradiait un rose pâle ; on eût dit une porcelaine irriguée de sang.

Joel a-t-il encore envie d'elle ? se demanda Vida. Elle soupçonnait le couple Kiley-Lark d'être récent ; sans doute s'était-il formé à l'époque où elle avait rompu avec Kevin, en 1974, lors d'un soulèvement du Mouvement. A ce moment-là, Kiley était avec Roger. Vida avait préféré ne pas travailler avec Lark, cette année-là. Non pas qu'elle ne voulût plus de Lark, mais elle désirait être seule et sans homme, à la seule exception de Leigh.

Elle ressentit une bouffée de regrets. Elle aimait Lark, sans passion mais avec affection. Il était plus sérieux politiquement que Joel ne le serait jamais. Elle avait confiance en lui, même lorsqu'ils étaient en désaccord. Lark et son corps mutilé, sa souffrance, sa fragilité, sa volonté. C'était un homme froid ; pourtant, lorsqu'elle avait eu la jambe infectée par un éclat de métal, il l'avait soignée avec un dévouement d'infirmière, plus profond même que celui d'Eva. Cela remontait à l'époque où ils avaient été amants pour plus d'une nuit de hasard. Lui seul avait compris que bien qu'invalide, elle avait besoin de faire l'amour pour se sentir vivante et dans le coup.

Comme la situation était étrange ! Ils montaient ce chemin de forêt en discutant de choses sans aucun rapport avec le paysage, tout en sachant que rien ne réjouirait plus le FBI et les militants de droite plus disciplinés et plus riches qu'eux, que de les voir tous les quatre soudain encerclés par la police. La vision de Jimmy et de Belinda, morts brûlés dans les flammes blanches et noires, resterait à jamais gravée dans sa mémoire. Le poste de télévision qui lui avait livré ces images n'était pas en couleurs. Et comme il était étrange de discuter politique comme si leurs amours n'influençaient pas leurs positions respectives, ainsi que la colère et la chaleur avec laquelle ils se critiquaient.

— J'imagine que vous estimez tous deux qu'il faut recommencer à poser des bombes, dit Kiley en marchant à grands pas. Nous avons longtemps espéré que les gens adopteraient notre point de vue en lisant nos communiqués et en voyant à quelles cibles nous nous attaquions. Mais le *Times* ne veut pas comprendre notre point de vue. Ils le bousillent.

— Non, je ne pense pas que nous devrions en *revenir* aux bombes, dit Vida en marchant elle aussi d'un bon pas. Ces attaques à la bombe avaient une raison d'être quand ils lançaient des bombes, eux aussi. Quand le public nous encourageait et qu'on sentait qu'il avait envie de crier : Victoire, *on* les a eus encore une fois !

Comment vais-je pouvoir leur présenter mon projet ? se demandait-elle.

. — Ce que j'ai vu en Angola m'a convaincu que l'abolition de l'apartheid est la première des priorités, dit Lark. Les grosses sociétés et les banques américaines s'engraissent grâce à l'esclavage. Et le parti en faveur d'une guerre d'intervention en Afrique grandit tous les jours. Nous sommes à l'aube d'un autre Vietnam.

— Et le racisme aux USA ? Voilà où est notre travail, dit Vida. Le plus urgent, à ce stade, est de former des groupes d'enseignement. Oui, les banques américaines tirent un immense profit des ressources de l'Afrique du Sud et les Africains du Sud achètent sur le marché américain...

— Ça y est ! dit Kiley. Nous reconnaissons au passage ta thèse habituelle : l'Amérique-n'est-plus-le-nombril-de-l'empire, dit Kiley. Tu n'as pas encore terminé cet expo ?

— Non, pas encore. J'ai été tout le temps en déplacement. Mais il avance.

— Il faut que nous collections des fonds ; nous sommes quasiment à sec, dit Lark.

— Vous pourriez organiser une vente de pain et de gâteaux, dit Joel.

— Ça ne va pas, mec ? jeta Kiley. Je ne supporte pas le cynisme et le pessimisme. Tu as été négatif tout l'après-midi.

— Tu ne devines pas pourquoi ? Vous m'avez battu froid tout l'après-midi, dit Joel en roulant les yeux.

— Oh ? (Le regard de Kiley était dénué d'expression.) Serait-ce un reproche personnel ?

— Reste-t-il encore quoi que ce soit de personnel en toi ?

— Tu es avec Faucon pèlerin, n'est-ce pas ? Alors, fiche-moi la paix. (C'était le nom de guerre de Vida.)

— Sans doute as-tu oublié les deux années que nous avons passées ensemble ? Tu vois, je m'attendais idiotement à ce que tu t'en souviennes.

— C'est une réunion politique, pas un club de rencontres.

— Va te faire foutre ! répondit Joel. Nous sommes tout simplement des gens qui se promènent dans les bois.

— Peut-être avons-nous marché assez loin, dit Vida en regardant

Lark. (La crispation de ses lèvres minces, la contraction de ses épaules éclataient comme autant de cris de douleur étouffés.) Faisons donc demi-tour.

— Je peux parfaitement continuer, dit Lark lui lançant un regard furieux.

— Tu n'as rien à prouver, ni à moi, ni à personne ici, dit Vida en lui saisissant le bras. Il fait près de zéro ; la figure me brûle et j'ai mal aux sinus.

— Tu sais très bien que le froid ne me dérange pas...

Mais Larkin se laissa guider sur le chemin du retour ; il alla même jusqu'à s'appuyer subrepticement sur elle.

— Tu t'es... fait mal, en Afrique ?

Il hocha la tête. Vida eût voulu le porter sur ses épaules jusqu'en bas. Quel courage il avait, et combien il exigeait de lui-même.

— Mais ça valait le coup ! dit-il avec flamme. Nos relations internationales sont vitales. C'est ce qui m'aide à vivre... savoir que si, ici, nous sommes en perte de vitesse, ailleurs, dans le monde, sur d'autres fronts, des gens se battent et triomphent.

— Il faut tenir bon jusqu'à ce que les temps redeviennent meilleurs, dit Vida.

Kiley et Joel marchaient devant eux, à quelques pas l'un de l'autre. Au moment où Kiley détourna la tête pour parler à Joel, Vida la vit sourire. Elle avait un sourire étroit, qui découvrait ses dents blanches dans leur perfection, mais n'éclairait pas le reste de son visage. Kiley est plus pure, plus forte, plus simple que moi, songea Vida. Comment puis-je la qualifier de fanatique ? La plupart des gens diraient que j'en suis une. Kiley et Lark sont des incorruptibles. La peur, le désir, l'envie, le profit ne les font jamais hésiter.

— Leigh pense que Kevin est en train d'avouer, dit-elle à voix haute. Randy et Lohania sont près de lui.

— Kevin ! (Lark cracha ce nom comme si sa bouche s'était remplie de boue.) Si tu n'étais pas restée aussi longtemps avec lui, je crois que je l'aurais expulsé plus tôt, ajouta-t-il après un silence.

— Ce n'est pas vrai, dit Kiley avec équité. Au début, Kevin était un élément de force. Sa colère et son énergie nous ont permis de traverser la phase paramilitaire. Seulement, il était incapable d'une évolution politique. Ses tendances aventureuses l'emportaient toujours.

— J'ai l'impression que des choses beaucoup plus dangereuses vont prendre le pas, maintenant.

Lark trébuchait de plus en plus souvent et pesait plus lourdement sur elle. Pourquoi Kiley les avait-elle entraînés aussi loin ? Elle devait pourtant savoir que Lark était un invalide. On ne pouvait pas coucher avec Lark sans le découvrir. Toutes les maîtresses de Lark savaient qu'on lui avait coupé la jambe : le club était petit, mais

279

d'élite. Le gouvernement l'ignorait ; son invalidité ne figurait sur aucun des avis de recherche le concernant. En rentrant dans le Mouvement, il avait pris un autre nom : Larkin Tolliver, car son père, un officier, l'avait renié. Ainsi, en changeant de nom, Lark reniait-il son père en retour. Le nom de Tolliver était celui d'un professeur qui avait été bon pour lui. Larkin était le nom de jeune fille de sa mère. Lark n'ayant jamais été arrêté, le gouvernement ne possédait pas ses empreintes digitales et ignorait son véritable nom. Sa famille elle-même ignorait ce qu'il était advenu de lui. Toutes les femmes du Mouvement qui avaient couché avec lui gardaient soigneusement son secret. Mais Kiley ne prenait pas suffisamment soin de lui. Lark fit à nouveau un faux pas et toussa.

— J'ai l'impression que le désir de sauver sa peau va l'emporter, répéta-t-il avec entêtement.

— Il faut que nous en discutions à la réunion du comité directeur au grand complet, dit Kiley. Dès que nous pourrons nous réunir.

— Où sont Roger et Eva ? demanda Vida après avoir pris des nouvelles des autres membres du Mouvement.

— Roger est à Rochester, dit Lark avec humeur. Il vit en ménage avec une enseignante. Il faudrait que nous en parlions. Eva est dans une réserve, dans le Montana, chez des amis de longue date.

A une certaine époque, Eva avait travaillé comme inspectrice des services d'hygiène.

— Tu devrais nous montrer un brouillon de ton expo sur la nature mutante de l'impérialisme, reprit Kiley. Nous nous réunirons chez Agnès. Peux-tu séjourner dans le Vermont quelque temps, Vida ? Trois semaines, disons.

— Nous pouvons revenir dans trois semaines. Ma mère est malade et je dois voyager.

— Sois prudente, dit Lark en l'obligeant à s'arrêter pour l'étudier de ses yeux d'un bleu de lin, myopes et intenses. Si Kevin bavarde, nous allons tous être obligés de nous planquer et de changer de couverture.

— Kevin ignore ce qui s'est passé après 74, dit Vida.

— Peut-être, mais il sait qui est ta mère, il sait que tu rencontres Leigh, il sait que tu vois Natalie. Tâchons de prévoir de quel côté la meute va se déchaîner, sur quelle piste, et quel gibier elle va traquer, dit gentiment Lark en s'appuyant sur elle sans en avoir l'air.

— Toi aussi, prends soin de toi, Lark. (Elle lui caressa le visage.) Kevin te tient pour responsable de son éviction.

— N'est-il pas un peu jeune ? dit-il avec un bref sourire.

— Et moi, ne suis-je pas un peu trop vieille ? (Vida laissa retomber sa main.)

— Tu ne vieillis pas. Je crois que tu es plus belle aujourd'hui que la première fois où je t'ai vue. Tu as perdu de ta dureté.

280

— Je m'en souviens. C'était dans le bureau du Mouvement ; nous avions veillé toute la nuit pour rédiger un tract. Dieu, que tout cela est vieux !

— Je t'avais laissée le rédiger pour que tu couches avec moi.

Ils échangèrent un baiser furtif ; les lèvres de Lark étaient gercées, fiévreuses.

— Lark, tu te sens bien ?

— Très bien.

Il se dégagea de son étreinte. Clopin-clopant, ils suivirent Joel et Kiley qui filaient devant. Légère, légère, la neige se mit à tomber en petites aiguilles de cristal que Vida voyait scintiller sur ses manches.

— Ohé ! attendez-nous, cria-t-elle. Ecoutez, j'ai une petite opération à proposer. Les gens du coin s'activent beaucoup pour empêcher l'implantation d'une usine d'énergie nucléaire au bord de la rivière. Pourquoi ne pas faire un petit coup ? Rappelez-vous, Eva nous avait raconté comment les Crees continuaient à saboter les équipements pour les grands travaux de James Bay.

— Un truc antinucléaire ? dit Kiley en ouvrant de grands yeux. Tu ne trouves pas ça affreusement... libéral ? Tous ces vieux croûtons qui manifestaient contre la bombe...

— Tu es trop jeune pour t'en souvenir, dit Vida, plus irritée qu'elle ne l'aurait voulu. Les problèmes ne cessent pas d'exister parce que les gens sont obligés de s'occuper d'autre chose. Les ghettos et le chômage continuent, même si on oublie de lutter contre le racisme. Il y a quinze ans, c'étaient les expériences atomiques. Aujourd'hui, ce sont les usines d'énergie nucléaire et la bombe à neutrons. Seabrook a fait l'objet d'une action d'une envergure surprenante, et songe à toutes les autres : dans notre Sud, en Californie, en Allemagne, en Autriche, en Suède ! Ces questions d'énergie touchent à des tas de choses : la santé, l'agriculture, le travail, la sécurité publique, la génétique...

— ... oui, et savoir si le monde vaudra ou non la peine qu'on essaie de le rendre meilleur. Je veux un avenir ! s'écria soudain Joel.

— Tu veux présenter un projet antinucléaire au comité ? demanda Kiley, comme si cette idée avait échappé à sa compréhension.

— Bien sûr, dit-elle en prenant la décision sur-le-champ. Tout plutôt qu'un expo indigeste, craché par un ordinateur programmé pour des traductions littérales du sumérien. Je ferai une proposition officielle dans trois semaines. Pour l'instant, ce que je dis est officieux. Faisons quelque chose ensemble, mettons en commun notre expérience si durement acquise.

— Je suis absolument contre la politique qui consiste à dire : « Bon, les Amis des Canards ont quarante mille adhérents, soutenons-les. » Pas de guimauve ! Un peu d'action serait bienvenu, dit Lark. Je transigerai sur l'action si tu renonces à ton projet à la noix.

— Je n'accepte pas de compromis. Je saurai te convaincre, je te jure. Mais mettons-nous d'accord sur une petite action. Même une comédie de guérilla — de vraie guérilla, à notre manière. Tu sais, comme le coup que nous avons monté à LA. Ou un peu de sabotage local, pas trop fantaisie.

Joel les observait. Elle le savait étonné, intrigué, car, subitement, toute tension s'était envolée, ils étaient heureux ensemble. Nous sommes de vieux soldats qui se sentent mieux quand ils se battent, se dit-elle, incapable toutefois de traduire ce sentiment à Joel, qui la voyait soudain, si rapprochée des deux autres par l'action, en famille avec les camarades avec qui elle avait milité pendant des années.

— Salut, ma choute, comment vas-tu ? demanda Natalie au bout du fil.

— Comment va Ruby ?

— Ah, tu as eu le message ? Elle est à l'hôpital ; j'y retourne le week-end prochain. En plus de tous les bouleversements avec Daniel, c'est dur. Autant dire qu'il ne vit plus à la maison. Je vais reprendre Sam ; mais cette fois pour Peezie je me demande : elle a un jules.

— Natalie, réponds-moi. Comment va Ruby ?

— Pas très bien, en fait.

— Explique-toi.

— Elle a eu une autre crise cardiaque.

— Une *autre* ?

— Oui. Un petit peu plus grave que la première.

— Alors, à quoi sert l'hôpital, si c'est pour qu'elle ait des attaques ?

— Ma choute, j'ai l'impression qu'ils sont incapables de les prévenir. Mais que veux-tu... elle va fumer en cachette dans les toilettes. Elle est impossible, incapable de se soigner, dirait-on.

— Il faut que j'y aille.

— Il y a peut-être un moyen de te faire passer en douce. Je n'ai pas vu de flics surveillant l'hôpital... Seulement, écoute, il y a un problème : une commission d'enquête qui siège à New York, et nous avons la trouille. Elle enquête sur un complot pour organiser l'asile aux fugitifs.

— Ça m'a l'air grave, en effet. Ils ont déjà cité des gens à comparaître ?

— Personne pour le moment ; on attend.

— Donne-moi l'adresse de l'hôpital ; j'y vais.

— Je t'en prie, garde la tête froide pour une fois dans ta vie. Fais gaffe où tu mets les pieds. Est-ce qu'il ira avec toi ?

— Oui.

— C'est un chic gars. Sois gentille pour lui, il le sera pour toi.

— Il est jaloux de toi et de ma tendresse pour toi.

— Bof! ces bêtises lui passeront, dit Natalie, magnanime. Ménage-le, vas-y pas à pas avec lui, c'est tout. Bon... au fait, j'ai une amie à Chicago, qui peut prendre nos messages. Je l'affranchirai en arrivant. Il n'y a aucun danger, elle est habituée à ce bisness. Elle ne posera pas de question. C'est une Française; la soixantaine; elle a fait de la résistance pendant l'Occupation là-bas, et milité contre la guerre d'Algérie. Elle tient une boutique. D'ailleurs, je vais m'arranger pour qu'elle te donne une robe.

— A tes frais? C'est ridicule, tu n'as pas d'argent. Surtout maintenant que Daniel est en marge.

— Sandy m'en donnera. Ne t'en fais pas. Et les boots, ça va?

— Formidable; je ne les quitte pas.

— Prends ton temps et vas-y relaxe. Ruby est à l'hôpital pour un moment, je le crains. Note le numéro de mon amie...

— Est-ce qu'on devrait la revendiquer, cette opération? demanda-t-elle en trempant les préservatifs dans la teinture noire.

Ils étaient tous à Hardscrabble Hill où, en 1973, Kevin avait trouvé une caisse de capotes anglaises qui avaient moisi à la cave, depuis. La ferme tenait une position mitigée dans l'esprit de Vida, plus près de l'entreprise agricole prospère qu'à l'époque où Vida en était partie, mais très loin de la réussite de celle d'Agnès. De tous ceux qui l'avaient habitée en 74, ne restaient plus que Tequila, Marti et leurs enfants, ainsi que l'enfant de Belinda, qui n'était plus un bébé et qui avait de faux papiers d'identité à six ans.

— Avec des tracts aussi simplistes? Jamais de la vie! répondit Kiley. Nous avons une réputation à sauvegarder.

— D'ailleurs ça manque de motivation politique, dit Lark, qui attachait des paquets de tracts aux capotes anglaises devenues petits ballons noirs. Ce n'est pas une opération officielle; c'est pour la rigolade.

Il fallait reconnaître qu'ils s'amusaient bien, oui, à Hardscrabble, en dépit de la nervosité de Vida et de celle de Joel (il fallait le calmer toutes les heures comme un ragoût qui continue à bouillir et à déborder quand on le met en boîte. Elle se rappelait la confection des conserves de tomates et de compote de pommes, avec, sauf Belinda, toutes les femmes, Alice, Eva, Marti et elle, enfermées dans la cuisine chaude et moite comme un bain turc, dans un climat d'irritation croissante, pendant que les garçons, Kevin, Tequila, Bill — et Belinda —, fumaient de la marijuana sur la grande galerie de devant la maison).

— J'aimerais tant qu'Eva soit là! dit-elle.

Tequila, très brune, bâtie bas et musclée, avec des yeux étonnamment clairs dans un visage rond, lui fit un clin d'œil:

— Bientôt. Nous ferons la fête ensemble après la réunion du Comité, à la fin du mois.

Vida était heureuse que Joel fût à la ferme : il s'interposait entre elle et le fantôme de Kevin. Les murs restaient imprégnés de leurs querelles et leurs paroles dures et amères filtraient parfois comme un gaz empoisonné à travers les lézardes. Elle avait vécu ici, c'était vrai, mais elle en avait.fui. Chaque pièce de cette maison qui se répandait sur la colline, chaque hangar, chaque table, chaque chaise lui rappelaient une époque qu'elle préférait oublier. Elle aimait bien Marti, Tequila, les gosses ; mais elle était mal à l'aise dans leur maison. Marti et Tequila étaient légitimement mariés et étaient en train d'acheter la ferme. Tequila était indispensable à leur petit projet, car lui seul savait piloter un avion.

Tamara, Dylan et Roz s'amusaient avec les préservatifs-ballons. Elle faisait son possible pour ne pas trop regarder Roz, ne pas chercher Belinda dans le visage potelé, les fortes jambes et le ventre rondelet de l'enfant : Belinda était blonde, presque jaune comme les blés, avec une peau d'albinos ou peu s'en fallait, et les cheveux de la petite avaient la couleur du miel de trèfle, ses yeux étaient brun foncé et brillant. Roz croyait être la fille de Marti, comme Tamara et Dylan ; Vida réprouvait ce mensonge, mais n'avait rien à dire puisqu'elle ne participait plus à l'éducation des enfants. Elle avait fui Hardscrabble Hill et n'y était revenue que pour de courts séjours, sauf deux ans plus tôt, à l'époque où elle se remettait de son accident à la jambe, le jour où Eva, Lark et Vida avaient posé une bombe chez ITT pour l'anniversaire de la chute d'Allende au Chili et de l'avènement de la terreur, et où l'engin avait explosé trop tôt, lui logeant un éclat dans la jambe.

Elle était contente de ne passer qu'une seule nuit à la ferme. Si Joel revenait avec elle pour la réunion du Comité, elle s'arrangerait pour qu'ils descendent chez Agnès. Joel, peu à son aise avec Kiley et Lark, se réchauffait et se sentait bien avec les fermiers et leurs enfants. Lorsqu'il en eut assez de souffler dans les capotes anglaises pour en faire des ballonnets, il s'allongea par terre pour jouer au Lego avec Roz, Dylan et Tamara. Les petits lui grimpaient sur le corps en le tirant et le poussant, furieux quand il parlait aux grands : « Ecoute, Jo-ul, Jo-ul », chantait Roz en le regardant avec un air adorateur et en le pinçant de ses petites mains potelées et cruelles, comme s'il avait été un mélange de Prince Charmant et de gros ours en peluche.

Dans l'après-midi, Joel et Vida avaient passé un moment court, mais vital, seuls dans leur chambre, pendant que Kiley et Lark étaient allés imprimer le tract dans sa simplicité d'une demi-page. Certains de ces tracts seraient fixés aux capotes gonflées et noircies ; les autres seraient lâchés en liberté. Texte : *Un accident signifierait danger mortel. Vous mourriez avec vos enfants, vos vaches, vos poulets. Dans l'éventualité d'un accident mineur, le lait serait gâté, la terre contaminée et vous auriez forte chance d'y gagner un cancer.* Le verso énumérait en caractères plus petits des catastrophes, maîtrisées ou non : Windscale et Browns Ferry, Idaho Falls et Monroe, Three Miles Island. Marti et Tequila avaient fait des expériences sur la bande CB pour diffuser des commentaires politiques et, l'opération préservatifs terminée, ils avaient l'intention de fournir des explications au public et de capter les réactions.

Une heure avant l'aube, Kiley et Lark démarrèrent à bord du camion de la ferme, dans un rugissement de moteur, pour lâcher des ballons et des tracts. Auparavant, ils avaient déposé Tequila, Joel et Vida sur un petit terrain d'aviation, où Tequila avait l'intention d'emprunter un avion. Le camion devait les récupérer à l'atterrissage.

— Non, pas celui-là, il est trop compliqué, dit Tequila (ils parcouraient tous trois le terrain privé en examinant les appareils arrimés au sol. Ah ! en voilà un bien. Un Cessna-172. (Il saisit un bâton et mesura le niveau d'essence dans les réservoirs qui se trouvaient dans les ailes.) Celui-ci a la bonne taille. On peut lancer tout ce qu'on veut, parce que les ailes sont hautes. Et j'ai appris à piloter sur le même.

Avant de monter à bord, Tequila vérifia les ailes et l'hélice, chahutant l'appareil de façon inquiétante aux yeux de Vida, tant on eût dit que les ailes tenaient à peine et pouvaient se détacher à n'importe quel moment. Puis il bricola la porte et grimpa dans la carlingue pour lancer le moteur. Vida entassa ballons et tracts à l'intérieur avec l'aide de Joel qui, ensuite, détacha l'avion et sauta à bord. Il n'y avait aucune raison pour qu'on pût les empêcher de décoller, même si un quidam s'était trouvé dans les parages à une heure aussi matinale. Le petit terrain d'aviation n'avait pas de tour de contrôle ; pour décoller, Tequila dut sortir la tête et se dévisser le cou pour regarder partout, avant de se mettre en position de décollage. Vida adorait les petits avions et lorsqu'ils s'envolèrent enfin au bout de la piste sombre (Tequila affirmait qu'il la voyait parfaitement), la joie lui gonfla la poitrine : un avion volé, une action en perspective et l'aube gris perle émergeant des ténèbres.

— Mecs, l'opération préservatifs, c'est pas du toc ! annonça Joel en se retournant (il était assis à la place du copilote ; Vida était coincée derrière avec capotes noires et tracts). Je n'aurais jamais cru que ce serait aussi simple !

Elle lui pressa l'épaule sous le caban et dit :

— Quand on tient la forme, on est plutôt rapidos, pas vrai, Tequila ?

Il répondit par un hochement de tête tout en plissant les yeux contre le petit jour en louchant, et ajouta :

285

— Ça fait du bien de nos jours, de sortir rigoler un peu !

Ils étaient bien, ensemble, et travaillaient en harmonie. C'était un des plus beaux héritages des années 60. Joel avait rejoint en fin de parcours ; il ne connaissait pas le sentiment d'ivresse âpre que procure la certitude d'être capable d'agir, de changer le monde, de foncer. L'action, c'est du théâtre, de la joie pure. Une œuvre d'art collective, improvisée et voluptueuse. S'il n'avait jamais savouré ces bonheurs-là, il en avait eu un petit goût ici et là. L'opération était simple, mais chouette. Malgré les trous d'air et les sauts de mouton, l'avion continuait sa route en bourdonnant activement au-dessus des champs, des bois où la neige étendait son chaume blanc, des coins de terre où elle avait fondu et des pâturages qu'elle recouvrait encore. Le soleil s'était levé derrière de gros nuages pareils à des écheveaux s'effilochant en camaïeu gris, et le sol qui tanguait sous eux était vaste et beau. Des panaches de nuées sommaient la crête des montagnes. L'avion amorça un virage : Tequila s'apprêtait à voler plus près du sol. Vida commença à passer les tracts à Joel, devant elle. Joel s'était montré utile au sol, avec l'appareil, gardant la tête froide malgré sa nervosité.

Ils survolèrent le New Hampshire à basse altitude, puis le Vermont, en traçant un cercle au-dessus de l'usine d'énergie nucléaire, continuant leurs lâchers par petits paquets. Ce n'était pas grand-chose, se disait-elle, mais ça faisait plaisir.

A 10 heures 30, ils atterrirent sur un champ de foire abandonné offrant une étendue de ciment juste assez longue pour permettre à Tequila de se poser. Ce fut brutal. L'avion rebondit durement et tout un moment elle eut peur. Ils s'arrêtèrent en cahotant au bout de la piste de fortune, dans les mauvaises herbes poussant dans les crevasses du ciment.

— On va téléphoner au terrain là-bas, pour prévenir le propriétaire de l'avion, dit Tequila. Des fois qu'on en aurait peut-être encore besoin.

Kiley et Lark attendaient dans le camion. Joel et Vida grimpèrent à l'arrière sur la plate-forme à l'air libre, ils repartirent dans le bruit de ferraille pour la ferme où leur Chevrolet attendait de les conduire à Chicago, dans l'après-midi.

15

La route normale pour aller du Vermont à Chicago en passant par
le Canada était trop dangereuse. Ils évitèrent les autoroutes pour
économiser leur argent : il ne leur en restait plus beaucoup après
l'achat de la voiture.

— C'est égal, c'est une bonne idée de l'avoir achetée ; tu avais
raison, dit-elle tout en conduisant. Elle nous laisse tout loisir de faire
ce voyage et ensuite, de rentrer quand je devrai.

— Pourquoi veux-tu assister à cette réunion puisque tu ne crois
pas à leur manifeste ?

— C'est en face qu'il faut le leur dire.

— Bof ! laisse-les donc écrire leurs conneries...

Joel était enfoncé sur son siège, les pieds sur le tableau de bord. Il
avait passé trois jours à bricoler la voiture, un coupé noir à deux
portes qu'ils avaient baptisé « Mariah ».

Arrivés dans la région des Finger Lakes — ceux de l'Etat de New
York — d'une table d'orientation, à un virage, ils admirèrent le
coucher de soleil, vaste et rosâtre, avec de grandioses banderoles de
nuages violets. Ils avaient un sac de pommes du verger de Hardscrabble Hill et les restes d'un poulet de même origine qu'ils avaient
grignoté tout au long du voyage. Il y avait abondance de bons œufs à
Hardscrabble Hill à cette saison, mais il fallait drôlement mastiquer
le poulet. C'étaient des volatiles athlétiques, minces et musclés, qui
passaient leur temps à s'entraîner à l'envol dans les arbres.

Elle avait l'impression que tout son être s'étirait, comme si ses
sentiments s'étaient épanouis de force en elle, avaient contraint la
peau de son esprit à se dilater comme les parois d'un ballon. Elle était
follement heureuse d'être assise à côté de lui, dans leur petit cocon de
métal. Follement heureuse de pouvoir l'aimer. On lui avait accordé
licence de prodiguer son affectivité, ses désirs, toutes les richesses de
son âme à un être, après des années où elle devait mesurer ses

réactions, dissimuler, refuser, feindre de ne pas reconnaître les signes, prendre du champ, mettre la sourdine, bloquer les freins. Des années et des années où les sentiments soigneusement étouffés alternaient avec la tolérance de brefs rapports sévèrement limités. Mais cette fois elle avait licence d'aimer ! En même temps, elle s'inquiétait follement pour Ruby. Elle se sentait pareille à sa vieille épagneule Mopsy, une oreille tendue vers Chicago (Mon Dieu, mon Dieu, Ruby, où en est-elle ?) et l'autre vers New York, d'où lui parvenaient les étranges grincements d'engrenages secrets, cependant que l'appareil gouvernemental se préparait à tenter de les broyer, elle et les siens. Elle avait peur. Elle était inquiète, et elle débordait de joie. Elle était une vraie caverne des quatre vents, traversée de violents mouvements d'air qu'auraient crachés de gros soufflets de cuir et dont les rafales contradictoires auraient irrésistiblement pénétré la montagne jusque dans son tréfonds... Son besoin profond d'orchestrer une telle richesse d'émotions prit fin brutalement lorsque, regagnant la voiture, ils s'aperçurent qu'elle refusait de repartir.

— Une vieille bagnole, c'est toujours l'emmerdement garanti, dit-elle impatiemment.

— Ah ! la ferme, dit-il, penché sur le moteur. Il y a une heure, tu trouvais ça formidable.

Elle dut tenir une torche électrique faiblarde pendant qu'il tripotait la batterie.

— C'est un fil qui est rongé jusqu'au bout, dit-il enfin. Il n'y a plus de contact.

Il défit des trucs et, à la lueur de la torche, les racla soigneusement, puis remit le fil en place. Au bout du compte, la voiture repartit.

— Explique-moi ce qui t'oblige à travailler à une connerie d'exposé auquel tu ne crois pas, demanda Joel, reprenant la conversation tout en conduisant. Laisse-les s'en sortir tout seuls.

— Nous sommes liés par des décisions collectives.

— Tu me fais marrer ! A quoi il sert, ton collectif ? Tu croyais qu'il y aurait une révolution. Pas de chance, tu es feintée. Piégée ici.

— Toi aussi, dit-elle sèchement, se cramponnant. (Que savait-il ? Il n'était qu'un gosse, sans horizon politique, sans analyse fiable, ni stratégie à long terme. Rien qu'un gosse impulsif, bousculé par les remords d'une conscience qui l'avaient poussé à se cabrer et s'enfuir. Et désormais piégé, pour reprendre son mot.)

— Bon, mais, toi et moi, on est dans le même trou, dit-il tout content. Ça ferait pas une belle chanson, dis ?

Il plaisantait et elle était sérieuse ; l'écart l'irrita. Comment pouvait-il prendre à la légère de lui conseiller de renoncer à assister à une séance décisive pour le Réseau ?

— Je ne peux pas laisser tomber comme ça, dit-elle.

— Je ne vois pas ce que tu as à foutre d'eux. Sérieusement. C'est fini, ça. Les gens se fichent pas mal de vous ; vous ne les intéressez plus.

— Dans ce cas, nous devons survivre jusqu'à ce que ça reparte. Chaque révolution a ses phases creuses, ses défaites, ses périodes d'inertie apparente.

— Alors, pourquoi ne pas t'abstenir quelque temps ? On pourrait trouver un endroit sûr. Vivre peinards dans une petite ville avec une bande d'anciens hippies. En Californie du Nord ; au Colorado ; dans l'Oregon. Ou alors, retourner dans le Vermont. On pourrait s'y établir tout bêtement, trouver une maison pas chère avec un bout de terrain. On aurait un jardin. J'aurais un boulot au noir, toi aussi. Et tu pourrais réfléchir à la politique et pondre ton expo. Mais au moins on vivrait comme des êtres humains, pour changer.

Elle fut étonnée par la vague de... quoi ? de nostalgie ? qui la submergeait. Un homme et une femme dans une petite maison avec une jolie vue. Des arbres fruitiers, un jardin — elle pouvait broder sans fin là-dessus, s'y adonner comme à un passe-temps, à un tricot, à un rêve éveillé, durant des mois, des années ; et puis aussi des abeilles, une ou deux ruches ; un massif de fraises ; quelques chaises très simples et une table rustique dehors, derrière ; un lit d'asperges (creuser un trou profond, y jeter des pelletées de bon fumier ; bien mélanger avec des feuilles mortes) ; quelques meubles frustes, d'occasion, choisis pour le plaisir des yeux (un bureau rustique, lourd mais simple, avec du papier blanc recouvrant le fond des tiroirs et des étagères pour tous les bouquins qu'ils accumuleraient)...

— Pourquoi pas, hein ? demanda-t-il doucement en tournant la tête pour guetter sa réaction.

— Parce que je ne suis pas entrée dans la clandestinité uniquement pour me cacher. Si je me retirais dans une petite maison avec toi et que nous menions une vie paisible en élevant des abeilles...

— Tu veux faire du miel, ma douce ? (Il lui sourit tendrement.)

— ... alors ils auraient gagné, comprends-tu ? acheva-t-elle. Ils nous auraient forcés à sortir de la politique, à renoncer au combat, à déposer les armes.

— Non, Vida : c'est survivre qui est la victoire.

— Survivre ne suffit pas.

— Même toi et moi ?

— Non, c'est impossible, nous n'avons pas le droit de laisser faire, de nous ranger.

Il étendit la main dans le noir pour la poser sur le ventre de Vida :

— C'est ce qu'on verra.

Sous le crépuscule de ce novembre d'un automne attardé, la terre était belle. La neige tombait en abondance sur les collines, blanches sous le ciel bleu noir. Vers 10 heures du soir, ils firent halte pour dormir deux heures au bord de la route. Ensuite, la voiture refusa de nouveau de démarrer et Joel réussit à la bricoler une deuxième fois. Ils s'arrêtèrent à l'unique pompe à essence ouverte toute la nuit qu'ils trouvèrent et Joel fit recharger la batterie. Mais sur l'autoroute, il ne devait plus y avoir de problème. Cependant, Joel marmonnait : « Je sais pas ce qu'il y a... ou le régulateur de voltage ou une cellule de la batterie qui est morte. Ça se recharge mal... » La fatigue la brûlait derrière les yeux, pesait comme un casque de plomb sur les fines membranes de son cerveau et sur son estomac comme un repas mal digéré ; pourtant, elle savourait aussi la sensation de légèreté qu'elle lui donnait et qui lui rappelait l'époque où elle croulait sous le travail. La fatigue était une drogue dont elle avait l'habitude, qui lui agaçait les nerfs d'une façon familière.

Toute la nuit, ils se cherchèrent, l'un ou l'autre étendant la main pour une caresse furtive. Elle avait constamment envie de faire l'amour, mais c'était impossible ; il faisait beaucoup trop froid pour s'aimer dans un champ ou même dans la voiture : le moteur risquait de ne plus redémarrer. Et l'idée de s'arrêter en le laissant tourner ne leur plaisait guère : « Deux amants enlacés retrouvés asphyxiés dans leur auto », plaisantait Joel. Chaque fois qu'ils voyaient une voiture de police dans le rétroviseur, chaque fois qu'une voiture de patrouille se rapprochait ou qu'ils voyaient des motards planqués au bord de la route, ils se taisaient, l'œil aux aguets. Ils conduisaient lentement, prudemment. Il n'y avait qu'un trou à la place de la radio ; lorsqu'ils étaient fatigués de parler, ils chantaient. Cela rappelait à Vida les voyages de son enfance. Les vacances étaient un entracte pendant lequel Ruby et Tom oubliaient leurs disputes et leurs soucis et s'accordaient un peu de bonheur. Tom n'était jamais d'aussi bonne humeur qu'au volant de sa bonne grosse vieille américaine, toutes vitres ouvertes, pendant que Ruby froissait des cartes à l'avant et que Paul, assis à l'arrière avec Vida, s'empiffrait nerveusement de bonbons. Paul avait été un enfant trop gros. D'accord, il avait une forte ossature comme son père et, brusquement, à seize ans il avait poussé et forci. Mais, enfant, il était gras et boutonneux et, quand il ne se gavait pas de friandises, de chocolat au malt et au lait, ou de gâteaux secs aux raisins, de fourrés à quelque chose et de cacahuètes, il mastiquait du chewing-gum. La seule vision de Paul suçant et mastiquant avait fini par dégoûter Vida du sucre. Elle avait beau adorer son frère, elle ne voulait pas lui ressembler.

Elle avait très vite acquis la certitude qu'elle était la seule de la famille à posséder deux sous de bons sens et d'intelligence. Tom ricochait de catastrophe en chute. Son mauvais caractère lui valait d'être flanqué à la porte de ses boulots ; son impulsivité l'entretenait dans les dettes. Ruby avait davantage de sens pratique quotidien ; on pouvait lui faire confiance pour administrer l'argent liquide du ménage et nourrir sa famille ; seulement, elle manquait de stratégie à longue vue pour les sortir d'affaire. Vida était la meilleure complice de sa mère. Paul était toujours en bagarre avec son père, et souvent avec ses professeurs. Quand Vida était en colère, elle se racontait qu'elle ne faisait pas partie de cette famille, qu'elle était une enfant trouvée, que sa vraie maman était une dame, une doctoresse, comme celle qui venait leur regarder les oreilles et les amygdales, à l'école, et son vrai papa, un héros de la guerre, devenu acteur de cinéma ou homme politique, en tout cas, un type extraordinaire.

Joel ronflait maintenant à côté d'elle tandis que, songeant à sa mère et ayant pris le volant, elle roulait à travers les campagnes, recouvertes d'une neige dure, sous la lune éclose dont l'éclat lui drapait une épaule comme la faible lumière d'un phare, derrière. Elle n'avait jamais tout à fait réussi à se persuader qu'elle n'était pas la fille de Ruby, du moins, pas pour longtemps. Elle avait les cheveux roux de son père et le corps de Ruby : réussi dans les deux cas, à la fois mince et voluptueux. Pourquoi ce corps trahissait-il sa mère à présent ? Ruby la romanesque, qui s'était enfuie avec un bel inconnu roux, avec lequel elle n'avait rien de commun, sinon un puissant attrait sexuel, un caractère de cochon et des origines prolétariennes. Mais Ruby était tombée amoureuse plusieurs fois, Vida le savait : Ruby était incapable de lui cacher quoi que ce soit. Pendant que Tom était au Japon avec l'armée d'occupation, elle était tombée amoureuse de Gene Cornutti, son contremaître aux chantiers navals ; mais elle avait résisté. Ils allaient au bowling avec des copains du chantier, ils buvaient quelques coups, se faisaient les yeux doux et, une ou deux fois, s'étaient bécotés dans la voiture. Mais Ruby était restée fidèle. Et puis Cornutti l'avait laissée tomber comme d'autres, pour se marier. Et voilà ! Ensuite, à Chicago, il y avait eu le gars qui travaillait derrière le comptoir de la pharmacie : Stamford Asch. Un veuf bien, avec deux filles ; un juif qui ne buvait pas, sauf un peu de vin au dîner ; un brave homme, stable et un cœur d'or. Bien que Ruby ne lui eût rien dit, Vida avait vu toute l'histoire se nouer, pas à pas. Ruby s'inventait toute sorte d'excuses — et chaque fois pour se donner bonne conscience... à tel point que Vida avait l'impression de glisser et de s'enliser dans de la boue ; mais elle gardait le secret de sa maman, en vraie complice ; elle avait choisi, opté pour sa maman. Ruby voulait le bonheur de ses enfants ; mais pas son papa, elle le savait. Il pouvait la convaincre, révolutionner la maison avec ses colères ou bien l'illuminer de sa bonne humeur, quand il rentrait, le soir, avec une dinde gagnée aux cartes, une glace au sirop d'érable et à la noisette ou une bouteille de whisky dont on lui avait fait cadeau pour le remercier d'un service rendu, ou encore un bouquet de roses jaunes cueillies quelque part dans la rue. Mais elle avait opté pour sa maman et Ruby était devenue Ruby Asch, et elle, Vida Asch. Et Natalie l'avait élue. Natalie avait été obligée de jouer les petites mamans, elle en avait eu assez d'être sage ; elle avait eu envie de s'échapper avec Vida, pour jouer.

A vrai dire, leur malice jumelle trouva son vrai prétexte lorsqu'elles eurent quinze ans, et Ruby, un bébé ! A son âge ! Sharon, la petite sœur de Natalie, qui avait dix ans, suffisait déjà comme casse-pied. Mais ce Michael-Morris Asch, qu'elles appelaient « M.M. », c'était trop ! Etre obligées de garder ce braillard, voir leur maison se métamorphoser en grand parc à bébé, pendant que le petit monstre gâté pourri poussait ses hurlements, les révoltait. Leur complicité pour la vie se forgea au coude à coude, au cours de leur guerre d'indépendance.

Sandy était un cœur généreux, un démocrate libéral opposé à toute politique d'appareil de parti, et soutenant les droits des Noirs, fidèle à Adlai Stevenson. A seize ans, la studieuse Natalie avait déjà évolué vers la gauche. Vida suivit. Elles collectaient des vêtements et des conserves, au porte à porte, pour le mouvement en faveur du droit de vote des Noirs dans le Mississippi, où la politique agricole affamait les cultivateurs et les réduisait à la soumission. Des monceaux de vêtements montèrent jusqu'au plafond de l'entrée de la maison. Elles étaient des non-violentes, mais des militantes et leurs héros étaient des hommes et des femmes brutalisés, incarcérés, mutilés, dans l'Alabama et le Mississippi. Elles allaient à des réunions qui ressemblaient à des assemblées religieuses et, où des hommes à béquilles et des femmes, un bras dans le plâtre, leur racontaient ce qu'ils avaient enduré sur ce champ de bataille et projetaient, pour protester contre la ségrégation dans les piscines, les jardins publics et sur les plages de Chicago, d'organiser des baignades collectives. Elles faisaient le piquet de grève devant les magasins Woolworth, le samedi matin. C'était leur façon de se révolter contre Ruby et Sandy, qui leur demandaient : « Mais qu'est-ce que vous fabriquez sous la pluie, devant le Woolworth ? » Ce qu'elles faisaient ? Elles manifestaient ! Vida flirtait et Natalie discutait avec les garçons du piquet de grève. Elles commençaient à vivre dans le vaste monde, dans l'Histoire.

Tout en regardant la route, tandis que les voiles de la nuit glissaient sous les roues, Vida songea : Je n'ai pas le droit de m'offrir une folie romantique avec Joel. Voilà ma vie, voilà ce que j'en ai fait, je ne peux y renoncer, pour personne. Mon intégrité m'ordonne d'aller de l'avant.

Joel gémit en dormant, puis ses ronflements se turent en même temps qu'il dérivait du sommeil au rêve ; ses doigts s'agitèrent convulsivement sur ses genoux ; brusquement, son corps tout entier fut parcouru d'un frisson. Des phares la suivaient à distance de façon persistante. Cette voiture était derrière elle depuis près de vingt minutes ; elle ralentit, mit son clignotant, attendit... L'auto traîna encore un instant, puis accéléra et la doubla. Vida maintint son allure d'escargot jusqu'au moment où elle jugea la voiture suffisamment loin.

Pourquoi n'en voulait-elle pas à Joel d'essayer de la faire dévier de sa route, de lui proposer de se ranger quelque temps, pour survivre ? Cependant, lorsqu'il lui avait suggéré d'ignorer la décision du collectif, elle s'était mise en colère. Pourquoi ? Parce qu'elle avait peur. Que possédaient-ils, sinon leur fragile organisation ? Leur collectif était né d'un idéal commun auquel ils s'accrochaient pour forger une politique commune. Mais sa proposition l'avait tout de même flattée. La tentation était de celles auxquelles il faut résister, mais elle en appréciait l'existence même. Après tout, Leigh ne lui avait jamais proposé de quitter New York, son boulot et d'aller la retrouver à Dubuque, Iowa, pour bâtir une nouvelle vie à deux... Il n'en avait rien fait, hein ? Evidemment, Leigh avait ses obligations politiques, lui aussi. Il était plus engagé que Joel, mais peut-être était-il moins attaché à elle ? Ces considérations la frappaient malgré elle, et la faisaient souffrir. Peut-être Leigh n'avait-il même pas songé à cette possibilité. Les gens imaginaient que la vie des fugitifs ressemble à une épopée romanesque : ils braquaient les caissiers de banque, ils frayaient avec des célébrités mystérieusement disparues, ils semaient les flics le revolver entre les dents. Ou bien, les gens vous croyaient terrés dans une chambre, littéralement sous la terre, comme la cave de Laura à Newton, ou encore confinés dans une cellule, ou escamotés dans un autre pays. Rares étaient ceux capables d'imaginer à quel point les choix sont limités ; cependant, il existe toujours un choix et aussi des problèmes quotidiens. Il faut se nourrir, s'habiller, trouver un endroit où dormir, un compagnon à qui parler, avec qui faire l'amour, des tâches à remplir et quelques heures de repos à saisir.

Leigh avait vécu avec elle à Philadelphie ; à cette époque, il faisait l'aller et retour New York-Philadelphie toutes les semaines. Leur vie avait été tout à fait semblable à celle qu'ils avaient eue quand ils s'étaient rencontrés : Leigh menait l'existence intéressante ; elle travaillait comme secrétaire, et Leigh lui ramenait les nouvelles de l'extérieur. Le fait, pour lui, de se retrouver à Fil-à-délit, comme il disait, avait représenté un mélange de sacrifices et de renoncements. Si Leigh avait eu envie de reprendre la vie commune, pourquoi n'en avait-il jamais parlé, même comme d'un rêve ?

Joel se redressa avec un grognement étouffé : — J'ai mal au dos — marmonna-t-il.

— Arrêtons-nous au prochain café ouvert. Nous pourrons nous dégourdir les jambes à tour de rôle ; pas question que le moteur cesse de tourner.

— Où sommes-nous ?

— Nous venons juste de passer cette bonne vieille ville d'Erie, Pennsylvanie. Notre ville, Joel! Mec, j'ai de mauvaises nouvelles pour toi : tu viens de perdre ton boulot de représentant en marquises, pour cause d'absentéisme...

— Chouette, maintenant, je suis vraiment un paumé. (Il bâilla.) Veux-tu que je prenne le volant ?

— Tout à l'heure, quand nous aurons trouvé un café. Surveille la route, il doit y avoir quelque chose d'ouvert.

— Je rêve d'un lit, d'un beau grand lit avec des draps propres et des couvertures. Nous nous blottirions l'un contre l'autre, très tendrement, et, au matin, nous ferions l'amour.

— Joel, je suis contente d'être avec toi. Le sais-tu ?

— C'est normal, ne suis-je pas le meilleur amant d'Erie, Pennsylvanie ? Et de tous les patelins situés à l'est, à l'ouest et alentour ? En tout cas, c'est ce que tu me sers à tour de bras. Et je commence à le croire. Regarde toutes ces maisons remplies de femmes endormies, de femmes éveillées à côté de leurs gros maris qui ronflent, elles ne se doutent pas que la meilleure affaire de la ville passe devant leur porte...

— Oh! Tu ronflais toi-même il y a un instant...

— Hé, là, attention ! Qu'est-ce qui se passe ? cria soudain Joel.

— Sais pas !

Elle se cramponna au volant de toutes ses forces, amenant progressivement la voiture au bord de la route.

— C'est un pneu ! Nous sommes à plat.

Ils avaient crevé. Le pneu avant droit était complètement flasque. Vida s'était arrêtée sur le ressaut en gravier, et il y avait encore de la glace dans les ornières.

— Ces saloperies de boulons sont grippés, grommela Joel en essayant de les desserrer.

— Tiens, tiens, je croyais que les pneus étaient neufs...

— Ils le sont ; on a dû chiper un clou.

Vida regarda le chemin accidenté en priant le ciel pour qu'ils ne tombent pas dans une tempête de neige, comme avec Tara. Joel réussit enfin à desserrer les boulons en poussant un grand cri sous l'effort. Une fois le pneu changé, il avait trop froid aux mains pour pouvoir conduire et Vida reprit le volant. Ils continuèrent leur chemin vers l'Ohio, sous une lune cireuse qui brillait sur une neige glacée, tout au long du pâle ruban de l'autoroute. Elle avait l'impression de rouler pour l'éternité dans cette clarté lunaire. La fatigue lui brûlait dans les veines comme de la benzédrine. Ils n'étaient tous deux plus que deux fantômes, menant une après-vie à quatre roues. Elle avait l'impression d'avoir les yeux pleins de cendre.

« *Tu es mon soleil.*
Mon unique soleil »,

294

chantèrent-ils à tue-tête. Joel avait une belle voix de basse, beaucoup plus profonde que sa voix parlée. Elle avait une voix de contralto légèrement tremblante qui épousait bien la note, la tenait fièrement, ou bien se perdait, déraillait ; pourtant elle se souvenait, toujours, de toutes les paroles. C'était immanquablement elle qui chantait les paroles du troisième couplet, quand les autres restaient en rade. Quel gaspillage de cellules grises !

« *Comme je marchais dans les rues de Laredo,*
Comme je marchais un jour à Laredo... »

gazouillaient-ils, plus ou moins en chœur. Du café bientôt, sous la lune là-haut...

« *Una mañana del sol radiante,*
Bella ciao, bella ciao, bella ciao ciao ciao,
Una mañana del sol radiante
Saldré a buscar al opresor. »

Joel ne connaissait pas les paroles de ce chant révolutionnaire, ni d'aucun autre chant espagnol.

— Qui t'a appris ça ? demanda-t-il.

— Lohania. Elle m'a fait faire des progrès en espagnol. Nous avions projeté d'aller à Cuba au printemps, et de nous joindre à une Vinceremos Brigade. (Elle se gratta le nez.) Pauvre Lohania, elle n'a pas pu y aller non plus. Moi j'étais planquée et elle attendait de passer en jugement... Lohania mourait d'envie d'aller à Cuba, tout en mourant de trouille qu'on ne la laisse pas y entrer à cause de ses parents. Nous attendions des nouvelles de notre visa, quand le plafond nous est tombé sur la tête.

— Mais elle en est sortie, à présent. Tu as envie d'aller la voir, un de ces quatre ?

— Elle avait commencé à se droguer en prison, et je ne sais pas si elle s'est jamais désintoxiquée. Fichée comme elle doit être, elle est trop vulnérable. C'est comme ça qu'ils ont recruté Randy. Ils en ont eu pour leur argent. Un véritable artiste, ce fumier. Et ils ont passé l'éponge sur son casier, en remerciement des services qu'il leur a rendus.

— Tu en parles plutôt gaiement.

— Que veux-tu, nous n'aurions jamais dû le laisser s'infiltrer. Mais nous étions trop bêtes et trop candides. Bon Dieu, ce qu'il pouvait nous haïr ! Tous, sauf Lohania. Il a dû leur proposer un marché pour sortir Lohania du pétrin. Randy en était dingue.

— Tu crois qu'il a couché avec elle ?

— J'espère que non. (Elle se mordit les lèvres. Le passé lui collait trop à la peau.) Regarde, Joel, la lune sur les champs de neige, tu ne trouves pas ça beau ? peut-être les fugitifs qui courent vent arrière d'un bout à l'autre de ce pays sont-ils les seuls à l'aimer autant.

Un clair de lune sur une terre gelée. Que de souvenirs... Kevin conduisait la voiture volée, elle était là, contrainte et forcée; Jimmy, assis à l'arrière, leur donnait des instructions. C'était la première année. Ils n'avaient aucune règle de survie. Ils traversaient la Pennsylvanie; en direction de la ville, de la rue, de la maison. L'allée était recouverte de glace, Jimmy tomba. Brusquement, une lampe électrique avait braqué son faisceau sur eux et ils s'immobilisèrent, sentant déjà la morsure des balles auxquelles ils s'attendaient. « Merde, un piège! » avait grommelé Kevin. La voix détachée de Kiley avait retenti dans l'obscurité : « Vous ne l'auriez pas volé. Il faut être complètement cinglé pour débarquer comme des fleurs sans même avoir reconnu le terrain. » Ils s'étaient tous embrassés au clair de lune, Vida avait pleuré de joie : plus jamais seule. Le corps frêle de Lark contre le sien, le petit visage de Kiley et ses traits si finement modelés. Roger, le grand mec au fusil qui marchait en traînant les pieds, était le seul que Vida ne connaissait pas, mais elle avait entendu parler de son travail dans le Mouvement antiguerre à Seattle. Jimmy, tout comme Vida, connaissait Lark depuis leurs expériences communes au bureau de New York, et Kiley depuis le bureau de Boston. Mais Kevin, lui, ne connaissait que Lark. Cette nuit-là, ils avaient fondé le Réseau. Et dire que Joel ne comprenait pas sa fidélité à une organisation qui l'avait sauvée du désespoir en donnant un sens à sa vie.

— Personne ne connaît son pays comme celui qui se cache dans ses replis et ses crevasses, dit-elle à Joel. Notre terre, notre pays. Voilà ce que ce maudit exposé ne dira jamais.

— Et comment! Tiens, tu parles d'un carnaval que ce pays! ricana Joel. Premier cortège, un homme marque un esclave enfui. Deuxième cortège, un soldat tue un enfant indien à la baïonnette. Troisième cortège, un aviateur lance une bombe au napalm sur une femme enceinte. Quatrième cortège : un garde tue un gréviste.

— Il y a du vrai dans ce que tu dis, Monsieur l'Ergoteur, dit Vida en lui tapotant le genou. Mais ce pays nous a enfantés. Ce pays n'est qu'une longue guerre; mais c'est aussi notre histoire : Tecumseh et Mother Jones et Ida Tarbell. Pour être capable d'aimer les autres et de faire de la bonne politique, il faut d'abord s'aimer soi-même. Natalie l'a toujours compris; moi, j'ai mis du temps à le réaliser.

— Tu te prends trop au sérieux. Franchement, je me demande comment tu peux m'aimer, *moi ?*

— Sans doute un mauvais Karma. Si on chantait une vieille chanson des Beatles...

— *Doo Doo Doo.* (Il battit la mesure sur le tableau de bord.) « *All you need is love* », d'accord ? Mais vous, les mecs, vous n'êtes pas restés longtemps à ce stade-là. Quand j'ai commencé à traîner dans le Mouvement, tous les hippies avaient jeté leurs fleurs. Ils avaient des chemises à carreaux et des longs couteaux. Ils portaient des cheveux jusqu'au nombril, mesuraient un mètre quatre-vingts et n'arrêtaient pas de parler de flingues : « Mais non, vieux, ça c'est un Marlin 62 Levermatic : de la merde, mec, de la merde. Un vrai piège à cons. » Ou bien : « Allez, les mecs, on va casser la banque d'Amérique. » Incroyable, à les entendre, ils étaient tous des dieux. Et moi, de la merde... Ils me traitaient comme un gosse, jusqu'au jour où ils ont découvert que j'étais mécano. Alors là, c'était plus pareil. Dans ce Mouvement, si tu sais changer une ampoule, tu es un génie. Si tu sais bricoler une bagnole, tu n'as plus à t'en faire pour ton avenir. Tout d'un coup, tout le monde m'adoptait, je planais... Si de Peuw — c'était le gus en chef de notre bande de minus — m'avait dit d'aller cracher à la gueule d'un flic, je me serais levé et je l'aurais fait. Tu sais pourquoi je suis entré au Mouvement ? A cause du cul. Je voyais bien que les mecs se débrouillaient mieux ; ces mecs-là, qu'est-ce qu'il se marraient ! (Il rit.) Tu imagines un type qui, aujourd'hui, penserait ça de tous ces petits groupes d'études marxistes-léninistes avec leur canard : La Béquille du Travailleur ? Non, non, c'est plus possible maintenant.

— Ça me rappelle le salopard qui disait toujours : Quand vous irez faire sauter le gouvernement, rappelez-vous, les gars et les filles, partez avec le sourire au cœur et une chanson aux lèvres... Enfin, on s'est bien amusés, mon cœur.

— Je ne savais pas que vous aviez été amants, Larkin et toi.

— Oh, pas vraiment.

Il l'avait donc entendue parler à Lark sur le chemin, dans la forêt : il avait donc laissé traîner ses oreilles...

— Qu'est-ce que ça veut dire, pas vraiment ? Il ne t'a jamais baisée ?

— Oh, écoute ! Je veux dire que nous n'avons jamais été très sérieusement amants. On a couché quelquefois ensemble, c'est tout.

— Pourquoi as-tu couché avec lui, si tu ne l'aimais pas ? Tu étais si affamée que ça ?

— Nous travaillions ensemble...

— Seigneur, faites qu'elle ne travaille jamais avec un berger allemand !

— Joel, arrête ! Tout ça c'est de l'histoire ancienne.

— Quand as-tu couché avec lui pour la dernière fois ?

— Comment veux-tu que je m'en souvienne ?

Elle se le rappelait très bien. Ils avaient fait l'amour juste avant qu'elle ne reparte pour la Californie, l'année dernière, après la réunion du Comité. C'était l'anniversaire des représailles d'Attica ; Lark et elle avaient été délégués pour placer une bombe dans le Bureau des Archives d'Albany, histoire de faire disparaître certains dossiers. Moins le gouvernement aurait de dossiers, mieux cela vaudrait pour tout le monde. Ils avaient passé deux semaines ensemble, vivant comme mari et femme dans une caravane louée, étrangement intime, comme un bateau.

— Tu t'envoies tellement de types que tu finis par les oublier, c'est ça ?

— Dis donc, tu avais bien une liaison avec Kiley. Lark et moi, nous sommes de bons copains, rien de plus. Pourquoi choisis-tu ce moment pour parler de tout cela ?

— J'ai vu comment tu le regardais, tu lui touchais le visage. Tu l'as serré dans tes bras.

— Eh bien moi, je t'ai vu dévorer Kiley des yeux. Et alors ? Je sais que tu étais amoureux d'elle ; peut-être l'aimes-tu encore ?

— Tu parles, elle est aussi douce qu'une hache de guerre. Je me demande ce que j'ai bien pu lui trouver. Je devais être maso. Comme avec toi.

— Mais qu'est-ce que c'est que cette histoire ? (Elle dut doubler un camion et mordit sur la ligne jaune. Ses paumes étaient moites de sueur.) Mais qu'est-ce qui te tracasse comme ça, tout d'un coup ?

— Tu ne m'avais pas dit que tu allais voir Leigh. Tu m'as dit que tu avais une réunion. Ensuite, tu racontes à tout le monde que tu as vu Leigh, et qu'il t'a dit ceci et cela. Pourquoi m'as-tu menti comme ça ?

— Je ne t'ai pas *menti*.

Elle serrait le volant trop fort, le pied bloqué sur l'accélérateur. Elle se força à prendre une profonde inspiration et à s'appuyer contre son siège. Son cou lui faisait mal.

— Il est dangereux de raconter aux gens qui l'on voit. Tu n'as pas besoin de savoir que je vois Leigh. Le fait de savoir le met lui en danger sans te faire aucun bien à toi.

— Quelle foutaise ! Et qu'y a-t-il d'autre que je n'aie pas à savoir ? Qui d'autre vois-tu sans que je le sache ? Combien de types vas-tu retrouver en douce ?

— Je ne m'envoie personne, espèce d'idiot. D'ailleurs, je suis tout le temps avec toi !

— C'est de là que tu tiens ton fric, hein ? On a dépensé tout ce qu'on avait pour la voiture, et tout d'un coup, tu sors soixante dollars. C'est lui qui te les a donnés !

— Et pourquoi pas ? Il gagne très bien sa vie, il mène une vie confortable, dit-elle, s'efforçant de ne pas paraître amère.

— Il t'a payée pour services rendus, c'est bien ce que je disais. Sait-il que tu dépenses son fric avec moi ?

— Il ne connaît pas ton existence. Pourquoi veux-tu que je prenne le risque de lui parler de toi ? Il n'a pas besoin de savoir.

— Eh bien, moi, je veux le voir. Je veux me retrouver en face de lui. La prochaine fois que tu auras un rendez-vous avec lui, je t'accompagne.

— Non !

— Pourquoi ? Pour que tu continues à baiser avec lui ?

— Et pourquoi pas ? Je faisais l'amour avec lui bien avant même de te connaître et en 1965, quand tu étais encore au lycée, je vivais avec lui. Je t'en prie, Joel, n'en parlons plus. Leigh a compté énormément pour moi, un point c'est tout.

— Plus que moi ?

— Je suis avec toi, pas avec lui. Il vit avec une autre femme, Susannah.

— Elle sait que tu existes ?

— Non, et je ne tiens pas à ce qu'elle le sache.

— Alors, tu fais vraiment l'amour avec lui ?

— Quelquefois, bien sûr.

— Comment peux-tu coucher avec lui ?

— Comment ne le ferais-je pas ? Je tiens toujours à lui, il existe un lien entre nous.

— Si tu l'aimes et que tu as envie d'être avec lui, je me demande ce que tu fous avec moi. C'est simplement parce que tu m'as sous la main ?

— Je t'aime et tu le sais.

— Je ne sais pas ce que tu entends par là. J'ai l'impression que le mot amour ne signifie pas grand-chose pour toi.

— Mais je t'aime beaucoup ! Et je te fais du bien ! Pas comme Kiley qui se fichait de toi, qui ne voulait pas faire l'amour et avec laquelle tu te sentais frustré. Tu es complètement maso. Je parie que c'est ça que tu aimes. Je suis certaine que tu ne lui faisais pas de scènes, à *elle*...

— Bon Dieu, un flic ! A combien roules-tu ?

— Merde ! (Son pied lâcha l'accélérateur pour appuyer douce-ment sur le frein.) J'étais trop vite. A cent cinq, cent dix...

Le flic n'alluma pas son gyroscope mais roula juste derrière eux. Elle marchait maintenant à quatre-vingt-dix à l'heure et ralentit à quatre-vingt-cinq, au cas où il y aurait une différence entre leurs deux compteurs. La voiture de police semblait être accrochée à eux. Les mains moites de Vida glissaient sur le volant.

— Si le flic ne nous épingle pas, je te relaye.

— Tant mieux, parce que j'ai mal à la nuque... Tu ne devrais pas me faire de scènes pendant que je conduis.

— Vraiment ? Et qu'est-ce que je suis censé faire, dans cette foutue bagnole ? Parler de la pluie et du beau temps ? Discuter du bouquin de Mao : *Des Contradictions ?*

Le flic continuait à les suivre de très près et elle roulait lentement en transpirant à grosses gouttes. Comment avait-elle pu être aussi négligente et se laisser aller ainsi ? Elle risquait de passer le reste de sa vie en prison pour s'être énervée au cours d'une dispute. Joel et sa foutue jalousie finiraient par avoir leur peau à tous les deux. Ils roulaient toujours, roulaient avec le flic agglutiné au pare-chocs arrière. Elle avait beaucoup de mal à croire à la jalousie de Joel, à croire que ce n'était pas du chiqué et qu'il ne parvenait pas à maîtriser cette sottise. N'était-ce pas du cinéma ? Etait-il bouché au point de ne pas comprendre que s'il l'aimait, c'était justement parce qu'elle était ce qu'elle était, avec cet appétit de la vie ? Et ce flic, que leur voulait-il ?

Une voiture sortie d'un chemin vicinal surgit derrière eux en roulant beaucoup trop vite. En voyant le policier, le conducteur freina, mais le flic alluma son gyroscope et son feu clignotant hoqueta son rai lumineux. Le cœur de Vida fit un bond dans sa poitrine. Le flic serra l'autre voiture, la forçant à s'arrêter. Vida ne pouvait pas s'empêcher de garder l'œil fixé sur le rétroviseur pour voir s'il allait lui ordonner de stopper, à elle aussi. Joel louchait sur la carte à la lueur d'une lampe de poche.

— Si nous arrivons à faire encore trois kilomètres, on peut quitter la route et entrer dans la ville. Il y aura peut-être quelque chose d'ouvert.

Vida continuait à rouler très lentement, avec la peur au ventre, surveillant plus attentivement ses arrières que la route.

— Voilà le croisement, dit Joel. Tiens ta droite, et arrête-toi. Je vais te remplacer.

— Avec joie.

La marée d'énergie qu'avait provoquée la peur refluait dans les veines de Vida, la laissant malade de fatigue. En plus du manque aigu de sommeil qu'elle éprouvait, elle avait faim. Un sandwich, une tasse de café, et elle tiendrait tout de même le coup...

— Nous l'avons échappé belle, dit-elle enfin.

16

Joel et Vida campèrent dans l'arrière-boutique de Mme Florian, Couture; ils étaient bien au chaud et seuls dans les stocks de robes, mais il leur faudrait décamper avant l'ouverture du magasin pour ne rentrer qu'à la fermeture. Ce matin-là, lorsqu'ils sortirent encore tout endormis, de la neige fondue soufflait horizontalement du lac Michigan, en leur attaquant le visage comme du papier de verre. Dès l'ouverture du Musée, ils y entrèrent pour se réchauffer.

Ils utilisèrent les toilettes, repérèrent les cabines téléphoniques et Vida choisit d'attendre dans la salle qui regroupait des toiles surréalistes américaines des années 30, et où les visiteurs n'étaient pas trop nombreux. Elle trouva les tableaux agréables à regarder et très sous-estimés. Assise sur une banquette, elle se moucha.

— J'ai attrapé un rhume, dit-elle à Joel.

— J'ai compris, je vais aller faucher de la vitamine C, dit-il.

— Non, achètes-en. Ne prends aucun risque inutile; si tu expliques aux gardiens que tu reviens, ils te laisseront rentrer sans payer à nouveau.

— Je t'en supplie, ne tombe pas malade, ce serait dramatique.

— Où veux-tu que je tombe malade, dit Vida en souriant, dans la rue?

— Bon, je vais te rapporter de la vitamine C et de la vitamine B, pendant que j'y suis.

— Oui, si ce n'est pas trop cher.

Traverser tout le pays dans une vieille guimbarde, changer le pneu crevé, remplacer la goupille de direction, faire plusieurs fois le plein d'essence, tout cela les avait démunis. En attendant le retour de Joel, elle essaya de travailler à son rapport, mais elle se sentait la tête lourde, et le sang lui battait derrière les yeux. Elle était fatiguée par la longue route, fatiguée de voyager. Depuis la halte de douze jours qu'ils avaient faite à Cape Cod, ils ne s'étaient arrêtés nulle part. Si seulement ils pouvaient élire un point d'attache et y passer le reste de l'hiver. Elle était prête à donner des leçons d'imprimerie à Marti pour pouvoir séjourner un peu dans le Vermont. Elle avait envie d'avoir une chambre, une cuisine, une salle de bains où ses serviettes seraient accrochées à un porte-serviettes, une armoire avec des cintres sur lesquels ses vêtements seraient suspendus, et des provisions dans le frigidaire et les placards. Elle dormirait toutes les nuits dans les bras de Joel et, le matin, elle ferait du café tout frais moulu ; elle lui prouverait son amour avec ses casseroles, ses poêles et ses sauces. Grâce à ses talents de bricoleur, tout marcherait dans la vieille maison ; le chauffe-eau, la chaudière et tous ces appareils compliqués ronronneraient sous ses doigts comme des chats bien nourris. Elle n'avait pas envie d'aller à Hardscrabble Hill avec lui, voilà la vérité ; elle voulait un endroit à eux : appartement, maison, cottage, chalet ou roulotte, peu importe, mais quelque chose où ils seraient seuls tous les deux.

Sous la voûte du hall, elle aperçut Sam ; il risqua un œil à l'intérieur de la salle où il entra avec nonchalance ; puis, en la voyant, il se départit subitement de son calme et lui sourit. Oh, il avait exactement le sourire généreux de Natalie, sa mère, bien qu'il eût déjà une bonne tête de plus qu'elle.

— Sam ! s'écria-t-elle. Mais tu es un géant ! Je parie que tu as grandi de dix centimètres.

— De cinq, dit-il gravement. Je grandis d'un centimètre et demi par mois.

— C'est très bien, mais il faut t'arrêter ! dit-elle en l'embrassant.

Sam rougit, intimidé par ce baiser, et regarda fixement un tableau.

— Qu'est-ce que ça représente ? demanda-t-il.

— A mon sens, le capitalisme, dit-elle sans se résoudre à retirer la main de l'épaule de son neveu, malgré le danger. Où est ta mère ?

— En bas, répondit Sam en retrouvant son sang-froid.

Sam tenait beaucoup à paraître calme ; il était à un âge où la maîtrise de soi est plus importante qu'une bonne note ou un orgasme.

— Elle m'a dit de venir te chercher parce qu'elle n'avait pas envie de courir dans tout le musée.

— Elle est bien paresseuse, c'est nouveau, ça ?

— Elle n'aime pas monter d'escaliers à cause de son genou, tu sais bien.

— Son genou ? Qu'est-ce qu'elle a au genou ? dit-elle en retenant Sam.

— Rappelle-toi, c'est depuis qu'on l'a poussée dans cet escalier, à Columbia. Depuis, elle a mal au genou quand il fait froid... C'est de l'arthrite, dit-il sur un ton confidentiel et important, répétant ce qu'il avait entendu dire. Elle a un brin d'arthrite, mais elle refuse de l'admettre. Elle dit que son genou est seulement un peu raide.

302

— Il faut qu'elle se soigne. Je vais lui en parler. A-t-elle vu un médecin ?

— Voir un toubib, M'man ? Tu la connais, elle a horreur de ça. Si j'ai un bobo au doigt, vite, on court chez le docteur. Mais quand il s'agit d'elle, tous les médecins sont des charlatans et elle refuse d'y aller.

Appréciait-il réellement sa mère ? Elle l'enviait un peu, tout en se disant que Natalie se comportait exactement comme Ruby quand il s'agissait de se soigner. Ruby s'imaginait qu'elle était la plus forte de tous à la maison, mais dès qu'un membre de la famille avait une malheureuse bosse, elle s'affolait.

— Sam, promets-moi que tu ne changeras pas en vieillissant. Tu es merveilleux.

— Te bile pas, je deviens de plus en plus chouette chaque année, dit-il, souriant de nouveau. C'est maman qui le dit et elle sait de quoi elle parle. Je le vois bien avec Peezie. Quand elle était à l'âge bête, c'était un vrai casse-pieds, mais depuis qu'elle a gagné le cent mètres, elle est redevenue sympa. Elle s'entraîne sans arrêt. Elle n'a pas pu venir, parce qu'elle fait une compétition au gymnase.

Vida essaya d'imaginer ce prolongement de sa chair et de son sang en athlète. Natalie était si fière de sa fille.

— Ce sera peut-être une championne olympique ! dit-elle.

— Penses-tu. Elle n'est pas assez forte, mais elle court plutôt bien, pour une fille.

Sam paraissait beaucoup plus angélique qu'il ne l'était, exactement comme Joel.

— Pour une fille ! Dis donc, est-ce que tu cours plus vite qu'elle ? Sais-tu que Mme Curie a découvert le radium ? Pour une fille, pas mal, hein ?

— Tu parles comme... ta sœur. D'accord, Peezie court plus vite que moi. Bon, je vais chercher M'man ?

— Oui, tout de suite.

Aussitôt qu'il fut parti, elle se trouva stupide. Pourquoi n'était-elle pas allée avec Sam au lieu de rester assise comme une dame qui reçoit dans son boudoir ? Elle était décidément bien lente, aujourd'hui. La présence de Sam, la joie de revoir Natalie la mettaient dans tous ses états. Maintenant elle était condamnée à les attendre alors qu'il lui semblait être devenue orange vif tant elle brûlait d'impatience de les voir.

Elle aimait davantage Natalie aujourd'hui qu'il y a dix ans. Le temps et les ans la rendaient plus précieuse. Mais l'aurait-elle autant aimée si leur vie avait été normale ? Si elle habitait encore avec Leigh dans la 103e Rue et Natalie dans l'île et que, sans se voir tous les jours, elles aient pu se parler par téléphone ? Oh comme elles parleraient ; Natalie connaîtrait la moindre de ses pensées, tous les événements de la journée et il a dit/elle a dit, tous les projets seraient passés au tréfiloir de leurs lèvres. Ce plaisir-là serait plus fort que le sexe, plus sain que la gourmandise, plus durable que le vin. Partager une vie avec une sœur qui sait tout de vous et avec laquelle on discute, débat, analyse tout.

Natalie arriva, trottinant derrière Sam. Avec sa veste d'un vert forêt, elle ressemblait à un pigeon et marchait avec un peu de raideur dans ses boots rouges. Sa peau semblait tirée et creusée par la fatigue, mais un beau sourire illuminait son visage. Natalie et Sam étaient gais comme deux citrouilles ornées de bougies qui luisaient entre leurs belles dents ivoirines, et leurs deux têtes bouclées appelaient la caresse.

— Où est Joel ? demanda Natalie en regardant autour d'elle d'un air inquiet.

— Il est allé acheter des vitamines, il ne va pas tarder.

Elle ne parvenait jamais à énoncer ce genre de phrase sans ressentir la morsure d'une peur superstitieuse et pourtant raisonnable. Dans sa vie, toute déclaration d'intention ou de probabilité était en partie une prière : Pourvu qu'il revienne vite, faites que nous puissions aller jusqu'à l'hôpital. Faites que nous puissions rentrer tranquillement chez Mme Florian qui m'a demandé de l'appeler Claire.

— Très bien, ensuite, nous pourrons descendre et déjeuner.

Dès que Natalie voyait Vida, elle avait envie de la nourrir. Ça tombait bien, elle avait justement envie qu'on lui fasse manger sa soupe, qu'on la prenne en charge. Joel et elle allaient pouvoir prendre un vrai repas et, ce soir, après la fermeture du magasin, ils pourraient se faire des œufs durs sur un réchaud.

— Comment va Ruby ? Quand puis-je la voir ? demanda Vida.

— Son état est stationnaire et tu ne peux pas la voir, dit Natalie en prenant sa main dans la sienne, encore toute froide du dehors.

— Mais je veux la voir ! Ne me dis pas qu'il y a un mec du FBI en faction devant l'hôpital.

— Je n'en jurerais pas. Ce matin, Sam et moi nous avons été suivis... Non, ne bondis pas. Nous avons été prudents. Cela fait des heures que nous les avons semés.

— Pourquoi te file-t-on ? Que se passe-t-il ?

— Ils ne me suivent que dans mon quartier. Ils surveillent la maison de dehors sans se cacher, ce qui prouve qu'ils ne cherchent rien, sinon ils ne le feraient pas aussi ouvertement.

Sam s'agitait en produisant diverses onomatopées pour attirer leur attention :

— Je suis descendu et je les ai photographiés ; ils m'ont couru après et l'un des deux flics a cassé mon Kodak. Mais la deuxième fois, j'ai pris le Pentax de papa et je me suis servi du téléobjectif, comme ça je n'ai pas eu besoin de les approcher et j'ai pu filer avant qu'ils ne m'attrapent.

— Formidable, Sam, dit-elle en se laissant retomber sur le banc, trop fatiguée pour rester plus longtemps debout. C'est une chance qu'ils n'aient pas cassé l'appareil de Daniel.

— Oui, surtout que je peux avoir besoin de le mettre au clou, dit Natalie en sortant un mouchoir pour se moucher.

— Pourquoi ?

— Le fric, toujours le fric. Daniel nous a coupé les vivres. Nous sommes en bagarre. A cause de la garde des gosses, du compte en banque, de tout, quoi.

— Il a appelé la Continental Edison et leur a demandé de nous couper l'électricité, dit Sam. M'man faisait des toasts, Peezie se lavait les dents avec la brosse électrique, moi, je regardais une émission de télé et *crac !* Tout s'est éteint. Il a fallu aller leur demander de venir la remettre !

— Le salaud, soutire-lui tout ce que tu peux ! dit-elle, étonnée par sa propre réaction. Qu'il se débrouille pour gagner de l'argent puisqu'il est capable d'avoir des petites amies.

Sam était gêné. Il ouvrit la bouche et regarda de nouveau le tableau en s'en approchant pour l'examiner.

— Daniel a beaucoup de choses à me reprocher, chuchota Natalie. Suki, pour commencer.

— Allons, il ne peut pas ressortir cette vieille histoire d'amour maintenant puisqu'il ne t'a pas quittée, à ce moment-là.

— Dis donc ça à ses avocats, dit Natalie en se rongeant un ongle.

— Au fait, j'y pense, Natalie, mais c'est peut-être Daniel qui a posté les flics devant chez toi !

— Ce ne sont pas les flics, c'est le FBI, dit Sam en se retournant. Ils ont interrogé les voisins. Ils nous ont suivis deux fois, Peezie et moi, jusqu'à l'école.

— Frankie est en ville avec Daniel, expliqua Natalie.

— Crois-tu qu'ils suivent Daniel ?

Natalie fit non de la tête :

— Ils photographient tous les gens qui viennent me voir. Je ne reçois plus personne à la maison. J'ai dû demander un congé au Foyer ; chaque fois que j'y allais, le FBI prenait des photos de toutes les femmes qui entraient et relevaient leurs numéros de voiture. Les pauvres, elles n'osaient plus venir au Foyer. Ils m'ont assignée à comparaître pour toutes mes communications interurbaines de l'année dernière. Comme si j'avais été assez bête pour te téléphoner de chez moi ! Ils embêtent tous les gens auxquels j'ai téléphoné.

— Est-ce que, par hasard, ils ne chercheraient pas à me coincer ? Je croyais pourtant qu'ils avaient renoncé à nous traquer.

— Une commission d'enquête s'est constituée à New York et l'on m'a avertie que je serai convoquée. Peut-être devrais-je me planquer, moi aussi ?

— Natalie, non ! (Elle avait parlé trop fort.) C'est sans issue, pour toi. Au pire, ils te colleront six mois et, ensuite, tu seras libre.

— Rassure-toi, je n'en ai pas l'intention, dit doucement Natalie. Si je vais en prison, qui s'occupera des enfants ?

— Moi, je pourrais très bien me cacher ; je serais champion ! dit Sam d'un ton vantard.

— En plus, ajouta Natalie, je n'aime pas tes copains. Joel est le plus sympa de la bande... Le flic dont nous avons aidé la femme, Tara, il nous a fait des ennuis. Mais je suis convaincue que c'est à cause de Kevin qu'ils s'intéressent subitement à moi.

— Kevin leur aura menti, dit Vida en secouant la tête. Mais cela risque de nous porter préjudice, parce que personne n'est assez malin pour parler sans fournir un renseignement utile. En tout cas, jamais Kevin ne jouerait les indics.

— Kevin te hait. Tu ne l'as pas encore compris ?

— Voilà Joel avec un paquet ! s'écria joyeusement Sam.

Le gardien les observait, paresseusement, car ils formaient le groupe le plus animé de la salle. Il était temps de partir.

— En route, camarades, dit-elle en réchauffant les mains froides de Joel dans les siennes. Pourquoi as-tu le pouce gelé ? lui demanda-t-elle avec sollicitude.

— Trouvons de l'eau et tu pourras prendre tes vitamines. Les « C » sont à croquer, dit-il, en lui fourrant un comprimé dans la bouche.

C'était amer, mais supportable. Elle le croqua consciencieusement. Puis elle lui pressa de nouveau le pouce en l'interrogeant du regard.

— Mon gant est déchiré. Dommage, ils étaient vachement confortables ; je les avais trouvés dans un bus, il y a trois ans.

— Ne t'inquiète pas, nous allons te trouver des gants, dit Vida. Nous allons aller aux objets trouvés et on leur demandera une paire de gants fourrés marron pour hommes. Je parie qu'il doit y avoir le choix : l'hiver, les gens perdent tout le temps leurs gants.

C'était un vieux truc de Ruby, la fée du logis de son enfance. Sam voulait attirer l'attention de Joel et marchait en s'agitant à côté de lui comme un jeune chiot. Il était déjà plus grand que lui.

— Oncle Joel ? dit Sam, puis il se tut, intimidé, et reprit : Enfin, je veux dire...

Joel sourit. Le mouvement de ses lèvres dénotait le contentement. Curieusement, il arrivait que Joel au lieu de rayonner ou de sourire aux moments où il était le plus heureux, fît une petite grimace, comme s'il eût craint que sa joie ne s'échappât ou comme si le fait de l'extérioriser risquait de provoquer le sort ou la cruauté d'autrui.

— Tu peux m'appeler comme ca. Si Vida et moi on se mariait, je serais ton oncle. Un de ces quatre, elle et moi, on filera à Cuba. Les Cubains sont sympa, ils nous marieront. Comme ça, on pourra avoir des serviettes à initiales, des draps assortis, des rideaux, enfin tous ces trucs qui vous rendent la vie agréable.

Voilà ma famille, pensa Vida, ma nouvelle famille. Je suis si heureuse que Natalie et Sam aiment Joel. Natalie lui saisit le bras au-dessus du coude et dit :

— Tu pourrais te marier tout de suite si nous trouvions quelqu'un pour vous unir.

— Pourquoi ? Mon divorce a été prononcé ? demanda Vida. (Puis elle baissa la tête, essayant de changer de sujet.) Tu aimes Monet ?

— Ils ont fini par se marier...

— Qui ?

Vida comprit immédiatement, mais refusa de l'admettre. Elle se sentit faiblir et essaya de se redresser sous l'étreinte de Natalie.

— Leigh et Susannah. Ils se sont mariés dimanche dernier.

— Oh. Il y a eu une grande réception ? Tu y es allée ?

— Tu sais très bien que j'étais ici. Lundi, quand je suis rentrée, Leigh m'a téléphoné.

— Je suis heureuse que tu n'y sois pas allée. Je le reconnais. Mais j'avoue que j'aimerais bien avoir un espion dans le camp adverse.

— Allons, ne raisonne pas ainsi. C'est le passé et c'est fini. A présent, tu as ta vie.

Sa vie, sa mort. L'espace d'un instant, Vida eut envie de mourir publiquement, sur un écran de télévision pendant les informations du soir, comme Belinda et Jimmy. Ainsi Leigh serait bien obligé d'avaler la nouvelle avec son bœuf Stroganoff. Mais qu'est-ce qu'il avait dans le crâne ? Il sautait d'un mariage dans un autre ! Joel s'était retourné pour mieux épier sa réaction. Natalie l'étudiait, elle aussi. Seul, Sam racontait qu'il était monté sur un vrai bateau de pêche pour aller aux pétoncles. Leigh continuerait-il à la voir ? En admettant que Susannah et Leigh aient un compte en banque commun, comment ferait-il pour expliquer à Susannah qu'il lui donnait de l'argent ? Elle avait besoin de ces subsides, pour survivre. Et quelles demandes honorerait-il, maintenant ?

Il n'avait pas été chic de se marier pendant que Ruby était à l'hôpital ; mais il faut bien dire qu'il n'était pas resté très proche de ses parents à elle. Il se sentait mal à l'aise en leur compagnie, il s'ennuyait. Il n'aimait que sa mère, avec laquelle il pouvait discuter politique, d'homme de gauche à femme de gauche, échanger des potins, partager le sentiment d'une appartenance à l'histoire. Leigh ne pouvait pas comprendre l'attachement de Vida pour sa mère, basé non pas sur un engagement politique, mais sur les souvenirs d'une enfance difficile ; sur une complicité mutuelle, un héritage physique : mêmes seins, mêmes jambes et mêmes yeux verts. Cette force, cette combativité qu'elles avaient en commun, Ruby la gaspillait en fumant à la chaîne, en se tuant aux travaux ménagers, en marchant de long en large ; Vida, elle, l'économisait. Mais l'énergie était la même. A présent, ils la regardaient tous et elle dut faire appel à cette fameuse force pour conserver son calme. En réalité, elle avait envie de s'écrouler sur le sol de marbre et de hurler. De pleurer et d'être consolée. Et en même temps, elle rêvait d'empoisonner Leigh avec de la mort-aux-rats et de le regarder crever.

Elle haussa les épaules avec une désinvolture savamment dosée et dégagea son bras de l'étreinte chaude et nerveuse de Natalie.

— Eh bien, on peut dire que cet homme-là aime le mariage. Vous croyez qu'il aurait profité de sa liberté pendant une semaine ou deux ? Pensez-vous ! Il est comme Henry VIII : il lui faut une épouse. Bien sûr, je n'ai pas fait beaucoup de cuisine, de couture ou de ménage pendant ces dernières années, alors le cher homme a dû se sentir quelque peu négligé... Mais vous savez comment sont les choses quand le boulot vous envoie constamment sur les routes ! Eh oui, encore un mariage brisé par les contingences professionnnelles.

Ce petit numéro ironique était tout à fait dans la veine des scènes de Ruby. Elle revoyait sa mère après une bagarre avec Tom, l'œil poché et le poing sur la hanche — une pose réservée uniquement aux comédies — et vous lançant d'un air crâne : « Cet homme-là, c'est le roi des ballots. En se retournant dans le plumard, il m'a flanqué un coup de coude dans l'œil. Je vous jure ! Je n'ai plus qu'à aller au boulot et à raconter aux filles que mon homme m'a flanqué une tripotée. Comme ça elles comprendront que je leur raconte des bobards, que je me suis soûlée et que je me suis envoyée dans un réverbère ! »

Natalie regarda Vida en coin en plissant ses yeux marron. Peut-être avait-elle reconnu la performance ? Avec Sandy, Ruby n'avait pas été obligée de jouer les femmes fortes et d'appeler à la rescousse la fière-à-bras qui se cachait dans ses entrailles douloureuses pour cacher son chagrin, si bien que Natalie ne l'avait pas souvent vue dans ses rôles les plus crânes. Cette Ruby-là avait quelque chose de Bette Davis, de Lauren Bacall ou de Joan Crawford dans leurs compositions les plus décidées. Leur mère adorait ces maîtresses femmes, dont elle avait vu tous les films. Vida et M'man allaient souvent au cinéma en matinée, quand les places étaient moins chères. Tom s'endormait au ciné, grand-mère aussi, car elle ne comprenait pas très bien l'anglais. Cela empêchait Ruby de se concentrer, aussi préférait-elle aller au spectacle avec Paul, jusqu'à ce que cet idiot refuse d'aller voir des films de bonnes femmes en disant que, à treize ans, il était trop homme pour ces bêtises. Vida, elle, avait adoré partager les larmes et les grandes discussions, après le film. En rentrant, ils parlaient des personnages comme de leurs voisins et les voisins, ils en parlaient tout le temps : œil pour œil, dent pour dent. A South Euclid, les voisins montraient les Wippletree du doigt. « Voilà ce qui arrive quand on ne se marie pas dans le même monde : elle est juive, lui est américain ; résultat, ils se disputent tout le temps. Ecoutez... on les entend s'injurier depuis le bout de la rue. Elle fait de l'œil à tout ce qui porte un pantalon, et lui boit comme un buvard. Pour être heureux, il faut se marier selon sa condition. Comme ça, pas de problème. »

— Natty, je veux voir Maman. Je t'en prie, arrange-moi un rendez-vous ! Je suis un as du déguisement. Débrouille-toi avec l'hôpital ; il faut que je la voie, ne serait-ce que cinq minutes !

— Pas question, petite sœur, dit Natalie d'une voix lugubre. Si les flics te piquent, Maman aura encore une crise cardiaque. Je ne plaisante pas.

— Inutile de la prévenir. Fais-moi un plan des entrées et des sorties, vole une blouse blanche, note les rondes des infirmières. Il faut que je la voie.

— Bon, je vais voir ce que je peux faire. Maintenant, il est l'heure de déjeuner, dit Natalie.

— Chouette, je crève de faim ! s'écria Sam.

— Non, mais regardez-le ! dit Natalie en regardant son fils avec fierté. Il a un appétit d'éléphant, d'éléphant géant. Il grandit tellement qu'il va devenir un de ces phénomènes du basket, deux mètres de haut ! Et il faudra que je lui envoie des télégrammes pour lui dire de se laver les oreilles. Je vais être obligée de demander un prêt à la banque pour l'emmener déjeuner...

Puis, réalisant que parler d'argent au moment où elle allait les inviter n'était pas du meilleur goût, Natalie enchaîna aussitôt :

— Mais tout ça se transforme en cerveau et en muscles ; c'est ma fierté et ma joie. Et Peezie ! Si tu la voyais courir en compétition. Moi, avec mes grosses jambes courtes, j'ai mis au monde une gazelle. Peezie aurait dû être ta fille, Vinnie. Elle a tes jambes. Vous êtes des chevaux de course. Toi aussi, tu allais comme le vent. (Natalie se tourna et s'adressa à Joel et à Sam :) Elle était fantastique dans les manifestations. Moi, j'étais une enragée, mais je me sentais si balourde que j'avais toujours l'impression que les flics allaient me repérer et crier : Attrapez donc celle-là, c'est un canard boiteux.

Sur quoi, Natalie emmena son troupeau à la cafétéria du rez-de-chaussée.

— Tu es triste qu'il se soit marié ? lui demanda Joel.

— Un peu.

Vida était couchée sur le lit de camp, dans l'arrière-boutique de Mme Florian. Elle ne pouvait s'empêcher d'appeler leur hôtesse

« Madame ». Elle s'était imaginé rencontrer une petite femme charmante avec des cheveux passés au bleu et vêtue de crêpe de Chine tout bouillonné. En réalité, Madame était une énorme créature qui parlait avec un drôle d'accent anglais et prétendait peser quatre-vingt-trois kilos. En réalité il eût fallu parler de kilotonnes au lieu de kilogrammes pour décrire cette montagne de chair qui les dominait : les épaules de Madame étaient larges, ses hanches encore plus larges et ses mains pareilles à des battoirs. Elle avait des cheveux courts d'un noir luisant et bouclés très serré. Son visage était un tissu de rides qui formaient de longs plis tombants. Mais elle avait une démarche alerte et une voix de stentor. Madame appelait toutes ses clientes par leur nom et s'inquiétait toujours de la santé de leurs petits-enfants et de leur chien. Un petit truc tout simple, à porter pour un déjeuner et que Vida prenait pour une robe d'intérieur en jersey, coûtait cent soixante dollars, et c'était l'article le moins cher. Pauvre Natalie qui voulait lui acheter là une petite robe bon marché ; son idée avait sombré corps et biens.

Ils ne voyaient leur hôtesse qu'au moment où ils rentraient et où celle-ci partait précipitamment dîner à une table spécialement dressée pour elle dans la cuisine du restaurant que tenait son mari. Elle y dînait tous les soirs, sauf le lundi, jour de fermeture du magasin et du restaurant. Elle leur confia que, ce soir-là, elle cuisinait des merveilles pour son époux. Avant de se hisser dans le taxi dont le chauffeur venait la chercher tous les soirs à 6 heures, Madame Florian leur faisait souvent de petits cadeaux : des biscuits anglais un peu rassis, des bouchées dont ils découvraient en les mangeant qu'elles n'étaient que des chocolats fourrés à la crème, ou bien des macarons dans une boîte en fer. Ils mangeaient toutes ces friandises avec curiosité, en se demandant où Madame se procurait ces friandises, et pourquoi ?

L'arrière-boutique qui offrait un contraste saisissant avec le magasin, ses tapis à fleurs et ses chaises blanches en bois vénitien, était sombre et poussiéreuse. Parmi des robes alignées sur des cintres, en attendant d'être montrées, se trouvaient des machines à coudre et à repasser, un lit de camp, quelques chaises cassées, des cartons à plier et à mettre en forme pour en faire des boîtes, un réchaud, un évier et des toilettes.

Joel ne reparla pas du mariage de Leigh avec Susannah, ni de la tristesse de Vida avant d'avoir réchauffé la soupe en boîte et de l'avoir servie dans des récipients en plastique qu'il avait vidés de leurs épingles. Il veilla à ce qu'elle mange sa soupe — elle était fiévreuse et n'avait pas faim — puis, brusquement, il revint à la charge en fronçant les sourcils :

— Est-ce que tu comptes me mentir sans arrêt ou est-ce que tu me prends pour un imbécile ? Pour ce qui est de la politique, du marxisme et du fonctionnement de l'économie, c'est peut-être vrai. Mais pas pour ce qui te concerne. Je devine très bien quand tu es près de t'écrouler. A ton avis, pourquoi es-tu malade, ce soir ?

— Je suis fatiguée et abattue. Voilà trois jours que j'essaie de venir à bout de ce rhume.

— C'est faux. En réalité, tu te racontes que tu as le droit d'être malade, tu veux t'écrouler sur ton lit et souffrir. Et tu crois que ça le dérangerait ? Cette femme-là n'est pas en rivalité avec lui ; il n'a rien à se prouver. Elle doit probablement s'agenouiller devant lui et l'admirer : Oh Leigh, puis-je sucer ta quéquette électronique ? Elle espère qu'il la sauvera de l'ennui et de Long Island. Crois-moi, tu es bien plus heureuse d'être débarrassée de Leigh, mais tu es prisonnière des souvenirs. Je t'aime dix fois plus qu'il ne t'a jamais aimée.

— J'en suis certaine, mais tout ça me déprime. Il ne m'a pas dit qu'il allait se marier. Il m'a fait croire qu'il resterait libre.

— Je ne vois pas pourquoi Leigh devrait te demander la permission de se marier ? Et comment se fait-il que le mariage compte tellement pour toi, grande pute révolutionnaire ?...

— Parce que c'était un véritable engagement. Et puis, nous nous sommes donné tellement de mal pour sortir du carcan, de l'assujettissement du mariage. Ça a été dur de convaincre les gens que je n'étais pas uniquement la femme de quelqu'un. Pour une femme, cette dépendance est mortelle, parce que nous perdons notre autonomie, notre identité. Mademoiselle Machin peut mener une armée, mais si Madame Chose veut être général, tout le monde s'écrie : « Mais où est donc son mari ? »

— Eh bien, bébé, te voilà enfin libre. Mais tu n'es pas heureuse, dit-il en lui posant la main sur le ventre.

— A présent, il appartient officiellement à cette femme. Elle est au courant de toutes ses décisions.

Joel fronça les sourcils, puis les leva avant de s'écrier :

— Oh ! Je comprends ! Tu as peur qu'il ne te donne plus d'argent ?

Un instant, elle lui en voulut d'avoir deviné ce dont elle n'avait pas envie de parler, et comme ce n'était pas la véritable raison de son chagrin, elle trouva plus digne de préférer le motif bassement matériel :

— Et alors ? Nous sommes fauchés. J'ai le droit de lui demander du fric. Quand j'ai fui, il a tout gardé : notre compte en banque, notre carnet de caisse d'épargne, notre superbe appartement à loyer modéré, notre porcelaine, notre chaîne stéréo, notre confort, notre standing de vie. La dernière année où j'ai vécu avec lui, je ne gagnais pas d'argent, mais avant, c'était moi qui faisais bouillir la marmite.

— Qu'il aille se faire foutre avec son fric. (Joel prit un air important pour aller faire chauffer l'eau du thé.) On le gagnera nous-mêmes. Nous l'avons déjà fait.

— Depuis le jour où nous avons acheté la voiture, nous avons vécu de l'argent qu'il m'a donné.

— Ta pension alimentaire, tu parles d'une affaire ! Demande à Natalie de nous trouver un autre boulot.

— Natalie a beaucoup de problèmes. Mais il y a d'autres moyens. Je vais y réfléchir. (Elle le regarda et il la considéra d'un œil lourd de prosaïsme.) Il nous reste vingt dollars, reprit-elle, et ce n'est pas assez pour retourner dans l'Est. Je ne veux pas taper Natalie, elle est fauchée.

— Ouais, je sais, elle a des soucis. Elle m'est plus sympathique, cette fois-ci.

— Elle t'est sympathique parce que tu sens qu'elle t'aime bien. Mais sa personnalité ne t'intéresse pas encore beaucoup.

— Elle est tellement plus âgée que moi ; laisse-moi le temps.

— Joel ! Elle n'a que six mois de plus que moi !

— Tu rigoles ?

— Je te le jure, Joel.

— C'est bizarre, dit-il. J'ai l'impression que toi et moi nous sommes presque du même âge et qu'elle pourrait être ma mère. Ne m'en veux pas, c'est parce qu'elle a des enfants et qu'elle est trop grosse.

— Si tu l'avais vue, à l'époque où elle prenait des leçons de karaté et où elle a eu une liaison avec son prof, Suki, une Sino-Américaine. Elle avait maigri de dix kilos.

— Je suis certain qu'elle était beaucoup plus jolie.

— Pour te dire la vérité, moi, je la préfère potelée, toute bouclée et *baleboste,* fée du logis, avec sa manie d'être un peu bohème et tête de loup qui donne à manger à tout le monde.

— C'est curieux qu'elle soit tombée amoureuse d'une femme. La bouilloire siffla et Joel alla faire le thé.

— Pourquoi pas ? dit Vida. Elle ne voit pratiquement que des femmes. Imagine le gros Daniel couché sur elle... tu parles d'un rouleau compresseur !

— Elle est toujours avec cette... Smokey ?

— Suki voulait que Natalie plaque Daniel. Mais Daniel l'a menacée de la traîner en justice et de lui enlever les enfants. Je crois qu'elle pense que, dans sa situation, elle n'avait pas le droit d'avoir une liaison.

— Alors, elle ne fera plus jamais l'amour ?

— Joel, ne fais pas cette tête. Tu n'es pas le docteur Freud en paquet-cadeau. C'est à Natalie de décider de ses priorités, et elles n'ont rien à voir avec les miennes. Aime-la et respecte-la telle qu'elle est. Tu m'entends ?

— Serais-tu jalouse ? Après avoir pleuré et crié toute la journée à propos de Leigh ?

— Je n'ai ni pleuré, ni crié.

— Oh ! Tu en avais drôlement envie.

Ses sinus engorgés l'obligeaient à cracher délicatement dans un mouchoir en papier cependant qu'elle était blottie dans l'embrasure de la porte d'une boutique de beignets. La voiture de Paul était garée de l'autre côté de la rue. Il ne lui restait plus qu'à espérer le voir sortir seul du bar, Le Singe de Cuivre ; son plan consistait à l'intercepter au passage, mais en attendant, elle gelait à mort. Hier soir, avant de reprendre l'avion, Natalie lui avait donné l'emploi du temps de Paul. Les deux sœurs avaient décidé que Paul serait leur nouvel intermédiaire, mais qu'il valait mieux le prendre au dépourvu. Natalie était certaine que Paul n'était pas surveillé. Selon Natalie, la droite était fidèle à ses mythes, à savoir que la classe ouvrière était incurablement conservatrice ; il fallait donc agir en tenant compte de cette hypothèse.

Quatre ans auparavant, Paul avait plaqué Joy pour épouser Mary Beth et, entraînée dans des querelles familiales, Vida avait pris le risque de surgir de sa clandestinité pour émettre un avis aussi vigoureux qu'impopulaire. Il commençait à faire sombre et il devenait assez difficile de distinguer le visage des hommes qui franchissaient la porte matelassée du bar, la tête baissée contre le vent glacial. Elle crut le voir, traversa la rue pour s'arrêter au beau milieu de la chaussée et rebrousser chemin, en s'apercevant qu'elle s'était trompée. Tout en tapant de la semelle sous sa porte cochère, elle frappait ses mains l'une contre l'autre pour lutter contre l'engourdissement.

Paul sortit soudain en compagnie d'un autre homme. Elle le reconnut immédiatement, non pas qu'il n'eût pas changé depuis quatre ans, mais il ressemblait beaucoup trop à Tom pour pouvoir être qui que ce soit d'autre que son fils. Cette ressemblance l'effraya presque, non que Tom eût été capable de la dénoncer ; il était très patriote et fier d'avoir servi dans le Pacifique, mais il avait une conscience aiguë de l'injustice sociale et détestait les politiciens et les riches. Ses accès de colère étaient imprévisibles et se retournaient aussi bien contre lui-même que contre sa famille, ou le monde entier. Autrefois, quand il rentrait à la maison, elle se jetait dans ses bras en criant : « C'est la petite fille à son papa ! » Alors il la faisait virevolter dans les airs, mais il était tout aussi capable de l'envoyer valdinguer à travers la pièce en criant : « Ne saute pas sur moi comme ça, espèce de sale gosse ! »

Peut-être était-ce le souvenir de cette violence qui la paralysait ? Paul donna une grande tape sur l'épaule de son compagnon et ils rirent de quelque vieille plaisanterie. Le type tourna les talons et longea le pâté de maisons pour rejoindre sa voiture. Paul lui fit un grand signe du bras et se dirigea vers la sienne. Elle attendit qu'il ait ouvert sa portière avant de traverser la rue. En arrivant derrière lui, elle lui saisit le bras, juste au moment où un bus, en la frôlant, fit voler sa veste.

— N'aie pas peur, frérot. C'est moi. Ne crie pas. Est-ce que je peux monter avec toi ?

— Quoi ? Vida, quel miracle ! Ils t'ont amnistiée, ou quoi ?

— Non. Monte vite et, surtout, ne m'appelle pas par mon nom ; appelle-moi Cynthia.

Elle fit le tour de la voiture, tandis qu'il allongeait le bras pour lui ouvrir la portière. Puis elle l'embrassa et son visage se plissa en un grand sourire parfumé à la bière.

— Quelle surprise ! Tu as bien failli me flanquer un arrêt du cœur. Tu sais, à Chicago, on ne peut pas arriver par-derrière un passant et l'empoigner sans lui donner une crise cardiaque... (Il comprit que cette réflexion manquait de tact et ajouta aussitôt :) Euh... Tu as vu maman ?

— Pas encore. Natalie m'a dit qu'ils surveillaient l'hôpital. Mais c'est pour ça que je suis ici. Pour la voir.

Elle avait un plan, mais pour que Paul accepte de l'aider, elle allait devoir le travailler au corps. Elle devait bien à sa mère d'aller la voir, quel que soit le risque, et de montrer assez d'astuce pour réussir le coup. Ce n'était là que son devoir de fille.

— Hé, veux-tu retourner dans ce bar pour boire un pot ? Ce n'est pas un endroit très chic, mais...

— Non, pas question d'aller dans un endroit où l'on te connaît, c'est trop dangereux. Mangeons un morceau quelque part où l'on ne se demandera pas avec qui tu es.

— Mary Beth a sûrement préparé le dîner à la maison. (Il dégagea la voiture de l'espace étroit où elle était garée et se mêla à la circulation dense de l'heure de pointe.) Je lui téléphonerai de là où nous allons. Elle va s'imaginer que je suis avec Joy, mais je me débrouillerai.

— Tu vois toujours Joy et les enfants, non ?

— Ouais, mais Mary Beth n'aime pas ça.

Paul avait quatre enfants de son premier mariage. L'aînée, Marsha, avait... vingt-trois ans ? Seules les deux cadettes habitaient encore avec Joy. Il avait déjà un enfant avec Mary Beth, mais elle ne le connaissait pas. Paul n'avait pas perdu son temps, il avait fait des enfants pour eux deux. Dans la tête de Vida, bambins et gamins de dix ans évoluaient dans de petites scènes domestiques périmées depuis longtemps.

Vida et Paul étaient tous deux demi-juifs. Paul s'était battu contre son chrétien de père pendant toute son adolescence et, pourtant, il ne se considérait pas comme un juif. Elle s'était beaucoup mieux entendue avec Tom, pourtant elle s'était toujours considérée comme une juive : comme sa mère, et sa grand-mère. Lorsqu'elle avait appris que la loi rabbinique stipule que l'on est juif par sa mère, elle s'était dit : « C'est normal. » Les deux femmes de Paul étaient l'une et l'autre des transfuges du catholicisme.

— Ecoute, je connais un endroit. Et pas un boui-boui comme celui où j'étais. (Les rides disparurent du front lourd de Paul.) C'est un bar, mais ils font de la bonne cuisine italienne. J'y suis allé une ou deux fois avec des copains, mais on ne m'y connaît pas.

Paul commanda des manicotti, des boulettes, des spaghetti et de la salade pour Vida. Il répéta avec entêtement qu'il ne voulait pas même manger une miette, tout en dévorant le pain qu'il y avait sur la table, après l'avoir déchiqueté de ses grandes mains couturées. Il avait les sourcils épais de son père, mais ses cheveux, auburn comme ceux de Ruby, commençaient à grisonner. Il était devenu corpulent et sa bedaine enflait au-dessus de son pantalon, et pourtant, elle le considérait toujours comme un gosse. Elle l'aimait, elle avait pitié de lui et se sentait coupable, car elle avait le sentiment d'avoir volé une chose essentielle et de s'être sauvée en l'abandonnant à la fatalité de leur classe. Ruby s'était mariée avec un bourgeois, mais beaucoup trop tard pour que cela aide Paul. Il avait déjà quitté l'école et travaillait dans une usine métallurgique. A cette époque-là, on trouvait facilement du travail ; la production de l'acier était en plein essor. Paul avait maintenant la respiration courte et riait avec un sifflement d'asthmatique ; ses mains et son visage étaient marqués de cicatrices, et la vie l'avait eu.

— Ne t'en fais pas pour moi, bon sang ne peut mentir, disait-il. Tu es cinglée, mais tu es ma sœur, et qu'ils aillent se faire voir. Mais crois-moi, méfie-toi de Sharon, elle a un essaim d'abeilles dans les fesses. Elle te dénoncerait plus vite que tu ne peux dire : « Cincinnati. » Elle estime que c'est de ta faute si ce connard qu'elle a épousé n'a jamais eu d'avancement. Et pourtant, n'importe qui peut voir qu'il est si con que même les autres cons s'en aperçoivent, sauf elle... Mais tu sais, tu es en train de tuer Maman.

— Allons, ne me colle pas ça sur le dos. Si elle a survécu à Tom, ce n'est pas moi qui arriverai à la tuer.

— On se fait tous de la bile pour toi. Qu'est-ce qui va t'arriver... Chaque fois qu'ils parlent de terroristes, de fusillades, ou de détournements d'avions à la télé, je pense à toi.

— Paul, je ne suis pas une terroriste. Absolument pas. Nous ne nous attaquons pas aux individus, nous ne terrorisons personne. Nous nous en prenons aux multinationales, aux organismes gouvernementaux, aux propriétaires, à IBM, au Bureau des Archives. Nos actes sont toujours soigneusement pesés et nous ne faisons jamais physiquement mal à personne.

— Ah ouais ? Et ces types en Italie, qui kidnappent tous ces gens ?

— Nous ne sommes pas rattachés à tous les autres groupuscules du monde, tu sais ?

... Fallait-il essayer de défendre ses compagnons ? Il ne comprenait rien. Elle avait mal à la tête.

— Comment va Maman, alors ? demanda-t-elle.

— Pas bien, pour dire la vérité. Je ne sais pas ce qui va se passer... Je crois qu'elle souffre du cœur depuis deux ou trois ans et qu'elle nous l'a caché.

Vida avait peur. Elle pria son frère de l'excuser et alla aux toilettes où elle eut la diarrhée. Puis elle se lava les mains, le visage et se ressaisit. Je la verrai, il faut que je la voie, comme ça je *saurai* comment elle est. Ce balourd de Paul s'est trompé toute sa vie. N'en parle pas à table. Elle revint avec un air enjoué, bien décidée à changer de sujet.

— Comment va Mary Beth ?

— Elle est enceinte une nouvelle fois.

— Eho, Paul, tu en veux un autre ?

— Bien sûr... Seulement, ça va être dur. Jackie est mignon, mais j'ai déjà cinq gosses. Mais Mary Beth le voulait... Elle a l'impression que Joy lui fait la pige.

— Pourquoi se sent-elle aussi menacée par Joy ? Tu l'as tout de même quittée pour l'épouser.

— J'ai plaqué Joy parce qu'elle baisait derrière mon dos avec cet abruti de Polak, Fred, et que j'avais l'air d'un con.

— Dans ce cas, pourquoi Mary Beth est-elle jalouse ?

— Je nie ! Je le nierai jusqu'à ma mort ! Mais qu'est-ce que tu veux faire, quand on a vécu avec une femme pendant vingt ans ? Tout de même, j'y vais voir les enfants. Et je suis content de la retrouver. Tu sais ce que c'est, on s'amuse un peu tous les deux. En souvenir du bon vieux temps.

— Tu couches avec elle ?

— Et quel mal y a-t-il à ça ? Quand on a vécu avec une femme pendant vingt ans... C'est pas comme si elle était remariée à un autre gars. C'est incroyable, elle est plus âgée que moi, elle a quarante-deux ans, elle est grosse, elle a des dents de lapin et malgré tout ça, elle a des amoureux. C'est sa façon de rire. Quand tu l'entends rire, tu ne peux pas t'empêcher d'y penser... Tu vois ce que je veux dire ? A la bagatelle.

— Pauvre frérot, elle te manque, n'est-ce pas ?

— Ouais. C'est une souillon, mais elle est brave. Elle n'aime pas faire le ménage, mais elle aime cuisiner, et c'est une bonne mère. Et puis, elle adore rigoler ; elle est toujours prête à aller au bowling ou bouffer une pizza à l'improviste, voir un film porno, regarder un match de foot à la télé. Elle ne picole pas, mais elle ne crache pas sur une bonne bière et quand tu bois un coup le soir, elle ne te regarde pas comme si tu étais un minable.

— Pauvre Paul. Si je comprends bien, tu n'es pas si heureux que ça avec Mary Beth.

— Bof. (Son visage se ferma.) Elle n'est jamais satisfaite. Quand je lui achète un divan, elle dit : quand est-ce qu'on aura un tapis dans l'escalier ? Quand est-ce qu'on aura des vraies vacances ?... Mais moi, pour ce qui est des vacances, ceinture. Pas question de se relaxer ou de se détendre. Je suis tout juste bon à dépenser mon pognon dans un piège à cons. Joy avait toujours un boulot d'appoint. Elle aimait bien sortir de la maison. Remarque que c'était peut-être pour rencontrer des gars, ça ne m'étonnerait pas... mais ça m'aidait. Mary Beth est une bonne épouse, elle reste à la maison avec le petit, elle se tient à carreau, mais elle me mettra sur la paille. Avant, je faisais des extras pendant le week-end, je conduisais un camion de livraison pour un marchand de vins, mais le toubib me l'a interdit. Je suis comme Maman, j'ai de la tension. C'est dans la famille, j'imagine. Au fait, ta tension à toi, ça va ?

— Normalement.

En réalité, le docteur Manolli lui avait dit de la surveiller quand il avait soigné sa jambe infectée. Paul n'aurait jamais dû quitter Joy. Il avait été beaucoup plus heureux, avec elle. Seulement, son stupide orgueil de mâle l'avait persuadé qu'un homme trompé devait quitter sa femme.

— Est-ce qu'il t'arrive de penser que tu vas te remettre avec Joy ?

— Ouais. Seulement, Mary Beth attend encore un môme. Joy dit que c'est mieux comme ça, qu'on s'apprécie plus... D'ailleurs, je ne vois pas comment je pourrais vivre avec cette pute. Je passerais mon temps à me demander ce qu'elle fricote derrière mon dos... Au fait, Leigh a fait un gosse à sa petite amie. C'est un mariage à trois... Ça sera pas la première fois que ça arrive dans notre coin, pas vrai ? Tu t'y attendais, je pense ?

— Oui, répondit Vida machinalement. Comment sais-tu... Qu'est-ce qui te fait croire que Susannah est enceinte ?

— J'ai entendu Natalie et Ruby en parler. Tu n'étais pas au courant ?

— Bien sûr que si. Leigh m'avait dit qu'il l'épousait, crâna-t-elle. Mais il ne m'avait pas raconté que Susannah attendait déjà un enfant.

— Ça fait trois mois. J'imagine qu'il a dû y avoir de la bagarre et qu'elle a gagné. Joy était plus grosse que ça, quand on a régularisé. Ça commençait à se voir.

Trois mois. Depuis septembre. Lorsqu'ils s'étaient retrouvés à

Montauk, Susannah portait déjà son enfant. Et à New Hampshire, il le savait; impossible autrement. Elle avait envie de lui fracasser la tête. Elle le détestait. Dire quelque chose, il le faut.

— Hé, tu veux un autre verre? Tu as le temps? proposa-t-elle.

— Pas vraiment, petite. J'ai raconté à Mary Beth qu'il fallait que j'aille vérifier ma batterie, et que la bagnole avait refusé de démarrer en sortant de l'usine. Quand il s'agit de l'auto, elle croit tout ce que je lui dis. Elle n'ira pas regarder sous le capot. Mais si je rentre noir, elle me fait des scènes à propos de Joy toute la nuit. Moi, j'en ai des ulcères à l'estomac.

Se ressaisir. Vida avait l'impression de s'être répandue sur le sol, sur la table, au plafond, comme si elle avait explosé. Attaquer à propos du plan pour pénétrer dans l'hôpital.

— Dis donc, Paul, est-ce que Marsha est allée voir Maman?

— Non, pas moyen. Elle habite Houston et le billet d'avion, ça fait un tas de fric à allonger. Son mari est poseur de canalisations et elle est enceinte. Mary Beth, la petite amie de Leigh, Marsha, quelle épidémie!

— Paul, il faut que tu m'emmènes à l'hôpital en me faisant passer pour Marsha, ta fille. Débrouille-toi pour que Mary Beth n'en sache rien. Je ne veux pas que Maman soit tarabustée par la police.

— Mais... Marsha est blonde, elle a vingt-trois ans et elle est enceinte de six mois...

— Aucune importance, je mettrai une perruque blonde et un coussin sous ma robe. Ne t'inquiète pas, je vais me déguiser pour tenir le rôle. Et surtout, ne m'appelle pas Vida, agis avec moi très calmement et surtout pas nerveusement.

— D'accord, mais ça sera difficile. Quand veux-tu?

— Demain soir.

— C'est un peu dur. Qu'est-ce que je vais pouvoir raconter à ma bourgeoise?

— Dis-lui que tu veux voir Maman tout seul.

— Remarque, ça tombe bien, parce qu'elle n'aime pas l'hôpital. Toutes ces odeurs et tous ces gens sur des brancards la mettent sens dessus dessous.

— Tu es un ange, Paul. Rendez-vous à 7 heures, au même endroit que ce soir, d'accord? J'apprécie beaucoup ton geste, et je ne sais comment te remercier. Il faut absolument que je voie Ruby. Mais ne lui dis rien. Tu entreras le premier et tu le lui annonceras à l'oreille. Natalie l'a prévenue que j'allais essayer... Tu le lui dis tout simplement tout bas, d'accord?

— Elle m'a demandé où tu étais. De toute façon, il faut que je lui apporte des photos de Jackie. Elle me les a demandées hier.

— Très bien, Paul, alors rendez-vous à 7 heures.

En sortant son portefeuille pour payer le dîner et sa bière, Paul plia

318

un billet et le lui glissa discrètement dans la main. Sa prudence l'amusa. Prudence ou discrétion ? Malheureusement, il continuait à l'appeler Vida.

— Juste un petit coup de pouce, dit-il gentiment.

Une fois dans l'autobus, elle déplia son cadeau : c'était un billet de vingt dollars, et cela l'aiderait, bien que cela ne la mène pas bien loin. Lorsqu'elle aurait vu Ruby, il faudrait régler la question d'argent avec Joel. Qui sait, Natalie aurait peut-être une combine ? Elles avaient un rendez-vous téléphonique le lendemain matin à 11 heures dans la cabine du musée. Assise dans le fond de l'autobus, elle pouvait contempler la nuit derrière les vitres sales et se laisser aller comme on lâche une meute de chiens-loups qui tirent sur leur chaîne en aboyant à pleine gueule. Elle avait tellement envie de hurler sa douleur au ciel bas et sale, rougi par les fureurs du néon. Susannah attendait l'enfant de Leigh, et Leigh avait décidé de garder cet enfant. Vida aussi avait attendu un bébé, environ un an après leur mariage et Leigh avait dit : Les gosses vous gâchent l'existence, tu as envie qu'un enfant nous empêche de vivre ? Et puis, quelques mois plus tard, Lohania avait subi un avortement. Pourquoi la grossesse de Susannah était-elle plus précieuse que celle de Lohania ou la sienne ? Leigh s'était marié, il allait être père, il avait confié sa postérité à une autre femme. Il ne lui appartenait plus ; elle se sentit rejetée.

Elle était l'ex-femme fantôme. Leigh Pfeiffer, Susannah Pfeiffer et leur enfant formaient une unité. Il n'y avait pas de place pour Vida. Sa place était usurpée. Leigh ne pensait plus à elle que lorsqu'elle l'y obligeait et, à ce moment-là, il ressentait une légère irritation, un soupçon de culpabilité. Elle est encore là, celle-là, un peu comme une dent qui vous fait mal.

Vida souffrait dans son orgueil. Blessée dans le prix accordé à sa chair. Elle n'était pas le grand amour de Leigh ; elle appartenait à une époque révolue. Vida était devenue une folie, une personne déplacée, une vieille flamme, dont la mèche file et qu'il faut moucher. Mais pourquoi avait-il pris la peine de coucher avec elle ? Nostalgie ? Pitié, désir passager ? Et pourquoi ne pas lui avoir dit la vérité ? Il devait savoir qu'il allait épouser cette femme. Et brusquement l'espoir resurgit : il n'avait aucune envie de se marier, mais l'avait finalement fait par obligation. Tout de même, elle ne croyait pas trop à cette hypothèse. Beaucoup de femmes avaient eu très envie d'épouser Leigh Pfeiffer et au moins l'une d'entre elles lui avait annoncé qu'elle était enceinte. Il lui avait expliqué qu'il était déjà marié. Il avait même trouvé une excuse : Tu comprends, tant que je suis le mari de Vida, si elle se fait prendre, on ne peut pas m'obliger à témoigner contre elle. Et il s'était accroché à cette excuse pour échapper à ce dont il ne voulait pas. Non, il aimait Susannah. Il fallait qu'elle boive le calice jusqu'à la lie. Un calice de mensonges, l'amère vérité.

Vida faillit manquer l'arrêt. Elle monta les marches glissantes jusqu'au quai venteux en serrant sa veste autour d'elle. Il fallait qu'elle demande à Mme Florian de lui prêter des vêtements pour se déguiser. Elle trouva facilement une place assise dans le wagon à moitié vide. L'heure d'affluence était passée, la plupart des gens étaient en train de dîner. Derrière elle, un vieil homme débitait un chapelet de jurons en anglais ou dans une autre langue qu'elle ne comprenait pas. Bien qu'elle devinât qu'il s'agissait de slave.

Elle avait envie d'acheter une bouteille de vin en sortant du métro ; mais elle ne pouvait se l'offrir. Le goût du luxe ; encore un héritage de sa vie avec Leigh. Comme cela était incongru, à présent. Il fallait qu'elle rejoigne Joel sans amener avec elle cette peine lancinante.

Elle courut dans l'impasse sinistre, sombre et défoncée, et se rua sur la porte pour frapper selon le code convenu. Quand Joel vint lui ouvrir, elle jeta ses bras autour de son cou.

— J'ai vu mon frère. Il nous a donné vingt dollars...

— C'est tout ?

— Qu'est-ce que tu veux, il a tellement d'enfants ! Si j'avais pu faire autrement, je n'aurais même pas accepté cet argent. Je vais voir Ruby demain soir.

Il lui retira sa veste, la prit par les épaules et la fit asseoir sur le lit de camp.

— J'ai une mauvaise nouvelle à t'annoncer.

— Ruby va plus mal ?

— Non. Pas de nouvelles de l'hôpital... Sam a appelé. Natalie a été assignée en descendant d'avion. Elle a été convoquée aujourd'hui devant la commission d'enquête. Elle a refusé de répondre à leur interrogatoire. Elle est libre, mais elle a peur qu'ils obtiennent une exemption de procès-verbal et qu'ils la convoquent de nouveau. Bref, elle a donné un peu d'argent à Sam et lui a dit d'amener Peezie ici.

— Sam et Peezie viennent à Chicago ?

— Sam a téléphoné de O'Hare il y a une heure. Lui et sa sœur attendaient ton beau-père Sandy, qui devait venir les chercher.

— Pourquoi a-t-elle fait ça ?

Vida tremblait pour Natalie, mais, de façon irrationnelle et affreuse, elle était soulagée, car cette nouvelle faisait diversion à sa douleur. Galvanisée par sa peur pour Natalie, elle était délivrée de l'obsession du mariage de Leigh et de sa paternité. Ainsi, elle n'était pas obligée de feindre de penser à autre chose.

— Elle a très peur d'aller en prison, et elle ne veut pas que ses enfants soient terrorisés une fois de plus. Elle pense qu'ils seront plus en sécurité chez Sandy. Tu comprends, si elle est incarcérée, Daniel prendra les gosses et elle ne pourra plus jamais les récupérer.

— Je ne savais pas que Daniel voulait prendre les aînés.

— Il veut être en position de force pour pouvoir marchander. (Joel lui caressa les cheveux.) Sam est vachement relaxe, et comme il l'explique lui-même, si Daniel a la garde des enfants, rien ne l'obligera à donner de l'argent à Natalie.

— La guerre des familles. La vengeance des pères.

Elle s'appuya contre le bras de Joel. Puis elle prit son visage entre ses mains et le cribla de baisers pleins de gratitude. Il était là, il existait, il l'aimait.

— Dis donc, mec, tu ne t'es pas rasé !

— Je n'ai plus de lames, Vida. Mon rasoir est aussi affûté qu'une vieille brique.

— Et moi, j'ai l'impression d'embrasser un fil barbelé. Tout de même, à mon âge, j'ai droit à un brin de confort.

Elle se rappela soudain qu'à ce même âge, Ruby avait plaqué Tom pour faire son grand saut dans une autre vie, avec un autre homme et selon une autre religion. Et voilà que elle aussi, Vida, passait d'un homme à un autre et changeait d'allégeances profondes. Mais dans son cas, son existence antérieure n'avait pas été structurée par Leigh. Joel ne représentait pas non plus son travail quotidien, comme Tom et ses enfants, puis Sandy et les siens l'avaient été pour Ruby, quel que soit l'emploi que sa mère tînt au-dehors.

Le seul moment où Ruby s'était peut-être sentie indépendante se situait pendant la deuxième guerre mondiale, à l'époque où elle était si fière de travailler au chantier naval. « Je fais un boulot d'homme », leur avait-elle expliqué en rentrant à la maison pour ôter sa salopette et mettre une robe. « Gene Cornutti, mon contremaître, dit que je suis plus rapide que le gars que je remplace. »

Paul lui avait demandé où était passé cet ouvrier, et Ruby lui avait répondu : « Il est avec ton père, en train de se battre contre les Japonais. Pendant ce temps, moi je construis des bateaux. Et même notre petite Vida peut nous aider en piétinant les boîtes de conserves. Pas vrai, ma chérie ? »

Vida se revoyait en train de sauter à pieds joints sur les boîtes en fer blanc avant qu'elles ne partent pour la récupération du métal. Ses premiers souvenirs d'enfance étaient chaleureux et heureux : c'en était presque obscène, songea-t-elle. Il n'existait pas un seul Juif européen qui pût conserver un bon souvenir de cette époque-là. Grand-mère, maman, Paul et bébé-Vida n'avaient jamais été aussi heureux, puis Ruby avait épousé Sandy et à ce moment-là, Paul quittait déjà l'école pour travailler.

Tout en faisant l'amour avec Joel et même après, alors qu'ils bavardaient pour s'endormir, des fragments désordonnés d'enfance surgissaient derrière les paupières closes de Vida. Demain, elle verrait sa mère. Oui, qu'importe comment et à quel prix, elle y réussirait.

La perruque blonde était celle que Vida portait le jour où ils avaient véhiculé Tara jusqu'au refuge. L'oreiller provenait du lit de camp de l'arrière-boutique de « Madame » ; le costume-pantalon de femme enceinte avait également été prêté par Mme Florian : il était d'un turquoise hideux avec une multitude de boutons étincelants. Vida s'appliqua une bonne couche de fond de teint sur le visage. Paul arriva en retard et elle faillit périr de froid en l'attendant. Son nez coulait à tout va et le maquillage partait dans son mouchoir. Elle s'était bourré les joues de coton pour se créer une face de lune. En sortant du parking pour entrer à l'hôpital, elle dut obliger Paul, qui avait tendance à marcher au galop, à ralentir.

— Doucement, papa, doucement. Tu ne veux tout de même pas que je perde mon bébé ? N'oublie pas que tu dois me montrer de la sollicitude. On n'oblige pas une femme enceinte à courir.

— Arrête, Vida, tu feras ton cinéma là-haut.

— Comment est-ce que je m'appelle ? demanda-t-elle en lui enfonçant les ongles dans le bras.

— Marsha, Marsha ! Bon Dieu ! Tu me fais mal.

— Bon Dieu, à mon tour, Paul. N'oublie pas que je m'appelle Marsha, même si tu as l'impression que nous sommes seuls. Compris ? Maintenant, allons-y. Montre-moi le chemin, « Papa ».

Lorsqu'ils entrèrent dans le service de cardiologie, l'infirmière assise derrière son bureau les scruta du regard et dit :

— S'il vous plaît, pas plus de deux visiteurs à la fois.

— Oh ? Qui est avec elle ? demanda Vida en souriant.

— Son fils Michael, répondit l'infirmière en consultant sa liste.

— Dans ce cas, je vais en profiter pour descendre en vitesse téléphoner à mon mari. Je reviens tout de suite, dit-elle à l'infirmière. (Puis, après s'être éloignée, elle ajouta à l'adresse de Paul :) Fais-le partir et assure-toi que Sharon n'est pas là.

— Que veux-tu que je fasse ? Que je flanque Mike à la porte ?

— Dis-lui que tu as un problème personnel à discuter avec Maman.

— Ça va lui faire plaisir, il ne peut pas me blairer. Il pense que je suis un pauvre type.

— Eh bien, moi, je pense que c'est un enfant gâté. Je reviens dans dix minutes. Arrange-toi pour que Mike soit parti. Je n'ai aucune confiance en lui.

— Prie plutôt le ciel pour que Sharon ne s'amène pas ce soir.

— Dans ce cas, tu lui sautes dessus et moi je file en courant. Je sais que tu feras pour le mieux, papa chéri, lui dit-elle en souriant. A dans dix minutes.

Elle n'avait aucune envie de traîner dans le hall ; elle alla donc se cacher dans les toilettes pour femmes. Lorsque sa montre indiqua que dix minutes s'étaient écoulées, elle accorda cinq minutes supplémentaires à Paul et ressortit. Si M & M. était là — c'était le nom que Natalie et elle donnaient jadis à Michael Morris Asch — que ferait-elle ? Elle suivrait son instinct. Assis à côté du bureau de l'infirmière, un homme feuilletait des magazines de sport ; il la regarda sortir de l'ascenseur avec un intérêt marqué, puis retomba dans l'indifférence. Elle eut l'impression d'avoir touché un fil électrique, mais elle se dirigea tranquillement vers l'infirmière en mâchant du chewing-gum d'un air blasé.

— Mon oncle est parti ? Vous savez, il est plus jeune que moi, mais c'est mon oncle...

— Ah oui ? Vous êtes une famille nombreuse, dit l'infirmière. Il vient juste de partir. Il est en seconde année de médecine, n'est-ce pas ?

— Ouais. Il bosse rudement bien. (Elle paniqua en songeant qu'elle avait complètement oublié à quelle école il allait.) Bon, eh bien, je vais voir grand-mère, reprit-elle. Vous comprenez, je reprends l'avion demain, alors, il faut bien.

— Première porte à gauche, après le coin, là ; ensuite, ce sera la troisième porte à droite. Mettez cette blouse. Votre père vous montrera ce qu'il faut faire.

Ruby gisait presque assise dans son lit, mais elle regardait fixement la porte, guettant, ses yeux de chat luisant dans son visage hagard.

— C'est *toi*, Vida ? demanda-t-elle.

Vida tressaillit, jeta un coup d'œil à la malade couchée dans l'autre lit et qui regardait le poste de télévision au-dessus d'elle. Elle espérait que le son serait assez fort pour couvrir le bruit de leur conversation si elle parlait doucement.

— Oui, Maman. Mais je t'en prie, appelle-moi chérie, mon chou, ou même petite garce, si tu en as envie. Mais ne prononce pas mon nom ! lui dit-elle tout bas en s'approchant du lit pour embrasser sa mère.

Ruby paraissait beaucoup plus vieille que l'année dernière. Sa peau pendait. Elle n'était pas trop maigre, mais sa chair avait quelque chose de flétri ; sa peau était pâle et ses veines dilatées. Elle haletait et sa respiration sifflait à un point qui terrifia Vida. Elle tira le rideau qui séparait sa mère du lit voisin.

— Je savais que tu viendrais. Je l'ai même dit à Natalie. Elle m'a affirmé que tu ne pouvais pas. Celle-là, c'est une bileuse-née. Mais Sandy, lui, m'a dit que oui, et il avait raison. Sandy a toujours raison, plus ça va, plus je m'en rends compte... A cette heure-ci, il est en train de dîner ; tu comprends, il mange très tard pour pouvoir venir me voir quand il n'y a personne. Alors, à 7 heures...

— Maman, il ne faut pas que tu parles trop, l'avertit Paul.

— C'est moi qui vais lui parler, dit Vida. Paul, va faire le guet ; bavarde avec l'infirmière, et ouvre l'œil. Je te promets que je ne vais pas rester longtemps.

Elle ôta le coton de ses joues et son visage reprit sa forme normale à l'abri du rideau.

— Tu es enceinte ? Je sais que la nouvelle femme de Leigh attend un enfant. J'espère que tu ne t'es pas fait engrosser, toi aussi ?

— Non, M'man. Je suis supposée être Marsha, chuchota-t-elle en s'asseyant sur le bord du lit de sa mère.

Ruby ressemblait un peu à sa grand-mère, et cela l'effrayait. Jusqu'ici, elle n'avait jamais remarqué cette similitude. Grand-mère était une petite femme robuste et boulotte qui portait des vêtements informes. Après son veuvage, elle n'avait pas voulu se remarier. « Ah non ! une fois suffit. Et, parfois, c'est trop. » Ruby avait le même âge que grand-mère lorsque cette dernière avait été terrassée par une crise cardiaque. L'estomac de Vida se serra douloureusement.

— Tu ne lui ressembles absolument pas, avec cette horrible perruque. Achète-t'en une plus jolie. Cela me fend le cœur. Toi qui as une si belle couleur de cheveux. C'est la seule chose utile que nous ait donnée Tu-Sais-Qui. Enfin...

— Comment vas-tu, Maman ? Tu souffres ?

— Je vais très bien. Ils veulent me garder pour m'engraisser avec leurs nourritures sans goût et ils me baladent dans tout l'hôpital, en haut, en bas, et encore en haut, mais ils refusent de me laisser rentrer chez moi. Veux-tu que je te dise ? Les toubibs sont tous des voleurs.

— Alors, soigne-toi pour aller vite mieux. Fais ce qu'ils te disent.

— Ha ! Oh, remarque, les infirmières sont gentilles pour la plupart, surtout celle de nuit. Mais mon docteur ment comme il respire et, en plus, ils m'interdisent de fumer.

— Mais, Maman, tu sais bien que c'est mauvais pour ton cœur.

— Et alors, le mal est fait. Et maintenant, j'ai le cœur malmené par l'envie de fumer. Voilà !

— Il faut que tu guérisses ! insista Vida.

Brusquement, elle en voulut à Sandy et cet accès de colère l'étonna. Puis elle comprit : à présent que Ruby était malade, elle voulait que quelqu'un d'autre soit responsable de sa maladie. Elle avait confié sa mère à Sandy, et elle s'était sentie libre de grandir et de mener sa vie, c'était à lui de veiller sur elle, et donc à lui que revenait le blâme.

— Je sais, dit Ruby, sans conviction. Il est plus jeune que toi, cet homme avec qui tu es maintenant ?

— Je vois que Natalie a cancané...

— Pourquoi, elle n'aurait pas dû me le dire? Comment ça?

— Disons qu'il n'est pas aussi jeune que la nouvelle femme de Leigh.

Ruby rit d'un rire saccadé, rauque et profond qui se mua en toux.

— Bravo! Et pourquoi pas? Pourquoi épouser un homme plus vieux que toi? Regarde ta sœur: bonne mère et bonne épouse pendant quinze ans, et qu'est-ce que ça lui rapporte? Une pension pour les gosses, avec un peu de chance!

Avec l'animation que lui procuraient ces petits potins, Ruby redevenait belle. Elle n'avait que soixante-trois ans; il lui restait vingt ans à vivre. Ses cheveux n'avaient commencé à grisonner que passé la cinquantaine, et aussitôt elle s'était teinte en roux. Ses yeux brillaient, verts comme la mer avec leurs longs cils qui palpitaient. Elle ne pouvait s'empêcher de faire du charme à Vida, ne pouvait pas plus se retenir de faire du charme en général que de fumer.

— Tu ne trouves pas que c'est gentil, de la part de Natalie, de m'avoir envoyé les enfants? Je sais: ils ne devraient pas manquer l'école, mais ça me fait tellement plaisir de les avoir! Sam est un amour, non? Celui-là, il en fera des ravages. Il baragouine l'espagnol avec tous les Portoricains de l'hôpital. Et Peezie sera belle à couper le souffle. Elle sera bien plus grande que Natalie; plus grande que toi et moi.

Des photos s'alignaient en rang serré sur la table de nuit, comme des voitures à une heure de pointe: les trois gosses de Natalie, les cinq enfants de Paul, les deux mioches de Sharon... Vida éprouva un sentiment de délivrance à la pensée qu'elle au moins n'en avait pas. Assez! Assez de ces petits visages! Elle vit une photo d'elle à dix ans, devant un immeuble en brique à Montrose Avenue. Il manquait une main: celle qui tenait Tom, et que les ciseaux avaient coupée.

— Il t'aime? demanda Ruby en lui serrant le bras très fort.

— Oui, Maman. Beaucoup. Plus que Leigh autrefois, en fait.

— Alors, pourquoi ne l'épouses-tu pas?

— Maman! Ce n'est pas le mariage qui me ferait rentrer dans la légalité.

— D'accord, chaque chose en son temps. N'empêche, il faut bien commencer.

Donc, on lui avait caché l'incarcération de Natalie. C'était presque normal, avec tout ce qui leur tombait sur la tête en même temps, se dit-elle, songeant que sa propre enfance avait été une suite d'accidents et de bosses dans le noir. Tout de même, pourquoi Sandy, Sharon et Paul avaient-ils décidé, en conseil de famille, de dire à Ruby que Natalie était sur le point de divorcer, que Leigh venait de se remarier et qu'elle avait un nouvel amant, mais de lui cacher l'arrestation de Natalie? Peut-être avaient-ils une notion particulière de ce qui est une tragédie et de ce qui ne l'est pas. Car, pour Ruby, la perte de Daniel n'était pas un mal. Plus probablement encore, Natalie avait dit la vérité, jusqu'au moment de sa sortie de scène, après quoi les autres avaient opiniâtrement menti.

— Cela ne t'ennuie pas, que Natalie ait rompu avec Daniel? demanda prudemment Vida.

— Ce propre à rien qui cavale après les poulettes? Qui ne peut pas s'empêcher de peloter ses élèves? Ecoute ta mère, mon trésor : ne te marie jamais avec un professeur d'université : ils sont là à faire la roue année après année aux petites nouvelles, et il y a toujours de ces jeunesses pour tomber à la renverse. Tu crois que je ne l'ai pas prévenue, Natalie, il y a vingt ans?

— Maman, il y a vingt ans, Natalie était encore au lycée.

— Eh bien! je le lui ai aussi dit après. Je n'ai jamais aimé Daniel. Il nous regarde de son haut. Ton mari en faisait autant. Ces New-yorkais! Ça croit tout savoir. Pour eux, les juifs de province comme nous manquent de culture et mangent avec les doigts de pied.

— C'est maintenant que tu m'avoues que tu n'aimais pas Leigh?

— Bah! je reconnais qu'il valait mieux que l'autre fou de grec et que Daniel, dit Ruby, baissant un peu les armes. Montre-moi une photo du nouveau.

— Eh bien! eh bien! Madame Asch, il me semble que nous sommes très agitée. Nous ne sommes pas censée nous asseoir dans notre lit, ce me semble? Et il est l'heure des médicaments, dit l'infirmière en obligeant Ruby à se recoucher.

Ruby, indignée, recommença à haleter. L'infirmière enfin sortie, Vida dit à sa mère :

— Il faut que je parte, maman.

— Mais tu reviens demain? demanda Ruby en lui prenant la main.

— Je dois quitter Chicago. Ne dis à personne que je suis venue.

— Sauf à Sandy; il le faut, trésor. Je n'aime pas avoir des secrets pour lui. C'était ça l'ennui dans le cas de Qui-Tu-Sais : être toujours à planquer l'argent du ménage et se taire quand Paul avait des ennuis. Dis-moi, trésor, tu crois que le Bon Dieu me punit?

— Ruby, ne sois pas ridicule, tu aimes Sandy.

— Oui. Je pensais qu'il serait bon pour toi.

— Bien. Entendu, dis-le à Sandy; mais à personne d'autre.

Ruby fit la moue :

— Paul est au courant et je parie que tu le diras à Natalie. (Qui n'avait pas téléphoné ce matin-là au musée.)

— Bon, maman. Mais pas un mot à Sharon ni à Mike.

— Tu as toujours été jalouse de ton jeune frère!

— Tu crois vraiment qu'il est si fier de moi, si impatient de bavarder avec moi?

— Vida! Tu crois qu'il y a de quoi être fier?

— Chut !... Pourquoi pas ? Il y a beaucoup de gens qui me trouvent exemplaire. (Elle se ressaisit et embrassa sa mère.) Au revoir, maman. A bientôt ! dit-elle tout en se calant de nouveau les joues avec le coton et en songeant : « J'en doute. » (Mais que faire ?).

— S'il te plaît, encore une minute ! supplia Ruby en s'agrippant à elle.

— D'accord, une toute petite minute, dit-elle en embrassant Ruby. Tu en as une belle liseuse ! reprit-elle pour égayer l'atmosphère. Je n'en avais jamais vu de pareille, sauf au cinéma.

— C'est chic, hein ? Une folie de Sandy. Il n'aurait pas dû... si, si, sérieusement. Ça ne va pas fort pour nous. Tu sais, nous voulions prendre notre retraite et nous retirer en Arizona. Depuis le jour où nous t'avions retrouvée là-bas, dans ce mignon petit restaurant tout en rondins, tu te rappelles, chérie ? Mais Sandy ne peut pas prendre sa retraite à soixante-cinq ans, et nous tirons le diable par la queue. Et maintenant, regarde un peu dans quel état je me suis mise ! La journée d'hôpital coûte le prix d'un aller et retour à Tokyo... Dis-moi, ton petit ami, il est juif ? Comment est-il physiquement ?

Paul entra en trombe dans la chambre. Vida le calma, puis l'entraîna dans le couloir :

— Ne t'énerve pas, frérot.

— Sharon est en bas, à la réception !

— Bon. Attends une seconde... le temps de dire au revoir à maman.

Elle retourna précipitamment dans la chambre en serrant l'oreiller contre son ventre :

— Maman chérie, il faut que je file. Surtout ne dis pas à Sharon que tu m'as vue. Elle arrive.

— Prends au moins un fruit ! dit Ruby en se mettant sur son séant et en agitant la main vers le compotier, posé entre les photos de famille, la carafe d'eau et les roses jaunes.

Mais Vida sortit à grands pas, enleva sa blouse et la jeta sur le comptoir en criant : « Au revoir ! » à l'infirmière. Après tout, Sharon n'avait aucune raison de supposer qu'elle sortait de la chambre de Ruby, au coin du couloir. Les cheveux de Sharon étaient plus clairs que ceux de Natalie et traités de façon à être moins crépus. Elle portait un manteau court, de fourrure marron. Bien que n'étant pas la fille de Ruby, elle lui devait de fumer à la chaîne, elle aussi ; et de la même manière dégagée et coquette. Elle était justement en train d'éteindre sa cigarette, furieusement, à la demande pressante de l'infirmière — scène qui se reproduisait certainement à chacune de ses visites à Ruby. Etait-ce Sharon qui procurait des cigarettes en cachette à la malade ? Vida avait envie de la prendre dans un coin et de lui poser la question ; mais non, il fallait se dépêcher...

— Sharon ! beugla Paul. Comment va ? Qu'as-tu fait de Sidney ? Ma parole, on dirait que tu as grossi !

Vida entendit Sharon, indignée, japper comme un petit chien furieux, tandis qu'elle se jetait dans l'ascenseur. Elle attendrait Paul au garage, près de sa voiture, et tout de même assez loin pour pouvoir filer en cas de pépin. Au moment où elle traversait le hall d'entrée de l'hôpital, Joel se leva d'un siège :

— Salut !

— Toi ? Qu'est-ce que tu fais là ? demanda-t-elle, à la fois saisie et soulagée. Vite, sortons d'ici ! Comment es-tu venu ? reprit-elle, dehors.

— J'ai pris la voiture et je t'ai suivie.

— Quel idiot !

— En tout cas, pour repérer les filatures il y a mieux que toi !

Elle tiqua comme s'il l'avait giflée, puis réfléchit : « Mais il savait dans quel hôpital se trouvait Ruby. Et je n'aurais sûrement pas manqué de remarquer une voiture suiveuse. »

— La bagnole est là ?

— Naturellement.

— Alors, quittons la ville. Je viens juste de l'échapper belle et le mieux est de faire vite. Après tout, qui sait si je n'ai pas fourni un indice sans le vouloir ? Sharon est arrivée au moment où je partais, et je la crois tout à fait capable de dire que ce n'était pas Marsha qui sortait de la chambre de maman.

— Elle ne t'as pas revue depuis que tu te planques, non ?

— Je n'ai aucune confiance en elle. Elle a raconté des trucs au F.B.I. J'espère que Paul n'aura pas d'ennuis. Par moments, j'ai l'impression que nous ne sommes bons qu'à attirer des ennuis... à Natalie, à Paul...

— J'ai tout emporté.

— Parfait. Tu as fait le ménage partout ? (Elle voulait parler des empreintes, des mouchoirs en papier, sans compter le reste.)

— Non, je ne savais pas que nous partions pour de bon.

— Espérons qu'ils ne retrouveront pas la trace jusque-là.

— Et si nous disions à Madame Florian que nous partons ? (Il passa un bras autour d'elle, tout en ouvrant la portière.)

— Elle le verra bien demain matin. Et crois-moi, elle poussera un soupir de soulagement.

Elle s'écroula sur le siège en lui laissant prendre le volant.

— Bon. Alors, où ? On retourne dans l'Est ?

— Oui. Mais il faut trouver de l'argent. (Elle s'adossa à fond avec l'impression d'avoir de la fièvre.) Joel, tu m'as vraiment suivie ?

Il s'arrêta, le temps de payer le gardien, puis manœuvra pour sortir dans la rue.

— Tu te figures que je ne vaux rien à ce genre de petit jeu, hein ?

— Mais tu savais à quel hôpital elle était...

Non, elle l'interrogerait plus tard. L'idée qu'elle avait pu être filée sans s'en apercevoir la terrifiait. L'inattention était un véritable suicide.

— Où allons-nous ?

— Où, oui, je me le demande... (Elle s'affala de nouveau contre le dossier.) Je suis crevée. Et il nous faut de l'argent. Il y a Cleveland... qu'en penses-tu ?

— Tu y as aussi des parents ? Je sais que tu y es née.

— Non, pas des parents. Un refuge. Un ami. Peut-être un contact. Ne pas oublier de téléphoner à Natalie demain matin, 11 heures. Oh ! mon Dieu, c'est elle qui est censée m'appeler. Bon, il va falloir que je me serve de la boîte aux lettres. Quel bordel !

— Tu vas garder ton oreiller et ta perruque ?

— Merde ! J'aurais dû enlever tout ça avant de monter en voiture. Pourvu que le gardien du parking n'ait pas fait attention ! Je ne tourne pas rond, non, pas rond du tout !

Elle entassa son déguisement dans son sac.

— Pourquoi ne t'allonges-tu pas sur la banquette arrière ? demanda-t-il.

— Je veux rester à côté de toi pour te tenir compagnie... Non, tu as raison, je vais m'allonger. Je ne peux pas croire que j'aie pu oublier de me changer avant de quitter le parking ! Je remettrai mes vêtements. Quand je serai derrière. Non, je ne tourne pas rond ! Il s'arrêta et elle se dépêcha de passer derrière. Une fois changée et pelotonnée tant bien que mal sur la banquette, elle l'entendit chanter pour lui-même, de sa voix de basse sonore :

> *J'suis parti d'puis longtemps,*
> *Oui, parti d'puis longtemps,*
> *Comme une dinde dans les champs,*
> *Avec mes longs habits traînants*
> *D'puis plus longtemps qu' le Juif Errant...*

SIXIÈME PARTIE

Février 1974

17

Des souris aussi bien que des salamandres s'étaient faufilées dans le garde-manger au-dessus du puits et y avaient grignoté les choux, découvrit-elle. Elle transporta jusqu'à la maison des brassées de choux entamés et partiellement pourris ; elle glissait sur la glace qui s'était formée à la suite d'une hausse de la température, la veille, où la neige avait fondu d'un centimètre pour geler de nouveau au crépuscule. En allant au puits, elle était tombée sur le côté et souffrait encore de cette chute ; elle marchait avec raideur, plein les bras de sa cargaison de choux lourds et puants. Encore deux voyages.

Elle laissa tomber les légumes sur une table, dans la remise non chauffée à côté de la porte de la cuisine, et repartit chercher un autre chargement. Comme elle déposait les derniers choux sur la table où il lui faudrait trier ce qui restait mangeable, elle songea que le mois de février, tout comme l'enfer de Dante, devrait porter l'inscription : *Abandonnez tout espoir, vous qui entrez ici.* Ou bien était-ce : *Vous qui entrez ici, abandonnez toute espérance.* Elle n'avait pas appris l'italien. Encore un univers inexploré, des amants qu'elle ne connaîtrait pas, une saveur à jamais étrangère. A une autre époque, en des temps moins passionnants, elle eût été une humaniste bas-bleu. Au lieu de cela, elle en était à jouer les déesses de la vengeance envers des salamandres endormies et tachetées. Néanmoins, elle était heureuse de fuir la maison malodorante et bondée. Les hommes sautaient sur presque tous les boulots extérieurs et ce n'était que grâce à la récente révolte d'Eva et de Vida que les femmes avaient enfin obtenu le droit de couper le bois. Les hommes monopolisaient encore les travaux mécaniques. Elle qui était capable de fabriquer et de régler trois types de bombes à retardement, quand elle soulevait le capot de la vieille Saab bleue, ne voyait qu'un grouillement de serpents, pareil à la chevelure de Méduse, qui lui changeait le cerveau en pierre. Chaque fois que Kevin lui annonçait qu'il allait l'initier à l'art de la

333

mécanique, cela signifiait qu'il allait prendre un malin plaisir à réciter à toute allure une quantité de termes totalement incompréhensibles pour elle, puis à faire la gueule, à se mettre en rogne et enfin à la planter devant le capot en tournant les talons. Les matins où il gelait, on mettait une heure à faire démarrer les deux voitures ou le camion que les habitants de Hardscrabble Hill se partageaient. La vie tournait autour de la cuisine, des repas à préparer et à servir, de la vaisselle et des lessives interminables, sans compter les enfants à nourrir, à laver, à soigner, et les divers poêles aussi voraces que capricieux, les départs en voiture sur les ornières gelées, pour rejoindre la route, souvent labourée et boueuse, qui menait à la ville et retour. Leurs discussions politiques, quand ils en avaient, n'étaient qu'une façon de se manifester entre eux leur hostilité.

Flac, flac, le lourd couteau de fer tranchait la pourriture profonde et entaillait les cœurs pâles et frisés. Elle avait les mains rouges, gercées, abîmées, décolorées, véritables illustrations du dur métier de fermière auquel elle s'initiait maladroitement sur le tas. Labourer, semer : jadis, ces tâches rendaient pour elle un écho romantique, et leur réalité inconnue se changeait en métaphores politiques. « Il faut séparer le grain de la paille », récitaient les petits marchands d'idées de gauche qui n'avaient jamais vu une gerbe de blé de leur vie ou encore moins, privilège réservé à la femme, un sac de vingt kilos de blé d'hiver rouge et dur comme la pierre, gagné au poker par le gars Bill et avec lequel elle a ordre de faire du pain. *Flac !* Les choux frisés devenaient des cerveaux vert pâle, énormes, bourrés d'idées. Elle n'avait aucune envie de retourner dans la maison qui se dessinait, menaçante, dans le brouillard, haute de ses deux étages et demi et déboulant sur la pente de la colline : étable, grange, poulailler, remise à outils, hangar à bois, garage, hangar à tracteur, tous reliés par des caillebotis de bois pourrissant ou réunis bout à bout contre les congères de deux mètres qui s'y étaient accotées jusqu'à la semaine précédente. Maintenant, les bosses de neige contre le vieux bois des constructions dépassaient à peine un mètre. Mais il neigerait encore et encore, ce n'était pas fini. L'espèce de labyrinthe qu'était la maison elle-même se dressait un peu au-delà : la partie la plus ancienne, avec ses plafonds bas et ses larges planchers ; les pièces victoriennes, hautes de plafond ; la partie moderne (années 20), basse de nouveau avec le retour des temps difficiles. La ferme blanche entourée d'érables était apparue à ses yeux pour la première fois au mois de septembre 1972. Kevin et Vida avaient roulé toute la nuit, venant de Detroit, et ils étaient arrivés épuisés, mais désespérément heureux de trouver un refuge. En cette fin d'été, la maison blanche délabrée et pittoresque leur avait semblé idyllique, perchée sur sa petite colline et chevauchant des terres ondulées, avec vue sur les longues hauteurs en dos d'âne qui fermaient la vallée de chaque côté. Cela se passait

334

une semaine après la Fête du Travail, l'air était tiède et immobile, un vrai miel. Des roses rouges désuètes fleurissaient contre le porche ; dans des massifs le long des murs, des marguerites aux couleurs pastel s'étalaient, lavande légère et rose frêle.

Ils avaient habité la ferme avec des gens triés sur le volet, pour la plupart fugitifs comme eux et qui faisaient tous partie du réseau. Tequila et Marti, couple marié et qui n'avait rien de clandestin, vivaient depuis suffisamment longtemps dans la région pour la connaître, et ils avaient trouvé cette ferme à louer avec possibilité de l'acheter dans un an s'ils le désiraient. En montant l'allée, appuyée sur Kevin dont le grand bras lui entourait la taille, elle avait eu l'impression d'être une jeune mariée. La première année de clandestinité, ils avaient vécu un enfer : traqués, de trou en trou, il leur avait fallu un an pour organiser le réseau, rameuter les militants en fuite, apprendre à survivre, former des ateliers pour la fabrication de faux papiers, perfectionner les raids éclair, les attaques et les opérations de guérilla. Mais maintenant Kevin et Vida allaient pouvoir vivre ensemble pour la première fois. Leurs rapports allaient devenir plus étroits, plus domestiques et moins violents. Cette nuit-là, un 9 septembre, la première gelée avait durci l'air et le sol. La température était tombée de +16° à plusieurs degrés au-dessous de zéro. La glace avait investi la cour ; dans le potager, tout était mort, hormis les panais et les choux. Les roses pendaient, brunies.

Elle porta un tel coup au dernier chou que le couteau se ficha dans le bois et qu'elle dut lui imprimer des secousses pour le retirer. « Le salaud », murmura-t-elle. Le souvenir de Kevin lui faisait mal ; elle en avait comme un bleu de la grosseur d'un poing dans la poitrine, un bleu qui ne guérissait pas. Elle sortit en titubant, les bras chargés de feuilles de choux pourries qu'elle jeta sur la brouette à fumier ; puis elle enveloppa les restes mangeables dans des journaux pour les emmagasiner sur la galerie, où les souris se feraient un plaisir de poursuivre leur œuvre. Elle était sale et sentait mauvais. Si Marti avait fini de laver les langes, elle s'offrirait un bain, que ce fût son tour ou non. Elle aspira une dernière bouffée d'air frais et plongea bravement dans les odeurs de lait caillé, de bébé suri, de fumée de poêle, de tabac froid et de pipe. Elle monta à la salle de bains, au-dessus de la cuisine, et entra pour se faire couler un bain. Alice vomissait dans la cuvette des toilettes. Elle recula vivement et attendit. Alice sortit, jaune comme un coing.

— Tu es malade ? demanda bêtement Vida.

— Je suis enceinte, geignit Alice.

— Tu es quoi ? Depuis quand ?

— Je ne sais pas. Il y a quatre semaines que j'aurais dû avoir mes règles.

— Mais pourquoi n'as-tu rien dit ? L'enfant ne va pas passer par enchantement.

— Bill et Jesse veulent que je le garde.

Jesse était le nom de guerre que Kevin s'était attribué.

— Bill et Jesse sont fichus de partir demain pour un an. Tu le sais ? Nous sommes en février et ils en ont marre d'être ici.

Alice fondit en larmes et Vida la prit dans ses bras.

— Allons, ne pleure pas. Tu veux me parler ?

Mais Alice se dégagea vivement. Vida eut l'impression qu'elle jaunissait encore plus, à vue d'œil.

— Tu sens mauvais, c'est une horreur. Excuse-moi.

— Je sais, j'allais justement prendre un bain... Ecoute, je vais me laver et ensuite nous parlerons.

— Il faut que je commence à faire le pain... Il y a besoin de bois. Tu continues à le couper, le bois, non ?

— Oui.

Elle se demanda s'il ne valait pas mieux couper le bois avant de se laver, à cause de la transpiration. Non, impossible, elle sentait vraiment trop mauvais. Chaque salle de bains possédait un petit chauffe-eau à gaz et, la provision d'eau chaude terminée, on pouvait la renouveler. Il suffisait pour cela d'allumer le gaz et d'attendre, en récurant la baignoire pour passer le temps. Elle avait beau le leur répéter, beau leur laisser des mots : *On est prié de remporter sa crasse avec soi*, elle n'arrivait pas à persuader Kevin, Bill ou Tequila de nettoyer la baignoire après leur bain. L'un de ces porcs avait même laissé traîner un préservatif usagé derrière les toilettes, où il gisait comme une limace écrasée. Elle le ramassa avec du papier hygiénique et le flanqua dans la corbeille. Elle avait appris à ses dépens qu'il ne faut jamais jeter de préservatifs dans les toilettes, sous peine d'obstruer la fosse septique. Les salauds ! Même les cochons étaient plus propres. Elle vit la carcasse d'Ozcar suspendue, dégoulinante de sang. Kevin avait trouvé très drôle d'appeler le cochon Ozcar. Il imaginait voir une ressemblance, et, d'une certaine façon, c'était assez vrai : elle trouvait que l'animal ressemblait en un sens à son vieil amant Oz ; car Ozcar, le cochon, s'était révélé au moins aussi intelligent et d'un caractère bien plus agréable que les humains qui l'entouraient, et il était demeuré délicieux et fort utile pendant quatre mois après sa mort. Les voisins, de vrais exploitants agricoles qui, eux, devaient peiner pour vivre, leur avaient montré comment saler, fumer et congeler Ozcar, moyennant la moitié de la viande.

Son bain pris, elle coupa du bois aux dernières lueurs du crépuscule. Eva sortit pour lui tenir compagnie et la regarda faire, assise sur la barrière, un bras en écharpe — elle était tombée et s'était cassé le bras en poursuivant un poulet affolé. Vida et Eva avaient fait alliance pour essayer de modifier l'équilibre des forces à la ferme, et

Larkin, arrivé une semaine après la fracture d'Eva, s'était joint à leurs efforts, tout en passant le plus clair de ses journées dans sa chambre, à lire et à rédiger des rapports et des tracts. Kevin, Bill, Belinda et Tequila restaient unis, bien que le dernier fût davantage fidèle à Kevin que vraiment hostile à Vida. Eva, Alice et Vida formaient un autre clan dont les membres se soutenaient mutuellement. Marti essayait de rester neutre, tout en soutenant son mari, Tequila, lorsqu'elle était bien obligée de prendre parti. D'une façon générale, Marti s'occupait des enfants et remplissait le rôle de supermaman, même pour la petite fille de Belinda, Roz. Belinda n'était pas partisane de la répartition du travail selon les sexes, mais elle résolvait le problème individuellement en jouant les mecs. Elle n'avait pas fait l'amour depuis des années — depuis l'incarcération de Felipe, le père de son enfant. Jimmy, lui, était tiraillé de tous côtés. Belinda et lui étaient intimes en amitié comme en politique, et pourtant une vieille fidélité le liait également à Kevin et à Vida, et il en souffrait, ballotté entre les uns et les autres et de plus en plus malheureux.

Eva chantait une chanson qu'elle avait écrite peu de temps avant que la télévision se fût cassée. (Depuis ce jour-là, les hommes étaient d'une humeur massacrante.) Vida s'appuya sur sa hache et fit glisser la fermeture de son blouson ; la chaleur s'échappa à gros bouillons de son corps, qui fuma dans l'air pur et froid.

> *Qu'il tourne, oui, qu'il tourne là-haut,*
> *Drapeau impérial en loques,*
> *Dans l'air sordide et qu'il brûle.*
> *Qu'il flotte comme une vieille loque.*

Eva chantait de sa voix de contralto, forte et qui évoquait le violoncelle. Vida coupa du bois jusqu'à ce que la dernière lueur du jour se fût éteinte. C'était à ces moments-là qu'elle aimait Hard scrabble Hill. Puis elle empila le bois et rangea la hache et le coin. Elle avait mal aux épaules, mais agréablement. Tandis qu'elle entassait le bois, Eva et elle entendirent le camion, mais ni l'une ni l'autre ne levèrent la tête, pas plus que personne ne leur adressa la parole. C'est que couper du bois représentait de la part des femmes un acte de révolte que Kevin et compagnie, rentrant de la ville où ils avaient travaillé à la journée dans une équipe chargée de curer des drains et des canalisations, feignaient toujours d'ignorer. Eva sauta de la barrière pour entourer Vida de son bras valide, en continuant à chanter :

> *Lui et sa bande de comitards*
> *Comme des mouches qui paniquent !*
> *Que le bourreau se pende à sa corde.*
> *Que ses mensonges l'étouffent.*

Vida se dirigea à contrecœur vers la maison, en se frottant la hanche à l'endroit où elle était tombée sur la glace quelques heures auparavant.

— Alice est enceinte, dit-elle.

— Ah, merde! répondit Eva qui, se déridant aussitôt, lança sa tresse noire par-dessus son épaule et reprit : Je peux l'accompagner à la clinique, puisque en ce moment je ne sers à rien. Ce serait chouette de pouvoir parler avec des activistes et de savoir ce qui se passe dans le mouvement des femmes par ici.

— Elle a l'intention de garder l'enfant.

Eva renifla. Elles franchirent les ornières gelées en silence. Puis Eva poussa doucement Vida du coude :

— Qui a eu cette brillante idée?

— Jesse et Bill.

— Je m'en doutais, ils ne rêvent que de s'occuper d'enfants en ce moment... Dis, tu ne trouves pas que ce serait merveilleux de pouvoir les mettre au congélateur pendant l'hiver ou de les faire hiberner comme les ours et les marmottes?

— Pourquoi les dégeler, tant qu'à faire? dit Vida, en souriant à Eva.

— Tout de même! dit Eva, s'étonnant soudain. Je suis sûre que c'est dur pour les rapports, d'être bloqués ici ensemble tout l'hiver.

— Quels rapports? demanda Eva, souriant toujours. Tous nos rapports ont l'air de tourner à l'antagonisme perpétuel. Qu'avons-nous décidé en commun, l'année dernière?

— Que nous avions besoin d'un autre poêle en haut.

Vida rit en secouant la glace collée aux semelles de ses boots.

— Pourquoi l'éloignement entre Jesse et moi te fait-il si peur?

— Parce qu'on est piégés ici. Les fugitifs ne peuvent pas divorcer. Ils sont obligés de se supporter.

— La réunion du comité devrait purifier l'atmosphère; il y a un sacré ménage à faire... (Elle s'arrêta dans l'entrée et pendit sa veste.) Il se trouve que Jesse et moi, nous pouvons être obligés de siéger au comité ensemble. Il faut bien continuer à vivre dans cette maison par la force des choses; mais quelles que soient les décisions du comité, rien ne peut me contraindre à coucher avec Jesse.

— Vous en êtes là? dit Eva, se mouchant.

— Là et même un peu plus loin. Pas mal plus loin.

Elle donnait tellement l'impression de ne pas vouloir parler de cela avec Eva que cette dernière se tut. Elle se souvint du soir où Jimmy — oui, Jimmy, c'était ça le plus drôle de l'histoire! — était entré dans sa chambre pour essayer de la réconcilier avec Kevin :

338

— Le pauvre, il est malheureux. Au fond, il souffre. Il faut vous réconcilier.

— Pas question, je n'ai pas envie de coucher avec lui.

— Pour la communauté ! avait imploré Jimmy.

— Je ne suis pas un objet de plaisir ; je refuse de coucher avec Kevin par solidarité politique.

Sa réponse péremptoire l'avait réduit au silence. Vida et Eva entrèrent dans la cuisine. Kevin veillait à la porte. Appuyé à l'un des frigidaires, le tout neuf, il se grattait sous sa chemise en laine. Dire que ce regard de loup maigre et affamé, cette fureur qui faisait sauter les freins, lui avaient tourné la tête ! songea Vida. Kevin les scrutait toutes les deux comme s'il les avait soupçonnées de fomenter un complot.

— Combien de bois est-ce qu'un beau cul pourrait casser, si un cul pouvait casser du bois ? demanda-t-il à voix haute. Où est Lark ?

— En haut, j'imagine, répondit Eva. On va bientôt dîner ?

— Lark est parti avec la Saab, dit Marti en installant Tamara dans la chaise d'enfant.

La petite fille donnait des coups de pied dans tous les sens, mais sans malice ni refus ; elle avait l'habitude de se débattre lorsqu'on voulait l'asseoir sur sa chaise et elle protestait par principe. Tamara était costaude pour une petite fille de deux ans, de même que Marti pour une femme, à la fois carrée et trapue, avec le visage large et un rien de dureté dans les yeux clairs avec leurs cils, clairs aussi, qui paraissaient souvent collés à la blondeur de la peau. Ruby appelait cette exsudation des yeux de la poussière de rêve.

— Lark a filé sans explication, dit Kevin en lançant un regard noir à Vida, comme si elle avait été responsable de Lark.

— Il avait sans doute à faire, répondit-elle sans élever la voix. C'est bientôt la réunion du Comité.

— Combien de bois est-ce qu'un cul frigide pourrait casser, si un cul frigide pouvait casser du bois ? chanta Kevin.

Dieu, qu'il est bête ! Comment avait-elle pu fermer les yeux sur sa bêtise pendant des années ? Il n'y avait rien, dans ce superbe, ce super-crâne de cheval, que des sinus pour répercuter la voix de grande gueule. Lorsque Leigh avait traité Kevin d'ignoramus, elle avait été suffisamment aveugle pour protester. A présent, il était pendu à ses basques comme un enfant idiot.

Lark entra sans bruit au moment où ils s'asseyaient tous à table pour dîner, sauf Alice qui continuait à vomir là-haut. Avec un peu de chance, elle va choper une grippe ou une mononucléose, se dit Vida en lançant un coup d'œil à Lark. Il avait bien meilleure mine ces temps-ci ; il n'avait ni les traits tirés, ni l'air épuisé comme le jour de son arrivée. Peut-être son séjour à la ferme lui faisait-il du bien ?

Pourtant, elle avait beaucoup de mal à considérer Hardscrabble Hill en février comme une invitation à la détente et au repos.

— La réunion du comité est fixée à dimanche. Roger est en route, dit Lark. Faucon, il faudra que nous allions chercher Kiley au Bronx, toi et moi.

A présent, le comité directeur se composait de Kevin, de Kiley, de Lark et de Vida. Lorsque Belinda avait voulu à tout prix garder son enfant, Vida avait été élue à sa place. Ce bébé était tout ce qui restait à Belinda de Felipe, qui purgeait une condamnation à perpétuité à Sing Sing, avec la certitude que le système jurait d'avoir sa peau entre les murs de la prison. Elle avait donc tenu à mettre l'enfant au monde en dépit de tous les conseils, ce qui avait poussé le comité à décider d'urgence qu'aucune fugitive n'aurait plus le droit d'avoir des enfants. Pourtant, lorsque Roz était née, Belinda avait eu du mal à accepter cette petite fille, blonde comme elle, avec, simplement, les yeux noirs de son père. Felipe était un indépendantiste portoricain, que Belinda avait aimé sans retour pendant des années sur la scène politique new-yorkaise, jusqu'à ce que leur vie de fugitifs les réunît un court moment. Lorsqu'un avocat compatissant lui avait annoncé la naissance de Roz, Felipe avait été plus ennuyé qu'heureux : il avait une femme et une famille à Brooklyn. En apprenant sa réaction, Belinda avait sombré dans la dépression : « Quelle fichue erreur ! avait-elle déclaré en regardant tristement l'enfant. — Non, c'est un bébé, avait répliqué Marti. Un bébé en bonne santé. Un beau bébé ! » Belinda aimait sa petite fille, mais d'une manière presque furtive. Elle arrivait en courant dans la nursery, prenait Roz dans ses bras, la serrait très fort et s'en allait aussi vite qu'elle était venue.

Vida n'avait assisté qu'à deux réunions du comité ; ce genre d'obligations la mettait toujours mal à l'aise. Siéger au comité était une lourde responsabilité.

— Pourquoi avez-vous besoin d'y aller tous les deux ? demanda Kevin. A quoi ça sert ?

— Si nous nous relayons, nous pourrons faire le trajet d'une seule traite, répondit Lark en faisant craquer ses jointures (il ne voulait pas admettre qu'il n'avait pas la force de conduire seul aussi longtemps).

— Mec, même en y allant à pied, tu pourrais être de retour dimanche.

— Il faut aussi qu'on collecte des fonds. Et je dois passer voir le toubib.

A quoi jouait Lark ? Il cachait quelque chose. Kevin tira sur sa barbe.

— Veinards, vous vous embêterez pas dans le camion !

— Nous prendrons la Saab bleue.

— Elle démarre un matin sur deux, si elle en a envie, dit Tequila, apportant aimablement son grain de sel.

— Je l'ai fait réparer aujourd'hui. Il y a un mec à Tunbridge, un déserteur, capable de vous réparer n'importe quoi. S'appelle Terry. Kiley m'avait parlé de lui...

— Je le connais, dit Jimmy, l'air piqué (jaloux ?). C'est mon pote. Kiley a fait sa connaissance le mois dernier.

— Tapette, lui dit doucement Kevin, sur un ton presque affectueux.

— Il a dit que ce n'étaient pas les bonnes bougies et que la bobine d'allumage était quasi grillée. Il a bricolé ça ; il n'y a plus de problème. (Lark parlait d'une façon désinvolte, avec l'intonation plate des grandes plaines du Midwest, mais ses yeux d'un bleu lumineux ne lâchaient pas Kevin.) Tu devrais lui amener la Dodge noire. Les bagnoles sont la propriété du réseau, pas des bolides gonflés pour lycéens. Touchez pas aux moteurs, les mecs, si c'est pour être aussi maladroits.

— Qui t'a dit que ce n'étaient pas les bonnes bougies ? demanda Bill de sa grosse voix. Il y connaît que dalle, ton type !

— Alors pourquoi marche-t-elle aussi bien ? Ce gars-là est un vrai mécano. Tu devrais t'estimer heureux qu'on en ait trouvé un.

— Tu t'y connais, toi, en mécanique ? (Bill observait Kevin pour voir s'il devait continuer à asticoter Lark.) Tu n'as même jamais soulevé le capot d'une bagnole.

— Je n'ai pas l'intention de prouver ma virilité en faisant de la mécanique. Franchement, les mecs, je suis étonné de voir à quel point vous avez perdu votre ressort politique. Il est grand temps que vous vous repreniez. Où est Alice ?

Tequila et Marti échangèrent un regard entendu et se passionnèrent pour le contenu de leur assiette. Jimmy posa sa fourchette et contempla ses mains. Il paraissait dévoré d'inquiétude. Vida était certaine que la question n'était pas aussi innocente qu'elle le paraissait. Lark attendait une réponse, visage mince et suave. De toute façon, elle était décidée à répondre franchement.

— Alice est en haut. Elle a des nausées matinales.

— Des nausées matinales ? répéta Lark. Pour quelles raisons ? Kevin s'esclaffa :

— Si tu ne le sais pas encore à ton âge, laisse tomber !

— Pourquoi n'a-t-on pas réglé le problème ? demanda doucement Lark. Personne ne s'est porté volontaire pour accompagner Alice ?

— Si, moi, puisque je ne sers à rien avec mon bras cassé, dit Eva.

— Eva, tu nous serais utile, même les deux bras cassés, répliqua Lark.

Jimmy émit un borborygme approbatif, heureux qu'un mot amical eût enfin été prononcé à table. Reproches et félicitations alternés — tiens, tiens, Lark prend son rôle de chef au sérieux, nota Vida. C'était une des raisons qui lui avaient valu d'appartenir au comité, lorsque celui-ci s'était constitué dans l'affolement et le désordre du début. A l'automne 1970, à l'époque où Kiley et Lark avaient décidé d'entrer dans la clandestinité, Vida avait dit à Jimmy : « Ils sont cinglés, d'imaginer de prendre d'eux-mêmes le parti auquel ils avaient dû se résigner, eux. » Kiley et Lark s'attendaient à la révolution imminente et s'y préparaient. Zéro pour la perspicacité, mais soulagement d'avoir Lark à la maison. Si différent des autres gars. Elle avait mûri ces dernières années, il ne lui restait plus une once de masochisme féminin...

— Il y a un problème du côté de la clinique ? Que vaut la carte d'identité d'Alice ? demandait Lark.

Jimmy eut à peine le temps de répondre : « En règle » — Kevin lui cloua le bec :

— Pourquoi le ferait-elle sauter ? On se débrouille très bien avec les deux gosses de Marti et l'enfant de Belinda.

— Marti n'est pas un fugitif, répondit doucement Lark. L'année dernière, nous sommes convenus que les fugitives n'avaient pas le droit d'avoir des enfants. Rien n'a changé.

— Tu te gourres, mec, des tas de choses ont changé. Les flics ne nous filent plus le train jour et nuit. Ils ont d'autres chiens à fouetter. Au fait, quand va-t-on réparer la télé, qu'on puisse assister à la démission de Nixon ?

Au moment de l'affaire de Watergate, ils avaient tous été fascinés par la télévision, sauf Vida et Jimmy. Ils avaient assisté aux émissions en direct, puis à leurs répétitions en ampex, jusqu'aux récapitulations des fins de journée. Depuis que le poste était cassé, l'humeur des fugitifs et de leurs amis était explosive. Vida ne partageait pas leur contentement obsessionnel. Pour elle, c'était l'équivalent d'Eichmann châtié non pour avoir commis un génocide, mais pour avoir été pris la main dans le tiroir-caisse et, en conséquence, rayé d'une amicale et n'ayant plus droit à sa carte de crédit de l'American Express. Jimmy partageait son avis et détestait cette mise en scène. Il accusait le reste de la maisonnée bloquée par la neige de croire en l'ultime justice du système et de s'attendre à la voir exercée sur l'écran comme dans un western.

— Je parlerai à Alice après le dîner, dit Lark en posant son couteau et sa fourchette.

Il descendait trois fois moins de nourriture que Kevin, Tequila et Bill. Il jeûnait souvent. Cependant, il mangeait du poisson, sans doute parce que les Vietnamiens consomment beaucoup de produits de la mer. Il avait un faible pour la sauce fermentée appelée Nuoc Mam, dont personne ne voulait entendre parler, sauf Jimmy qui n'avait rien d'un gourmet en tout cas et qui n'en prenait que pour faire plaisir à Lark et parce que, politiquement, c'était bien. Vida avait l'impression que la vue des autres en train d'engloutir de gros

342

morceaux de poulet soulevait le cœur de Lark. Eva était végétarienne, elle aussi. Si Kevin l'avait pu, il leur aurait fait manger de la viande tous les soirs, autant pour faire affront à Eva que parce qu'il aimait ça. Etant donné qu'ils avaient rarement les moyens d'acheter de la viande en dehors des produits de la ferme, cette source de discorde n'avait aucune chance de jaillir.

— Alice sait ce qu'elle veut : elle tient à avoir un gosse, dit Kevin.

— Ce n'était pas mon impression, dit doucement Vida, en calquant son approche sur celle de Lark, qui semblait plus efficace que sa propre façon d'asséner brutalement sa vérité à Kevin en l'engueulant.

— C'est moi le père. Prière de m'adresser la parole, dit Bill.

— Si c'est toi le père, d'accord, je vais te parler. De contraception, poursuivit Lark sans élever la voix. Penses-tu qu'une femme qui risque la prison à tout moment ait le droit de porter un enfant ? Sais-tu ce que c'est que d'accoucher en prison ? Tu as oublié ce qu'ils ont fait à Erica Huggins ? Elle a accouché dans les chaînes. Sans compter la suite. Tu veux que *notre* enfant soit élevé dans un orphelinat ? Adopté par des richards ?

— Faut-il qu'on soit des lâches et des défaitistes pour vivre dans l'idée que les flics vont nous épingler ! (Kevin s'essuya la bouche en ricanant.)

— Quand il s'agit de la vie des camarades, nous sommes obligés d'en tenir compte, comme l'a décidé le Comité. Qui te donne le droit de changer les décisions collectives sur un coup de tête ? Tu te figures peut-être qu'elles ne concernent que les autres ? cria Eva, la voix dure.

Jimmy regardait d'un air suppliant Kevin qui, furieux, quitta la table et passa au salon. Jimmy le suivit. Vida sentit que, ce faisant, il foulait aux pieds presque audiblement ses doutes. Lark monta voir Alice, qui pleura gauchement dans ses bras parce que c'était une grande dégingandée qui mesurait huit bons centimètres de plus que le frêle Lark. Elle trouvait l'hiver interminable, Bill égoïste, ne savait plus où elle en était politiquement, se sentait inutile et ballottée dans tous les sens, prise entre les deux factions qui avaient polarisé la maison. Kevin, Bill, Belinda, Jimmy et Tequila s'assirent autour du poste de télévision cassé, pour boire un genre d'alcol de pomme de terre illégal ressemblant à de la vodka. C'était un alcool clandestin distillé par d'anciens pharmaciens de la ville voisine qui s'en mettaient plein les poches.

Vida monta et, passant silencieusement devant la chambre où Alice pleurait dans les bras de Lark, s'enferma dans la sienne. Elle jeta un regard circulaire sur la pièce qu'elle s'était arrangée avec tant de mal et elle eut envie de hurler, de fermer les yeux très fort et de se retrouver dans sa chambre de New York — où *ses* vêtements, *ses* bijoux, *ses* livres, *ses* objets d'art étaient encore, qu'elle sût, rangés. Elle avait envie de reprendre son ancienne vie. Elle en avait déjà marre de cet endroit. Assez ! Elle était lasse de tout ça. Elle avait envie de tout laisser tomber, de pleurer, de craquer, de tout plaquer et de rentrer chez elle, de redevenir Vida Asch. Tous ceux qu'elle aimait lui manquaient. Mais elle emmènerait Eva, la seule grande amie qu'elle se fût faite dans la clandestinité. Le désespoir s'abattit sur elle au point qu'elle finit par se coucher à plat ventre et pleurer, pleurer, jusqu'à en avoir les yeux bouffis, le couvre-pied trempé, mal à la tête et la respiration coupée, hoquetante, bouche ouverte. Elle resta étendue, à haleter, toujours prisonnière de cette chambre froide qu'elle avait peinte en blanc, loin de se douter de tout le blanc qu'elle verrait dans le Vermont pendant ce long hiver : cette pièce avec ses rideaux blanc pur à l'ancienne et ses stores, blancs aussi, et le couvre-pied de jeunes mariés qu'elle avait déniché au grenier — usé, délavé et décousu par endroits (chaque mois ou à peu près, elle prenait une aiguille pour le recoudre). Aux murs, il y avait des tableaux, couleurs acryliques sur papier, œuvres d'Eva durant l'hiver précédent et l'actuel — paysages d'un autre monde. Ici, nature cobalt et or, flamboyante, où des femmes marchaient par trois ou quatre, avec des petits enfants et des animaux vigoureux ; sources, arches en pierre, montagnes, mais pas belles et vertes comme ici, non, pierre rouge, roches volcaniques. La peinture d'Eva s'était beaucoup améliorée dans l'année. Vida avait accroché ses premières toiles parce qu'elles rompaient avec la souffrance pour les yeux qu'étaient les murs trop blancs, et aussi parce qu'Eva était sa meilleure amie ici. Mais Eva aurait mieux fait de travailler sa musique. C'était une vraie et bonne musicienne, jusqu'au jour où elle avait été donnée et piégée, au bar de GI où elle chantait en s'accompagnant. Comment une fugitive pouvait-elle faire sérieusement de la musique ?... Le dessin s'était amélioré autant que la couleur. Les tableaux encadrés formaient un carrousel autour de la chambre (assez petits, tous, pour pouvoir être déménagés). Ils ouvraient sur un univers différent. Dernièrement, Eva avait peint toute une série : « Nous irons en Californie », 1, 2, 3, 5. (Elle était originaire de la côte ouest.) Elle disait : « Nous quitterons cette baraque bruyante et nous partirons ensemble pour la Californie. » Et les peintures chantaient : « Imaginez un arbre plein d'oranges pareilles à des soleils en miniature, une mer bleue comme l'aile d'un geai, des palmiers qu'on dirait en sucre... »

Vida se voyait mal dans ce rêve californien. Elle était dans une impasse. A quoi servait de vivre dans cette ferme délabrée, pour hacher des choux et se bagarrer avec Kevin, comme si les questions domestiques et les chamailleries avaient été des actes politiques ? Il fallait quitter cet endroit, et sans Kevin. La fascination qu'il avait exercée sur elle n'était qu'une vaste plaisanterie. Elle ignorait s'il avait changé, si c'était elle qui n'était plus la même ou si elle voyait clair, tout simplement. Peut-être la vie de fugitif avait-elle fait ressortir les pires côtés de Kevin. Elle se disait qu'elle aurait pu marcher de long en large sur sa tombe fraîche sans éprouver autre chose que du soulagement et une animosité tenace. Pourquoi ne pas convaincre Lark d'expliquer en comité qu'il était absurde d'avoir ainsi deux dirigeants coincés dans une maison isolée et qu'elle, Vida, serait dix fois plus utile n'importe où ailleurs ? Oui, voilà comme il fallait aborder le problème — en toute humilité : « Envoyez-moi là où l'on a besoin de moi. Laissez-moi organiser une opération, à Toledo, à Houston, à San Diego. Ouvrons un nouveau front. Mais épargnez-moi de moisir ici, prisonnière d'un lien pourri avec un individu que je commence à haïr. » Elle travaillerait Lark au corps dans ce sens, lorsqu'ils se rendraient à New York.

Pleurer l'avait épuisée et elle se sentait trop hébétée pour faire autre chose que de se déshabiller et se glisser sous les couvertures. Les draps étaient si froids qu'ils semblaient mouillés. Elle aurait dû se relever pour mettre sa vilaine chemise de nuit en flanelle bon marché, mais elle restait échouée sur le lit comme un objet tombé, incapable de dormir, refusant de se lever. Elle était à bout de volonté. Elle avait envie d'être appelée par son nom : Vida ; envie qu'un être humain la prenne dans ses bras, l'aime et la berce. Elle voulait redevenir elle-même. Des voix montaient à travers le plancher, et un rire âpre qui lui brisait les nerfs comme s'il avait été deux fois plus fort encore. Un autre rire, d'autres voix ne l'eussent pas écorchée vive de la sorte...

Elle avait dû s'assoupir tout de même, car elle se réveilla lorsqu'on cogna à sa porte.

— Qu'est-ce que c'est ?

Elle se leva d'un bond, enfila son pantalon, fourra les pieds dans ses boots, sans même se soucier de chaussettes.

— Ouvre, sale conne ! (Kevin martelait la porte des deux poings.)

Le salaud. Elle avait cru qu'il s'agissait d'une urgence, d'une descente de police, et c'était tout simplement cet imbécile de Kevin qui cognait, comme s'il avait voulu défoncer le panneau.

— Laisse cette porte tranquille ! Je dors ! cria-t-elle.

— Ouvre, tu entends ? Ouvre, je te dis, connasse !

Elle ôta son pantalon, enfila sa chemise de nuit de flanelle pour se recoucher. Cette fois, elle avait bien chaud.

— Va te coucher, crétin ! Je ne t'ouvrirai pas, je dors !

— Salope, ouvre immédiatement !

Il donna un coup terrible dans la porte, qui trembla toute, sans céder. Elle l'entendit jurer et souhaita qu'il se fût brisé les os de la main. Mais il devait y aller à coups de pied : au pire il s'en tirerait avec mal à un orteil. La voix de Marti s'éleva :

— Calme-toi, Jesse, tu fais peur aux enfants !

Le petit Dylan, Roz et Tamara pleuraient dans le couloir.

— Attends un peu que j'entre ! hurla Kevin.

La lame de son couteau de chasse s'enfonça dans une lézarde du chambranle, força le verrou à l'intérieur. Elle aussi gardait un couteau dans le tiroir de sa table de nuit. Elle le prit et se mit sur son séant, en allumant la lampe de lecture fixée au chevet du lit.

— C'est *m-m-ma* chambre ! bégaya-t-elle avec colère. Je ne veux pas de toi ici. Je ne veux pas ! J'ai mis le verrou pour que tu n'entres pas !

Il envoya la porte claquer contre le mur et un filet de poussière de plâtre tomba sur le plancher.

— J'entre et on va régler ça une fois pour toutes, Davey. Tu es à moi et tu vas agir en conséquence.

— Je ne suis pas ta chose. Fous le camp !

Elle se sentait trop vulnérable dans ce lit ; elle sauta de l'autre côté en brandissant son couteau.

— Te te crois capable de te battre au couteau, pauvre conne ?

— En tout cas, je peux t'en couper un bout !

Il éclata de rire, mais jaune. Il était à vif d'exaspération.

— J'ai trente centimètres d'allonge de plus que toi. Je vais t'apprendre qui commande ici.

Il n'y avait pas d'arme à feu dans la maison. Elle s'y était opposée, non pour des raisons de sécurité en général, mais parce qu'elle se disait que, si Kevin avait un revolver, il la tuerait. Elle n'avait pas prévu que, avec un revolver, ils eussent été à armes égales — pas avec un couteau.

— Ça suffit ! (Debout dans l'embrasure de la porte, Lark remontait la fermeture à glissière de son pantalon.) Personne ne t'a autorisé à menacer l'un d'entre nous.

— Mêle-toi de tes oignons. C'est une affaire entre ma souris et moi.

— Je ne suis pas ta souris ! Je ne veux pas de toi ! cria Vida.

— C'est bien ce qu'on va voir !

— Kevin, sors de sa chambre ! Il y a moyen d'arbitrer vos histoires. Tout fout le camp, ici. Nous avons l'intention d'intervenir pour y remettre bon ordre, même s'il faut casser la baraque pour y arriver, dit Lark en s'approchant calmement de Kevin.

— Fiche-lui la paix ! cria Eva, bloquant soudain l'entrée, une hache dans sa main valide.

Jimmy était piqué dans le couloir, dans son pyjama froissé, clignant de ses yeux ensommeillés. Un vrai gosse, Vida le voyait bien. Oui, elle avait joué les mamans, et Kevin les papas, et Jimmy avait décidé qu'ils étaient sa famille. Le choc de les voir s'affronter avec tant de haine le paralysait. Il restait bêtement cloué là, battant des paupières, les mains nouées et crispées derrière le dos, comme si on les lui avait attachées.

— Bon Dieu, de quel droit me donnes-tu des ordres ? demanda Kevin à Lark en feignant d'ignorer Eva, mais un œil sur la hache. Elle est à moi. Tu aimerais bien te l'envoyer, hein ?

— En tout cas, je ne prendrais pas un grand couteau à cran d'arrêt, tu peux en être certain. (Lark s'approcha d'elle, toujours sur ses gardes près du lit et tenant son couteau d'une main molle, avec la sensation d'être ridicule.) Ça va ? demanda-t-il.

— Ma dignité en a pris un coup. Je déteste les scènes. Je n'aime pas qu'on force ma porte. Et il ferait mieux de se mettre dans la tête qu'il ne me prendra pas de force non plus. Je le tuerais !

— Nous ne sommes pas ici pour nous entre-tuer. Calme-toi, Faucon, dit Lark.

Elle avait envie de fondre en larmes. Lark se figurait qu'elle allait prendre cette histoire avec calme ? Qu'il allait se contenter de gronder Kevin quand celui-ci voulait la violer ? Eva repoussa Kevin et s'agenouilla près de Vida, sans lâcher sa hache. Marti se joignit à l'attroupement qui s'était formé dans la chambre et, pour une fois, se rangea à côté de Vida.

— Les gosses braillent et sont terrorisés. Qu'est-ce que c'est que cette salade ? Jesse, tu vas me lâcher ce couteau, tu entends ? Je t'ai déjà dit de ne pas apporter de couteaux pointus dans cette maison, de ne pas les laisser traîner là où les enfants pourraient se blesser. J'ai fait le ménage et la lessive toute la journée, je suis crevée et je ne tolérerai pas ce genre d'histoire.

Jimmy n'avait pas ouvert la bouche. Kevin se retira pour bouder dans sa chambre et Jimmy le suivit alors en silence. Les autres se dispersèrent lentement. Vida passa la nuit dans la chambre d'Eva. Elles fermèrent la porte à double tour et calèrent une chaise sous la poignée de la porte. Le lendemain matin, Vida prépara son sac à dos et partit de bonne heure avec Lark, sans même voir Kevin.

— Qu'allons-nous faire à New York ? demanda-t-elle en route.

Elle avait pris le volant. Lark pouvait conduire avec sa jambe artificielle, mais se fatiguait vite. Il la relaierait une heure sur quatre. New York ! songeait-elle. Sa Mecque secrète. Les rêves d'Eva, d'une Californie luxuriante et pleine d'oranges gorgées de soleil, n'étaient pas pour elle. Les fugitifs avaient appris à leurs dépens à quel point New York pouvait être dangereux ; et pourtant, New York demeurait pour elle la Ville, source vive d'énergie.

— Tu veux un médiateur pour arbitrer votre querelle ? demanda Lark.

— Je ne peux plus rester sous le même toit que lui. C'est épuisant pour tout le monde.

— Sur le plan politique, il est certain que vous ne formez plus une équipe harmonieuse, dit Lark, pour voir. Mais vous avez toujours travaillé ensemble.

— J'ai travaillé avec des quantités de gens. Par exemple avec Jimmy. J'ai fait du bon boulot avec Eva. Et, toi et moi, ça va très bien. (Allait-il lui suggérer de quitter le Comité pour éviter de nouvelles frictions avec Kevin?)

— C'est bien mon avis, mais tu reconnaîtras que c'est la stagnation depuis un moment.

— Absolument, dit-elle en approuvant de tout cœur. Nous nous freinons mutuellement sur le plan politique.

— Il faut que je collecte des fonds en ville, dit Lark. Et je voulais que nous ayons le temps de discuter du programme de l'année prochaine. De plus, je ne peux pas aller chercher Kiley tout seul.

Leigh! Il fallait qu'elle voie Leigh. Elle avait l'impression qu'on venait de lui offrir des vacances au paradis de son choix. Il s'était écoulé trois mois depuis leur dernier rendez-vous et, s'il était vrai que leurs rapports s'étaient beaucoup améliorés depuis une année, elle souhaitait que son envie de le revoir soit aussi forte que la sienne.

— Il va falloir que nous allions d'abord à Manhattan où je dois voir le docteur Manolli, dit Lark. Tu m'attendras, ensuite, tu me conduiras à Co-op City. Nous y avons une planque... Tu ne veux pas voir le toubib? (Lark avait besoin de consulter le médecin; en outre, il devait lui parler des problèmes de santé des fugitifs et demander des ordonnances pour eux.)

— Moi? Je vais très bien, je suis en pleine forme... Alors, tu crois qu'il vaudrait mieux que je quitte Hardscrabble Hill?

— Que penses-tu d'Eva?

— Eva? Je l'adore. Elle est objective et toujours d'humeur égale. Mais elle ne recule pas devant l'action et ne craint pas de tenir tête à qui que ce soit.

— Du point de vue politique, elle m'a fait très forte impression, dit-il gravement, en faisant craquer ses jointures décharnées. Tu sais, au début, je crois qu'un grand nombre d'entre nous l'ont méprisée parce qu'elle s'était laissé piéger. La plupart étaient des activistes, comme toi, ou bien ont choisi la clandestinité à cause de notre analyse politique. Eva, elle, c'était contrainte et forcée.

Elle se demanda si elle devait lui dire que, à son avis, certains méprisaient Eva parce qu'elle était lesbienne; mais elle décida d'éviter toute passe de mots avec Lark. Il n'avait, qu'elle sût, aucun préjugé à l'égard des homosexuels; cependant il ne voulait pas prendre de position politique sur leurs droits, de peur, terriblement, d'offenser les Cubains, les Chinois et les Albanais. Elle dit :

— Eva travaille très dur. Elle est intelligente. Elle lit tout.

— Elle paraît sérieuse, dit Lark. (C'était un de ses mots clés, elle se le rappelait. Mais pourquoi ces questions sur Eva?) Peut-être ne l'avons-nous guère respectée politiquement parce qu'elle est entrée tard dans le mouvement, et qu'elle est musicienne. On ne considère pas les musiciens comme des cadres.

— Mais Eva est vraiment un cadre ! protesta-t-elle nerveusement.

— Je suis d'accord. Il faut qu'elle joue un rôle plus important.

— Comment cela ? Kevin et Eva étaient des ennemis jurés et elle n'avait rien fait pour qu'ils s'entendent, avec sa manie de courir se plaindre chez Eva. A 10 heures du matin, elle s'arrêta pour téléphoner à Natalie et fixer un rendez-vous pour la matinée le lendemain, à l'heure où les enfants seraient à l'école ou à la crèche. Comme elle aurait sûrement la voiture, elle décida de la retrouver au Jardin botanique du Bronx, et elle pria Natalie de contacter Leigh et d'arranger quelque chose avec lui hors de Manhattan. Peut-être dans un motel de Coney Island ou près de l'aéroport La Guardia. Ce coup de téléphone lui donna des ailes et, ne ressentant aucune fatigue, elle continua à conduire bien après le moment où Lark était censé la relayer. Elle planait, débordait de reconnaissance envers Lark, veillait à son confort. En même temps, elle se disait que, s'il avait montré un peu plus de chaleur, la veille, s'il l'avait un peu mieux consolée, elle se serait peut-être retrouvée dans son lit, au lieu de dormir chastement dans celui d'Eva. A présent, elle était heureuse de ne pas avoir couché avec lui. Réellement, Lark représenterait un progrès énorme par rapport à Kevin, et elle sentait que l'intérêt qu'il lui portait bourdonnait de sous-entendus. Elle n'était pas la meilleure collectrice de fonds du mouvement et connaissait peu de gens capables de les arroser de dollars. Non, Lark avait ses raisons, à la fois politiques et personnelles, qu'elle finirait bien par dépister.

Ce mois de février, à New York, était quasi tropical. Vida et Lark allèrent voir le Dr Manolli à Washington Heights ; puis elle déposa Lark à Co-op City (ce site de gratte-ciel récupéré sur une décharge publique) où ils devaient établir leur quartier général pendant les jours prochains. Elle se gara près de l'entrée de Mosholu Parkway. Au Jardin botanique, plus aucune trace de neige, sauf des plaques de glace, dures comme du granit le long des allées. Ses pieds effleuraient le trottoir et rebondissaient comme des ressorts. Il faisait délicieusement frais, et un pâle soleil essayait de percer à travers une brume jaunâtre. Elle repéra immédiatement Natalie dans son vieux microbe VW vert. Assise à l'intérieur de sa voiture, elle lisait un livre. — Vida, penchée contre la vitre ne vit du titre que le mot FEMMES, ce qui la fit sourire. Que pouvait lire Natalie, sinon des ouvrages sur les FEMMES ? Les femmes pendant la deuxième guerre mondiale, les femmes dans les Forces armées. Les femmes éthiopiennes. Les femmes dans l'Angleterre du xvie siècle. Les femmes et les métiers de la Construction. Les femmes de Provence écrivains. Les femmes guérisseuses de la Haute-Volta. Les femmes dans la société française.

La soif de Natalie était insatiable. Elle frappa à la vitre. Natalie posa son bouquin et bondit hors de la voiture pour lui sauter au cou.

— Natalie ! Mais qu'est-ce qui t'arrive ? (Vida la serrait dans ses bras en fronçant les sourcils : elle la sentait aussi maigre que Lark.)

— Formidable, non ? Je pèse exactement cinquante-deux kilos. Je n'ai jamais été aussi mince depuis le lycée !

— Mais tu as affreusement maigri, tu veux dire !

Natalie baissa la fermeture de son blouson de duvet pour se faire admirer. Elle portait un survêtement marron à raies sur le côté. Elle exultait :

— Peezie voulait prendre des leçons de karaté ; alors je l'accompagne.

— Il me semble que Peezie est bien jeune pour ça ?

— Elle a six ans, et elle sait ce qu'elle veut. Au fait, comment dois-je t'appeler ?

— Faucon Pèlerin. Et n'en démords pas.

— Ma sœur le Faucon. Espèce en voie de disparition... C'est vachement chouette, tu sais, de galoper autour de la salle de gym de l'école deux soirs par semaine. Au fond, tout a commencé le jour où j'ai décidé de tenir tête à Daniel. Je lui ai dit : « Bon, tu viens de rompre avec ta petite amie. Que faut-il faire pour te conquérir ? » Il m'a répondu : « Maigrir. »

— Quel idiot ! Moi, si j'étais un homme, j'aimerais les femmes bien en chair.

Natalie lui pressa l'épaule :

— Tu sais, ça n'a rien changé ; mais mon moniteur est un ange ! (Elle fouilla dans son sac à bretelle.) Tiens, lis et avale, à moins que ça ne se détruise tout seul. Ma choute, tu as gagné une lune de miel à Queens...

— Oh, Natty, quand ? (Elle saisit vivement le papier pour y lire l'adresse du motel.) Il a eu l'air content d'avoir de mes nouvelles ?

— Content ? Tu parles ! Il était si excité qu'il en a renversé sa tasse de café sur mes chaussures.

— C'est bien vrai ? Il a envie de me voir ? (Elle embrassa Natalie.) Marchons ; c'est fabuleux, ici.

— Fabuleux ? (Natalie regarda autour d'elle d'un air étonné.) Vous avez rendez-vous ce soir, à sept heures. Il arrivera directement de son travail.

— Je ne pourrai jamais attendre si longtemps !... Excuse-moi ; bien sûr que si, j'attendrai. Tu sais, je suis tout aussi heureuse de te voir. Honnêtement ; sincèrement.

— Comment va la vie ? Tu m'as l'air un peu fatiguée ?

— J'ai renoncé à Kevin. Je me demande comment j'ai pu aimer ce bluffeur. Elles passaient devant la blancheur de la serre, métal et verre. Natalie indiqua de la tête le bâtiment :

— Tu veux entrer ?

— Non, restons dehors ; il fait un tel temps de printemps !

— De *printemps* ? (Natalie secoua ses cheveux bouclés qui lui retombaient dans les yeux.) Kevin n'est pas que du vent ; c'est aussi un homme d'action. Et tu étais en plein dans l'action, petite sœur ; tu étais la faction action. Kevin est un bagarreur de rue. Au fond, c'est un peu comme si tu étais tombée amoureuse d'un chien policier. Cela dit, moi, je ne leur trouve pas grand-chose, aux hommes, sortis des privilèges et de l'arrogance, ou des privilèges et de la pitié de soi.

— Natalie... ! (Elle lécha un bout de glace.) Tu trouves que j'ai si mauvais goût pour ce qui est des hommes ?

— Oh, là là ! Et pas qu'un peu ! (Natalie riait.) Un freudien dirait sans doute que ton père était une vraie cloche et que, pour ça, un type n'est pas un vrai homme à tes yeux s'il n'est pas une vraie cloche.

— Leigh n'a rien de ça, lui. Tu crois que c'est uniquement un coup de pot ?

— Lui et moi, c'est chien et chat. Leigh n'est qu'un snob du machisme... Ecoute, Faucon : les chauffeurs de poids lourds et les gars du bâtiment travailleront depuis longtemps côte à côte avec les femmes, que les journalistes et les écrivains mâles de tous bords se cramponneront encore à leur mépris des femmes. Ça leur est indispensable. Sinon, de quoi parleraient-ils dans tous leurs bouquins et leurs articles ?

Elles gravirent une petite colline stricte, plantée de pins sur son versant, mais non sur le large plateau au sommet qui donnait sur les tours lointaines du Bronx.

— Peut-être devrais-je renoncer aux hommes ? dit Vida.

— C'est ton histoire avec Kevin qui te fait dire ça. Il y a peut-être de quoi. (Natalie fronça le nez.) Tu songes aux femmes, ou est-ce seulement que tu es à court de soupirants pour le moment ?

— J'en ai un et je me demande, répondit-elle.

— J'aurais dû le deviner ! Depuis que je te connais, je ne me rappelle pas t'avoir vue sans un gars disponible.

— Disponible n'est pas vraiment le mot.

Elle ne comprenait pas ce qui la poussait à aimer un homme plutôt qu'un autre — Kevin plutôt qu'Oscar — à s'enfuir avec Vasos et à le plaquer avec tout autant de vigueur et sûrement plus de sens commun ; à répudier Oscar pour se pâmer devant Kevin.

— Natty, sérieusement, dis-moi que faire de ma vie. C'est un tel gâchis, que je finis par en avoir honte.

— Tu parles des histoires de bombe ?

— Non, de ma vie sexuelle et sentimentale, dit Vida impatiemment. Nous nous sommes débrouillés comme clandés. Nous avons survécu, appris à frapper fort et à communiquer...

— Si tu veux mon avis, vous auriez besoin de quelques leçons d'anglais courant pour rédiger vos espèces de tracts indigestes.

— Tu as raison. Je n'y suis pour rien. On ne me le permet pas. Je ne donne pas assez dans le jargon marxiste-léniniste.

— Faucon... ne te presse pas trop. Ne couche pas si facilement. Pourquoi sautes-tu d'un gars à un autre? Essaie de mieux t'accomplir toute seule. De puiser de la force chez les femmes qui t'entourent. Il y en a bien quelques-unes, non?

— Plus de la moitié d'entre nous sont des femmes...

Elle se méfiait de ce qui commandait l'amour en elle, de ce qui déclenchait sa sexualité. Kevin s'était révélé un choix si abominable, une erreur si affreuse et interminable qu'elle en venait à douter complètement d'elle-même. Natalie avait peut-être raison.

— Je n'ai pas l'intention de rompre avec Leigh, dit Vida. Je l'aime, mais sans doute devrais-je éviter de me relancer dans une histoire sérieuse avec un autre...

— Pourquoi ne pas couper tous les ponts un bon coup?

« Pour la raison, se dit-elle, que je ne vis pas précisément comme toi, Natalie. » Elle pensa à Lark et ne sut plus rien.

— Essaie. (Natalie déposa un baiser sur le bout d'un doigt, dont elle effleura le nez de Vida.) Tu as le nez le plus racé du monde.

Leigh aussi était trop maigre, aussi maigre que le jour où elle avait fait sa connaissance.

Il faisait des tas d'histoires à propos de son poids et suivait par à-coups des cures, qu'il interrompait chaque fois qu'une chose un peu spéciale le tentait, si bien qu'il était toujours plus ou moins au régime; mais, à vrai dire, il était beaucoup mieux lorsqu'il était un peu plus gros. Maigre, il paraissait non pas mince, mais osseux : l'intellectuel voûté, au teint jaunâtre, plutôt que la star du mouvement pour les médias. Son nez faisait penser à une supplique, ce qui créait en Vida un sentiment de culpabilité, comme si elle aurait dû être en train de le nourrir, de faire son bonheur. L'une des bases de leur mariage avait sûrement été à l'origine leur ferme conviction à tous deux que Leigh avait droit à tout ce qui pouvait le rendre fonctionnellement heureux, afin qu'il pût se consacrer à son importante mission politique.

Ils firent l'amour dans un lit du motel, violemment, compulsivement, trop vite. Elle resta avec son envie de le garder dans ses bras, mais il s'écarta d'elle, avide de parler, en proie à un blocage, en quelque sorte. Elle essaya patiemment de défaire ce nœud. Il tenait ses yeux noisette braqués sur elle, comme cherchant à deviner ce qu'elle avait dans le ventre.

— Comment as-tu pu partir avec ce connard? demanda-t-il.

352

— Leigh, je ne tiens pas à lui et nous n'avons pas couché depuis un an. (Cela devait bien faire deux mois, au moins.)

— Tu retourneras avec lui.

Elle repoussa tendrement les boucles qui lui tombaient sur le front. Un cheveu gris argenté brilla sur une oreille.

— Non c'est fini. Je le déteste.

Un autre cheveu luisait ; elle l'arracha, incapable de résister à la tentation.

— Aïe ! Tu es folle ?

— Regarde. (Elle montrait le cheveu qui formait un crochet dans sa paume.) Regarde comme c'est beau, non ?

— Je vieillis ; je me défais. Pourquoi m'as-tu quitté ?

— Moi ? Je ne t'ai pas quitté ! (Elle le secoua tendrement.) Comment t'aurais-je quitté ? Je ne trouverai jamais un homme avec qui j'aimerais autant parler.

— Mais tu préférais faire l'amour avec lui ?

— Jamais de la vie !

Elle mentait bravement, tout en sentant coller à elle le souvenir de l'époque où elle était indéniablement folle de Kevin. Kevin l'avait possédée comme jamais Leigh n'y était arrivé : c'était de l'obsession. Non que Kevin fît mieux l'amour que Leigh ; à vrai dire, son style à la baise comme je te bourre lassait vite. Mais ce qu'il y avait de douloureux dans leur appariement même lui conférait, aux yeux de Vida, une réalité plus grande : la douleur, la difficulté sont des réalités. Chacune de leurs démarches politiques devenait plus dure ; donc ce qui était difficile et posait des problèmes n'en avait que plus de valeur.

— Leigh, rappelle-toi. La vérité historique est que je ne t'ai pas quitté. J'ai été forcée d'entrer dans la clandestinité. C'était ou trente ans de prison ou disparaître. Au moins, de cette façon, nous sommes ensemble de temps en temps.

— Je suis heureux que tu ne sois pas allée en taule. Ça t'aurait peut-être démolie, toi aussi, dit-il avec une véhémence si brutale qu'elle en fut toute saisie.

Elle aussi ?

— Tu as vu Lohania ? Elle est sortie de prison ? Elle vit avec toi ?

— Elle a changé. Radicalement. Elle ne veut plus me voir.

— La prison lui a laissé de l'amertume ?

— Elle se ferme aux questions, à un certain stade. Elle ne me dit même pas qu'elle ne veut plus me voir. Elle se contente de ne pas venir aux rendez-vous. Quand il m'arrive d'aller jusque chez elle, je sais qu'elle est derrière la porte, mais elle ne répond pas. Elle invente des excuses... Et si par hasard je réussis à être seul avec elle, elle cherche à m'entraîner au lit le plus vite possible, bien que cela ne lui fasse rien... tu vois ce que je veux dire ?

— Qu'est-ce que ça cache ? (Elle était effrayée.) Où en est-elle, politiquement ? Est-ce qu'elle est obligée de se tenir tranquille jusqu'à ce qu'elle soit en liberté définitive ?

— Elle n'est pas censée aller à des réunions ni s'inscrire à aucun mouvement. Mais elle refuse de parler de politique. Elle est nerveuse, agitée...

— Lohania a toujours été hypernerveuse.

— Dans le cas présent, c'est différent. Il y a quelque chose de brisé en elle. Elle me pose des questions invraisemblables. Comme de me demander si je te voyais. J'ai tout de suite répondu non, sans même réfléchir. Personne d'un peu politisé ne pose ce genre de question.

— Elle a peut-être envie de me voir... ou besoin de moi.

Leigh secoua la tête. Sa bouche se pinça.

— Je te le dis, on venait de baiser. Si on peut dire... Je savais qu'elle n'avait pas joui et j'étais écœuré parce qu'elle avait fait semblant. Avant, elle ne faisait jamais ça.

— Non, jamais. Lohania a toujours dit la vérité, même si ça devait faire mal. Quand j'étais furieuse contre elle, je crois même qu'elle la disait d'autant plus si ça faisait mal.

— Avant, quand elle ne jouissait pas, elle était folle de rage. Il lui est arrivé de me culpabiliser, comme si c'était moi qui avais perdu à la laisser sur le sable... Enfin, n'importe ; bref, elle était couchée là en train de s'examiner les ongles...

— De quelle couleur étaient-ils ? Oh, Leigh, tu ne peux pas savoir comme elle me manque... !

— Comment veux-tu que je me souvienne de la couleur de son vernis ? Donc, elle m'a demandé : « Et Vida, tu la vois ? Tu la rencontres ? » Les cheveux se sont dressés sur ma tête...

— Leigh, dis-toi que Lohania serait incapable de me faire du mal. Après Natalie, c'est ma meilleure amie. Nous avions les mêmes amants, les mêmes idées politiques. (Elle sourit.) Nous échangions jusqu'à nos vêtements.

— Et moi je te dis que je n'ai pas confiance en elle.

Allongée, elle contemplait le plafond blanc du motel et la lune de lumière nette projeté par la lampe de chevet. Parfois, lorsqu'elle conduisait sur une autoroute et que le mot *MOTEL* clignotait dans la nuit, elle pensait brusquement à Leigh et elle avait mal. A présent, c'était sur Lohania qu'elle devait se poser des questions. Elle demanda enfin :

— Et Randy le super flic, que devient-il ?

— Il a fini son droit. Il travaille dans le bureau du procureur de la République pour le Kings County.

— Il est à l'origine du chantage sentimental la concernant, au procès, je le sais.

— Je ne l'ai pas vu depuis longtemps, dit Leigh en fronçant les

354

sourcils. **Pas depuis la manif où je l'avais surpris en train de pousser des gosses à incendier des bagnoles et où il m'a assommé d'un coup de matraque parce que je l'avais pris à partie. Mais je l'ai démasqué dans** *Le Cafard;* **ensuite, il a dû faire surface pour le procès de Lohania et reconnaître qu'il était un agent infiltré chez nous. (Leigh se frottait le crâne, au souvenir du coup de matraque.)**

— Tu crois qu'il manipule plus ou moins Lohania ?

— Personnellement, c'est de son côté que je chercherais.

— Non. Pas Lohania, dit-il en tirant sur le poil rêche de sa barbe.

— Tu préfères penser qu'elle essaie de te tirer les vers du nez pour le compte du FBI, plutôt que d'admettre que Randy tire les ficelles ?

— Comment cela ?

— A toi de le découvrir. (Elle prit le visage barbu entre ses mains.) Mais il n'y a pas que Lohania qui te tracasse.

Il se laissa retomber sur les oreillers empilés, puis dit :

— Ah ! parce que tu ne sais pas la nouvelle ? Vendredi — ce n'est pas vieux ! — j'ai été viré du collectif du *Cafard.* Les femmes ont pris le gouvernail et décidé que je ne valais pas la peine qu'on se bagarre avec moi. Et à la radio les choses stagnent. Plus personne ne nous écoute ; de cent mille auditeurs, nous sommes tombés à dix fans, tous des maniaques de l'appel. Foncièrement, nous sommes devenus un allô-service pour microphonophages.

— Une seule chose à la fois... Tu as été viré du *Cafard ?* Mais c'est toi, le fondateur !

— Et alors ? Mille neuf cent soixante-sept, c'est de l'histoire ancienne pour ces gosses. Les femmes sont devenues dingues.

Un instant, elle éprouva un sentiment aigu de malaise : elle entendait encore Kevin dire exactement la même chose, deux mois plus tôt, à Roger, au moment où celui-ci repartait pour l'Ouest : « Les femmes sont devenues dingues ! » Cette lamentation d'une hégémonie outragée lui rappelait suffisamment Kevin pour réveiller l'écho du jugement acide porté par Natalie sur Leigh. Mais elle temporisa, car elle ne voulait surtout pas de dispute :

— Les rapports changent, entre hommes et femmes, et beaucoup de ces changements, même lents, sont douloureux.

— Lents ? Il n'y a pas deux mois que, Lucy et moi, nous avons rompu, et la voilà devenue une gouine enragée ! Elle est là, à l'autre bout de la salle de rédaction, entourée par sa bande de sorcières, à me regarder, les yeux pleins de meurtre. On dirait un gang de blousons noirs !

— Lucy mesure un mètre soixante !... Tu ne t'es pas montré très... compréhensif quand elle s'est crue enceinte ?

— J'ai horreur qu'on me force la main. Quand je veux quelque chose, je le sais. Tu n'as pas eu besoin de me contraindre, que je sache ? Depuis quand est-ce un crime de refuser de vivre avec quelqu'un simplement parce que ce quelqu'un veut se cramponner à toi ?

— Mais si ce n'était pas un crime pour toi de vouloir vivre avec moi avant que j'en aie moi-même envie...

— Je sais ce que je veux, répéta-t-il avec colère. Je ne vais tout de même pas laisser une... bonne femme s'installer chez moi uniquement parce qu'on s'est envoyés en l'air une fois ou deux ?

— Mais vous avez continué à travailler ensemble au comité de rédaction du journal ? Vous vous entendiez suffisamment bien pour ça.

— Non. Elle a été expulsée par un vote. Nous ne pouvions plus travailler ensemble.

— Leigh ! Elle a été expulsée parce que tu avais rompu avec elle ! Pas étonnant qu'elle en ait gros sur la patate. Franchement, ce n'était pas très malin... ni très politique.

— C'était moi qui l'avais mise en place.

— Ce genre d'attitude était bon pour 1968, dit-elle. Mais, nous, ça nous rendait folles de rage.

— « Nous » ? C'est pour ça que personne ne t'a jamais mise dans un comité. Et je parie bien que, politiquement, ce n'est pas ta rupture avec Kevin qui va te calmer.

— Kevin et moi, nous sommes en désaccord total sur toutes les questions.

Elle comprit soudain qu'il lui avait fait un compliment : elle était l'exception, la femme parfaite, en comparaison de laquelle toutes les autres ne pouvaient être que décevantes.

— Explique-moi, reprit-elle. Tu es réellement vidé du *Cafard,* ou simplement du comité de rédaction ?

— A quoi bon rester, puisque je n'ai plus mon mot à dire ? (Il tendit la main vers la table de nuit et mit ses lunettes et, brusquement, on eût dit qu'il n'était plus nu, que les lunettes étaient un vêtement.) Je veux te faire écouter une émission que j'ai passée la semaine dernière... Je vais chercher un boulot conformiste, et au diable tous ces vaincus !

L'enregistrement était un rapport sur l'infiltration du comité d'union des intellectuels et prolétaires de la Nouvelle Gauche par le FBI. Leigh y citait une directive d'Edgar Hoover :

— « Le but de cette entreprise est de dénoncer, de casser et de neutraliser de toutes les manières possibles les activités des diverses organisations de la Nouvelle Gauche, de leurs chefs et de leurs adhérents... Nous devons anéantir tous les efforts de ces groupes et de ces individus pour consolider leurs forces ou recruter de nouveaux membres, notamment parmi la jeunesse. Dans chaque cas, il faut avoir en tête de démanteler les activités organisées de ces groupes et ne pas manquer une seule occasion de tirer parti de l'organisation même et des conflits personnels entre chefs... »

— Mais, dit-elle, en 1968 nous ne faisions rien de mal. Enfin... rien de violent encore. Nous nous occupions surtout de doter les étudiants d'une organisation et de préparer des manifestations de masse autorisées ; on commençait aussi à parler des femmes, et cette année-là a été celle de notre première manif contre le système des transports de masse, la pollution et les tarifs du métro.

Leigh la regarda en souriant :

— Qu'est-ce qu'ils vous ont manipulés, et infiltrés, fichés, culpabilisés !

Il appuya sur le bouton de défilement de la bande et lui fit écouter les déclarations et les aveux de plusieurs anciennes « taupes » :

— « C'est le FBI qui avait payé les capsules de dynamite placées par moi dans le bureau des avocats de la défense. Je m'étais porté volontaire, au comité, pour forcer clandestinement et illégalement l'accès aux dossiers et fournir des tuyaux sur les plans de la défense. J'ai acheté des produits chimiques servant à faire des cocktails Molotov, et appris à un certain nombre de jeunes la fabrication. J'ai fourni un 22-Long Rifle à un activiste. J'ai fait circuler des formulaires sur la confection d'engins explosifs et incendiaires. J'espérais ainsi entraîner des jeunes dans de telles activités. Tous ces agissements étaient téléguidés par le FBI. Le Bureau a payé tous mes achats. »... « Les indicateurs sont des contractuels salariés ou payés à la pièce de renseignement. J'étais un agent spécialisé dans l'infiltration. J'étais également chargé de fomenter les dissensions au sein du bureau, tâche extrêmement facile... »

Après avoir écouté les enregistrements, elle se sentit très déprimée, alors que Leigh se déridait en écoutant, ravi de son émission — qui était bonne, excellente, même et arrivait quelques années trop tard.

— Vous vous êtes fait posséder, dit Leigh.

— Peut-être, mais songe à tout l'argent et à tout le personnel que nous leur avons coûtés ! Ils nous ont pris au sérieux, c'est toujours ça. Höover et son FBI nous ont vraiment crus capables de changer les choses.

Il reposa ses lunettes sur la table de nuit et se pencha en avant pour appuyer sa tête sur l'épaule de Vida :

— Poupée, depuis quelque temps je me sens paumé. Personne n'est fichu de m'aider à prendre une décision radicale à propos de mon boulot : oui ou non, dois-je prendre un travail normal ?... Ecoute, maintenant que la pression se relâche un peu, tu ne crois pas qu'on pourrait se voir régulièrement ? Es-tu vraiment obligée d'habiter aussi loin ?

— New York est trop dangereux, mais je donnerais je ne sais quoi pour être de nouveau avec toi. (Les larmes lui piquaient les yeux. Elle le voyait d'un œil trop critique ; la liaison avec Kevin l'avait durcie dans son antagonisme.) M'as-tu pardonné d'avoir gâché la vie pour nous deux ? Si j'habitais plus près, peut-être pourrions-nous vivre ensemble. Par exemple, à une heure ou deux de la ville ? En grande banlieue ?

— Tu me manques cinquante fois par semaine. Quand j'entre dans la cuisine et que je vois tes casseroles accrochées au mur, eh bien ! devine... je bande ! Je n'ai pas fait l'amour de toute la semaine : les femmes que je connais sont ou lesbiennes ou enceintes. Pourquoi n'habiterais-tu pas dans le Queens ?

— Je tiens à quelque chose d'un peu moins près, dit-elle en souriant. Je ne sais ce que tu en penses, mais le Queens c'est encore New York... Nous serions de nouveau mari et femme. Nous aurions une vraie vie à deux. Nous mangerions, nous dormirions ensemble ; nous aurions un foyer, nous partagerions la même existence... (Sans cesser de lui sourire, elle se mit à pleurer sans bruit sur l'épaule de Leigh.) Je ferai tout pour que ce soit possible. Je te le promets !

18

Le comité se réunit le dimanche, dans un chalet de ski que Roger avait loué pour le week-end, à une demi-heure à l'ouest de la ferme. Kiley avait passé la nuit au chalet avec Roger. Vida et Lark étaient rentrés si tard à Hardscrabble qu'ils n'avaient eu que le temps de se dire bonsoir, de se jeter au lit et de prendre Kevin, le matin venu, pour l'emmener à la réunion. Kiley s'exprimait avec sa clarté et sa précision habituelles. Vida subissait le charme, tout en s'en étonnant. Les cheveux blond cendré de Kiley, coiffés à la mode afro revue et corrigée, lui faisaient une auréole de points d'exclamations.

— ... Et nous devons éviter de tomber dans le piège d'une tendance à l'aventurisme de gauche, susceptible de miner notre stratégie de masse...

Quel charabia ! Et pourtant, la voix haute et ardente poursuivait sa chevauchée, pleine d'une passion glacée comme l'acier des yeux bleus. Le front était droit, lisse et pâle ; la bouche, petite ; le menton et le nez, étroits ; les sourcils, fins, longs et bien dessinés. Kiley était petite et tout nerfs, bâtie comme un jeune garçon, parfaitement développée. Assise à côté d'elle, à la table en chêne ronde, Vida se sentait démesurée, volumineuse. Elle avait remarqué depuis long-temps que Kiley avait l'art de former des clans autour d'elle. D'une certaine façon, les réunions du comité se passaient à regarder Kiley tenter d'arriver à ses fins politiques en louvoyant en terrain miné, les mines étant une bande de mâles, ego chauffé à blanc, hégémonies jalouses, divergences d'opinion massives, se heurtant comme ces plaques tectoniques dont les frottements entraînent des éruptions volcaniques et des tremblements de terre.

Il y avait un an seulement que Vida avait compris le peu d'efficacité qu'elle avait dans les réunions : trop souvent, la véritable portée de ce qui se passait alors lui échappait et elle chargeait dans le vide en s'imaginant emporter la partie. Elle connaissait bien, à force, cette sensation terrible de sentir s'ouvrir sous elle un gouffre après ses interventions. Elle ne possédait ni l'art, ni la patience des manœuvres pour organiser le consensus d'avance. Elle se reposait sur la certitude d'avoir raison. Kiley ne commettait jamais cette erreur ; dans le cas où ils auraient décidé la guerre ouverte, elle aurait voté pour que Kiley soit leur général ; elle la respectait énormément : froide face au feu, et cependant avec une façon de prendre plaisir au danger, qui la portait comme un cheval de course mû par la fougue de l'âme et des nerfs et l'harmonie des muscles plutôt que la force brute. Elle n'avait jamais vu Kiley prise de panique. Elle ne pouvait en dire autant ni d'elle-même ni de Kevin. Kiley n'avait absolument rien d'une paranoïaque.

— Chaque fois que j'entends leurs conneries d'aventuristes gauchistes, je flaire le rat crevé. Il y a de la dégonfle dans les parages, dit Kevin de son accent traînant.

— Dixit Lénine, grogna Roger avec brusquerie en secouant la cendre de sa pipe.

Vida n'avait jamais beaucoup accroché avec Roger. C'était un grand dégingandé au corps ballant, du même âge qu'elle et qui avait enseigné l'anglais dans un lycée de Seattle, jusqu'à ce que le mouvement étudiant antiguerre l'eût poussé à se mêler d'activités qui lui avaient coûté son poste, sa femme et ses deux filles. Les filles grandissaient à Seattle, où sa femme s'était remariée. Roger aurait toujours un peu l'air d'un déraciné parmi eux. Il était l'amant de Kiley. C'étaient sans doute les deux principaux théoriciens du réseau ; leur influence avait grandi en même temps que la fréquence des attaques à la bombe diminuait et que les fugitifs commençaient à se demander ce qu'ils fichaient dans un mouvement de masse qui devenait invisible.

— ... et quand Lénine aurait fait graver ça sur les Tables de la Loi, j'en aurais rien à foutre ! On fait la révolution ou on fait du vent ?

Vida décida de prendre la parole. Elle avait la sensation d'assister au *remake* d'un vieux film.

— Mecs, dit-elle en regardant Kevin droit dans les yeux, tout ça fait penser à Randy. Même rhétorique conne. D'abord agir, pour payer il y a le temps. Le dernier rendu est un lâche. Hop là ! Saute de l'autre côté et ne regarde pas si ça suit...

Kevin se leva à demi, les veines du cou gonflées :

— Tu m'accuses d'être une taupe ?

— Mais pas du tout ! Je dis seulement que tu n'as pas tiré la leçon de nos erreurs.

— Très juste. (Lark joignit les doigts en faisant machinalement craquer les jointures.) Nous devons tirer la leçon de nos erreurs, tous, tant que nous sommes.

Ils se liguaient contre Kevin. Peut-être celui-ci représentait-il une phase ancienne que les autres reniaient à présent avec autant d'ardeur qu'ils s'y étaient jetés. Même leurs vieilles querelles d'amants étaient mises maintenant sur le dos de Kevin, comme on aurait pu les lui reprocher à elle, deux ans auparavant. Lark et Roger n'avaient pas exactement le même style ; ils n'avaient rien de bagarreurs de rue. Lark subissait trop l'influence des Vietnamiens pour charger, queue au vent. Il entendait parler calmement et persévérer jusqu'au jour où ils cueilleraient les fruits. Il se considérait fièrement comme un organisateur. Ce qui se passait en Rhodésie et en Angola comptait autant pour lui que ce qui se jouait dans cette pièce. Il se nourrissait de lointaines batailles quand elles ne le vidaient pas de son sang. Il lisait de volumineux articles sur les toutes dernières idées de Kim Il Sung et d'Enver Hodja. Depuis l'instant où il s'était réveillé à l'hôpital, une jambe coupée, il se tenait pour un homme mort. Il avait sacrifié sa jambe à un idéal qu'il s'était mis à honnir ; eh bien ! maintenant il se donnerait corps et âme à une cause qu'il respectait. Sa propre vie n'était que le mortier entre les blocs soigneusement ajustés de la théorie et de la pratique.

Roger, lui, avait adopté le style prolo. Il s'habillait de vêtements de travail faisant poche partout, dans lesquels son père n'eût pas supporté d'être vu aux heures où il n'était pas allongé sous un camion à réparer. Mais Roger composait des poèmes et lisait Neruda avec plus de passion que la presse de gauche et Vida l'avait vu s'arrêter net dans la rue à la vue d'une enfant aux tresses brunes, et avaler péniblement sa salive, la pomme d'Adam tressautant convulsivement. Il regardait les émissions sportives avec les autres hommes, comme on s'astreint à une discipline ; lorsqu'il parlait de tel ou tel joueur de basket-ball, c'était sur un ton gauchement popu. A Seattle, il avait été victime des brutalités policières : attaché à un radiateur avec une paire de menottes et tabassé, les flics se relayant jusqu'à ce qu'il ait perdu connaissance, et recommençant lorsqu'il était revenu à lui. Six mois plus tard, il avait pris plaisir à poser lui-même la bombe. Bien sûr, l'alerte avait été donnée, les lieux évacués ; mais le bureau des archives avait sauté et Roger avait jubilé.

— Vous êtes tous des dégonflés ! Maintenant que c'est nous qui les faisons cavaler, vous avez la trouille. Vous voudriez déserter ceux qui se battent...

Kevin luttait, mais non sans se servir de sa tête. Il cognait sur la table, menaçait, habitué à obtenir ce qu'il voulait — plus habitué que les autres assis là, parce qu'il avait été le roi, à Hardscrabble Hill, accoutumé à donner des ordres et à être obéi. Il n'avait jamais appartenu au mouvement des étudiants antiguerre, organisation farouchement démocratique (avec une passion presque douloureuse, et sur tous les plans) ; tous les autres, au contraire, en avaient été membres, formant un quatuor rompu à l'art de défendre une position, de perdre avec élégance, de préparer patiemment un retour en force avec une proposition de vote de transiger pour obtenir un appui en acceptant un amendement amical, voire modérément hostile, de lâcher un candidat pour en soutenir un autre, et retirer cet appui dans les coulisses. Ils étaient entraînés au calcul mental des votes. C'était pour cette raison que l'on avait envoyé Lark dans le Vermont et ramené Vida à New York. Lark avait tâté le terrain. Kiley, Roger et Lark s'étaient ligués contre Kevin. Et elle, allait-on l'expulser du Comité ?

— ... Le moment est venu de jouer en finesse, disait Roger. Nous ne sommes pas exclusivement une organisation militaire. Nous devons faire de la propagande, influencer l'orientation du mouvement. Bref, nous devons travailler à notre politique de masse.

— Rester assis sur son cul, ça fait plus masse, railla Kevin. On nous respecte parce que nous agissons.

— La majorité des gens nous a oubliés, déclara froidement Vida. Ce qui les tracasse, c'est Nixon, le gagne-pain, le chômage, la réduction des secours sociaux, la suppression des bons de nourriture et l'escalade dingue des prix.

— On les emmerde, il n'y a qu'à les obliger à se souvenir de nous. (Kevin s'était dressé, le visage luisant.) Pourquoi rentrer les cornes ? Il est temps de frapper au cœur. Temps que la justice du peuple passe. Supposez qu'on raie Nixon des contrôles ?

— Nous n'avons jamais blessé personne, jamais, dit Vida. L'homme et la femme de la rue ne respectent pas les assassins. Ils se disent : « Encore un dingue de la gâchette ! » Les gens en ont ras le bol des assassinats. D'ailleurs, c'est toujours la droite qui assassine. Pourquoi lui emprunter ses armes pourries ?

— Nous avons rompu avec les formes anciennes de la terreur, dit Kiley, sur un ton glacial. C'est notre analyse qui nous y a conduits. Les attaques dirigées contre les dirigeants mettent l'accent sur l'individu. Elles perpétuent le mythe que ce sont les présidents qui font l'histoire, qu'ils ne sont pas les exécutants de la politique du vrai pouvoir : les grandes sociétés.

— Nous les avons visées, les grandes sociétés — celles qui gouvernent dans l'ombre, soutint Vida. Chaque fois que nous nous en prenons à ITT ou Union Carbide, nous leur donnons un visage, nous définissons leurs crimes. Nous avons toujours fait la différence entre les sociétés — l'ennemi — et leurs employés.

Un instant, elle se souvint de Jimmy prononçant ces paroles. Elle ne l'avait pas revu depuis qu'elle était rentrée de New York avec Lark et Kiley.

— Nous n'avons jamais essayé de causer de gros dommages, dit Lark. Pourquoi le ferions-nous ? Nos objectifs sont politiques. Faire sauter un réservoir de gaz liquide, un entrepôt, des conduites de gaz causerait un incroyable gâchis dans une grande ville. Un jour, cela se produira, à cause de la bêtise d'une de ces sociétés et d'économies de bouts de chandelle. Mais ce sont *nos* villes.

Vida soutenait sans la moindre idée claire de ce qui se mijotait. Lark, Kiley et Roger étaient en train d'effectuer un changement radical dans la politique du réseau. Ils avaient sans doute décidé que celui-ci s'isolait de la politique ordinaire, le mouvement des femmes avait dû les ébranler. La disparition de la Nouvelle Gauche de la scène politique les inquiétait. Ils réagissaient eux aussi au mécontentement au sein de l'organisation ; elle en était certaine. Si Alice avait pleuré dans les bras de Lark en disant qu'elle ne savait plus où ils allaient, bon nombre d'entre eux devaient être en proie au même désarroi. Vida avait conscience de ressentir ces mêmes craintes ; seulement, elle avait cru que le doute lui était réservé.

— A mon sens, ce qui se passe, c'est que la plupart d'entre nous, dans le réseau, craignent secrètement de ne plus savoir ce que nous faisons, dit-elle lentement, nerveusement. (Kiley pouvait la descendre en flammes — tant pis ! l'heure était venue de se dire la vérité face à face.) Nous continuons à poser des bombes. Si la technique s'est améliorée, la raison profonde s'est perdue en route. La guerre est presque terminée. Les Vietnamiens finissent par gagner. Nous devons nous remettre au travail pour jeter les bases d'un mouvement propre à ce pays. Faute de changer, nous ne serons plus que de vieux débris. N'oubliez pas que les fossiles aussi sont sous terre.

Roger — événement ! — sourit.

— Je suis de ton avis. Nous devons retrouver un dynamisme. Poser une soixantième bombe, c'est persister dans un type d'action, uniquement parce que nous y sommes passés maîtres...

— Nous devons trouver une nouvelle orientation, ajouta vivement Kiley. A mon avis, nous avons besoin d'un comité directeur armé pour l'analyse politique. Besoin de sortir un document qui nous aide à progresser. Jesse, tu n'es plus dans le coup, politiquement. Peut-être es-tu depuis trop longtemps à la tête. Toute la raison des cadres est de servir le peuple. L'arrogance du pouvoir commence à obscurcir ton jugement.

Vida comprit en même temps que Kevin qu'on était en train de le balancer du comité. Elle eut envie de rire comme une gosse, et pourtant elle était abasourdie et même effrayée. Kevin faisait partie des dirigeants depuis le jour où ils s'étaient enfuis dans le nord de l'Etat et la nuit où ils avaient dormi dans la voiture volée par lui. Un comité sans Kevin était inconcevable. Kevin, Lark, Kiley avaient été les figures de proue originelles et durables du pouvoir, depuis cette froide nuit de Pennsylvanie où ils avaient commencé à forger le réseau, depuis cette époque où ils s'étaient rencontrés, au cours de la chasse à l'homme dans laquelle le gouvernement avait jeté des centaines de limiers et des millions de dollars ; où les avis de recherche avec leur nom et leur photo ornaient les murs de tous les bureaux de poste, jusqu'à ce que leurs supporters les déchirent. Kiley avait été le cerveau ; Lark, la conscience ; Kevin, la force, le poing. Vida était trop saisie pour pouvoir proférer une parole. Elle était disqualifiée par sa rancune personnelle, et cependant elle était moins heureuse qu'elle ne s'y était attendue.

Kevin se leva lentement, les dominant de sa stature :

— Bande de fumiers, qu'est-ce que vous manigancez ? Le réseau, c'est moi ! Vous ne pouvez pas me faire un enfant dans le dos ! Jouez pas au con avec moi ! C'est Vida qui est derrière ça ! rugit-il.

— Comme d'habitude tu te trompes, dit Lark presque aimablement. Nous ne l'avions pas mise dans la confidence. Les votes sont là. Il posa une pile de pétitions sur la table. Les membres du réseau sont avec nous. Eva est élue.

— Eva ! Cette gouine arriérée !

— Nous avons accepté de soutenir le Mouvement de Libération des Homosexuels, dit Roger. Tu deviens de plus en plus individualiste. Tu as encouragé un culte autour de toi. Tu as besoin de passer un peu plus de temps dans le rang et de tenir plus compte de la ligne politique que nous forgeons.

— Nous sommes une majorité de femmes, dit Vida, émerveillée et regrettant de ne pouvoir raconter cela à Natalie. (« Tu vois, petite sœur, quel changement ! » — mais la composition du comité restait secrète.)

Seule, Kiley l'entendit et lui lança un regard noir, tandis que Kevin vociférait :

— Pas question que je m'en aille ! On verra bien qui de nous les militants suivront !

— A compter de maintenant, tu es dehors. (Lark s'était levé lui aussi ; il avait beau mesurer quinze centimètres de moins que Kevin et peser moitié moins, il tenait tête, sans hésitation ni crainte.) Le vote est contre toi, tu dois partir. Personne n'a le *droit* de commander. Personne ! On mérite ce droit en se comportant en révolutionnaire conscient de ses responsabilités. On le conserve parce que les autres accordent leur confiance. Et tu as perdu cette confiance.

Kevin, le poing crispé, fit deux pas vers Lark. Kiley se leva et s'interposa, minuscule et furieuse.

— Non, mais, qu'est-ce que tu crois ?

Il s'arrêta ; puis il attrapa une chaise et la lança sur Lark, qui se baissa. La chaise alla s'écraser contre le mur.

— Si tu ne quittes pas immédiatement la réunion, tu seras également expulsé de l'organisation, dit tranquillement Roger, en se levant à son tour, face à lui.

Vida ne croyait pas un mot de la menace ; mais Kevin cria :

— M'expulser, moi ? A d'autres ! C'est moi qui fous le camp ! Et vous viendrez me lécher les pieds en me suppliant de revenir, avant la fin du mois !

Il sortit en claquant la porte. Il y eut quelques instants de silence total.

— S'il part pour de bon, ça risque d'être gênant. Il sait beaucoup de choses, murmura Roger.

— Il la ramène, dit calmement Kiley en se rasseyant d'un air décidé et en prenant son stylo. Un fugitif solitaire est un canard éjointé.

— J'aimerais autant qu'il ne se fasse pas arrêter, dit Roger. On devrait lui déléguer quelqu'un pour calmer son orgueil blessé et l'amener à revenir sur une position forcément pas très confortable... Faucon, qu'est-ce que tu dirais d'aller jeter un peu d'eau sur le feu ?

— Il a déjà voulu lui flanquer un coup de couteau cette semaine, dit Lark. Je crains que le boulot ne soit pour toi, Roger. C'est à toi qu'il en veut le moins. Ce qu'il faut, c'est aller chercher Eva à la ferme, pour nous réunir au grand complet demain et discuter l'ordre du jour du nouveau Comité : changement de priorités. Relations avec les mouvements de libération à l'étranger. Relations avec les mouvements de libération à l'intérieur de ce pays... Noirs, Portoricains, Mexicains, Indiens. Organisation de syndicats et de grèves. Ah, et, oui, j'oubliais : les femmes.

— Et les homosexuels, ajouta Vida.

— Sur ce point, il faudra mettre la sourdine, à cause de l'étranger, dit Lark. Faucon veut quitter le Vermont. Je ne suis pas certain non plus qu'Eva doive rester ici. L'endroit donne l'impression d'inciter les gens à l'inertie politique, comme s'ils y venaient pour végéter.

— Le comité tout entier doit être actif sur le tas, dit vivement Kiley. Notre boulot n'est pas de faire pousser des pommes de terre et des choux. Depuis la dernière opération, Faucon n'a pris aucune initiative politique ni rempli aucune tâche de direction. Tu n'es pas là pour faire joli, tu sais.

« Faucon ! » Je hais ce nom de cheftaine, songea Vida. Elle avait trouvé qu'il sonnait romantique, la première année, lorsque Kevin avait pris le nom de Jesse en souvenir de Jesse James. Roger et Eva conservaient leur premier nom de clandestins. Kiley avait pris celui d'un gratte-ciel, probablement par humour. Lark gardait son vieux nom d'emprunt.

— Je n'en ai aucune envie, dit Vida suavement, sous son envie de gifler Kiley. Mais toutes ces bagarres avec Kevin m'ont épuisée. Et nous étions bouclés ici, à nous bouffer le nez politiquement.

— Je suis prêt à rester un moment, proposa Lark. Je mettrai de l'ordre dans la baraque avant de rejoindre Buffalo. Et Faucon pourrait m'être utile, là-bas : ça remue énormément.

Kiley fronça un de ses fins sourcils arqués :

— C'est une idée. Mais je trouve que nous devrions répartir nos cadres plus largement. J'allais suggérer Philadelphie, où nous pourrions établir une liaison intelligente avec les groupes locaux. Et puis, ça se bagarre parmi nos gens sur les grands problèmes de la femme. Une médiation serait bienvenue.

— Buffalo, ou Philadelphie ? Que préfères-tu ? demanda Roger.

— L'endroit où je serai le plus utile, dit-elle humblement, sans lâcher Kiley du regard et en feignant de ne pas voir le coup d'œil suppliant de Lark.

Tous ignoraient à quel point elle était amoureuse de Leigh et combien elle avait envie de l'être. Philadelphie n'était qu'à deux heures de lui ; ils pourraient même vivre ensemble de nouveau, et la vraie vie recommencerait pour elle. Elle n'avait aucune envie de se lancer dans une liaison avec Lark ; elle le savait parfaitement ; elle voulait simplement qu'il ne devinât pas que sa décision était prise.

— J'ai manqué d'efficacité politique. J'ai laissé mes passions personnelles obscurcir mon jugement. Je souhaite me racheter.

Elle paraissait humble, fervente, et c'était vrai. Elle avait sincèrement honte d'avoir fait aussi peu cas de son poste de dirigeante. Elle devinait aussi que Lark prendrait sa décision comme une chose normale. Après tout, il ne lui avait jamais proposé ouvertement des rapports plus étroits entre eux ; il comptait sur le travail en commun pour les unir plus profondément et n'avait pas l'habitude d'analyser de près les motivations purement personnelles. Elle songea à son visage tandis qu'il repoussait son assiette après avoir chipoté son riz et ses choux de Bruxelles, et elle le revit dans la voiture, faisant craquer ses jointures, le regard fixé droit devant lui, de son air sombre et résolu. Non ! Elle se remémora Leigh buvant à sa santé, au motel : le vin était du même carmin que ses lèvres, dans la barbe bouclée. Non. Elle voulait être libre de toute attache sexuelle, et en même temps elle voulait Leigh, passionnément, tout de suite. Libre à Philadelphie, mais secrètement mariée à New York.

Roger partit le premier pour tenter de raisonner Kevin ; mais, lorsqu'ils le rejoignirent à Hardscrabble, ils trouvèrent la maison sens dessus dessous. Kevin partait ; il avait jeté dans la Dodge ses quelques affaires. Belinda, Jimmy et Bill partaient avec lui.

— Je vous interdis d'emmener l'enfant ! disait Marti, les bras croisés sur son opulente poitrine. Vous êtes tous devenus fous !

— Laisse la petite, ordonna Kevin. Minimum d'encombrement en attendant d'avoir cassé une ou deux banques. On reviendra chercher la gosse cet été.

— Non, je ne peux pas la laisser ! se lamenta Belinda. Je ne peux pas !

— Pas question d'emmener un bébé, dit Kevin. Pars ou reste.

mais on ne peut pas se payer le genre de bagarre qui nous attend avec un mioche sur les bras.

— Belinda, elle est encore trop petite, s'entêta Marti. Elle tombera malade, elle aura peur. Je lui manquerai; les autres petits aussi.

Belinda, debout, rentrait la tête dans les épaules et tourmentait les plis de son blouson de l'armée, de ses mains décharnées. Elle ne parvenait pas à s'arracher à l'entrée de la maison. Son regard allait de l'un à l'autre, puis elle baissait de nouveau la tête. Assis dans la Dodge, Bill faisait tourner le moteur. Vida savait qu'il suivait Kevin parce qu'il était furieux qu'Alice eût décidé d'avorter, tout en refusant de l'admettre ouvertement. Alice pleurait, assise dans l'escalier.

— Jimmy! Pourquoi pars-tu? Pourquoi? Kevin a tort! dit Vida en saisissant Jimmy par le bras.

Jimmy arborait un petit sourire pâle et crispé. Il ne cessait de regarder Kevin, lui-même debout, à l'écart, sur le seuil et affectant un air à la fois désinvolte et martial. Il semblait moins fou, moins enragé, brûlant d'énergie sous sa posture avantageuse. Il ne se souciait pas de faire ou non pression sur ses compagnons. Elle sentit se rallumer la braise de la vieille passion. Ce n'était pas bien que Kevin s'en allât! Ou peut-être que si, et bien pour elle aussi de le suivre? Elle n'était pas loin de le penser. L'inaction les avait empoisonnés tous les deux. Chacun s'était servi de l'autre comme d'un bouc émissaire en le chargeant de sa propre impuissance. Kevin se servait de la bagarre au sein du comité pour se libérer d'un *apparat* qui les freinait. Elle sentit la morsure du chagrin dans sa gorge, et pourtant elle était incapable de parler. Elle voulait malgré tout secouer l'emprise de Kevin.

— Jimmy, pourquoi pars-tu? murmura-t-elle en le forçant à tourner la tête et à la regarder de ses doux yeux bruns.

— Il a besoin de moi, répondit doucement Jimmy. Puisqu'il ne peut pas t'avoir à ses côtés, au moins il m'aura. Je suffis, parfois.

— Jimmy, ne te sacrifie pas!

Il sourit plus fort, gauchement; ses lèvres tremblaient; il dit:
— Pourquoi?

Que s'était-il passé pendant son absence? se demanda-t-elle, doutant que quiconque, en dehors de Jimmy et de Kevin, pût le lui dire. Jimmy ne lui en voulait pas, mais il se fermait à elle de façon nouvelle et définitive. Il s'était entièrement voué à Kevin. Elle se souvint de ce que pouvait être ce sentiment de désertion et lâcha l'épaule de Jimmy. Il passa devant elle et prit le bras de Belinda qui continuait à tripoter son blouson, repliée sur elle-même.

— Viens, camarade, en route! Nous montrerons à tous ces guignols ce que c'est que la vraie guérilla... à eux et au monde!

Belinda se laissa tirer par la manche:

— Je reviendrai cet été ! cria-t-elle à Marti par-dessus son épaule. Soigne bien Roz ! Je reviendrai la chercher cet été !

L'été venu, seul Bill revint à la ferme. Jimmy et Belinda étaient morts.

SEPTIÈME PARTIE

Ce mois de novembre

19

Une femme au crâne rasé et vêtue d'un pyjama de mousseline fit entrer Joel et Vida dans une pièce décorée essentiellement d'affiches et de posters du Maître Sadjarata des Ténèbres Sacrées, et les pria, d'une petite voix, de s'asseoir sur les coussins. Joel haussa des sourcils étonnés en regardant Vida, elle-même emplie de doute. La dernière fois qu'elle avait vu Brenda, en 1975, c'était lorsque, avec Eva, elle avait traversé Cleveland. Brenda était alors la femme d'un gros comptable bourru dont l'unique passion était une Harley Davidson remise à neuf. Brenda ne s'occupait plus de politique, mais elle avait été heureuse de les voir. Elle avait présenté Eva à son époux comme sa vieille copine de chambre à l'université, et Vida comme son ancien prof. Elle habitait Shaker Heights et s'occupait de son bébé de six mois. Sa seule activité extérieure était d'aller à un cours de cuisine chinoise, au lycée, un soir par semaine. Si elle était enchantée de les revoir, c'était davantage parce qu'elle s'ennuyait que par intérêt pour leurs activités de fugitives. Elle trouvait agréable d'avoir deux femmes à la maison une partie de la journée, pour veiller sur l'enfant, l'aider dans les travaux domestiques et encore plus bavarder avec elle. A l'époque, Vida se trouvait entre deux identités bien établies et se servait de son pseudonyme Faucon Pèlerin utilisé en général dans le mouvement. Au cours des années, Natalie avait reçu plusieurs cartons de changement d'adresse de Brenda, dont elle avait dûment informé Vida. La présente adresse était celle d'une maison à deux étages dans un secteur résidentiel de Cleveland Heights. Une musique plaintive montait de quelque part en bas, et une odeur d'huile de friture alourdissait l'atmosphère. Un homme âgé au crâne rasé, vêtu d'une robe longue en tissu écru, les mains jointes devant lui, s'assit dans la position du lotus sur une natte, en face d'elles.

— Vous souhaitez voir notre sœur, qui s'appelait autrefois Brenda Warburton ? (C'était le nom de mariage de Brenda.)

— Oui. Je suis une de ses vieilles amies ; nous étions ensemble à l'université, dit Vida qui commençait à ressentir un picotement désagréable sur toute la peau. Mon nom est Pèlerin-Nash. M'aurait-elle oubliée ?

— Nous ne lui avons pas encore posé la question.

— Pourriez-vous être assez aimable pour le faire ? dit Joel, sortant son plus beau sourire. Nous ne faisons que passer par Cleveland.

— Et quel genre de rapports aviez-vous avec notre sœur Brenda, à l'époque où elle vivait dans le monde ? demanda le vieil homme au crâne rasé, les mains en cathédrale devant lui. (Il parlait l'anglais comme un étranger. Mais Vida aurait juré qu'il jouait la comédie : un bon coup de pied dans le cul, et il eût retrouvé tout son bel accent de Cleveland.)

— Moi ?... (Joel marqua une légère hésitation, se demandant s'il devait prétendre connaître Brenda.) Je ne l'ai jamais vue. Mais mademoiselle Pèlerin-Nash est son amie.

— Vous ne venez donc pas de la part de son ex-mari, Frederick Warburton ?

— Non, affirma Vida. Je suis une amie de Brenda exclusivement... Heu... êtes-vous le maître Saradjahata ? Brenda et moi, nous sommes amies depuis 1967.

— Notre maître est à La Nouvelle-Delhi, répondit l'homme au crâne rasé. Nous ne sommes que le plus pauvre des ashrams où l'on étudie la parole du Maître. Et quel genre d'amies étiez-vous ?

Vida lança un coup d'œil inquiet vers la porte.

— Pas très intimes. Mais bonnes amies pendant beaucoup d'années. (Qu'est-ce que cela signifiait ?)

— Amantes ?

— Non, répondit-elle en réprimant difficilement un sourire. (Brenda était hétéro au point que c'en devenait monotone, avec sa façon d'aimer toujours de grands gaillards machos : Bob Rossi, une armoire à glace du nom de El Ratón, et son homme à la moto.)

— Notre philosophie n'encourage pas ce genre de liens ; souvent, ceux qui demandent à voir nos frères et nos sœurs leur restent attachés par les chaînes de la sensualité et de l'ignorance.

— Vous parlez à ma femme, dit Joel.

— Je vois. (Le vieillard se leva avec grâce.) Pardon de vous avoir offensés ; je vais demander à notre sœur si elle désire vous recevoir.

Il sortit. Une jeune fille au crâne également rasé leur apporta une assiette de galettes de blé et de purée de pois, qu'ils mangèrent avidement.

— Tu crois qu'on devrait se tirer ? chuchota-t-elle.

— J'aime pas, répondit-il sur le même ton. Et pour le fric, c'est zéro.

— Alors, filons. Je sens que Brenda risque de vouloir sauver notre âme, dit-elle en se levant.

— Minute, dit Joel. (Il rafla le reste de la purée de pois et les galettes et enveloppa le tout dans la serviette offerte par le plus pauvre des ashrams.) Pour pique-niquer au bord de l'autoroute, au son romantique des moteurs Diesel, parmi les senteurs de caoutchouc brûlé !...

Comme ils allaient s'éclipser, une créature au crâne tondu, pareille à un ballon de plage vêtu d'un pyjama de mousseline, entra en se dandinant. Vida mit un long instant à reconnaître dans ce ballon une Brenda chauve et obèse. Son visage avait la rondeur et la pâleur de la lune. Où était son enfant ? Vida avait peur de le demander. Lui avait-on également rasé le crâne et le séquestrait-on aussi ? Ou bien vivait-il auprès du motocycliste ? Non, sans doute était-il confié à la mère de Brenda, cette martyre.

— Non, Vida ! Attends ! Mais attends donc ! se mit à crier Brenda, tandis que Vida s'élançait en bondissant par-dessus les coussins. Il faut que je te parle !

Joel, qui se débattait avec la porte, réussit à l'ouvrir, et ils se ruèrent tous deux à l'air libre.

— Revenez ! Revenez ! J'ai trouvé la paix de l'âme ! Le calme intérieur ! Fini la drogue ! Vida ! Vida Asch ! Reviens et écoute-moi !

Ils couraient dans la neige vers leur vieille voiture, garée le long du trottoir. Tandis que Mariah (c'est ainsi qu'il l'appelait) refusait de démarrer, Brenda surgit sur le seuil et se mit à gesticuler pour les inviter à revenir. La femme qui leur avait offert de la purée de pois se penchait derrière elle pour voir, en pouffant derrière sa main. Dieu merci, Brenda était nu-pieds, elle ne sortit pas et continua seulement à leur adresser des signaux désespérés, en criant des choses.

— Et maintenant, où est-ce qu'on va ? Il est neuf heures du soir. Tu connais d'autres gens à Cleveland ? D'autres cinglés ? Des vrais ?

— J'ai peur de traîner dans cette ville. Tu crois qu'ils ont pu repérer la voiture ? demanda-t-elle en se tordant nerveusement les mains. J'ai une migraine épouvantable !

— Y a de quoi, rien qu'avec une folle pareille. Gueuler comme ça ton nom ! Qu'est-ce qu'elle veut ? Non, je ne crois pas qu'on ait repéré la voiture. Bon, alors où ?

— Je connais un type... s'il habite toujours dans le coin. Son nom est Mason ; il a campé dans mon salon tout un mois, à une époque où il était à New York. Attends... on m'a dit qu'il était retourné à l'université pour suivre des cours d'assistance sociale. Oui, c'est ça, en 1975. Arrête-toi à la prochaine cabine téléphonique, on verra bien.

— Il vaut mieux que je laisse tourner le moteur ; la batterie est en train de nous lâcher, dit Joel. On a dû faire au moins trois mille kilomètres dans cette bagnole. Ne la débine pas, la pauvre chérie ; elle a besoin d'être un peu dorlotée, mais ça veut dire du temps, du fric et des outils.

Il s'arrêta devant une cabine téléphonique. Le nom de Mason figurait dans l'annuaire ; mais, lorsqu'elle composa les chiffres sur le cadran en s'apprêtant à raccrocher aussitôt qu'elle reconnaîtrait la voix et à partir en éclaireur, un disque lui annonça qu'il avait changé de numéro. Probablement déménagé. Il ne lui restait plus qu'à appeler de nouveau et à lui parler par téléphone.

— Allô ? Je suis chez Monsieur Mason ?

— Lui-même à l'appareil. Qui le demande ?

Voix de charme. Petit problème.

— Mason ! Quand je pense que vous avez campé dans mon salon pendant un mois, en dormant par terre... Vous vous souvenez ? Faucon Pèlerin ?

— Moi ? *Par terre ? Chez vous ?*

— En 68. L'automne 68. A New York. (Espèce d'abruti, vas-tu te réveiller !) Upper West Side...

— Merde ! Oh, bon Dieu, non, non !

Il avait raccroché. Elle regarda fixement le téléphone qui bourdonnait. « Eh bien ! Merci Mason ! J'espère que tu perds toutes tes dents en ce moment, une à une et en commençant par celles de devant. »

— Ça, c'est ce qu'on appelle un correspondant ! dit-elle. Il m'a raccroché au nez.

— Mets-toi à sa place : un soir à la con, tu es là en train de siroter un whisky pur malt Colt-45 en regardant un western à la télé et te prenant pour Zorro, et tout à coup, vlan ! le téléphone : « Salut ! poupée, c'est moi, Jesse James. Je me suis dit que ce serait sympa de passer te faire une bise avec les copains et de me poser dans ton living. T'en fais pas, le shérif et ses flics sont encore à trois kilomètres au moins, et on a de quoi leur causer. Et pour les chevaux, te bile pas, poulette : on les mettra dans les gogues. »

Elle rit et se sentit mieux.

— Bien, voilà qui épuise mes contacts à Cleveland. Mais je connais quelqu'un à Cincinnati... (Elle songeait à Paul et à Dee Dee, casés là avec de bons boulots et de solides identités. Elle les enviait un peu d'être arrivés dans la clandestinité en formant déjà un couple et d'être restés unis. Ils n'avaient jamais l'air de se sentir seuls ou au bout du rouleau.)

— Ecoute, il faut trouver, et vite. La bagnole se sent mal ; la batterie va clapoter ; il nous reste moins de quinze dollars et chaque fois que je regarde le cadran, le réservoir me chante : « Remplis-moi chéri ! » (Il prit la serviette poisseuse de purée et l'ouvrit.) A la bouffe !

— Dans quatre jours, j'entrerai en contact avec le réseau, dit-elle en repoussant la nourriture offerte, écœurée.

— Tu parles ! Ils roulent sur l'or ! Ce qu'il faut, c'est un plan. Ecoute, rien de plus facile que de piquer une bagnole. C'est vrai, ça a quatre roues, tu grimpes dedans et ça roule ! Y a toujours un marché pour les Cadillac et les Lincoln mi-neuves. On va vers le sud, et là...

Elle se rongeait les ongles ; elle se reprit : elle avait l'impression d'être une gosse de dix ans. Elle eut peur un moment de voir Joel devenir un autre Kevin. L'argent, c'était toujours la plaie...

— New York me rend toujours malade d'inquiétude. Mais là, au moins, nous pourrions trouver de l'argent.

— Je vois. Leigh ? En cadeau de mariage ?

— Mon cœur, je connais des tas de gens à New York en dehors de Leigh ! J'ai vécu à Manhattan depuis que je suis majeure. Quelqu'un nous dépannerait et je parie que nous trouverions du boulot. Il faudrait contacter le réseau et se présenter au rapport... Simplement, ça me rend nerveuse.

— Moi, c'est de ne pas manger qui me rend nerveux. (Il se lécha les doigts, à la recherche d'un dernier reste de leur dernier repas.) La bagnole n'a plus qu'à tomber en panne. A partir de maintenant, plus question de dépenser un sou pour autre chose que de l'essence, jusqu'à New York.

— Alors, tu es d'accord ? On y va ? Si seulement cette voiture ne séchait pas d'essence !

— Ma belle, on a de la veine de l'avoir, notre Mariah. Ne dis pas de mal d'elle. New York, ouais. Pourquoi pas ? La Grosse Pomme. Explique-moi pourquoi on l'appelle comme ça ? Los Angeles est aussi grand, pas vrai ? Sauf qu'il n'y a pas de centre à LA — c'est ça ? Dis-moi, pourquoi New York te fait-il si peur ?

Ils crevèrent encore une fois près de Harrisburg, en Pennsylvanie. Ils évitaient les péages ; mais il n'existait pas de route gratuite du New Jersey à Manhattan ; chaque dollar sorti faisait mal. Ils étaient tous deux épuisés, périlleusement à bout. Vida conduisait et tout ce que Joel lui disait — « A gauche ! » ou « Tiens ta droite ! » — l'exaspérait. Ils se rembarraient mutuellement au point qu'elle avait envie d'éclater en sanglots ; mais une voix intérieure lui disait : « Du calme ; c'est la fatigue ; l'important est de rouler sans accroc jusqu'à un refuge et un lit. »

— Ils conduisent comme des dingues ! dit Joel en montrant un taxi du doigt.

— Non. Ça, c'est Boston, dit-elle avec lassitude. Ici, c'est la précision : les gens conduisent comme des maniaco-dépressifs.

Quoi qu'il en fût, il lui fallait trouver son chemin de Manhattan à Brooklyn, et il était 6 heures du matin. Lorsqu'elle avait expliqué à Natalie qu'elle ne pouvait pas se fier à Hank Woodruff pour l'héberger de nouveau si elle était forcée de revenir à New York, Natalie lui avait donné l'adresse de Bob le Pélican et de Jan, qui s'étaient mariés et habitaient Park Slope, à Brooklyn. Natalie ne les avait pas revus depuis quelque temps, mais elle était certaine qu'ils accepteraient de la recevoir ; elle était censée leur poser la question. Vida se rendit compte soudain qu'elle ignorait finalement si Natalie avait pu les contacter. On pouvait difficilement téléphoner aux gens en leur disant : « Dites, les copains, ça vous ennuierait de planquer une fugitive pour aujourd'hui et quelques jours de plus ? Ma sœur aimerait bien le savoir. » Natalie et Jan étaient restées en relation depuis l'époque où elles avaient appartenu à leur groupe à la manque. Vida n'oublierait jamais les femmes assises en rond par terre, chez Natalie.

Joel s'était assoupi, la tête ballant sur le côté, la bouche ouverte. Elle le trouvait beau, avec sa barbe de deux jours et ses paupières gonflées par la fatigue. Elle se sentait fiévreuse. Quand elle regardait de biais, les yeux lui faisaient mal. Elle sentait la fièvre lui brûler la bouche et le front et battre la chamade dans ses mains sèches sur le volant. Elle devait se concentrer sur chaque mouvement. Appuyer sur le frein. Lâcher la pédale. Appuyer sur l'accélérateur. Elle avait l'impression de devoir patauger pour manœuvrer les vitesses et le frein, comme si l'air s'était changé en boue chaude et visqueuse. Elle traversa le pont de Manhattan, prit par Flatbush et continua sans fin en direction du parc. Comme elle traversait enfin Grand Army Plaza, elle réveilla Joel :

— Ecoute, mon cœur, je ne sais pas du tout comment ça va tourner...

— Hein ? Où sommes-nous ?

Mais il était incapable d'écouter sa réponse. Cette lenteur à s'éveiller étonnait toujours Vida. Autrefois, elle aussi s'éveillait groggy, traînait au lit, ne se remuait que peu à peu ; mais des années de clandestinité avaient aiguisé ses sens au moindre bruit. Elle ne parvenait pas à comprendre comment Joel pouvait conserver ce sommeil d'enfant. Sans doute n'avait-il jamais été traqué comme elle pendant les premiers mois où ils fuyaient tous d'une planque à l'autre, toujours devançant d'un saut de puce le FBI, les flics, la brigade antirouges. Elle ne connaissait pas d'état transitoire entre le sommeil et le plein réveil. Elle passait directement du sommeil à la vigilance totale, comme un chat ou un renard.

Lorsqu'elle tourna dans la 3e Rue, Joel, tout juste éveillé, bâillait bruyamment. Au coin de la rue la plus proche de l'adresse que Natalie lui avait indiquée et qu'elle avait mémorisée depuis longtemps, elle laissa tourner le moteur et sortit, en faisant signe à Joel de prendre le volant.

— Je vais voir s'ils sont là et s'ils veulent bien de nous. (Elle était debout dans la rue avec un sourire forcé destiné à le rassurer.) S'ils sont d'accord, je reviens immédiatement. Si j'arrive en courant, apprête-toi à démarrer en vitesse.

A la lueur d'un ciel gris strié de nuages, sa montre Timex indiquait 7 h 35 et c'était le 20 novembre. La température dépassait à peine 0°. Il n'y avait pas de neige dans les rues, mais des blocs de glace grise où était prise de la saleté persistaient au pied des immeubles côté nord. La rue était bordée de maisons de grès, perrons alignés en enfilade grise et descendant vers les jardinets de devant, sauf à l'endroit où la rénovation avait donné naissance à une construction genre immeuble d'appartements avec entrée de plain-pied. Le numéro donné par Natalie correspondait à des chiffres délavés, haut au-dessus d'une épaisse porte non vitrée. Les marches étaient fissurées, mais, au centre de la petite pelouse, on avait planté un rhododendron dont l'étiquette déteinte disait : « Blue Peter. » Il était entouré à la base par une toile d'emballage qui lui donnait l'aspect de demi-nudité mal vêtue d'un caniche habillé d'un manteau loqueteux. Elle essaya de voir à travers les fenêtres du salon, mais les volets étaient trop bien fermés. Elle put lire « S. et B. Williams » sur la boîte aux lettres du rez-de-chaussée, auquel on arrivait par un chemin en brique entre le perron et le rhododendron. Elle eut un pincement de cœur en songeant qu' « ils » avaient peut-être déménagé. Elle gravit le perron. Pour les trois étages, une seule boîte aux lettres extérieure. Les deux étages du haut devaient former un duplex. Les noms étaient : « Hamilton et Sforza. » Elle poussa un soupir de soulagement : Jan et Pélican ! Elle appuya sur la sonnette tout en collant l'oreille à la vieille porte massive. Rien. Elle sonna encore en se demandant si la sonnette fonctionnait. A côté, un homme mettait sa voiture en marche. Si tout allait bien, elle courrait chercher Joel, qui prendrait vite la place vide. Elle reprenait déjà le rythme new-yorkais. D'abord, une place où se garer ; ensuite, on verrait. Il semblait n'y avoir personne. Désespérée, elle s'acharna sur la sonnette avec une rage vindicative. Et si elle était vraiment muette ? Peut-être avaient-ils quitté la ville pour le Thanksgiving Day ? Où aller ? Soudain, un store bougea, laissant apparaître un visage d'homme furieux.

— Pélican ! cria-t-elle, en agitant la main.

Il continua à la regarder d'un air furibond. Elle mima un geste de supplication en montrant la porte. Il referma brutalement le store et elle attendit, l'épaule contre la sonnette. Grouille, flemmard, ouvre cette porte !... Il ouvrit enfin, en la considérant d'un air mauvais par-dessus la chaîne de sûreté.

— Qui êtes-vous, bon Dieu ? Que voulez-vous ? Je dors.

— Pélican ! Il n'est pas si tôt que ça. Laisse-moi entrer. Un petit effort, et je suis certaine que tu me reconnaîtras. Je t'en supplie !

Il gardait son air furieux ; puis, subitement, il la reconnut : « Ça, alors ! » Il ne prononça pas de nom, mais se mit à se battre fébrilement avec la chaîne et le verrou, ouvrit, la tira à l'intérieur, referma :

— Que veux-tu ? Enfin, je veux dire... bon Dieu ! tu as failli... Je rêve ou quoi ?

— Tu ne rêves pas, et c'est bon de te voir !

Elle l'embrassa sur la joue. Il avait un peu grossi et cela lui allait mieux. Ses cheveux mi-longs et ébouriffés lui arrivaient juste au-dessous des oreilles. Les branches de ses lunettes mises à la hâte ou tordues étaient prises dans ses fins cheveux bruns.

— J'ai besoin d'une planque pour dormir. Une amie commune m'a suggéré de venir chez vous.

— Quelle amie ? Oui, bien sûr. Entre.

— Tu es certain que ça va ? Je suis avec un ami. Il attend dans la voiture, au coin de la rue.

— D'accord... Je suis un peu soufflé, c'est tout. Tu habites New York ?

Elle fit non de la tête.

— Et Jan ? Elle est là ?

— Ne t'inquiète pas pour Jan. Elle dort. Rien ne peut la réveiller. Si tu n'avais pas sonné si longtemps, je ne me serais jamais levé. Je me suis couché il y a à peine une heure.

— Tu es devenu un couche-tard ? Toi ? Bon, je vais aller chercher mon ami. Nous, nous avons roulé toute la nuit.

— Je suis infirmier au Kings County Hospital, service de gériatrie.

Elle alla chercher Joel, juste à temps pour qu'il puisse prendre la place vide, à côté de la maison. Ils entrèrent, titubant de fatigue. Elle n'avait qu'un désir : dormir. Mais Pélican était déjà en train de préparer des œufs brouillés et des toasts. Joel mourait de faim. Elle était brûlante, trop desséchée par la fièvre pour pouvoir manger ; mais elle se tut : d'abord s'installer, avant d'avouer qu'elle était malade ; l'infirmier n'avait peut-être pas envie de rentrer de l'hôpital pour trouver encore une malade chez lui. D'ailleurs si seulement elle pouvait dormir, ensuite elle serait bien, très bien, merveilleusement bien...

— Ça ne va pas, Vida ? demanda Pélican en la regardant attentivement.

— Appelle-moi Vinnie, s'il te plaît. Pas Vida... dit-elle avant de perdre connaissance.

Lorsqu'elle se réveilla ou revint à elle, allongée sur un divan, au premier étage, ce fut dans la pièce qui servait normalement de bureau à Jan. Cette dernière faisait ses études de médecine et la chambre regorgeait de livres et de papiers, y compris, au mur, une grande planche anatomique du système nerveux humain. Les draps, l'édredon étaient trempés de sueur, et ses cheveux lui collaient à la tête. Tout son corps fondait. Elle se sentait beaucoup trop faible pour se lever. Allongé à plat ventre, Joel mangeait des chips en regardant un petit poste de télévision. Elle comprit qu'elle était restée dans les vapes toute la journée, car Walter Cronkite parlait du Moyen-Orient, au journal télévisé du soir.

— Ouais, ils ont l'air sympa, dit Joel. Rangés, mais sympa. Sais-tu que la maison est à eux ?

— A eux ? Vraiment ? (Elle avait la bouche en coton.)

— Ouais. Quand ils se sont mariés, le père de Jan leur a donné l'acompte de départ et ils achèvent de la payer. Ils voudraient tout transformer. Pas si bête que ça. C'est moins grand que ça n'en a l'air : deux pièces en bas, deux en haut, salle de bains à chaque étage. La plomberie et le reste datent de l'antiquité ; mais on en ferait quelque chose de chouette en se donnant un peu de mal.

Bon, voilà qu'il a envie de sa maison de pierre !

— Ça te sécurise, d'être ici ?

— Ils ont l'air relaxe en ce qui nous concerne. Contents même. Je crois qu'ils travaillent trop pour avoir le temps de recevoir. Ça les sort de l'ordinaire, de nous avoir. Jan voulait à toute force te réveiller, tellement elle avait envie de causer... C'est moi qui lui ai tenu la jambe.

— Merci. (Elle se laissa aller dans le lit.) J'ai soif.

Elle avait une envie absurde de pleurer. Et le fait est que, lorsque Joel s'en fut, pieds nus, chercher du jus d'orange, de grosses larmes lui roulèrent sur les joues. Elle ne leur en voulut pas de couler. Elle attendit son jus d'orange en un lieu hors du temps — les limbes ? — puis but et se rendormit.

La bombe dans son sac à main se mettait à faire tic-tac tandis qu'elle franchissait le parquet glissant, récemment encaustiqué et luisant, tic-tac, tic-tac, de plus en plus fort. Elle savait que les fonctionnaires derrière leurs bureaux devaient l'entendre, tant le mécanisme résonnait dans ses oreilles ; mais personne ne levait la tête. Chacun de ces hommes était assis, un casque d'écoute sur les oreilles, et tapait des choses qui allaient nourrir directement l'ordinateur ; ils jetaient un coup d'œil de son côté, tandis qu'elle avançait dans le passage entre les bureaux, en se dirigeant vers l'ordinateur, derrière les portes vitrées. Mais elle continuait à glisser. Ses pieds refusaient de bouger plus vite. La bombe allait exploser trop tôt. Quelque chose clochait dans le mécanisme. Ça allait sauter d'une minute à l'autre dans son sac, en la tuant avec les autres. Elle savait que Ruby l'attendait plus loin, quelque part. Les bruits d'une querelle domestique, assourdie par la nuit, lui parvenaient de derrière les portes vitrées. Il fallait qu'elle arrivât jusqu'à Ruby, jusqu'à sa mère, pour la tirer de là ; mais l'ordinateur faisait avancer le temps de plus en plus vite, et l'engin sifflait, hurlait maintenant comme les bombes dans les films...

Le jour de Thanksgiving, elle s'assit dans son lit. Joel et Pélican avaient fait des courses, et maintenant Pélican et Jan étaient partis pour le New Jersey, passer deux jours avec les parents de Jan et le reste de son clan italien. Vida avait du mal à se rappeler le visage de Jan, tant elle conservait peu de souvenirs de ces jours derniers. Sa première aventure fut de s'asseoir dans le salon pour regarder le début d'un film policier sur le poste de télévision en couleurs, pendant que Joel faisait cuire un poulet. Elle était malade et Ruby aussi ; il semblait normal qu'elles le fussent ensemble. Elles étaient une seule et même racine. Somnolente, fiévreuse, elle se disait que, pendant que son état s'améliorait, celui de Ruby en faisait autant. Elle était tombée malade pour pouvoir aider Ruby, et Ruby se remettrait miraculeusement en même temps qu'elle. Elle resta levée assez longtemps pour pouvoir manger.

— Tu veux regarder le petit poste de télé ? demanda Joel tout en changeant les draps humides de sueur, puis en la bordant.

— A quoi bon ? Je suis incapable de me rappeler ce que j'ai vu...

« Jimmy, disait-elle en le secouant. Jimmy ! » Mais le haut du crâne manquait. A l'intérieur, c'était noir et gluant comme du porridge calciné. Du porridge calciné, se disait-elle en laissant retomber Jimmy. Elle rampait sur le ventre parmi les décombres en flammes, le toit effondré, les madriers et les poutres qui se consumaient dans une épaisse fumée. Quand elle voyait l'autre corps, impossible de le retourner. Pas moyen ! Elle ne voulait pas voir. Elle rampait toujours. Quelqu'un gémissait. Il devait y avoir encore des survivants à ce désastre ; si elle continuait à ramper, elle les trouverait. Mais lorsqu'elle atteignait la jambe ensanglantée qui sortait des décombres, et qu'elle creusait parmi les débris et découvrait d'abord le torse, puis la tête éclatée, c'était encore Jimmy, avec le haut du crâne emporté, les yeux exorbités en bouillie. Elle ne pouvait ni le rappeler à la vie ni lui échapper. Puis elle entendait marcher parmi les gravats. Des pas chancelants...

Au fur et à mesure que le week-end s'écoulait, elle retrouvait conscience plus longtemps, et les pièces du puzzle de leur situation s'assemblaient dans sa mémoire. Elle se rendait compte qu'elle était une gêne, couchée là dans le bureau de Jan ; mais cette dernière paraissait s'accommoder de travailler dans la chambre à coucher. Joel dormait par terre dans son sac de couchage. Elle voyait qu'il faisait son possible pour se rendre utile. Il prépara plusieurs repas — son fameux poulet, et aussi des lasagnes, des spaghettis. Il vidait les ordures, faisait les courses et lavait la vaisselle tous les soirs, portait le linge dans une blanchisserie de la 7ᵉ Avenue. Elle était consciente de s'être abandonnée à l'inertie. Cette grippe (c'était cela selon Pélican) était bienvenue. Tout son corps lui faisait mal ; elle transpirait, toussait ; ses bronches sifflaient ; elle était malheureuse et cependant contente d'avoir la grippe. Au beau milieu du camp ennemi, elle s'était écroulée pour permettre à sa volonté de se refaire. Elle n'était pas pressée de reprendre la route. Elle avait envie de faire relâche, d'être dorlotée, prise en charge, de rester passive.

— Ecoute, dit Joel en tirant une chaise à côté du divan. Fini les problèmes. Je suis en train de nous trouver du fric.

— Tu as pris un boulot temporaire ?

— Tu parles ! Nous ne sommes qu'un ou deux millions à chercher ça. Non, je suis sur une grosse affaire.

— Quel genre d'affaire ? (Elle se dressa sur son séant, la poitrine oppressée. Elle pensa à Ruby. Elle les avait tous oubliés : Natalie, Leigh, Ruby, Paul !)

— Je peux ramasser trois cents, peut-être quatre cents dollars...

— Quel genre d'affaire ? répéta-t-elle.

— Un peu de neige.

— De la coco ?

— Ouais. Et de la bonne. Mon copain Mel m'en a fait renifler une pincée.

— Qui est Mel ? (Elle avait très mal au côté ; néanmoins, elle posa les pieds par terre.)

— Moi aussi, j'ai mes potes à New York. Tu te figures que tu es la seule à avoir des amis dans la Grosse Pomme ? J'ai connu Mel à Berkeley.

— Des amis dans le trafic de la drogue ? (Elle frémissait de colère à l'idée de ce retour à la vie. Elle n'était pas prête à se remettre au labeur de l'existence ; pourtant il le fallait.)

— Tu vas pas me faire de la supermorale, non ? Tu fumes bien de l'herbe, toi. Quel mal y a-t-il à la coco ?

— Le monde entier baigne dans les hallucinogènes ; nous ne pouvons pas nous permettre ce genre de truc. Nous ne pouvons pas prendre ce genre de risque.

— La batterie est morte. Il nous en faut une neuve. Pélican et moi, nous passons notre temps à pousser la bagnole d'une place à l'autre pour qu'on ne l'embarque pas à la fourrière. Franchement, tu crois qu'on peut continuer comme ça ? On a mis la roue de secours. Pour peu qu'on crève encore une fois, on est fichus. Il faut de l'argent, et tout de suite.

— Si les flics nous épinglent, l'argent ne servira à rien. Laisse tomber tes amis, Joel. Nous ne pouvons pas jouer avec ça.

— Mais je fais juste le passeur. Je livre une partie de la came à Springfield, et l'autre à Worcester. C'est simple comme bonjour.

— Non Joel. Ne leur téléphone plus. Ne leur donne plus signe de vie. Ne les revois pas. Espérons qu'ils ne t'ont pas suivi jusqu'ici.

— Penses-tu !

— Justement si, j'y pense. (Elle se leva, eut une quinte de toux, se rassit, les jambes molles.) Il va falloir que je me remette à manger, dit-elle.

A partir de ce moment, elle lutta contre sa faiblesse, et son état s'améliora. Mais la convalescence traînait : elle ne pouvait pas rester debout plus de deux ou trois heures sans devoir se recoucher une autre heure. Elle continuait en outre à avoir un peu de fièvre. Elle aurait voulu sortir, mais Jan s'y opposait. A la fin, elle examina Jan de plus près. Ses cheveux étaient bruns ; ils commençaient déjà à virer à l'époque où elle faisait partie du groupe féministe de Natalie ; mais maintenant ils ondulaient joliment autour de son visage. Elle avait pris de l'assurance ; sa voix était plus forte, plus gaie. Elle s'habillait avec des pulls et des tailleurs en tweed qui lui donnaient l'air plus alerte et sportive. Elle était en troisième année de médecine et avait commencé à travailler en hôpital.

— V... Vinnie, sois raisonnable, tu ne peux pas te balader autour de Park Slope. La moitié des anciens du mouvement de New York habite le coin. Tu as toutes les chances d'être reconnue.

— Tu ne trouves pas que j'ai changé ?

— Si, un peu ; mais pour peu qu'on fasse attention et qu'on regarde bien, on te reconstitue. Joel peut sortir, mais pas toi.

— Jan, je vais devoir vous emprunter de l'argent pour faire réparer la voiture. Si je ne peux pas sortir, il va falloir en passer par là pour que j'arrive à trouver une solution à nos problèmes financiers. J'ai des gens à voir...

— Alors, prends notre voiture. Moi, je vais à Manhattan par le métro. Bob en a besoin pour aller au boulot, mais il est de nuit. Pendant la journée, ne te gêne pas. Je te prêterais volontiers de l'argent si je pouvais, mais la maison engloutit tout, rien qu'avec l'intérêt des hypothèques, et nous avons deux mois de factures impayées. Une fois que j'aurai terminé mes études, nous aurons moins de problèmes ; mais pour l'instant, je dépense plus que je ne gagne. Sans mon père, nous ne pourrions joindre les deux bouts.

Jan et Pélican lui répétaient sans cesse, comme s'ils avaient voulu s'en persuader eux-mêmes, à quel point il était important pour des militants comme eux d'entrer dans les services de santé. A présent que Pélican était infirmier, il semblait plus sûr de soi, et Jan, futur médecin, paraissait plus nerveusement désireuse de justifier son choix.

Un matin, après le petit déjeuner en compagnie de Jan, Joel conduisit Vida à Flatbush, où elle trouva une cabine téléphonique. Elle n'était pas encore assez remise pour pouvoir conduire, le simple fait de marcher jusqu'à la voiture l'épuisait; elle se laissa aller sur le siège de la Honda orange de Bob et de Jan. Téléphoner à Leigh semblait chose onéreuse, mais il fallait lui soutirer de l'argent. L'année précédente, il ne lui avait donné que trois cent soixante dollars, en tout et pour tout. Ce genre de somme ne pouvait gêner ses finances. Lui parlerait-il de son mariage? Ferait-il comme si elle savait? Elle appréhendait le moment où elle entendrait sa voix et où son cœur lui battrait dans la gorge. Elle n'avait pas dit à Joel qu'elle allait téléphoner à Leigh; elle n'avait pas la force de se disputer avec lui. Elle téléphona au premier des deux numéros. Cela sonna longtemps et elle vérifia l'heure à sa montre. Elle aurait dû appeler l'horloge parlante avant de partir pour prendre l'heure exacte. Elle composa l'autre numéro. Après sept ou huit sonneries, elle entendit une voix.

— Leigh? s'écria-t-elle.

— Non, ma p'tite dame, c'est une erreur; ici, c'est une putain de cabine!

Le type raccrocha brusquement. Merde! Elle compta cinq minutes. Il était 10 heures passées à sa montre. Leigh était toujours ponctuel; pourquoi tardait-il? Elle refit le premier numéro, qui sonna de nouveau très longtemps. Elle n'osa pas insister et attendit deux autres minutes, puis composa le second. A la troisième sonnerie, la même voix répondit:

— Ça suffit, bande de cons, ici c'est une cabine téléphonique!

Elle tenta d'obtenir le premier numéro trois fois de suite. Il était 10 h 15 largement; elle comprit que Leigh n'était pas au rendez-vous. Pour la première fois, il lui faisait faux bond. Il lui avait posé un seul lapin, parce qu'il était suivi; mais il n'avait jamais oublié leur rendez-vous téléphonique. Elle n'avait plus qu'à attendre jusqu'au lendemain et à essayer le même numéro à la même heure. Elle redoutait de retomber sur le type mal embouché qui répondait au deuxième numéro; se faire ainsi remarquer était dangereux. Pourquoi Leigh n'était-il pas là? Surveillance? Ennuis? Lâchage? En retournant à la voiture orange où Joel l'attendait, elle s'aperçut qu'elle tremblait, sans savoir si c'était de peur ou de colère.

— Jan... (Elle se racla la gorge.) Serait-ce trop te demander que de bien vouloir téléphoner à ma sœur, Natalie? Il faudrait que j'aie des nouvelles de ma mère.

Le visage rond de Jan s'allongea sous la réaction contenue :

— L'appeler ? Comment ça ?

— Vraiment, ça ne pose pas de problème. Ne parle pas de moi. Demande des nouvelles de ma mère, et si le rendez-vous de lundi peut-être inversé. Tu as bien compris ?

— Mais, voyons, Natalie est en prison ! Je croyais que tu le savais ?

— En prison ?

— Ils lui ont accordé l'immunité ; mais, quand elle a refusé de témoigner, ils l'ont condamnée pour offense à la Justice. Son avocat fait appel en disant que toute l'instruction est illégale ; mais Natalie est bel et bien en taule... Tu ne le savais pas ? Joel est au courant.

Joel l'avait protégée dans son désir d'isolement.

— Non, il ne m'a rien dit.

Jan lui tapota le bras :

— Il t'aime beaucoup. Il est bien plus gentil que ce Kevin avec lequel tu avais fichu le camp.

— Je n'ai pas fichu le camp avec Kevin, pas plus qu'avec Jimmy. Il *fallait* foutre le camp, voilà tout.

— Je reconnais que Leigh est un merveilleux orateur. Un peu froid seulement. Tu comprends ?

Elle ne put s'empêcher de demander :

— Tu étais au mariage ?

— Penses-tu ! Leigh est bien trop snob... A l'époque où il faisait son émission sur la santé publique, il a téléphoné pour nous demander des tuyaux, jamais pour nous inviter. Je ne la connais pas. Je les ai vus ensemble à un grand gala de charité.

— Elle est jolie ?

Jan hocha la tête en signe d'affirmation :

— Mais Leigh regarde toutes les femmes et elle n'a d'yeux que pour lui. Scène connue.

Ils poussaient le cadavre de Mariah d'une place à l'autre, en tremblant qu'un voisin n'allât signaler qu'il y avait une bagnole abandonnée, et qu'on ne vînt l'embarquer. Il fallait absolument trouver de l'argent, elle ne le savait que trop.

— Dis-moi, Jan, sais-tu ce qu'est devenu notre vieil Oscar ? (Un instant, elle se demanda si elle ne touchait pas un point sensible ; mais, non, la blessure était refermée.) Ça ne t'ennuie pas que je te demande de ses nouvelles ?

— Il est devenu homosexuel, figure-toi, dit Jan avec une petite grimace. C'est sûrement nous qui l'avons dégoûté des femmes, tu ne crois pas ? (Cette fois, elle rit.) Nous sommes restés bons amis, mais sans nous voir souvent. Il a une chaire de prof à Richmond ; je me souviens que nous nous sommes disputés à ce propos... Seigneur ! je suis tombée nez à nez avec lui dans le Village, en septembre. Je le vois de temps en temps sur la chaîne 13, en train de parler de la balance des paiements ou de la mainmise des banques sur la ville. A part cela, je ne peux pas dire que je sache grand-chose de sa vie. Bob et moi, nous n'avons guère le temps pour les mondanités, et ceux que nous fréquentons sont dans la même branche que nous.

— Sais-tu s'il habite toujours Avenue B ?

— Pour autant que je le sache, oui, depuis une éternité.

Elle téléphona à l'université, où on lui donna l'emploi du temps d'Oscar. Il ne lui restait plus qu'à emprunter la voiture et à l'intercepter à sa descente du ferry venant de Manhattan. Jan était stupide de leur prêter sa voiture, car on établirait immédiatement la relation, si elle se faisait prendre. Elle avait compris que Jan était prête à leur donner tout — appartement, voiture, médicaments, repas — tout sauf de l'argent. Les scrupules de Jan quant à son acquisition d'un statut professionnel. se traduisaient par le refus d'admettre qu'elle pût cesser d'être extrêmement pauvre. En réalité, sa famille était si heureuse de la voir mariée dans la respectabilité qu'elle lui envoyait des chèques tous les mois ; et Pélican gagnait bien sa vie. Jan leur prêtait la Honda, mais ne leur aurait pas donné deux dollars pour l'essence. Vida mourait d'envie de faire remarquer à Jan que tant de générosité d'un côté et de radinerie de l'autre était illogique et même dangereux. Mais, lorsqu'elle vivait aux crochets de quelqu'un, elle préférait ne pas buter le front dans les excentricités de cette personne. Elle évitait les zones de désaccord. Joel, qui était beaucoup plus diplomate, s'était chargé petit à petit de toutes les négociations — par exemple, pour savoir quand ils pourraient se servir de la Honda, et pour combien d'heures.

Elle n'avait pas la moindre idée de la façon dont Oscar réagirait à sa brusque réapparition. Avec joie ou frayeur ? Elle n'avait pas le choix ; elle devait l'affronter en tout cas. Elle n'avait pas été spécialement amie avec lui, l'année qui avait précédé son entrée dans la clandestinité ; en fait, la dernière fois qu'elle l'avait vu à une réunion régionale, elle l'avait traité de tous les qualificatifs en usage cette année-là pour ceux que l'on considérait comme des lâches.

Elle emmena Joel à Staten Island, à seule fin de le surveiller ; car elle savait qu'il ruminait toujours l'idée de faire de l'argent en passant de la drogue. Pour qu'il l'accompagne, il lui suffisait d'exagérer à peine sa fatigue. La lassitude accumulée durant ces années semblait s'être toute logée dans ses membres. Joel avait accepté de venir, parce qu'elle lui avait raconté qu'Oscar avait été son amant. Elle le lui avait donné à entendre alors qu'elle essayait de dormir et qu'il la harcelait de questions : « Ah, bon ! Vous aviez écrit ce truc ensemble ?... Alors ? Il te plaisait ?... Est-ce qu'il a jamais essayé de te sauter ?... Ah, bon ! Combien de fois ?... Pourquoi as-tu couché avec lui, puisque tu ne l'aimais pas ?... Ah, bon ! Tu l'aimais. Eh bien, dis donc, dis donc ! C'en est pas qu'un, c'est des milliers que t'as " aimés ", comme tu dis ! »

Ils partirent à la recherche du magicien, du merveilleux magicien d'Oz — oui, Oz, c'était ainsi qu'elle appelait Oscar, au temps où elle était amoureuse de lui. Après Kevin, elle n'avait plus donné de petits noms à personne : il l'en avait dégoûtée. Tout juste si elle n'avait pas envie d'appeler les gens M. Pfeiffer ou Mme Sforza. Au lit, Oscar avait été davantage un nounours qu'un amant passionné. Mais leur affection avait été réelle. Lui en voudrait-il encore de l'avoir insulté en 1970 ? En traversant le pont Verrazano dans la belle journée lumineuse — avec les bateaux ancrés dans la baie, un pétrolier défilant au-dessous d'eux vers le large en dominant la mer de toute sa hauteur et emportant avec lui des mouettes dans ses cordages — la question qu'elle se posait n'était pas si oiseuse. De vieilles connaissances, camarades d'antan, haïssaient ceux du mouvement qui avaient choisi la violence. Pour un grand nombre, c'était le désaccord ; mais certains leur vouaient une haine farouche pour les avoir mis au défi en décidant de combattre la guerre par tous les moyens possibles. On l'avait prévenue que Bob Rossi avait déclaré qu'il casserait la gueule à tout activiste qui oserait se montrer. Elle s'était dit : « Bravo ! J'espère qu'il lancera un défi public de ce genre à David Rockefeller. » Avant d'établir le contact avec un ancien camarade, elle ne savait donc jamais ce qui l'attendait. Mieux valait envoyer un agent de liaison prendre d'abord la température ambiante : seulement, cette fois, elle n'avait pas le temps d'être prudente.

Ils se garèrent près du ferry et attendirent. Oscar n'était pas sur les deux premiers bateaux. De toute évidence, Oscar n'arrivait pas très tôt à ses cours. Dix heures approchaient — l'heure d'essayer de téléphoner à Leigh. Elle surveillait le ferry, de la cabine. Le premier numéro était occupé : elle eut un éclair d'espoir. En attendant, elle fit plusieurs fois le second numéro. En tout cas, le mal embouché ne répondait pas ce jour-là. Pour finir, le premier numéro sonna. Personne. Sa montre marquait l'heure exacte : elle l'avait réglée sur l'horloge parlante avant de partir. Néanmoins, elle continua à composer les deux numéros jusqu'au moment où elle vit Oscar. Il s'avançait sans se presser. Elle sortit vivement de la cabine et s'arrêta net : Oscar était en compagnie d'un jeune homme. Ils avaient fait halte et paraissaient discuter, non pas avec colère mais avec passion. Oscar agita le bras en montrant le ferry derrière lui. Le jeune homme l'embrassa, se dirigea vers l'embarcadère en lui adressant un signe par-dessus son épaule et se retourna pour lui envoyer un baiser. Joel surgit derrière elle. A son expression, il avait deviné qu'elle avait vu Oscar.

— Mais c'est une pédale ! Tu m'avais caché ça.

— Voyons, Joel, qu'est-ce que ça fait ?

Dès que le jeune homme eut disparu dans l'embarcadère et qu'Oscar se fut remis en marche d'un pas vif, elle s'avança pour l'arrêter au passage. A distance sur le trottoir, il l'aperçut, attrapa son regard, détourna aussitôt les yeux, puis tressaillit, la regarda de nouveau, recommença le même jeu, ralentit, continuant à marcher machinalement sans cesser de la regarder. « Dieu ! que c'est amusant de jouer les revenantes, se dit-elle. Coucou, Oscar ! Tu me croyais au ciel ou en enfer ? Eh ! non, tu vois, je suis là. Moi, le fantôme des révolutions inachevées, je suis revenue hanter ta petite tranquillité d'universitaire... »

Elle se força à lui adresser un sourire hésitant, sans le quitter des yeux :

— Bonjour, Oz.

Etait-ce une erreur, de réveiller ce souvenir ? se demanda-t-elle, tâtonnant à la recherche du bon déclic, devant un ancien ami, camarade, amant, devenu un étranger rencontré dans une rue froide et venteuse, en des temps incertains. Des tas de petits événements se passaient derrière le large front d'Oscar. Ses cheveux restaient très bruns et bouclés sous la casquette de daim campée avec désinvolture. Il serrait entre les dents une pipe éteinte, qui pendait gauchement. Elle ralentit.

— Bonjour, dit-il en s'arrêtant devant elle et en scrutant son visage. On se connaît, j'en suis sûr... ?

— Mais il y a longtemps qu'on ne s'est vus. Depuis 1970.

— C'est bien ce que je pensais. (Il n'avait pas l'air gai en tétant sa pipe froide.) Quel bon vent t'amène dans cette ville ?

— Je ne suis là que pour très peu de temps. Incognito, naturellement.

— Je n'étais pas sûr. Il y a tant de vieux amis célèbres qui tombent du ciel en ce moment... (Son regard se posa sur Joel et flotta un instant.) Il est avec toi ?

— C'est un ami. Terry, je te présente Oscar. (Elle préféra taire son propre pseudonyme en attendant de pouvoir juger du comportement d'Oscar.)

Ce dernier serra la main de Joel d'un air un peu plus détendu.

— C'est une bonne chose, de ne pas voyager seule. (Avait-il craint qu'elle ne surgît de l'ombre pour lui empoisonner l'existence, telle une vieille maîtresse exigeant le sacrifice du sang ?) Désolé, je ne peux pas vous héberger. J'ai toujours ma petite piaule Avenue B et je n'habite pas seul.

— Sans doute l'ami auquel tu disais au revoir ? (Elle était certaine qu'Oscar n'avait rien de l'homosexuel honteux.) Ne t'inquiète pas, nous avons un logement.

Il parut encore plus soulagé et s'arrêta pour rallumer sa pipe.

— Oui, nous en sommes au stade où prendre le ferry ensemble à une heure aussi indue est une aventure pleine de romantisme. Dans un mois, bien sûr, ce sera : « Tu ne pourrais pas faire moins de bruit en te levant ? Tu me flanques la migraine. » Mais dis-moi comment tu vas, toi.

— Et ce que je viens faire sur ton chemin ?

— Ma foi, oui, aussi. Evidemment, je suis ravi de te voir en vie et en bonne santé. On raconte tellement de choses sur toi. Que tu étais à Cuba, qu'on t'a fusillée à Mexico, que tu as changé de sexe pour épouser une princesse... !

— Le tout, vrai, naturellement !... Nous ne sommes en ville que pour deux, trois jours, et je m'appelle Vinnie. Nous avons quelques petits ennuis...

— D'argent ? demanda-t-il en haussant un sourcil touffu.

— Nous cherchons du boulot, dit Joel. N'importe quoi d'utile pour n'importe qui. Pas d'idées ?

— Qui sait ? dit Oscar. Quoi, plus exactement ?

— A vous de dire, répliqua Joel. Nous avons salement besoin de fric.

— Pour l'instant, je n'ai aucun hold up à vous proposer, pas la moindre petite banque, dit Oscar, taquin, en avançant encadré par eux. Mais laissez-moi réfléchir.

— Pouvons-nous convenir d'une cabine publique, quelque part ? dit-elle.

— Voyons, pas de mélo. Appelle-moi tout simplement à mon bureau de professeur. Tu ne penses tout de même pas que l'université est sur écoute ?

— J'ai peur de téléphoner à un révolutionnaire.

— Révolutionnaire, mais universitaire. Respect. Je suis même titulaire de chaire, bien qu'on ait tout fait pour empêcher ça. Mais j'ai publié trois livres et mon *Economie politique de la Nouvelle Banque* en est à sa troisième réédition. Tu as pu regarder le livre ?

— J'aurais bien voulu, mentit-elle (car elle n'avait jamais entendu parler du bouquin d'Oscar). Malheureusement, ces livres-là sont trop chers pour moi, ajoutait-elle, espérant deviner juste. Je l'ai feuilleté dans les librairies.

— Que veux-tu, un bouquin de sept cents pages peut difficilement être à bon marché. Comme il sert de texte de référence, je peux obtenir quelques services de presse en supplément. Je t'en passerai un. Pour ce qui est des autres livres, je n'ai reçu que le nombre d'ouvrages réservés à l'auteur, et il y a belle lurette que mes oncles et mes tantes me les ont arrachés...

— Il y a autre chose... Oui, oui, merci, je serai ravie d'avoir cet exemplaire... (Ils approchaient de l'arrêt de l'autobus qu'il allait sûrement prendre.) As-tu de l'argent sur toi ? J'ai eu la grippe pendant deux semaines et nous sommes fauchés.

— Ah ! voilà pourquoi tu es si pâle... (Il n'avait pas remarqué qu'elle avait changé de coiffure et de couleur de cheveux ; il la croyait simplement lessivée ; il tira son portefeuille de la poche-revolver de son pantalon de tweed et y prit un billet de vingt dollars.) Tiens, prends, dit-il, en s'élançant pour sauter dans son bus.

— Oh, non ! Qu'est-ce qu'on va faire de ça ? demanda-t-elle à Joel.

— Je vais être forcé de piquer une batterie, et pour ça nous allons nous servir de la Honda. Pas de discussion, Vida : le compte est bon. Ou c'est la came ou je pique une batterie. Impossible de traîner ici en attendant la manne du ciel.

— Ce n'est pas juste de se servir de la voiture de Pélican et de Jan.

— Dis-leur de la signaler comme volée, en cas de pépin.

— Joel, je te jure que j'obtiendrai de l'argent de Leigh.

— Non ! J'aurai la batterie avant qu'il fasse jour. (Il se glissa derrière le volant.) Laisse tomber ton ordure de blablateur. Il est fichu de te donner.

— Jamais de la vie ! dit-elle furieuse. Ne sois pas affreux.

— Tu cherches une excuse pour le revoir, c'est tout.

— Absolument pas ! (Elle se laissa aller contre le dossier avec lassitude.) C'est bien la dernière chose dont j'aie envie. Cesse d'être jaloux, je te prie.

Elle avait du mal à y croire. Par moments, elle avait l'impression que ces scènes n'étaient qu'une vaste comédie, car il y entrait toujours un élément de parodie, de moquerie de soi, comme s'il jouait un vieux numéro de répertoire de music-hall.

Ils n'informèrent ni Jan ni Pélican de leurs intentions, mais partirent pour Brooklyn Heights dans la Honda, avant l'aube, roulant à la recherche d'une voiture et finissant par trouver une Chevrolet neuve dont Joel dit qu'elle possédait sûrement la batterie idoine. Ils mirent dix minutes à la sortir. Un homme qui promenait son berger allemand lança un coup d'œil en passant, hocha la tête et poursuivit son chemin, pensant que Joel essayait de faire repartir sa voiture, ou bien s'en fichant complètement. A 7 heures, ils étaient de retour dans la 3e Rue. On avait pris leur place. Elle bondit hors de la voiture pour récupérer le mot qu'ils avaient laissé sur la table de la cuisine, en demandant à Jan de téléphoner à la police pour signaler que leur voiture avait été volée, s'ils n'étaient pas de retour à 7 heures 30. Joel continua à tourner autour du pâté de maisons dans la Honda pour tâcher de se garer. Il avait installé la batterie neuve lorsqu'il rentra pour prendre son petit déjeuner.

Vida ne prit pas la peine de retourner dans une cabine pour

téléphoner à Leigh : il ne serait pas là. Jamais il ne lui avait fait faux bond, mais elle ne l'imaginait pas en prison ou au lit, une jambe cassée. En revanche, elle appela Oscar.

— Bien sûr, mon p'tit vieux, dit-il, mettant presque audiblement la phrase entre guillemets. Oui, je continue, mais pour l'instant rien de nouveau. (Impossible de dire s'il avait vraiment posé la question d'un travail à quelqu'un.)

— Je rappellerai demain, dit-elle, menaçante, dans l'espoir de le secouer.

— Hum. Oui. Bon, entendu, je demanderai autour de moi. Hum.

Elle passa de nouveau la journée sur le divan, avec 39° de fièvre. Mais cette fois elle resta lucide. Elle songea à Natalie en prison. D'abord Centre Street. La vision était d'une netteté absolue. Puis la prison pour femmes, sans doute pas la vieille, celle du Village où elle-même avait été incarcérée, mais une autre, dans une île. Ah! ce qu'elles avaient pu crier, les femmes, du haut des fenêtres, en interpellant joyeusement les manifestants, en bas. Natalie était en prison à cause d'*elle;* mais elle y était aussi pour quelque chose : Natalie était une militante, elle avait fait son devoir, obéi à sa conscience, à son jugement.

Le lendemain matin, la fièvre était un peu tombée et elle téléphona à Oscar. Tant pis, s'il la prenait pour une enquiquineuse! Mais Oscar était alerte et d'excellente humeur :

— Eh bien, ma vieille branche, le fait est que j'ai quelque chose pour toi, je crois...

— Peut-être mieux vaut-il ne pas en parler par téléphone. Veux-tu que je passe?

— Non. Tu n'as qu'à aller voir l'avocate d'un de mes amis. Plus exactement, elle te donne rendez-vous dans un bar de la 3e Avenue, demain, deux heures de l'après-midi, si tu peux.

— 3e Avenue à Manhattan?

— Tu en connais d'autres? En général, c'est la seule.

Elle hésitait. Danger.

— De quel genre de boulot s'agit-il?

— Propre et agréable, mais un brin risqué. Elle t'expliquera.

Elle n'avait aucune envie d'aller à Manhattan; mais, sans argent, ils étaient coincés et elle était fatiguée de mendier auprès de vieux amis. Bientôt, elle finirait par céder à la proposition de trafic de coco. Et si elle insistait sur un rendez-vous hors de Manhattan, l'avocate risquait de refuser. Lorsqu'on demandait aux habitants de Manhattan de venir à Brooklyn ou au Bronx, ils se comportaient toujours comme si on leur parlait d'aller au Texas. Continuer à traîner dans Park Slope n'était pas moins dangereux.

— Entendu, Oscar. Quel bar?

Joel avait beaucoup de travail sur la voiture ; cela prendrait toute la journée et tout l'argent d'Oscar : « Il faut qu'on soit prêts à rouler », disait-il, et elle approuvait. Pélican avait besoin de la Honda et Vida dut prendre le métro jusqu'à Manhattan. C'était une journée lugubre, au ciel couvert. Porter des lunettes noires l'eût fait remarquer. Chaque fois qu'elle voyait quelqu'un d'entre vingt-cinq et quarante ans s'avancer en face d'elle, elle essayait de ne pas regarder ; mais elle surveillait du coin de l'œil en redoutant le pire : le hasard, une connaissance, un vieux copain, un flic, un passant, qui se souviendraient de certaine photo publiée récemment encore dans les journaux. Par deux fois, elle se crut suivie et fit une série compliquée de détours pour brouiller la piste ; mais ce n'était qu'un fantasme de son imagination, typique de sa paranoïa new-yorkaise. Deux femmes bavardaient au coin de Union Avenue et de la 8e Avenue, chacune avec poussette tournée dans une direction opposée, l'une allant vers le Park, l'autre en revenant — et ce à un pâté de maisons d'elle, à droite. L'une d'elles, la main sur la hanche, parlait en gesticulant et retenait la poussette du genou, d'une façon qui, douloureusement, lui fit un coup au cœur en lui rappelant Natalie, à part les cheveux qui étaient raides, coupés à la garçonne, noirs. Puis cela lui revint : Natalie, oui... cette femme avait fait partie du groupe féministe qui se réunissait autour de Natalie et de Jan — ce petit cercle qui se réunissait chez sa sœur et qui avait suscité sa jalousie et son ressentiment durant sa dernière année dans le monde libre. Comment s'appelait-elle ? Glenda ? Gloria ? Gail ? C'était la plus jeune de la bande, une étudiante de deuxième année à l'université Barnard. L'autre, qui lui tournait le dos, avait également quelque chose de familier ; mais Vida n'avait pas le temps de s'attarder pour tirer cela au clair. Tournant les talons, elle battit en retraite d'un pâté de maisons, puis redescendit vers le métro par President Avenue et Prospect Park West. Elle acheta un numéro du *New York Times* et le tint plié devant elle, de façon à se cacher le visage à la manière des habitués du métro, tout en feuilletant rapidement les pages. Fort heureusement, elle trouva une place assise et chercha dans les titres des nouvelles de Kevin, de Randy le Flic, de Natalie, sans cesser d'observer le compartiment. Rien. Absolument rien. Uniquement les nouvelles jugées conformes. Néanmoins, elle conserva le journal et changea à Nevins pour prendre l'East Side. Dieu seul savait combien de temps il lui faudrait attendre cette avocate.

A 2 heures de l'après-midi, le bar était relativement plein sans être bondé. Selon la description d'Oscar, l'avocate devait porter un tailleur pantalon gris à fines rayures et un manteau de ragondin ; elle était grande et, toujours selon Oscar, « jolie, avec un côté un peu osseux, tu sais ? En fait, je suis au regret de te dire qu'elle ressemble un peu à Kevin ». Nantie de ce portrait robot, elle dévisagea toutes les femmes installées dans le bar. Aucune ne correspondait à la description. Au diable, Oscar et ses approximations ! Que n'aurait-il donné pour un mot d'esprit ! Elle parcourut fébrilement la salle, alla aux toilettes et revint s'asseoir. Le réseau, sans nouvelles d'elle (pendant sa grippe elle avait raté le rendez-vous téléphonique), devait s'inquiéter. Il lui faudrait aller voir du côté de sa boîte aux lettres, et ne pas manquer de téléphoner la prochaine fois, pour rassurer. Mais, à ce stade, ils avaient sûrement fixé la date de la réunion du comité. Eva devait se trouver dans l'Est. Elle sentit monter en elle une bouffée de tendresse en même temps que cette inquiétude acide qui lui mordait toujours l'esprit lorsqu'elle songeait à un fugitif dont elle ne savait rien depuis quelque temps. Mon Dieu ! faites qu'Eva soit en sécurité...

Au moment précis où elle se demandait si elle devait quitter ce bar, aller faire un tour, filer en vitesse ou attendre, une jeune femme blonde, grande, vêtue d'un manteau de ragondin entra sans se presser. Dans son énervement, elle se dit que, manque de pot, en tout cas elle ne ressemblait pas du tout à Kevin. Elle avait un beau visage scandinave, bien modelé, et des cheveux très blonds. Elle cherchait visiblement quelqu'un. Vida, attentive, ne broncha pas, la laissa choisir une table libre en face de la porte. Vida continua à surveiller l'entrée ; enfin, au bout de quelques minutes, elle traversa la salle jusqu'à la nouvelle arrivée et s'assit à sa table.

— Vous m'attendez, je crois ?

— Une femme ? Oscar m'avait caché cela, dit la jeune femme en riant. Je m'appelle Johnson.

— Je suis deux, homme et femme. Au choix. Nous sommes capables de tout.

Johnson rit de nouveau, du même rire bref et rauque qui lui plissait le visage sans modifier l'expression des yeux et leur supputation de Vida. Elle avait une voix un peu voilée d'actrice. Elle alluma une cigarette, toussa et demanda :

— Que voulez-vous boire ?

— Un ginger ale.

— Soyez sérieuse, c'est moi qui invite, répliqua l'avocate avec son rire.

— Dans ce cas, ginger ale et café à côté. On peut manger ici ?

— Je n'en ai pas la moindre idée. Posons la question au garçon.

Elle fit signe du doigt. Elles mangèrent du fromage et des *crackers* qui coûtaient les yeux de la tête — mais puisque Vida ne payait pas !...

— Très bien, je prendrai un tequila sunrise, dit-elle pour en finir.

— C'est une affaire concernant un couple, reprit l'avocate, en venant au fait après une gorgée de Chivas Regal. Une de mes clientes a entamé une procédure de divorce ; aussitôt, une semaine après, exactement, le mari a enlevé les enfants : un petit garçon et une fillette un peu plus âgée.

— Quel âge ?

L'avocate mit des lunettes, le temps de consulter une carte dans son sac en lézard :

— La fille a neuf ans, le garçon six ans. L'ennui est qu'il s'agit d'un enlèvement légal. Le père a emmené les gosses dans un autre Etat, où, croyons-nous, il a l'intention de demander la garde. A vrai dire, il est beaucoup plus riche que ma cliente : il possède une chaîne de self-services express.

— Vous voulez récupérer les enfants ?

— Vous avez déjà fait ce genre de travail ?

— Bien sûr, dit-elle, mentant avec aplomb. Quel est le problème particulier, dans ce cas précis ?

— Qui vous dit qu'il y en a un ?

— Sinon, si cette femme savait où se trouvent les enfants, elle irait les chercher elle-même, non ? Ou bien · les privés que vous avez chargés de surveiller le mari l'auraient fait.

— Non, pas question, répliqua l'avocate brutalement. Cet homme s'est livré à des voies de fait sur ma cliente à plusieurs reprises. C'est une des raisons du divorce. (Elle appela le garçon.) Un autre Chivas. Vous reprendrez un cocktail ?

— Non, merci ; mais je veux bien encore du fromage et des *crackers*. La boisson est parfaite. (Elle but un peu de son cocktail, pour la forme et surtout pour que le verre ne débordât pas, avec la glace qui fondait ; mais elle n'avait aucune intention de vider le verre.) Où sont les enfants ? Le père est-il armé ? Et combien paieriez-vous ?

— Nous ne pensons pas qu'il soit armé, à part un fusil de chasse. C'est légal dans l'Etat en question.

— A part un fusil de chasse ? Formidable ! Et peut-être aussi une bonne carabine ?

— Peut-être, répéta l'avocate sans se compromettre. Mais nous sommes sûrs qu'il ne possède pas de revolver.

— Ni d'obusier ? Ni d'avion ?

— Si, justement il a un petit avion, répliqua l'avocate avec une moue amusée. C'est même à son bord qu'il a transporté les enfants. Mais l'appareil se trouve sur un terrain à vingt kilomètres de là. Ce n'est donc pas un problème majeur.

— Pas d'hélicoptère ? Bon, combien ?

— Le tarif courant est de quinze cents dollars ; c'est ce que ma cliente est prête à verser.

— Quinze cents plus les frais, dit Vida vivement, avant même de s'accorder une chance de calculer vraiment. (Cet argent serait leur planche de salut ; de quoi être tranquilles, au chaud et au sec pendant tout l'hiver ; même compte tenu de la dîme, pour le réseau, ce serait au poil. Des visions d'une petite villa dans le Vermont dansaient devant ses yeux. Joel serait fou de joie.)

— A quels frais songez-vous ? demanda l'avocate en haussant les sourcils et en finissant son whisky.

— Où se trouve la... maison de chasse ? Au pôle Nord ?

— Bravo pour la maison de chasse. Non, dans le Michigan. Tarif moyen du kilomètre ou bien avion plus voiture de location ?

— *Plus* vingt-cinq dollars chacun par jour pour les frais de séjour au Michigan. Il se peut que nous soyons obligés de rester une semaine dans le coin, vous le savez parfaitement. Et en plein hiver. Pas commode. Vingt-cinq dollars par jour multipliés par deux, et dix jours de location de voiture.

— Je dois soumettre votre proposition à ma cliente.

— C'est à prendre ou à laisser. Nous pouvons lui ramener ses enfants ; dites-le-lui.

— Je dois téléphoner.

L'avocate se leva. Vida resta assise. Elle suait à grosses gouttes. Et si c'était un traquenard ? Elle était placée de façon à pouvoir guetter l'entrée, mais elle se tourna pour pouvoir surveiller également la salle. Un homme la regardait ; lorsque leurs regards se croisèrent, il lui sourit. Elle détourna aussitôt les yeux. Dans son anxiété, elle avala une gorgée du cocktail, se reprit à temps ; elle ne pouvait pas se permettre d'être ronde. Elle imagina une maison de chasse en rondins, dans une plaine enneigée, avec un fou à l'intérieur, tapi tantôt derrière une fenêtre, tantôt derrière une autre, avec son fusil de chasse et une carabine. « Bravo ! se dit-elle. Il faut des cinglés comme nous pour accepter ça... » Comme l'avocate revenait, elle s'essuya le front d'un geste furtif. Elle était encore un peu fiévreuse. « Du calme, mais prudence », se dit-elle encore. Puis, à voix haute :

— Alors ?

— Ma cliente veut que nous organisions un rendez-vous.

— Pour quelle raison ?

L'avocate haussa élégamment une épaule sculpturale.

— Ce sont ses enfants ; elle ne supporte pas l'idée que la personne qui les enlèverait puisse les maltraiter comme doit le faire son mari, selon elle. Elle insiste pour vous voir avant de donner son accord.

— Où se trouve-t-elle ?

— A Roslyn Heights.

« Autant m'intaller à Long Island, pensa-t-elle. On dirait bien que, économiquement, pour moi, tout se joue dans ce coin-là. »

— Dans combien de temps peut-elle être ici ?

— Il n'est pas question qu'elle vienne. Elle est à son travail. Elle voudrait que nous l'y retrouvions.

— Quand ? Il faut que cela se décide aujourd'hui.

— Pourquoi êtes-vous si pressée ?

— J'ai un autre projet pour lequel je suis obligée de prendre l'avion jusqu'à la côte Ouest.

— Ma cliente pensait au week-end.

— Demandez-lui de réfléchir encore. Nous pouvons la voir tard ce soir à dîner ou à souper.

— Vous aimez bien prendre vos décisions en mangeant.

— Exactement. Rien de tel que de rompre le pain avec les gens. (« Il me plaît qu'on me nourrisse, cher Maître, railla-t-elle intérieurement. C'est le genre de chose qui ne vous viendrait jamais à l'esprit, hein ? »)

L'avocate soupira :

— J'ignore si je vais pouvoir me libérer. Je vais être obligée de la rappeler et de donner quelques coups de fil.

Johnson s'absenta vingt minutes. Le bar se remplissait et le serveur vint demander par deux fois si elles avaient envie de boire autre chose, bien que le cocktail à peine touché se trouvât devant elle. Elle le but lentement, dilué qu'il était de glace fondue, et redemanda du fromage et des crackers. L'avocate revint et appela le garçon.

— L'addition, je vous prie... Je prends un de ces retards ! Bien, rendez-vous à huit heures dans un restaurant du péage de North Hempstead, autoroute 25-A, juste après avoir traversé Glen Cove Road, sur la gauche. Je ne dînerai pas, mais je serai présente le temps de conclure la négociation ou de la rompre. (Elle poussa un soupir.) Cette fois je file. (Elle paya debout.)

— Nous n'avons pas parlé de l'avance.

— Quelle avance ? dit l'avocate avec son rire. Et pour quoi ? Pour manger du fromage ? Soyez là-bas à 8 heures avec votre associé. Si nous tombons d'accord, nous parlerons d'argent.

Joel avait intérêt à réparer la voiture. Le fric, toujours le fric. Désespérée, elle regarda furieusement sa montre. Leigh quittait le studio tous les jours à 4 heures, à moins qu'il ne fût en voyage, alité ou hospitalisé. Ou filant la parfaite lune de miel au large du Venezuela, à Tortuga. En marchant très vite, elle aurait une chance de l'attraper à la sortie. Ou bien valait-il mieux l'attendre à son appartement ? Non, c'était encore plus dangereux. Le centre offrait une marge de sécurité plus grande. Elle partit à grands pas en direction de Manhattan. En temps ordinaire, cette petite promenade ne lui eût demandé aucun effort, mais elle était encore faible. La tension de la journée s'était imprimée en elle, rongeant ses forces comme un acide. La nécessité la forçait à affronter ce dilemme déplaisant : pour elle c'était la dernière chance ; sinon, ne restait que le délit sordide. Le trafic de drogue n'avait pas place dans l'idéal qu'elle s'était imposé. Survivre ne suffit pas. « Au point où j'en suis, pensa-t-elle, je pourrais mourir, de fatigue, de lassitude, d'humiliation. Je suis certaine qu'un grand nombre de nos camarades sont morts d'humiliation ; elle engendre le je-m'en-fichisme qui fait poser le pied sur une mine, tomber dans une embuscade, relâcher la surveillance. Attention ! Gaffe où tu vas... » Joel serait-il capable de réparer la voiture ? Elle le revit penché sur elle, lui apporter du jus d'orange, lui essuyer le visage avec une serviette, masser son dos douloureux. La veille, ils avaient fait l'amour pour la première fois depuis qu'elle se sentait mieux. « Ses mains, sur mes cuisses... Stop ! Pas de fantasmes érotiques dans les rues de Manhattan. »

Le studio se trouvait au 50ᵉ étage d'un immeuble de bureaux, et le hall était le seul endroit raisonnable où attendre, du côté des ascenseurs desservant du 31ᵉ au 50ᵉ étage. « Espérons qu'il n'a pas rendez-vous avec sa chère Susannah », se dit-elle. A Manhattan les gardiens d'immeubles rôdent toujours dans les parages. Elle resta en faction devant la boutique de friandises et de journaux, feuilletant les magazines et cherchant le bon angle pour surveiller les ascenseurs en même temps. Elle s'aperçut qu'elle avait toujours le *New York Times* sous le bras et jeta le journal tout froissé dans une corbeille à papier. Lorsqu'elle se retourna, Leigh sortait de l'ascenseur en bavardant avec un jeune homme qui sautillait à côté de lui et hochait la tête. Elle s'arrangea pour qu'il ne la vît pas et lui emboîta le pas d'assez près. Les deux hommes franchirent les doubles portes. Elle suivit. Elle ne connaissait pas le jeune homme et, pas plus que Leigh, il n'avait de raison de se retourner.

— Bon, eh bien, au revoir, Stan. A samedi !

— Salut, Leigh. Mes amitiés à Susannah. Nous serons là à sept heures.

Elle franchit un pâté de maisons derrière lui, près mais sans trop. Leigh sifflotait un air de rock dont elle se rappelait les paroles : *Skin full of trouble, head like a bubble...* Peu à peu, elle se rapprocha.

— Salutations... Tu étais trop occupé pour honorer nos rendez-vous, il semblerait.

Il sursauta, tiqua, pâlit là où il n'y avait pas de barbe.

— Qu'est-ce que tu fiches ici ?

— Je viens te taper. J'ai besoin d'argent. J'ai des ennuis.

— Je m'en doute. Avec Kevin ? (Il se reprit.) Ta sœur est en taule pour de vrai, tu sais.

— J'ai l'intention de quitter la ville ce soir, mais pour ça, il me faut du fric que je n'ai pas.

— Hum... Tu as réussi à parler à Natalie ?

— Tu veux dire : pour la féliciter ?

Elle sentait sa voix tendue comme une corde de violon. Par quoi, au juste ? Par la douleur et la colère, avec l'épuisement par-dessus le tout, épais comme la couche de graisse du mammifère qui doit se

396

débrouiller pour vivre dans les mers polaires ? Mais à l'intérieur, son sang bouillait.

— Appelle ça comme tu veux ; après tout, tu es libre, n'est-ce pas, Leigh ? Sauf que je m'attends que tu tiennes nos rendez-vous.

Il se balança sur un talon de boot.

— Où veux-tu en venir ? C'est une sorte de chantage ? Cette idée de surgir comme une revenante !...

— Ne dis pas de conneries. C'est moi qui suis en danger ; si je suis ici, c'est uniquement parce que tu n'étais pas au bout du téléphone contrairement à ce que tu aurais dû.

— Je ne peux pas continuer à t'entretenir. Comme tu parais le savoir, je suis marié et Susannah attend un enfant. Elle devra quitter son travail en juin.

— Les nouveaux engagements n'annulent pas les anciens.

— Bon Dieu, mets-toi dans la tête que je suis marié !

— Parfait. Qui te dit que je ne le suis pas, moi aussi ? Mais tu as une dette, Leigh.

— Jusqu'à quand ?

— Tant que je continuerai la lutte. On te paye pour ton travail. Si nous sommes du même bord, il est juste que le mien aussi soit rémunéré.

— Comment veux-tu que je te file de l'argent en douce ? Je ne peux plus te voir en cachette.

— Je te désignerai un contact à qui remettre l'argent. Justifie ça comme frais professionnels, primes à des informateurs, frais d'alcool ou de drogue pour le standing... libre à toi. Mais fourre-toi bien dans la tête que je ne vais pas me dissiper en fumée simplement parce que tu as soupé de nos rendez-vous clandestins. Rien ne t'oblige à me voir, mais les obligations demeurent.

— Je n'ai jamais dit que je ne voulais pas te voir, jamais !

— Tu remettras l'argent à Oscar. Quatre-vingts dollars par mois.

— D'où veux-tu que je les sorte ? Je te jure, Vinnie, c'est impossible !

— Alors, cinquante. Tu peux te payer ce luxe, je crois. (Elle sourit.) Mettons que c'est ma pension alimentaire.

— Je savais bien que tu râlerais.

— Alors, pourquoi ne pas l'avoir dit en face ?

— Quand ?

— Leigh, nous trouvions le temps de parler de ton émission, de politique, de nous promener dans la neige et de baiser. Mais tu n'as jamais eu le temps d'être honnête.

— Et toi, tu l'es ? Tu m'as dit à l'instant que tu étais peut-être mariée.

— Quand m'as-tu posé des questions depuis un an, Leigh ? Tu fais comme si tu n'avais pas envie de savoir.

— C'est peut-être vrai.

— Tu préfères apprendre ça en regardant la télévision, un soir ?

— Ne sois pas méchante... Supposons que je donne en effet cinquante dollars à Oscar... Combien de temps ?

— Combien de temps vais-je rester dans la clandestinité ?

— Ecoute, ce n'est tout de même pas moi qui t'ai suppliée d'y entrer. Je ne suis pour rien dans cette idée branque.

— Nous étions tous dans le coup. Seulement, toi, le journaliste professionnel, tu étais tenu par des choses. Tu pouvais te dire : « Attention ! ne dépasse pas telle ou telle borne, sinon tu vas perdre ton boulot. » Mais moi, quel était mon métier ? Faire la guerre à la sale guerre. Faire la révolution. Jusqu'où devais-je aller ? Jusqu'à la mort ? Nous avons fait chacun notre devoir ; mais le salaire du courage n'a pas été le même pour toi et pour moi.

— Est-ce vraiment ainsi que tu vois les choses ?

— Pas toi ?

— Bon. Je refilerai cinquante dollars par mois à Oscar... (Il consulta sa montre d'un air significatif.) Oscar... Au fait, comment est-il mêlé à tout ça, celui-là ?

— Au titre de vieil ami, moins changeant que toi, Leigh, j'ai besoin d'argent *tout de suite,* terriblement. Donne-moi ce que tu as.

— Et qu'est-ce que je vais raconter, moi ? Qu'on m'a fait les poches ? Je ne me balade pas avec une fortune sur moi.

— Je sais que tu as toujours une centaine de dollars au moins. C'est une habitude chez toi. Je n'ai pas oublié le passé.

En grimaçant dans sa barbe, il détacha d'une liasse deux billets de vingt dollars et un de dix :

— Voilà les cinquante de ce mois. C'est tout ce que je peux faire, et je me demande bien où je les ai pris, ceux-là.

— Tu n'as qu'à vendre une partie de nos meubles.

— Tu rigoles ! Susannah a redécoré le living-room à l'automne. Elle a acheté tout le magasin ! Elle n'aimait pas le vieux mobilier.

— Quoi ! Et ma tapisserie crétoise ? Où est-elle ? Donne-la à Oscar. Je ne veux pas qu'elle soit sur votre lit.

— Bon Dieu, Vi... nnie, qu'est-ce que tu crois ? Susannah l'a enlevée il y a une éternité !

— Où l'a-t-elle mise ?

— Comment veux-tu que je le sache ? Je me rappelle qu'elle l'a envoyée chez le teinturier.

— Donne-la à Oscar ; je préfère encore la savoir sur son lit à lui.

Les larmes aux yeux, elle lui tourna le dos et fonça aveuglément dans la foule en se cognant dans les passants et se dirigeant automatiquement vers l'ouest. Elle finit par se frotter les yeux d'un geste presque brutal. Pleurer est un luxe : les larmes brouillent la vue. Elle s'était humiliée pour quoi ? Pour cinquante dollars qui suffiraient à peine à les conduire à la réunion du Comité dans le Vermont. Cette entrevue équivalait peut-être au nettoyage d'une plaie infectée, au savon de soude ou à la teinture d'iode, le remède préféré de Ruby. « Ça fait mal ? Tant mieux, c'est que ça fait du bien. Ça brûle ? Bravo, c'est que ça tue les microbes, l'infection... » Leigh était devenu une infection ; il fallait brûler le microbe Leigh. Elle se sentait idiote en marchant vers le métro, avec la fièvre qui lui montait au front et son corps lourd de fatigue. Joel prétendait qu'elle n'aimait pas vraiment, pas sérieusement ; il ne voyait pas qu'elle aimait trop longtemps, trop profondément. Elle ne savait pas renoncer. Au lieu de cela, elle restait cramponnée au mauvais numéro. Elle était capable, oui, d'essayer les hommes, de les goûter, de feinter, de battre en retraite ; mais, dès lors qu'elle se mettait à aimer quelqu'un elle lui ouvrait son espace vital, l'admettait au cœur d'elle-même et avait grand mal à l'en éjecter. Les ruptures lui étaient cruelles. Pourquoi pas ? Elles étaient autant de morts. Leigh était mort pour elle. Leigh n'était plus qu'une pension de cinquante dollars par mois. Voilà tout. Elle s'engouffra pesamment dans la bouche du métro avec la foule des heures d'affluence.

20

Joel et Vida firent la connaissance de Mme Richter, la cliente de l'avocate. C'était une femme trapue, de l'âge de Vida, avec de gros os, une petite voix et une ride permanente d'anxiété entre les yeux. Joel la charma et, avant même le dessert, elle décida de s'assurer leurs services. Ils devaient se présenter dans les dix jours pour exécuter le boulot. Vida calcula que le délai lui laissait le temps d'assister à la réunion du comité, de lancer son projet antinucléaire (si elle réussissait à le faire adopter par le comité) et de revenir chercher leur avance. Chez sa « boîte aux lettres », elle trouva un avis de son avocat au sujet de son divorce, un mot de Leigh et un autre d'Eva. Voici ce que Leigh écrivait :

Le 7 décembre

Poupée,

Tu m'as pris au dépourvu et nous nous sommes dit des choses que nous ne pensions pas. Tu sais que je t'aime toujours. Rappelle-toi le New Hampshire. J'attendrai ton coup de fil mardi aux anciens numéros. A bientôt.

Tendresses, Leigh.

Elle lut et relut, puis déchira le papier en petits morceaux. Non, elle ne téléphonerait pas. Oscar, qui trouvait très amusant de jouer les intermédiaires, ferait la liaison au cas où ce serait nécessaire. Quant à Eva, elle annonçait qu'elle était en route pour l'Est et la réunion du comité et qu'elle s'arrêtait ici et là pour bavarder et politiquer. Elle souhaitait rencontrer Vida très vite et proposait un rendez-vous à Rochester.

Faucon chérie,

J'ai commencé ma migration en prévision du conseil de la tribu, mais sans me presser et en m'arrêtant pour humer le vent. Suggère rendez-vous à la Cité des Fleurs pour échanger idées et plans, deuxième semaine de décembre.

Vida sourit. Eva ne pouvait jamais s'exprimer normalement ; mais le code était si transparent qu'il ne fallait pas plus de cinq minutes pour le déchiffrer. Même quand elle laissait une liste de courses sur la table de la cuisine, il fallait qu'elle en obscurcît le sens. Vida eut un pincement de cœur : après tant d'errances, elle ne pensait pas sans nostalgie à la maison de quatre pièces avec son chauffage à gaz et son frigo asthmatique. Surtout, Eva lui manquait. Roger vivait à Rochester, avec une femme qui n'était pas en fuite, et cela faisait des histoires, des disputes et causait même de l'inquiétude dans le réseau. Eva voulait-elle lui proposer un coup ? Peut-être essayer de trouver un terrain d'entente entre elles deux et Roger avant la réunion ? Elle sentait du complot dans l'air et son esprit combatif se réveillait.

Joel et Vida partirent donc pour Rochester dans leur Mariah noire ressuscitée et teuf-teufant sur les petites routes à l'allure de son choix, tandis qu'ils buvaient du café dans le thermos de Natalie et mangeaient les sandwiches au rosbif préparés chez Jan et Pélican.

— Explique-moi pourquoi cette Eva veut te voir ? demanda Joel.

Bon, il n'avait pas le droit, en principe, de savoir qui faisait partie du comité. Mais, elle, de quel droit aussi pouvait-elle le couper de tout et le mettre au placard sur commande ? Certaines de leurs règles n'avaient vraiment plus aucun sens.

— Eva veut me parler avant cette réunion, rétorqua-t-elle. Et puis, nous ne nous sommes pas revues depuis mon départ de Los Angeles. J'ai partagé une maison avec elle et une autre fille.

Elle avait conscience de minimiser son affection pour Eva ; pourquoi laisser la jalousie de Joel l'impressionner avant même qu'il lui ait fait une scène ? Pourquoi supposer toujours le pire ? Et à quoi bon dissimuler ses sentiments ? D'autant qu'ils seraient bientôt avec Eva.

— C'est la gouine avec laquelle tu as couché ?

— Tu emploies ce mot bien à la légère. Oui, c'est moi la gouine avec qui elle a couché. Et toi, ça te ferait plaisir qu'on te traite de pédé parce que tu as couché avec Jimmy ?

— Tu parles ! C'était raté.

— Et alors, du coup c'est moins réel ?

— Bien sûr. (Mais il souriait et il lui tendit la tasse vide du thermos.) Bref, elle te siffle et tu rappliques au galop ?

— Eva est mon amie. Et cela, depuis des années... bien avant que nous devenions amantes, et elle l'est restée depuis et le restera longtemps, j'imagine.

— Mais tu ne couches plus avec elle ?

— Joel, tu me rends folle !

Elle se détourna et contempla d'un œil noir les monts Catskill couverts de neige. Elle refusait de lui adresser la parole et il se tut aussi. Elle finit par se sentir ridicule :

— Il ne te vient pas à l'idée que tu pourrais la trouver sympathique ?

— Chouette ! Je pourrai la baiser. On couchera tous les trois ensemble.

— Tu ramènes tout aux histoires de fesses. Eva est mon amie. Elle a tenu tête à Kevin quand tout le monde se défilait. Elle est mon amie et mon alliée... et la seule chose qui t'intéresse, c'est de savoir que nous avons vécu ensemble à Los Angeles en faisant l'amour de temps en temps ?

— Alors, ça ne compte pas ? Il n'y a pas de danger que tu repiques au truc ?

— La barbe, Joel ! Tu ne comprends pas que ça dépend d'elle aussi ? J'ai besoin de me sentir libre de mes sentiments en la revoyant. Je ne laisse pas tomber les gens pour en reprendre d'autres, non ! Ne te figure pas que je vais l'oublier parce que je t'ai rencontré. Si j'en étais capable, crois-tu que je ne le serais pas aussi de te plaquer pour quelqu'un d'autre ? Tu sais bien que je t'aime !

— Tu parles ! Uniquement parce que tu ne peux plus te payer la voix de Radio Révolution, avec laquelle tu étais mariée.

— Puisque tu veux tout savoir, Leigh m'a écrit. Il propose la réconciliation.

— Ah, ouais ? Lui aussi sera à Rochester ?

— J'ai déchiré son mot.

— Je n'en crois rien. Pourquoi l'aurais-tu fait ?

— C'est fini. Je n'ai pas envie de jouer. Je suis avec toi et je veux vivre avec toi.

— Bravo ! Ça en dit long sur ton goût pour ce qui est des hommes. On verra comment c'est pour les femmes.

Elle se tut un instant, puis n'y tint plus :

— Joel, avec Natalie en cabane, qui me donnera des nouvelles de Ruby ?

— Téléphone à l'hosto. Fais-toi passer pour une autre.

— Tu crois qu'on me répondrait comme ça ? J'ai peur de recommencer le coup de l'oreiller sous la robe et de Marsha.

— Appelle ton frangin. Il est de ton côté, non ?

— Je n'ose pas téléphoner chez lui. Si jamais on nous a repérés ce soir-là et que Sharon nous ait donnés, le téléphone de Paul est sûrement sur écoute. Je ne peux pas le risquer... Je l'appellerai au bar où il passe tous les soirs après son boulot. Je connais l'endroit, mais impossible de me souvenir du nom !

402

Elle ferma les yeux très fort. La rue, l'heure d'affluence, la neige, l'obscurité précoce, Paul poussant la lourde porte... Elle savait que le bar portait un nom d'animal ; mais, au lieu de cela, c'était le nom de la chaîne de restaurants mentionnée par l'avocate qui lui revenait en mémoire.

— Au Chat qui Miaule ! A l'Eléphant qui Trompe ! Au Chien à Poil. Au Coq-Haricot ! lança Joel. Les patrons de bistrot devraient me demander de baptiser leur établissement... A la Part du Lion !

— Ça y est ! Au Singe en Cuivre !

Joel lui tapota la tête :

— Comment es-tu passée de la part du lion au singe en cuivre ?

— A cause d'un feuilleton que nous suivions à la radio quand nous étions petits : *la Part du singe.* Je m'en souviens très bien. Nous avions tous une trouille bleue, sauf Grand-mère qui comprenait mal l'anglais et qui ne cessait de demander : « Qu'est-ce qu'elle radote donc, votre radio ? » (Elle s'entendit imiter la voix grelottante de sa grand-mère pour la première fois depuis vingt ans.) Ruby avait aussi peur que nous ! Paul, maman et moi, nous étions blottis les uns contre les autres, et pauvre Grand-mère nous croyait tous devenus marteaux !

Elle téléphona à Paul d'une cabine, à l'heure à laquelle elle supposait qu'il serait au bar.

— Le Singe en Cuivre ? Pourrais-je parler à Paul Wippletree ? Il passe tous les jours à cette heure-ci... Un grand gaillard...

— Paul ? Sûr, qu'on le connaît ici. De la part de qui ?

— D'une amie, dites-lui.

— Compris, compris.

Environ une minute plus tard, Paul prit l'appareil.

— Joy ? Qu'est-ce qui te prend ? Tu ne manques pas d'air, de m'appeler ici !

— Ce n'est pas Joy. Je t'appelle de loin... peu importe d'où. Et surtout, pas de nom, frérot, je t'en prie.

— Bon Dieu, c'est Steve : il m'a dit que c'était Joy. Qu'est-ce qui se passe ? Comment vas-tu, totoche ?

— Donne-moi des nouvelles de maman.

— Elle va mieux. Bien mieux. Je crois qu'elle leur fait un cinéma terrible et que ça prend. Les toubibs l'ont ramenée en salle et lui permettent de se lever.

— C'est merveilleux, formidable ! Frérot, je t'adore !

— Dis donc, tu sais que les fédéraux ont piqué Natalie, j'imagine ? Sandy garde les gosses. Peezie est une vraie championne ; elle a convaincu ma fille Marla de joguer tous les matins. Et Sam a conquis Joy et Mary Beth : elles se le disputent toutes les deux.

— Il tient de toi.

— Allons donc! Les filles me mènent par le bout du nez et le reste... passons, glissons. Et toi, ça va? quand est-ce que tu rentres?

— Non, pas tout de suite. Prends soin de toi, frérot. Dis à maman que j'ai appelé, mais ne dis à personne, même pas à elle, où je t'ai téléphoné. D'accord?

Elle remonta en voiture en souriant si fort qu'elle avait l'impression que ses joues allaient se déchirer.

— Ruby va mieux!

Elle se rappela sa réaction superstitieuse pendant sa grippe : puisqu'elle tombait malade en même temps que Ruby, lorsqu'elle guérirait, sa mère aussi. Jamais elle ne l'eût avoué à âme qui vive, mais elle restait persuadée que sa conviction agissait, mystérieusement. Elle n'était guère superstitieuse, sauf lorsqu'il s'agissait de sa mère. Ruby était foncièrement illogique : pourquoi les forces irrationnelles n'auraient-elles pas agi pour ou contre elle? A présent. Vida se sentait prête à affronter le comité.

Ils retrouvèrent Eva dans un restaurant Howard Johnson, à la lisière de la ville. En rentrant, Vida la vit, avec ses nattes noires pendant raides dans le dos. Elle était assise au comptoir. Son vieux manteau d'agneau était jeté sur le dos du tabouret en montrant l'envers bouclé. Elle portait une chemise rouge passée, un blue-jean et des boots de cow-girl à talons hauts. En les apercevant, elle prit sa note pour aller payer à la caisse. Elle était plus haute qu'eux de cinq bons centimètres, plus cinq autres pour les hauts talons. En passant devant eux, elle plissa légèrement une paupière, ce qui fit un fantôme de clin d'œil. Vida commanda un jus d'orange à emporter et Joel un cornet de glace au moka. Puis ils regagnèrent nonchalamment leur voiture. Eva attendait au parking.

— Salut, je m'appelle Eva et je n'ai pas de roues.

— Moi, c'est Joel. Comment es-tu venue?

— En stop. J'adore pas, mais au moins le retour sera peinard.

Diplomate, Vida monta à l'arrière — et puis, Eva devait indiquer le chemin... « Mon Dieu, faites qu'ils s'entendent bien, je vous en prie, et je promets de laver toute la vaisselle du week-end. » Pourquoi fallait-il qu'elle eût l'impression de piloter un navire au juger lorsqu'elle revoyait de vieux amis en présence de Joel? Eva, qui hochait la tête, gesticulait du bras et donnait trop d'indications, avait quelque chose de maternel physiquement. Elle étreignait, berçait, caressait. Leurs rapports amoureux avaient été plus tendres que passionnés, totalement différents des relations sexuelles avec Lohanịa, tant d'années auparavant : ni violents, ni extatiques, ni se consumant en d'interminables orgasmes, mais calmes et rêveurs. Elles étaient restées longtemps amies avant de devenir amantes. Eva, issue d'une famille de fermiers de l'Iowa, avait des quantités de sœurs ; dans la clandestinité, elle avait découvert d'autres femmes, et était devenue une féministe d'abord hésitante, puis convaincue, et une lesbienne. Au bout de quelques mois de vie collective à Hardscrabble Hill, Eva s'était définie elle-même par opposition à Kevin et à Bill et Tequila.

Tandis qu'elle indiquait à grands gestes le chemin à Joel, ses longues nattes noires, retenues par des bouts de ruban bleu brodé, se balançaient par-dessus le siège. Vida en saisit une et tira doucement, et Eva lui lança un grand sourire chaleureux par-dessus son épaule. Joel, qui ne laissait jamais rien passer, fit la gueule dans le rétroviseur.

— *Non!* Pas par là ! Tu as raté le tournant ! cria Eva. C'était à droite !

— Tu n'as qu'à prévenir à temps, grogna Joel d'un air boudeur.

— Mais je t'avais prévenu deux rues avant et je venais de te le répéter... Non, ne fais pas demi-tour. Contourne seulement le pâté de maisons.

« Je t'en prie, mon cœur, un peu de savoir-vivre », dit-elle muettement à la nuque noire et ondulée de Joel.

— Vous pourriez être frère et sœur, dit-elle tout haut sur un ton presque suppliant. Mêmes cheveux noirs, reprit-elle en caressant la nuque de Joel, pour rétablir l'équilibre. Je devrais peut-être me teindre en noir, moi aussi.

Eva observait attentivement Joel : la caresse ne lui avait pas échappé. Enfin, ils tournèrent dans l'allée d'une petite maison pour une famille, devant laquelle, sur une pelouse, gisait une luge bleue renversée et les vestiges d'un bonhomme de neige sans jambes. Une guirlande de houx en plastique était fixée sur la contre-porte d'entrée. Joel coupa le moteur et ils restèrent assis dans la voiture.

— Ce n'est sûrement pas ici ? dit Vida.

— Si, et même on ne peut plus, répliqua précipitamment Eva. Elle est *en dehors,* tu le sais.

— Tu crois que c'est très prudent ?

— Tim estime que oui.

— Tim ? demanda Joel.

— C'est le nouveau nom de Roger.

Joel se tourna pour demander à Vida d'un air suave :

— Encore un de tes amants... ou ex-amants ?

— Non, dit Eva en se penchant vers lui. Le seul ex, c'est moi. Tu as connu Roger sous le nom de Bud à l'époque où tu lui as piqué Kiley. Tu te rappelles ?

— Ah ! la grande famille heureuse que nous faisons, dit Vida en se renversant nonchalamment sur son siège. Formidable, terrible, fabuleux ! Qu'est-ce que nous allons faire comme bon travail ! Roger-

Tim pourra faire la gueule à Joel, qui pourra te regarder d'un sale œil. Et moi, je finirai bien par me trouver une tête qui ne me revienne pas.

— Au train où ça va, ce ne sera pas difficile, dit Eva en s'agenouillant sur le siège pour la regarder en face. Après quoi, Kiley n'aura qu'à tirer les marrons du feu, au comité. Tu sais qu'elle a mené une campagne pour qu'on me fiche dehors. Pour séparatisme, soi-disant.

— Elle n'y arrivera pas, dit Vida. Tu ne manqueras pas de soutien. On a confiance en toi.

— Toi non plus, tu ne manques pas de soutien. J'ai fait campagne, de mon côté, dans tout le pays, dit Eva, les coudes sur le siège et le menton dans les mains. Toi et moi, nous passons pour former le bloc féministe. Et, si insensé que cela puisse paraître, tu as pour toi certains des vieux partisans de Kevin ; ils se rendent compte que tu pousses à l'action. Et puis, il y a ceux qui sont tout simplement furax contre Kiley ou Lark à cause de telle ou telle décision, par exemple, parce que X a été envoyé à Toledo au lieu de Des Moines, où on a expédié Y. qui voulait Toledo. Ton siège est assuré.

Vida se redressa et ses yeux rencontrèrent le regard gris et intense d'Eva, dans le visage large et très juvénile, avec les grosses lunettes rondes légèrement teintées de bleu, la peau d'ivoire lisse, les joues si roses qui la faisaient ressembler, hormis les tresses noires, à une poupée allemande. Grande, fortement charpentée, calme, elle parlait et se mouvait avec la même lenteur et le timbre de sa voix donnait une idée de la tessiture et de la puissance de son chant.

— Tu sais que je préconise un programme antinucléaire, dit Vida.

— Oui, j'ai appris cela par le téléphone arabe. Je pensais que nous en discuterions ce soir. Je suis ouverte à la voix de la raison ; mais j'avoue que cela m'a étonnée.

— Eva, nous vivons au conditionnel passé. Il faut que nous allions là où sont les gens, même si c'est pour battre en retraite.

— On peut aussi se ranger à l'explication conforme des choses et finir par se retrouver sans ligne politique. Ceux qui renversaient les barrières avec nous chassaient la baleine blanche ; ensuite, c'est après la sécurité et les gros dollars qu'ils ont couru.

— Pour servir le peuple, il faut au moins garder un contact avec lui. La pureté peut t'aider à être dans les petits papiers du Bon Dieu ; ici-bas, elle ne remue pas les taupinières.

Roger cognait à la vitre. Un chiot élastique et d'une grosseur inquiétante sautait en jappant follement autour de lui. D'un air coupable, Eva sauta hors de la voiture ; Joel et Vida suivirent plus lentement, portant leur maigre bagage.

— Faucon, tu as l'air en superforme, dit Roger en embrassant Vida.

— Salut, Terry.

— Appelle-moi Joel, tant qu'à faire ; c'est mon nom et je ne suis pas plus célèbre à Rochester qu'ailleurs. Et puis, si tu continues à m'appeler Terry, je finirai par avoir l'impression d'être le petit cousin de Donald Duck.

— Entrez, dit Roger. Vous avez déjeuné ? Il y a une grosse marmite de chili sur le fourneau. Gwen a prévu cela avant d'aller à son travail.

— Gwen est ton amie ? Vida poussa une mitraillette en plastique pour s'asseoir sur le divan recouvert d'une housse. C'est sa maison ?

Roger rayonnait de joie. Il était plus en train que jamais. Le puzzle répandu sur le plancher, le chiot qui galopait dans tous les sens, oreilles voltigeantes et queue battant la mesure, ne le gênaient nullement ; pas plus que la moquette de nylon jaune moutarde qui donnait à Vida de petites décharges électriques chaque fois qu'elle touchait un objet, ou le fouillis de jouets en plastique, de chaussettes et d'albums pour enfant achetés au supermarché. Oui, Roger rayonnait de contentement.

— C'est l'heure où Gwen a ses cours. Elle est prof d'anglais au lycée.

— Comme toi autrefois, (Vida l'observait attentivement. Non, il ne serait jamais partisan d'une action. Il ne pouvait pas être un allié ; il préconiserait un manifeste baignant dans une huile de rhétorique).

— Ah ! mais elle est bien meilleure prof que moi, dit-il avec un gloussement de rire. Jamie est à la crèche, et Jane, à l'école. Vers quatre heures, tout le monde rapplique à la maison, mais cela nous laisse un peu de temps. Ah ! ça, c'est Rudolph ; les gosses l'ont baptisé comme ça à cause du Petit Renne au Nez Rouge.

— Alors, ce chili ? Moi, je la saute, dit Joel. Il est marrant, ce clébard : moitié éléphant, moitié épagneul.

— Oui, hein ? regarde-moi ces papattes, dit Roger.

Joel et Roger étaient mal à l'aise entre eux. Ils s'effacèrent chacun de leur côté, devant la porte de la cuisine, pour laisser passer l'autre.

— Hier soir, j'ai calculé, reprit Roger. Si un chien grandit en proportion de ses pattes, comme on le prétend Rudolph mesurera un mètre quatre-vingts, couché !

Les deux ex-soupirants de Kiley continuaient à s'éviter du regard, cependant, une sorte d'accord tacite était intervenu. Tous deux chahutaient le chiot qui se roulait sur le dos, avec de petits jappements qui étaient des éclats de rire de toutou qu'on chatouille. Vida regarda Eva, qui lui fit un clin d'œil. Tous se serrèrent autour de la table de cuisine en formica et mangèrent leur chili dans des bols en plastique bleu. Joel goûta le sien et y ajouta du poivre et du piment en poudre qu'il alla prendre sur l'étagère au-dessus de la cuisinière. Vida l'imita. Les condiments, cuits par la chaleur du fourneau, avaient perdu de leur goût ; fallait-il conseiller à Gwen, à son retour, de ne pas mettre ses épices au-dessus du feu ? Jane rentra la première et fit la moue lorsque Rudolph lui déboula dans les jambes.

— Il y a une vieille auto noire toute sale dans l'allée, annonça-t-elle d'un air renfrogné.

— Ce sont des amis à moi, Jane, ils vont rester deux ou trois jours avec nous.

— Ah, bon, fit Jane, les dévisageant à peine.

C'était une petite fille maigre. Avec ses cheveux bruns et ses huit ans, elle aurait pu être la fille de Roger. Elle était grande pour son âge, maigre comme un coucou, avec de longs os comme lui. Un instant, Vida pensa que c'était possible, après tout. Puis elle se souvint que la fille de Roger avait déjà sept ans lorsqu'il était entré dans la clandestinité. Elle en avait donc quatorze à présent.

— Papa, tu ne veux pas voir ce que j'ai fait aujourd'hui ? Tu n'as pas demandé. Regarde, papa.

C'étaient des dessins au pastel, représentant des flocons de neige, pourpres, rouges, verts, exécutés avec un souci du détail que Vida trouva inquiétant chez un enfant de son âge. Comment avait-elle fait pour que tous les flocons soient en symétrie aussi précise ?

— Mais, c'est très beau, Janey, magnifique ! roucoula Roger. Je vais les exposer immédiatement... Voyons, où les mettre ?

Bonne question : le réfrigérateur et les portes des placards étaient déjà tapissés de maisons et d'arbres.

— Et si nous enlevions quelques-uns des vieux dessins ?

— Non ! Pourquoi ? Tu ne les aimes plus ?

— Au contraire, ma chérie, je les aime beaucoup. Ces maisons sont très belles.

— Je les ai dessinées exprès pour toi... parce que tu n'as pas eu de maison pendant tellement longtemps.

— Je les adore, Janet. Je ne vais pas les jeter ; simplement, je vais enlever les vieux dessins et les ranger dans mon bureau. Quand tu ôtes ta robe rouge et que tu la ranges dans ton armoire, tu ne la jettes pas. Eh bien ! les dessins sont comme les vêtements : on en change, c'est plus rigolo. Et, un jour, quand tu les auras presque oubliés, on remettra au mur les vieux, et tout le monde dira : « Regardez ces jolies maisons. C'est Janey qui les a faites. »

— D'accord, dit l'enfant d'un air songeur. Mais alors, dans ton bureau. Dans un tiroir, comme quand on range ses robes.

Il expliqua rapidement aux visiteurs :

— J'ai dit à Janey que j'ai beaucoup voyagé, ces dernières années.

— Mais maintenant tu es fatigué et tu vas vivre avec nous toujours, toujours. Tu as promis !

Roger leur lança un coup d'œil par-dessus la tête de la petite fille :

— A présent, je suis le papa de Janey. Viens, nous allons mettre au mur les flocons de neige, dit-il d'une voix câline un peu voilée.

James entra à son tour en trottinant et en criant : « Papa ! Papa ! Papa ! » C'était un petit garçon potelé de six ans avec une grosse voix, qui s'avança dans la cuisine d'un pas mal assuré pour se jeter dans les bras de Roger en hurlant : « Papa ! » sans faire attention aux autres.

— Jamie va dans une école spéciale pour enfants attardés, expliqua doucement Roger en le soulevant haut dans ses bras.

Jamie se cramponna à lui de toutes ses forces en poussant de petits cris : « Papa ! Papa ! » Puis Gwen entra dans la cuisine sans avoir ôté son manteau et tenant son sac à main et son attaché-case devant elle, prudemment, comme deux boucliers. Elle était rondelette avec des taches de rousseur et un visage crispé d'inquiétude. Elle lança un regard furtif sur les visiteurs et détourna aussitôt les yeux comme si elle avait eu peur. S'imaginait-elle qu'ils allaient l'attaquer ? Lui enlever son Roger ? Dans quel guêpier ne s'était-il pas fourré, le pauvre ? Une femme, une maison, une famille et un enfant attardé ! Gwen ôta ses gants de laine et posa la main sur le bras de Roger. Ils échangèrent un regard par-dessus la tête du petit braillard et du chiot bondissant. Comme les opérations du goûter de 4 heures commençaient, Joel et Vida s'enfermèrent dans la salle de bains.

— Il ne voudra rien entendre, chuchota-t-elle, assise sur le couvercle du siège. L'action est bien la dernière chose qu'il souhaite ! Il a une famille qui le réclame.

— Et voilà ! C'est reparti ! Bon Dieu, Vida, on ne peut pas séparer les bons mecs des mauvais, sans qu'ils aient fait leurs preuves, non ? Il faut qu'il fasse les siennes. Qu'il montre qu'il est capable d'avoir une famille sans que ça l'empêche d'être un révolutionnaire. Ce type-là est heureux et se figure qu'il n'en a pas le droit ; alors il est plein de remords. Je le crois capable de se lancer dans n'importe quelle aventure. (On frappa à la porte.) Voilà ! On a presque fini ! cria Joel.

— C'est moi, Eva. Je peux entrer une minute ?

Joel lui ouvrit la porte :

— Ça t'excite de me regarder pisser ?

— Désolée. Je ne te savais pas occupé à cela, dit Eva en refermant soigneusement la porte, puis en tirant un joint de sa manche. C'est l'heure de la fumette.

— Comment va-t-on pouvoir organiser une réunion dans cette maison ? demanda Vida.

— Nous irons faire une promenade après le dîner, dit Eva.

Elle alluma, aspira, fit circuler. Vida entrouvrit un peu la fenêtre et dit :

— C'est ridicule de se planquer dans ces chiottes... N'importe comment, il faut que nous vous présentions notre projet antinucléaire, à toi et à Ro... à Tim.

— Je ne demande qu'à être persuadée, dit Eva, assise sur le rebord de la baignoire à côté de Joel, lequel prit le joint, aspira et le passa à Vida. Je serais incapable de le lire, ce document, et encore moins de le rédiger.

— Un expo de plus. Terrible ! Un pet de souris qui va faire trembler le monde. Comment se fait-il que Lark et Kiley soient à fond pour ce truc ? demanda Joel.

— Et toi, comment se fait-il que tu discutes des affaires du comité ? répartit Eva en le menaçant du doigt. Si tu continues à me regarder comme ça, tu loucheras toute ta vie... C'est ce que disait ma mère quand je faisais un caprice. Noble Faucon Pèlerin, si je comprends bien, tu as inventé ce projet, primo, pour nous secouer ; et deuzio, parce que tu veux pouvoir travailler à quelque chose avec ce mec ? Oui ou non ?

Vida fit oui de la tête, avec l'impression d'être ridicule, assise sur ce siège rabattu, dans la position de quelqu'un qui défèque. Elle ajouta :

— Oui, dans l'ordre que tu as dit.

— Et toi, dit Eva à Joel, tu as cassé avec Kiley ou bien c'est elle qui t'a plaqué ?

— Elle m'a plaqué. Laissé choir comme une vieille culotte, dit Joel de mauvaise grâce, en refusant de les regarder et en gardant égoïstement le joint.

— Que feras-tu si elle change d'avis ?

— Je bâillerai, répondit-il.

— Ah oui ? J'ai entendu dire que tu étais fou d'elle.

— Fou, c'est bien le mot, rétorqua Joel, se décidant à passer le joint à Eva. Elle... (Il désigna Vida d'un haussement d'épaule.) ... elle aime faire l'amour. Et je lui plais. Tu me crois assez con pour bazarder ça pour la Reine des Icebergs ? D'ailleurs, qu'est-ce que ça peut te foutre ? ajouta-t-il en regardant Eva bien en face, cette fois.

— Tu te figures qu'elle m'est égale ?

— Je ne sais que penser de toute cette franchise, dit-il. Pourquoi ne pas retourner avec les autres et ne pas nous amuser à essayer de nous manipuler tous, comme les vrais de vrais ?

— Le fait est que nous ne pouvons pas nous cacher tous les trois ici, à tirer sur ce joint jusqu'à l'heure du dîner, fit observer Vida. On va les affoler. Je vais me porter volontaire pour mettre le couvert ou je ne sais quoi.

— Et moi, pour faire une sauce forte, dit Joel. Ce chili avait un goût de porridge.

— Sois gentil, dit Vida. Mets-toi à sa place : tu en aurais fait une tête en nous voyant débarquer ! Elle doit trembler pour ses gosses.

410

— Conneries ! Voilà des années que nous n'avons pas mangé de petits enfants, dit Eva en ébouriffant les cheveux de Vida et en se dirigeant nonchalamment vers la porte.

Le dîner se passa bien, Dieu merci, et Gwen emmena les enfants chez une amie.

— C'est bien, que j'aille la voir, lança-t-elle à la cantonade, se refusant à les regarder individuellement. Avant, j'allais tout le temps la voir, vous savez : à présent, je n'y vais presque jamais.

— Evidemment que j'ai entièrement confiance en Gwen, dit Roger après le départ de son amie. Elle se jetterait au feu pour moi.

— D'accord, mais, si tu dois partir, qu'est-ce qu'elle te fera ? Et à nous ?

— Elle sait très bien ce qui peut arriver. Elle me dit : « Le temps que nous passons ensemble vaut mieux que pas de temps du tout. Chaque jour qui passe est un jour de gagné pour nous. » Elle est sincère. Faucon, ce genre de femme sait ce que signifie aimer.

— Et le père des gosses, demanda Joel, il est dans le secteur ?

— Il l'a plaquée quand Jamie avait deux ans. Il voulait mettre le petit dans un orphelinat et lui faire un autre gosse. Vous vous rendez compte ? Vouloir balancer l'enfant et feindre qu'il n'a jamais existé ! Gwen est une chic fille ; je n'ai jamais été aussi heureux. Est-ce un crime ? Je suis prêt à partir dès qu'on aura besoin de moi. Et elle est derrière moi à cent pour cent.

— Tu n'as pas peur de ce qui pourrait lui arriver ? demanda Eva.

Roger se gratta le menton avec sa pipe.

— Je ne laisserais pas ces sauvages démolir ça. Je me rendrais et j'irais en prison. Je doute qu'ils puissent l'accuser de quoi que ce soit. Ils ne peuvent pas prouver sa complicité ; elle ne connaît même pas mon vrai nom.

Eva traversa la pièce jusqu'à la fenêtre et regarda la rue à travers les lamelles des stores vénitiens :

— Il neige... Alice et Bill se sont rendus cette semaine. Roger l'a appris aujourd'hui.

— Quoi ? (Vida bondit de sa chaise.) On les a pris ?

— Non. Ils ont pris un avocat à Los Angeles et se sont constitués prisonniers.

Eva revint, Vida et elle se regardèrent. Roger tétait fébrilement sa pipe.

— Pourquoi ? demanda-t-il. Pourquoi ?

— Alice a été très malade. Elle a besoin d'être opérée des sinus. Elle a sans arrêt des infections et 39° de fièvre tous les quinze jours, dit Eva, sa voix se perdant.

— Si nous ne reprenons pas un élan politique, nous en perdrons d'autres. Tous ceux qui ne risquent pas de grosses condamnations, dit Roger.

Vida lança un coup d'œil à Joel :

— Après toutes ces années... Nous ne reverrons plus jamais Alice. Jamais. Elle est partie, elle nous a abandonnés, comme ça ! J'avais confiance en elle et en Bill. Je m'étais rapprochée de lui à Los Angeles. Et en septembre, à Cincinnati, il avait l'air en forme.

— Inutile de s'appesantir et de se déprimer, dit Eva. Occupons-nous de nos affaires. Pourquoi gâcher notre temps dans les histoires antinucléaires ? Foncièrement, c'est un problème écologique, bourgeois, qui a rapport avec la qualité de la vie.

Vida rassembla son courage et se leva. L'espace d'un instant, elle se souvint de la passion qui l'animait quand elle prenait la parole en public, avec les mots qui lui revenaient comme des boomerangs chargés d'énergie. Hélas ! fini...

— Fondamentalement, le pouvoir est le pouvoir. Ce sont toujours les mêmes. Ceux qui nous ont fait cadeau du complexe industrialo-militaire, des services publics qui coûtent de plus en plus cher et servent de moins en moins le public, de la pollution et des villes poubelles, avec un taux de chômage de cinquante pour cent dans les ghettos, de l'agro-alimentaire avec le prix du blé qui baisse et celui de la viande qui augmente. Ce sont eux qui poussent au nucléaire... (Elle marchait de long en large en parlant ; de retrouver son style oratoire habituel lui rendait confiance.) La puissance nucléaire pose la question de la sécurité publique. Qu'advient-il des gens qui vivent à proximité des installations ? Et de leurs enfants ? Des rivières en aval ? Pourquoi cela fait-il monter le prix de l'énergie ? Que deviennent les déchets dont personne ne sait que faire ? Pourquoi ces liens étroits entre le gouvernement, l'industrie et les familles qui tiennent la banque ? Si la construction et la gestion des centrales coûtent de plus en plus cher, alors que la production ne correspond pas aux promesses faites, qui s'enrichit en construisant toujours davantage de centrales ?

— C'est le fantôme de Jimmy, dit Roger en souriant tristement. Il répétait toujours : « Ne manquez jamais de donner son nom à l'ennemi. Mettez des visages sur ceux qui nous volent notre argent. » Mais où est le fondement anti-impérialiste de ton projet ? Où est la politique de classe là-dedans ? Il sort des tas de tracts antinucléaires qui racontent : « Sauvez les rivières, merde pour les villes, et pas de chance s'il y a du chômage ! »

— Ecoute, tout ça, c'est comme en 57, à New York, quand on se tapait une bonne analyse marxiste, calés dans un fauteuil et qu'on se demandait : « Qu'est-ce que c'est que ces histoires de ségrégation des cars de ramassage scolaire ? Quel rapport avec le problème des moyens de production ? Et cette religion du Pouvoir Noir ? Bidon ! Lorsque les événements ne correspondent pas à nos préconceptions, cela nous agace. Parce que nous ne menons pas le train. Le produit national brut, l'avortement, la révolte fiscale, la liberté des homo-sexuels et les centrales nucléaires, les voilà les points chauds aujourd'hui, et nous ne sommes pas dans le coup!

— Vous ne vous rendez donc pas compte? Le nucléaire peut nous liquider, tous! explosa Joel. Supprimer nos chances d'avoir des gosses et un monde où ces gosses pourraient en faire d'autres à leur tour. C'est un truc bien trop dangereux pour être laissé aux mains de ces connards! Il faut les bloquer!

Roger se tourna vers Eva:

— Kiley s'est employée à t'expulser du comité. Tu le savais?

— Syndrome antigouine, essentiellement. Mais elle n'y arrivera pas. Elle a tâté le terrain contre nous tous, répondit Eva. Y compris Faucon, et toi.

Roger téta sa pipe éteinte:

— Y compris moi. Oui. C'est logique.

— Pourquoi? demanda Vida. Elle ne peut pas compter sur toi?

— Kiley sait exactement comment fonctionne mon esprit. Elle est très, très intelligente. Je n'ai jamais su lequel de nous deux l'était le plus, d'elle ou de moi. Si elle passait moins de temps à manipuler, et plus à travailler sérieusement, j'arriverais peut-être à le savoir... Kiley craint que je ne te soutienne.

— Et c'est ce que tu feras? demanda Eva.

— Je n'ai pas décidé, répondit doucement Roger. Je me pose encore des questions. En outre, elle s'est peut-être débarrassée de moi. (Il regardait Joel.)

— Il y a des moments où je me dis que, si elle pouvait presser un bouton pour en faire autant de moi, elle ne se gênerait pas, dit Joel. Je connais des femmes qui continuent d'aimer leurs anciens amants, comme notre amie ici présente. Rien ne l'arrête; elle les garderait jusqu'au dernier, son bonheur serait de vivre avec tous ses ex dans une grande maison, pas vrai? Et puis il y a le genre Kiley qui aimerait vous faire trancher le cou le matin même où c'est fini. Une fois qu'elle en a terminé, elle n'a plus du tout envie de voir votre tronche. Vous êtes l'erreur qui prouve qu'elle n'est pas parfaite.

Eva fit un léger signe de tête en disant à Vida:

— Je vais faire du café.

L'instant d'après, Vida la rejoignit à la cuisine. C'était la première fois qu'elles avaient le loisir de s'embrasser.

— Tu m'as manqué, dit Vida (et c'était vrai).

Eva lui baisa doucement les paupières:

— Tous ces voyages m'ont épuisée, dit-elle. La réunion terminée, je n'ai qu'une hâte: rentrer chez moi. A présent qu'Alice n'est plus là, je me disais que nous pourrions peut-être louer une maison un peu plus haut dans la montagne. A Glassell Park, par exemple? Songe comme ce serait doux de rentrer chez nous.

— Eva, Eva... (Vida avait mal.) Je n'aime pas Los Angeles... pas autant que toi. Je me sens en exil là-bas. Mon pays, c'est l'Est.

Eva relâcha son étreinte et recula :

— Tu ne rentres pas avec moi ?

— Eva, comprends-moi : je suis de l'Est. Je suis à l'aise avec la politique, ici. Je suis plus utile. A LA, le décor prend trop d'importance.

— Le décor comme sur le plateau d'un studio ou comme au Grand Canyon ? demanda Eva, les bras croisés, la voix glacée, tout son être fermé au point que Vida avait envie de la toucher, de briser la résistance, tout en se sentant coupable.

— Les deux, répondit-elle enfin. J'aime les villes assez anciennes pour avoir accumulé un passé de corruption et de lutte. J'aime les saisons. Et mon propre passé est ici. Je ne supporte pas d'être aussi éloignée de tout ce qui est ma vie.

— Et moi, je n'en fais pas partie, de ta vie ?

— Mais si, voyons !

— Et lui ?

Vida fit semblant de ne pas comprendre :

— Lui ? Oh, il ira dans l'Ouest. Il a vécu à Sacramento.

— Mais il est un élément permanent de ta... quoi ? Vie ? Décor ?

— Ça signifie quoi : permanent ? Toi et moi, nous sommes amies depuis longtemps.

— Nous vivions ensemble. A présent, apparemment, tu es avec lui.

Elle effleura la joue lisse d'Eva :

— Ne t'éloigne pas de moi. Je t'en prie. Je me sens si proche de toi ! C'est si bon de te revoir ! Tu m'as manqué, tu sais.

— Tu me rejettes, et tu voudrais que je sois heureuse ? C'est trop demander.

— Mais, Eva... nous avons fait l'amour à cause de notre affection l'une pour l'autre. Nous étions amies depuis longtemps et notre amour en a découlé normalement...

— Arrête ou je vais me mettre en colère ! Tu me compares à quelque chose ou à quelqu'un ; je le sens, et ça me fait mal.

— Eva, je t'en supplie, ne me punis pas. Mon amitié, mon sentiment pour toi n'ont rien perdu de leur profondeur ni de leur chaleur. Je t'en prie, ne me culpabilise pas parce que je l'aime.

— Si au moins je vivais dans une communauté de lesbiennes ! J'en aurais fini avec ce genre d'incohérences. Ce que tu es en train de me dire, c'est que tu es devenue hétéro, que c'est lui qui compte, et pas moi.

— Eva, ni chez toi ni chez moi ce n'était de la passion. Et pourtant je t'ai préférée à un homme. Je t'ai préférée à Lark, comme à Kevin.

Je t'ai préférée à tous les hommes du réseau. Je me sens plus proche de toi que d'eux.

Eva se rongeait le poing ; elle dit :

— Je réfléchirai à tes paroles. (Du moins, n'avait-elle plus l'air d'une statue de bronze.)

— Restons amies, reprit Vida. Reste près de moi. J'ai besoin de toi.

— Je suis plus lente que toi. Je ressens les choses plus lentement, je mets plus de temps à débrouiller mes sentiments, à agir en conséquence, à me remettre des choses. Comme si je commençais juste à les prendre à bras-le-corps, quand, toi, tu as déjà réglé le problème et tiré le trait.

— Je t'ai aimée comme une amie, et je continue. Je t'en prie, demeure ma très chère et tendre amie.

— J'étais heureuse quand nous habitions cette drôle de maison, même avec Alice malade et qui n'en finissait plus de gémir. Je me disais que, toi aussi, tu serais heureuse une fois que tu t'y serais habituée. Mais, après ton départ, j'ai commencé à me douter que tu ne reviendrais plus.

Vida s'appuya à la cuisinière jaune bien récurée et dit :

— Je n'étais pas heureuse. Des années durant, je n'ai jamais espéré le devenir.

— Et moi, je voulais que tu le sois.

— J'ai essayé, Eva. Mais notre histoire n'a pas évolué dans le sens que je désirais. Je le regrette, mais je te le répète : je me sentais en exil. Je voulais te faire plaisir, et je m'y suis efforcée.

— Pourquoi est-ce tellement merveilleux avec lui ? Parce que c'est un homme et que tu t'imagines que c'est ça le vrai.

— Non ! Je ne t'ai pas choisie parce que tu es une femme. Mais parce que c'est un rapide, lui aussi. Nous avons la même vitesse d'émotion, de réaction. Je sais que je te fatigue avec ma manie de discuter de tout, de ruminer, de ressasser. Ma sœur est comme cela. Joel aussi. Je ne m'ennuie pas avec lui.

— Comment pouvais-tu t'ennuyer avec moi ?

Vida sentit la douleur lui mordre le ventre. Comment pouvait-elle être aussi cruelle envers Eva ?

— Eva, mais j'étais heureuse ! Je ne m'ennuyais pas !

Une image lui revint, d'elles deux couchées dans le lit blanc. Eva dormait sur le côté, ses tresses brunes remontées par des épingles ; sa respiration était douce et régulière, comme le chant assourdi d'un grillon ; sa main tenait celle de Vida. Et elle se revoyait, toute réveillée près d'Eva, avec l'envie de parler, parler de la dépression d'Alice, des raisons, pour elles toutes, d'apprendre mieux l'espagnol à cause du quartier, et de ce qu'elles pouvaient faire sur le plan politique pour se rapprocher des ouvriers ignorants de leurs droits et travaillant au noir comme elles. L'éloquence d'Eva était dans son sommeil, son sourire, ses gestes, sa musique, sa guitare et la richesse satinée de sa voix, sa peinture, interrompue depuis une année. Vida, elle, avait besoin de s'exprimer avec les mots.

— Combien de fois crois-tu que l'on tombe réellement amoureuse ?

— Comment veux-tu que je comprenne de quoi tu parles ? Tu l'as dit : je ne suis pas une nature passionnée. (Eva lui tournait le dos pour retirer le percolateur du feu et verser le café dans quatre tasses.) Tiens, prends donc deux de ces tasses et allons rejoindre les hommes.

Eva retourna au living-room. Vida s'attarda tristement près de la cuisinière. Elle avait trahi Eva, qui l'avait toujours soutenue ; mais, pour ne pas la trahir, il lui eût fallu mentir ou se métamorphoser en une autre. Elle avait beaucoup de mal à croire que le côté couple de leurs relations revêtît une telle importance pour Eva ; mais cette incapacité de le comprendre était en soi une trahison de plus. Pour faire plaisir à Eva, elle avait englouti des casserolées de riz complet et de soupes végétariennes claires comme larmes, mais sans se mentir à elle-même en se racontant que riz et soupes étaient meilleurs que des escalopes de veau ou que le bœuf braisé juif de Ruby, relevé de cannelle et cuit avec des abricots. Leur numéro de tendres étreintes n'était pas la sorte d'amour l'engageant, elle. Si elle était entrée dans la clandestinité avec Lohania ce jour-là, oui, elles auraient pu toutes deux s'aimer comme elle aimait maintenant Joel. Lohania au lieu de Kevin. Elle avait besoin d'un être qui la contraigne, qui la saisisse et la tienne par de farouches exigences et par le dialogue. Elle était incapable de prendre la passion à la légère, car elle n'en était pas souvent la proie, et pourtant elle lui accordait une haute valeur.

Elle regagna le living-room avec une tasse de café pour Eva et une autre pour elle-même. Roger et Joel oubliaient leurs rancœurs mutuelles à propos de Kiley en discutant des Knicks. Ils parurent soulagés à la vue de Vida. Eva était assise sur la chaise la plus droite de toutes, les bras croisés. Vida la regarda longuement et en fit autant pour Joel, afin de demander leur pardon. Mais elle avait d'autres arguments à essayer sur Roger et Eva, et cela passait avant tout.

21

Eva refusa de monter en voiture avec Joel et Vida et préféra partir devant avec Roger. Vida regretta de rater le petit choc de surprise qu'éprouverait Kiley en voyant Roger et Eva arriver ensemble ; car leur alliance ne pouvait qu'être secrète, bien qu'elle ignorât s'il seraient pour ou contre sa proposition. Vida déposa Joel à la ferme d'Agnès, où il attendrait pendant qu'elle se rendrait à la réunion. Celle-ci se tenait dans un petit chalet prêté, donnant sur un étang gelé, à mi-chemin entre la ferme d'Agnès et Hardscrabble Hill. Elle arriva la dernière et entra au milieu d'un silence lugubre. Cinq chaises pliantes avaient été disposées autour d'une table de bridge, sur laquelle étaient posés un cendrier (pour la pipe de Roger), des tasses et une cafetière, plus une infusion de menthe et des pastilles digestives devant Lark, qui devait avoir mal à l'estomac, et des journaux, des feuilles de papier. Lark lui adressa un regard sombre et inquisiteur en poussant vers elle une revue médicale ouverte. Elle la prit. Un encadré attirait l'attention des chirurgiens orthopédiques sur le cas d'un individu amputé d'une jambe, un certain Frederick Walter Burns, alias John Larkin, ou Larkin Tolliver, ou Lark Tolliver, armé et dangereux. Suivait un compte rendu détaillé et complet de l'état de Lark. Elle s'assit d'un bloc sur une chaise :

— D'où tiennent-ils cela ? dit-elle.

— Je te le demande, répliqua Lark.

— Soit. Avec combien de femmes as-tu couché ?

— Je ne dirai pas que je suis à proprement parler dévoré de soupçons en ce qui concerne Kiley et toi. Mais Alice a fait un tour de valse avec moi après son avortement. En 1974, tu étais à Philadelphie, Kevin s'était tiré, et Bill avec lui, bien qu'il soit revenu en juin. Je réorganisais notre cellule là-bas. Et maintenant, Alice a tourné sa veste.

— Alice s'est constituée prisonnière il y a exactement six jours, dit

Eva calmement en se carrant sur sa chaise, les jambes allongées. Cette revue a paru il y a un mois. Mettons qu'il ait fallu un mois, *minimum*, pour la faire. Il y a deux mois, Alice était malheureuse, mais elle ne bavardait pas. Et elle n'avait toujours rien dit à l'époque où j'ai quitté Los Angeles.

— Qu'en sais-tu ? dit Kiley en tapotant sur la table de bridge avec un crayon. Il faut du temps pour négocier une reddition.

— Alice m'a prévenu quand elle a commencé à y penser. Nous en avons parlé tous les jours et toutes les nuits pendant un mois.

— Pourquoi ne nous en as-tu pas informés ? demanda froidement Lark.

— Il se peut que *toi*, tu ne penses jamais à te constituer, mais je ne connais à peu près personne dans le réseau qui ne fantasme pas en rêvant de grâce amnistiante, de peines à court terme et de retour à la maison. Alice veut un enfant. J'ai prévenu quand elle est allée voir cet avocat.

— Ne m'écarte pas ; je suis une source possible, dit Vida.

— Tu en as parlé à Joel ?

— Non. Même si je le lui avais dit, il n'aurait pas ouvert la bouche. Et, je le répète, je n'ai rien dit.

— Qu'est-ce que ça signifie, que tu es une source possible ? demanda Eva. Si j'ai bonne mémoire, tu ne parles pas en dormant.

— Lark, la première fois que nous avons couché ensemble, c'était en 67. A l'époque, je vivais avec Leigh et Lohania.

— Tu le leur as dit ?

— Pas à Leigh, non. Je ne lui donnais pas de détails de ce genre. Mais à Lohania, oui. Nous n'avions aucun secret l'une pour l'autre.

— Vida ! (Pour la première fois depuis des années, Lark oubliait de l'appeler par son nom de guerre.) Comment as-tu pu prendre un risque pareil ?

— Je trouve ça ignoble : rentrer chez soi pour cancaner comme des adolescentes ! dit Kiley.

— Nous ne cancanions pas, riposta Vida en se redressant sur sa chaise. Puis-je vous rappeler, chers camarades, que, en 67 — époque où tu étais encore jeunette, Kiley, mais peut-être l'auras-tu lu dans les livres — nous étions très ouverts. Nous venions juste de nous amalgamer plus ou moins avec les hippies. Tout n'était qu'amour et couleurs gaies, colliers bariolés, plumes, fleurs, cœurs ouverts. Nous étions encore moins sur nos gardes que des scouts. Et Lohania et moi partagions tout dans la vie... (Surtout, nos tuyaux sur les hommes.)

— Vous étiez amantes, si je ne me trompe ? demanda Eva.

— Oui, répondit Vida avec gratitude. (Eva facilitait sa confession.) Aucun de nous n'imaginait que nous serions un jour en fuite. Qu'est-ce que cela aurait représenté pour nous ? Un western ? Le juste poursuivi à tort par le shérif ? Rappelez-vous : 67, c'était l'année où nous avions un atelier pour enseigner l'utilisation des explosifs et le sabotage, et ce, en pleine convention nationale et pour détourner les mouches de nos vrais ateliers, parce que nous savions qu'ils seraient les seuls à aller au faux et que c'était une façon de nous payer leur tête. Mais en 70, ce n'était plus une plaisanterie. De toute façon, je crains que Lohania n'ait excellente mémoire. Elle est comme cul et chemise avec Kevin, d'après Leigh, et Kevin est en train de cracher le morceau. Randy est au cœur de tout ça. C'est moi la responsable de la fuite ; nous pouvons la situer et savoir à quelle date elle remonte. Lohania n'a appris ton appartenance au réseau qu'après s'être mise avec Kevin, à New York, et que les flics l'aient piqué, lui, pour port d'armes.

— Bon, c'est plus sympa que de soupçonner Alice, dit gaiement Eva. On peut difficilement sanctionner Faucon pour avoir confié à sa meilleure amie et amante en 1967 qu'elle couchait avec un gars. L'étonnant, c'est qu'il leur faille tout ce temps pour te coller ton nom et tes empreintes digitales sur le dos.

Vida croisa un instant le regard d'Eva et rayonna la reconnaissance. Eva refusa de lui rendre son regard, mais décroisa les bras.

— Qu'as-tu dit au juste ? demanda Lark sans la lâcher des yeux.

— Oh, répondit-elle avec un petit sourire, j'étais très amoureuse de toi. J'ai dit que tu étais fascinant, différent de tous les hommes que j'avais connus, plus sérieux, plus discipliné, aiguisé par la souffrance... oui, c'est l'expression romantique que j'ai employée, je crois bien. Je t'ai décrit physiquement, et aussi ta façon de faire l'amour. Lohania adorait se faire croquer et je lui disais que, là, tu étais roi. (Elle se reprocha sa méchanceté, en voyant Lark rougir jusqu'à la pointe des cheveux et Kiley tapoter furieusement sur la table.)

— Ah ! voilà qui explique tout... Quand nous sommes entrés ensemble au Hilton, Lohania m'a fait un... rentre-dedans terrible sans que je comprenne pourquoi... (Lark se tortilla un peu sur sa chaise.) Quoi qu'il en soit, on ne peut pas t'en vouloir de ce qui s'est passé il y a si longtemps. Je regrette seulement qu'elle n'ait pas oublié.

— Est-ce qu'on ne pourrait pas passer à l'ordre du jour ? demanda Roger d'une voix excédée.

Il n'éprouvait ni chaleur, ni amitié pour Lark. Nul doute qu'il se demandât en secret si Lark était si bon amant que cela, si Kiley ne préférait pas coucher avec lui, Roger, et si elle aimait tellement se faire croquer. Vida, elle, songeait que le sexe pouvait attirer bien des ennuis, mais aussi vous sortir du pétrin. Elle avait flatté Lark jusqu'à la moelle des os. S'il ne parvenait pas à la regarder en face, il lui jetait un coup d'œil, puis se dérobait, mais recommençait. Eussent-ils été seuls qu'il eût pu contre-attaquer en lui demandant pourquoi, alors, elle n'avait pas préféré vivre avec lui en 1974 ; mais ils n'étaient guère seuls et il était peu probable qu'il eût loisir de la questionner. D'ailleurs, quel poids pouvaient avoir ses paroles, maintenant qu'il avait Kiley à ses côtés ? Elle était à l'abri des conséquences d'un flirt avec lui. Mais pourquoi ce sentiment, comme si Lark avait incarné un destin à faire froid dans le dos et qu'il eût été l'ascète, sombre et, par certains côtés, désemparé, en compagnie duquel elle finirait peut-être par se retrouver ? Non, en dépit de toutes les vertus de Lark et des faiblesses de Joel, elle préférait ce dernier. Chair et fureur — et cette façon brûlante d'être jaloux, de l'assommer de questions, mais aussi de faire l'amour.

— Le mouvement anti-nucléaire est non violent, dit Roger, lorsqu'elle eut terminé son exposé. A votre avis, pourquoi ces gens se réjouiraient-ils de notre intervention ?

— Au sein du mouvement antiguerre, nous avions des groupes pacifistes et des factions révolutionnaires. Dans tout mouvement viable, entre un large spectre d'opinions politiques. Même chose pour les droits de l'homme et les problèmes de la femme. Ils ne peuvent nous exclure si nous n'appartenons à aucun de leurs groupes. Ils ne peuvent juger des problèmes auxquels nous décidons de nous atteler, pas plus que nous de leur stratégie.

— Donc, tu ne penses pas qu'ils se réjouiraient de nous voir ? demanda Eva.

— Oh ça, non ! dit Vida. Tu as envie qu'ils se réjouissent ?

— Cela fait parfois plaisir. Eva la regarda brièvement pour la première fois de la journée. Il faut savoir clairement ce que nous faisons, et pourquoi. Cette fois-ci, bonnes gens, il s'agit de taper dans le mille avec la propagande. Tout contre la propriété, rien contre le personnel. Nous devons être extrêmement prudents à ce sujet, dans un contexte où nous luttons pour sauver des vies humaines dans l'avenir. Plus question désormais de dire que nous luttons contre une guerre nationale.

Eva prenait son parti ! Vida se laissa aller contre le dossier de sa chaise, relâchant un peu sa tension nerveuse.

— Une révolution est une guerre, dit Lark. Regardez plutôt l'Afrique en ce moment : ça chauffe, là-bas.

— Mais pas ici. C'est tiède, dit Roger.

— Oui ou non, es-tu pour ou contre le projet ? aboya Kiley.

— Je réfléchis encore, dit Roger en soufflant des nuages de fumée, tandis qu'Eva et Vida prenaient doucement un peu de recul. Tout le monde n'a pas révélation de la lumière dans l'instant. Certains de nous pensent pour y voir clair.

— J'en déduis donc que tu hésites sur le projet comme sur celui de la rédaction d'un exposé définissant globalement notre position ? insista Kiley.

— Non, Kiley. Pour ce qui est de l'exposé, j'ai décidé : contre.

J'estime que nous avons passé bien assez de temps à jouer les universitaires, ces deux dernières années. Nous pourrions tout aussi bien le faire en prison. Le réseau existe à deux fins : *un,* aider les fugitifs ; *deux,* leur permettre de s'exprimer politiquement. On peut difficilement former politiquement les gens sous terre. N'importe quel gus en poste dans une université, un lycée, un syndicat ou un journal s'en acquitterait cinquante fois mieux. Notre spécialité doit être la propagande de l'acte.

— Bref, tu as l'intention de voter avec Eva et Vida ?

— J'ai l'intention de m'employer en faveur de l'unique proposition concrète que j'entende naître de cette réunion. Peu importe son auteur... même si c'était toi, Kiley, ça me serait égal. Je veux que ça remue de nouveau chez nous. Je doute que ma décision te choque. Tu as dû en arriver à la même analyse, sinon tu n'aurais pas essayé de manœuvrer pour m'exclure du comité. (Il tirait encore plus furieusement sur sa pipe.)

— Oh, je ne sais pas, dit Kiley avec un mince sourire qui découvrit un fin croissant de dents blanches et régulières. La vie que tu as décidé de mener, récemment, est déconcertante, de la part d'un membre du comité.

— J'estime que les rapports ne doivent pas exister uniquement entre cadres, sous peine d'élitisme. Si nous voulons servir le peuple, nous devons établir le contact avec lui.

— Si je comprends bien, tu vas enrôler ta petite institutrice ?

— J'étais moi-même prof d'anglais dans un lycée, Kiley. Ne sois pas si snob. N'étale pas tes antécédents de classe.

— Le contexte n'est pas aux bannières sociales que l'on brandit, intervint Lark, agacé. La proposition en question est fondamentalement opportuniste. Elle ne découle pas de notre politique.

— Notre politique sent le moisi, dit Vida. Nous avons ralenti nos opérations contre le gouvernement et les grosses sociétés parce que la guerre est finie et qu'elles ne trouvaient plus d'échos dans l'électorat. Il existe des centaines de problèmes aigus ; mais il faut se tourner vers les gens pour qu'ils disent quels sont ceux qui les touchent le plus terriblement de près.

— C'est l'analyse marxiste qui doit nous guider, pas les manchettes des canards du soir, dit Kiley.

— Lark, te rappelles-tu le bureau du Mouvement des Etudiants antiguerre en 68 ? Quand Oscar, Lohania et moi, nous avons lancé le projet Continental Edison ? Il englobait tout : les problèmes du travail sur lesquels nous pouvions nous brancher ; ceux du consommateur qui se faisait baiser ; la pollution, le choix entre les sources d'énergie — si, si, nous parlions de cela en 1968 ; la santé publique et l'incidence des maladies respiratoires autour des centrales nucléaires ; le transport des produits dangereux ; la corruption gouvernementale ; la mainmise des riches et des puissants sur tout ; la lutte pour les nationalisations. Il n'y avait qu'un problème dans tout cela : ça serait l'ennui ! Le projet est mort de sa belle mort lente et morne. Les gens se défilaient en douce et ne répondaient plus au téléphone. Ils venaient de moins en moins nombreux aux réunions. Pour finir, Oscar, Lohania et moi, nous nous sommes disputés et nous l'avons enterré. C'était un projet parfait ; il ne lui manquait que le sex-appeal.

Kiley se leva. Elle fit le tour des regards fixés sur elle.

— Vous avez la majorité. Je marcherai.

— Je ne peux pas suivre, dit Lark, froncé. Non, il vaut mieux que je démissionne du comité.

— Ne sois pas ridicule. Se soumettre momentanément à la volonté de la majorité est de bonne discipline, lui dit Kiley. Cela ne nous fera pas de mal de mener une opération réussie. Ma conviction est que l'expo laissera froids les militants. Le projet est faible et opportuniste, tu es bien d'accord là-dessus, mais nous avons le temps d'élaborer une proposition définissant une série d'actions, sur la base d'une analyse plus saine, d'ici février ou le début de mars.

La règle prédominante du groupe interdisait à Lark et à Kiley de se retirer dans une pièce voisine afin de conférer en privé sur le bien-fondé de la décision de Lark pour protester contre ce que serait évidemment le vote majoritaire. Kiley n'avait donc d'autres recours que de soutenir par la véhémence de son regard l'appel à la discipline qu'elle venait de lui lancer. Lark fit craquer ses doigts dans le silence :

— Mon désaccord est trop profond, dit-il enfin.

— Lark, je ne veux pas que tu donnes ta démission. Ni Eva ni moi, nous n'approuvions l'omission d'une prise de position forte, vigoureuse en faveur des droits des homosexuels, lors du dernier expo, et Dieu sait que cela faisait mal. Mais nous n'avons pas démissionné pour cela, rappela Vida. (Elle aussi le suppliait du regard, tout en se réjouissant que Joel ne fût pas là pour gêner sa capacité de manœuvrer.) La continuité est essentielle. Kiley et toi, vous nous l'apportez. Nous avons bâti ce réseau au nez d'un gouvernement en guerre avec nous, et nous avons survécu à toutes les attaques. Surmontons ce différend momentané ! Il est mineur, comparé à tout ce que nous avons en commun sur le plan du travail, de l'idéal politique et de l'histoire.

Comme en proie à une profonde émotion, elle lui saisit la main — geste de rhétorique, mais l'intention y était. Elle ne voulait pas que Lark quittât le Comité. Où serait alors la victoire ? Le comité sans Lark perdrait sa légitimité. Il lui abandonna sa main, le regard absorbé dans le vide sous les sourcils toujours froncés.

— Je ne sais pas..., murmura-t-il.

— Je peux te tenir l'autre main, si ça peut t'aider, dit Kiley sur un ton sarcastique. Vida aime bien donner du corps aux mots.

Vida notait que Roger ne se joignait pas aux efforts de persuasion. Ou bien il souhaitait le départ de Lark pour rester le seul mâle dominant, ou bien sa rancœur à propos de Kiley était la plus forte. Eva dit :

— Si tu considères que nous avons tort, il me semble que tu devrais garder le maximum de poids pour infléchir notre jugement.

Vida pressa encore la main de Lark, puis la lâcha en souriant à Kiley et en disant :

— La communication joue à tous les niveaux. L'important est qu'elle passe dans l'argumentation, entre camarades. J'essayais d'exprimer la profondeur de mon respect et de mon affection.

— Continue ! Vite, un lit ! railla Kiley.

— Kiley a trop de cœur, dit Eva avec un sourire. Il est gros comme ça, vert jalousie et hérissé d'épines.

Kiley la fusilla du regard. Vida songea que Kiley était une femme qui ne supportait pas qu'un homme, fût-il son amant, allât le moins du monde contre sa volonté ; ce qui ne l'empêchait pas de refuser de s'identifier aux autres femmes : elles la gênaient du simple fait qu'elles étaient des femmes.

Lark se redressa sur son siège :

— Ne vous donnez pas tout ce mal. Il est bien évident que je resterai au comité. Je suis violemment contre cette décision. Je n'imagine même pas comment nous pourrons l'expliquer sur le plan international. Mais je reste et je lutterai à vos côtés. Je travaillerai à une contreproposition. J'avoue que la position de Roger me surprend. Je finis par penser que ce n'est pas le moment d'élaborer une longue analyse. J'accepte la responsabilité de présenter une contre-proposition pour le 28 février. Thème central : les sources de profit des grosses sociétés en Afrique du Sud.

— Mais tu es d'accord pour que nous poursuivions le présent projet entre-temps ? demanda Roger.

Lark acquiesça de la tête :

— Je vous comprends. Je ne vous approuve pas.

— Mais tu coopères ? demanda Eva.

— Naturellement, dit-il. Discipline, discipline.

— Bien ; venons-en aux détails, dit Roger en ouvrant son antique attaché-case en cuir. Définition de l'objectif. Pas de centrale en activité. Trop dangereux. Nous serions foutus de faire plus de dégâts que les abrutis qui construisent ces horreurs. A ce que je comprends, Faucon a des idées concrètes sur des sites de chantiers. J'en ai aussi. Examinons les divers emplacements et options et procédons aux vérifications.

— Nous avons le choix entre deux sites. Il serait bon d'aller en reconnaissance demain et de commencer la surveillance de la cible retenue, dit Vida. Nous pourrons décider du type d'action une fois que nous aurons le site et une connaissance raisonnable des lieux.

Elle déplia une carte du nord de la Nouvelle-Angleterre et l'étala sur la table tandis que les autres se rapprochaient pour voir.

22

Ils passèrent une semaine à reconnaître le terrain et les possibilités avant de fixer leur choix sur un site initial, celui de la centrale nucléaire Mohican, en construction au bord de la rivière Connecticut, côté New Hampshire. Dès lors la surveillance s'établit vingt-quatre heures sur vingt-quatre. Joel, Tequila et Marti étaient dans le coup, à présent que le Comité avait fini de se réunir et que l'opération était déclenchée. Ils se retrouvaient tous les deux jours afin de confronter leurs observations et de continuer à dresser le plan d'action. Ils débuteraient bientôt par un petit sabotage, pour s'attaquer ensuite à une entreprise de plus grande envergure braquant tout sur le siège de la compagnie d'électricité.

— Priorités du jour, dit Kiley en frappant sèchement du dos de la main la feuille de papier kraft collée sur la vitre sans tain de la fenêtre. (Il n'y avait pas abondance de surfaces plates dans le chalet où Lark et Kiley couchaient et où se déroulaient les réunions — lequel chalet se trouvait entre la ferme d'Agnès et Hardscrabble Hill, résidence de Joel, de Vida, de Roger et d'Eva.) Emploi du temps. Ressources.

— C'est-à-dire : fric ? demanda Eva (elle avait fait remarquer à Vida à quel point Kiley répugnait à parler d'argent et de sexe). Nous avons un contact pour la dynamite, mais c'est *cash.*

Roger disposa pipe, tabac, cendrier et cure-pipe sur la table devant lui, comme des instruments chirurgicaux avant une opération.

— Que reste-t-il dans la tirelire ?

— Rien, répondit Lark (c'était lui le trésorier). Un grand nombre de sources se sont taries. Mon dernier voyage à New York a été en pure perte.

— Peut-être les inciterons-nous à la générosité, avec ce projet, dit gaiement Roger. Mais pour amorcer la pompe, il nous faut de l'argent, très vite. Je crois que nous avons assez de fric à nous tous pour nous payer une petite charge : de quoi faire sauter des pelleteuses et des bulldozers. Pour une opération de plus grande envergure, il nous faut une somme modeste, mais plus consistante.

— Joel et moi avons la possibilité d'un boulot qui pourrait faire rentrer un peu d'argent, dit Vida. Un contrat avec une avocate new-yorkaise.

— Quel genre de boulot ? (Lark était soudain soupçonneux, les yeux plissés.)

— Enlever deux enfants pour les rendre à leur mère. Le père a emmené les gosses dans le Michigan.

— Comment savoir si c'est une affaire propre, politiquement ? demanda Roger sur un ton inquisiteur.

Eva hocha la tête :

— Ecoutez la voix de papa, railla-t-elle.

Assis près de la fenêtre, Joel dénouait une vieille corde. Il avait tendance à se placer dans le fond de la pièce pendant les réunions. Il dit :

— On a parlé de ce boulot, ouais, mais pour vivre. Voilà des mois qu'on est sans un, tous les deux. On ne peut pas continuer comme ça ; c'est trop dangereux.

— Quelle somme cela représente-t-il ? s'enquit Lark.

— Mille cinq cents dollars, dit Vida. (Joel la fusilla du regard. S'attendait-il qu'elle mentît ?)

— Formidable ! s'écria Roger, retrouvant son enthousiasme. On peut couper la poire en deux : cela fait assez pour financer le projet et vous permettre de vivre deux ou trois mois.

— Ce n'est pas juste, dit Joel. C'est nous qui prenons tous les risques. Voilà des mois qu'on court les routes et qu'on tape sans arrêt des gens. On est crevés tous les deux. Vida a été malade des semaines, pendant qu'on se planquait à Brooklyn. Je veux un endroit pour vivre avec elle. C'est notre droit.

— Nous ne sommes pas engagés dans la lutte pour défendre notre confort et nos droits, dit Kiley. Où est-ce que je vis, *moi* ?

— Ça te réussit, mais pas à Vida, répliqua Joel en la regardant d'un œil noir.

Eva fronçait les sourcils, les bras croisés sur la poitrine. Vida la sentait bouillir intérieurement. A la fin, elle éclata :

— Notre engagement n'exige pas que nous nous consumions à sa flamme. Il y a longtemps, je crois, que nous avons dépassé le stade où chacun de nous voulait prouver qu'il pouvait endurer plus de privations, de solitude, de danger et de tension nerveuse que les autres. Nous sommes les survivants. Accordons-nous un peu de champ les uns aux autres.

— Faucon est à l'origine du projet, dit Roger. J'aurais pensé qu'elle le soutiendrait jusqu'au bout.

426

— Le groupe entier est d'accord, dit Eva. Le projet n'est plus uniquement le sien... Et d'ailleurs, il semble que, toi aussi, tu désires un peu plus de stabilité dans la vie. Comment peux-tu leur en refuser autant ?

Joel se leva gauchement et s'approcha d'Eva :

— Merci, murmura-t-il. Toi aussi, tu tiens à elle.

Eva le regarda d'un air exaspéré :

— Moi aussi ? Il te reste à faire encore tes preuves !

Vida avait envie de les serrer tous les deux dans ses bras.

— Je propose que nous partagions un tiers, deux tiers, dit-elle. Nous pouvons exiger la moitié comme avance. Nous prendrons là-dessus le tiers qui revient au réseau. Cinq cents dollars devraient couvrir les dépenses de la grosse opération. Joel et moi, nous garderons ensuite le second versement pour vivre.

— Quand penses-tu obtenir l'avance ? demanda Kiley. Rapidement ?

— L'avocate attend notre retour. La mère des enfants est d'accord.

— Alors, foncez, dit Kiley tout en notant des choses sur un calendrier. Ayez l'argent avant Noël. Nous pourrons commencer l'année avec notre émission.

« Notre émission » (signifiant : notre opération) — Vida n'avait pas entendu ce mot de leur argot depuis deux ans au moins. Elle sourit :

— Je vais appeler l'avocate aujourd'hui. Mais nous avons de quoi nous procurer assez de dynamite pour une opération mineure dans l'immédiat. Nous savons que nous pouvons déposer une bombe sur le chantier de Mohican, où il n'y a qu'un gardien à écarter.

Tequila, debout, dit avec un grand sourire :

— Nous pouvons acheter la dynamite aujourd'hui même.

— Pas une minute à perdre. Demain au plus tard. Ce soir, si nous pouvons. (Roger se racla la gorge et donna un coup sec sur la table avec sa pipe.) J'aimerais faire un saut jusque chez moi... Je veux dire : à Rochester, pour les vacances. Les gosses seront déçus si je ne me montre pas.

— Si Tequila part maintenant et rapporte la dynamite, nous pouvons agir ce soir, dit Kiley en les regardant tous d'un air radieux. Ce serait au poil.

— Vas-y juste pour Noël, dit Eva à Roger. Si nous voulons réellement faire exploser une grosse bombe aux bureaux de la compagnie d'électricité, il faudra exercer une surveillance plus longue et plus sérieuse que celle pour le chantier de construction.

Tequila partit pour aller chercher la dynamite avec l'argent qu'ils avaient réuni entre eux, juste au moment où Marti arrivait, avec Dylan dans son sillage, pour prendre la relève de Roger à la maison.

Tamara, la fille de Marti, et Roz étaient au jardin d'enfants ; mais Dylan, le fils, était encore trop petit pour cela et devait rester au chalet dans son parc, toute la journée. En l'absence de Roger, Joel se montrait héroïque de compréhension pour les exigences d'un petit garçon laissé à lui-même et qui s'ennuyait. Lark leva la tête de dessus sa machine à calculer manuelle et de ses colonnes de chiffres pour donner ses instructions à Vida :

— Fais-toi remettre l'argent en coupures de dix et de vingt dollars. Et partez après-demain. Nous continuerons de notre côté, sur l'hypothèse que vous rapporterez l'argent mardi soir.

— Ce qui signifie que nous le déposerons avant de faire le boulot, précisa Vida.

Kiley, qui travaillait au plan logistique sur la table de bridge, refusait d'admettre que les enfants soient des enfants. Elle s'adressait à Dylan comme à une grande personne, lorsque c'était nécessaire : « Dylan, si tu persistes à donner des coups de pied dans le canapé, tu vas l'érafler, et les propriétaires de cette maison, qui ont été assez aimables pour nous la prêter, seront fâchés. » Dylan faisait la moue et redoublait de coups de pied. Ce qui avait été un geste inconscient, devenait un fait exprès. Lark était mal à son aise avec Dylan, bien qu'ils eussent vécu ensemble ; il avait peur des enfants. Vida se demandait pourquoi. Elle-même ne s'intéressait guère à eux, à moins de les connaître intimement comme Peezie, Sam et Roz. Mais que craignait Lark ? Qu'un enfant sautât brusquement sur lui, comme un gros chien ? Peut-être le souvenir de sa propre enfance était-il douloureux ? A moins qu'il ne souffrît d'un sentiment précis, au spectacle d'enfants ?

Lorsqu'il parlait de son séjour au Vietnam, il évoquait la visite qu'il y avait faite comme représentant du Mouvement antiguerre, presque jamais les années qu'il y avait passées dans l'armée. Elle se demandait pourquoi, mais une profonde inhibition l'empêchait de le questionner : ou bien l'on se tient en dehors, ou bien on y va et on endosse la responsabilité du choc que l'on risque de provoquer. Elle partagea donc son temps, ce jour-là, entre l'étude de la topographie du lieu et des plans du chantier et Dylan, avec lequel elle joua par terre, pour relayer Joel. Ils disposaient à cet effet d'un vieux canard, qui couinait lorsqu'on le tirait, et d'une voiture de pompiers toute neuve, munie d'une sirène abominable.

Ils rentrèrent enfin chez Agnès — quarante minutes en voiture à l'Ouest. Agnès abritait la presse du réseau de la côte Est dans son poulailler. La maison, grise, avec des volets bleu foncé, se dressait au beau milieu de sombres épicéas pleureurs aux troncs aussi gros que Vida. On pénétrait dans un hall majestueux doté d'un escalier en spirale, avec un salon de chaque côté. Agnès dirigeait une chèvrerie et vendait du fromage à un grossiste en produits écologiques ; elle était quaker, farouchement opposée à la guerre, et donnait asile aux politiques en fuite. Son pacifisme lui avait valu de sérieux différends avec le Réseau ; mais, avec les années, elle avait fini par les considérer comme ses enfants. A la manière d'Eva, elle portait des tresses ; mais les siennes, sable strié de gris, étaient nouées autour de la tête. Elle avait un œil bleu, et l'autre, de verre, bleu un peu plus sombre (elle avait perdu le vrai, crevé par une pierre, à Selma, lors de manifestations contre la ségrégation, des années auparavant). Ils étaient nichés au fond de petites rides au-dessus des pommettes saillantes qui creusaient à leur tour les joues plus bas. Agnès était aussi grande qu'Eva et plus maigre ; elle portait bien ses vêtements et évoluait parmi chèvres et flaques d'eau avec une élégance naturelle, dans sa longue cape irlandaise en laine, à haut col. C'étaient des vêtements vieux, mais gardant de l'allure : des tweeds, de la soie, du linge sobre mais d'une qualité évidente. Elle allait à grands pas opulents et balancés, que ce fût à travers les pâturages grimpant vers les collines ou sur les planchers aux larges lattes de la vieille maison, jonchée de tapis de bouts d'étoffe aux couleurs vives qu'elle tressait elle-même. Lorsque Vida pensait à Agnès, elle la voyait toujours en mouvement, fluide et rapide. Même lorsqu'elle s'asseyait sur un fauteuil à bascule, près du poêle, ses mains décharnées s'affairaient à assembler un des nombreux jetés de lit en patchwork qu'elle faisait pour la maison ou la vente. En plus de ses chèvres, elle avait organisé toutes sortes d'artisanat rural, dans lesquels les fugitifs s'inséraient facilement, sinon confortablement : fabrication de sucre d'érable, culture de la pomme, pressage du cidre, tissage patchwork et, bien entendu, production de fromage ; sans oublier les tâches quotidiennes : bois pour le feu, réparation des clôtures, chasse aux piverts, labourage du potager, semailles et plantations. A présent, tout le monde habitait la grande maison ; mais Vida rêvait de retrouver la cabane dans le bosquet d'érables, sur la colline, où elle avait vécu cachée, seule, pendant un mois, lors de sa seconde année sous terre. Elle s'imaginait y dormant avec Joel, dans une hautaine intimité ; mais la cabane était glaciale et inaccessible avec cette épaisseur de neige : « Je me rappelle, disait Agnès en hochant la tête, j'avais été obligée de te loger tout esseulée là-haut, comme mes petits Portoricains avant. C'est à ce moment-là que tu as fait le jeté de lit à l'étoile de David. Les points étaient trop grossiers pour qu'on puisse le vendre... tu n'as pas de patience, mon petit ; mais le modèle était joli et bien conçu. Je n'ai jamais regretté de l'avoir gardé. Il est sur le lit d'Eva. »

« Tout esseulée »... Non, elle ne s'était pas sentie seule. En ce mois de juillet 1972, elle s'était retrouvée réduite à sa propre compagnie (ou évadée en elle-même ?) pour la première fois depuis l'aube de son mariage avec Leigh. La première nuit là-haut, elle n'avait pu fermer l'œil, à cause du silence mortel piqueté de petits bruits furtifs et

429

mystérieux chatouillant le bois de la cabane. Les grincements des boîtes de vitesse des camions, les lamentations des klaxons, le feu roulant des gros pétards des gamins n'auraient pas troublé son sommeil à New York. Ici, le frottement de deux branches sèches était une torture. Pourtant, dès la troisième nuit, elle s'était habituée aux bruissements de ce silence et dormait profondément. Elle faisait de longues marches, fouettée par les broussailles, jusqu'au sommet de la montagne, toute proche et vierge de chemins, qu'elle explorait passionnément. Elle devait charrier des seaux d'eau qu'elle puisait à une source deux cents mètres plus bas. Au reste, ses pensées l'occupaient. Au bout de la deuxième semaine, elle s'aperçut que Kevin, parti pour Montréal, ne lui manquait nullement. Au contraire, elle éprouvait un sentiment de délivrance, comme si on lui avait ôté un poids de la poitrine. Cette révélation lui avait fait peur, elle ne voyait pas ce qu'elle y pouvait. Non que Kevin l'aimât : s'il avait jamais aimé quelqu'un, c'était Lohania. Mais il dépendait de Vida. Sexuellement il était obsédé par son corps, sa peau, ses jambes, ses seins — savait-on quoi ? Aucun rapport avec la personne Vida, bien qu'elle eût mis trois ans à le comprendre, tant le besoin d'elle qu'avait Kevin semblait violent. Elle songeait parfois que, si elle était morte et que son corps fût demeuré intact, l'attirance physique de Kevin pour elle, pour cette *chose* eût été la même. Ou peut-être pas. Peut-être lui fallait-il cet élément de résistance qu'elle représentait, vivante. Elle s'était dit que l'aimer ou non n'avait aucune importance. Sur sa montagne, elle se sentait pure et forte. Leur couple formait une équipe, une unité politique. Mieux valait ne pas s'envelopper de la brume des sentiments personnels et de ses déformations romantiques. Ils étaient tous deux des instruments. L'amour est une distraction bourgeoise. Kevin était revenu le 2 août et ils partirent pour Detroit, où ils projetaient d'organiser un mouvement de soutien et d'entrer en contact avec les groupes d'ouvriers noirs militants, si possible...

Secouant sa rêverie, elle suivit Joel dans sa chambre. Malgré leurs protestations, Agnès leur avait donné des chambres séparées : « Je me moque de ce que vous faites, du moment que je ne suis pas obligée de le savoir », avait-elle dit du haut de son nez aquilin, laissant Vida stupéfaite, comme toujours dans ce cas. Agnès désapprouvait les rapports sexuels en dehors du mariage, qu'elle n'approuvait pas tellement, d'ailleurs. Sous son toit, les appariements habituels se faisaient et se défaisaient ; mais Agnès s'arrangeait pour ne rien voir... Vida s'assit en face de Joel sur le lit escamotable.

— L'ennui dans mon cas est que je suis capable de m'adapter absolument à tout, si le motif est assez fort. Pour une raison politique, je serais capable de me persuader de me couper le bras.

— Tu veux parler de cet après-midi ? Du partage de l'argent en deux ?... (Il lui tira les cheveux.) Ils redeviennent jolis, mais tu manques d'imagination.

— C'est ce que me dit toujours Natalie. (Elle se tordit le cou pour se regarder dans la glace de la commode.) Ça ne fait jamais qu'une fois de plus. Je vais faire un saut jusqu'à la ville pour acheter de la teinture et m'arranger les cheveux avant de repartir pour New York.

— Je te répète que tu manques d'imagination. Teins-toi en noir.

— En noir ?

— Oui, comme les miens. Pour faire ressortir le vert chat de tes yeux. Comme ça, nous aurons tous les deux les yeux verts et les cheveux noirs.

— Oh, tu veux être mon frère ?

— Ton enfant, ton frère, ton amant, ton papa-gâteau, ton âme sœur... (Il la plaqua sur le lit, en lui bécotant le cou.) Eva tient vraiment à toi. Défendre quelque chose permettant à une de mes anciennes maîtresses de profiter de son nouvel amant... moi, j'en serais incapable !

— Hou-hou, hou-hou ! (Voix d'Agnès frappant à la porte.) Faucon ! Vous êtes là ?

— Un peu, oui ! répondit Joel avec un grand sourire.

— Dites-lui que j'ai besoin d'elle pour le dîner.

— Tu peux me le dire à moi, répondit Vida en s'arrachant tristement au lit. Son instinct ne la trompe jamais, ajouta-t-elle pour Joel.

Il s'agissait d'une corvée de pluches. Elle s'en acquitta à toute vitesse, puis fit son saut jusqu'en ville. En dehors de sa teinture, elle voulait attraper Paul au Singe en Cuivre. Le drugstore du coin lui permettait de faire d'une pierre deux coups.

— Ici le Singe en Cuivre, répondit la même voix de barman.

— J'aimerais parler à Paul Wippletree. Il passe chez vous tous les soirs vers cette heure-là, après le travail.

— Ouais, sauf cette semaine... Fred ! cria la voix à la cantonade. T'as vu Paul aujourd'hui ?... Vous le trouverez sûrement à la maison : y a un ennui dans la famille.

— Merci.

Elle raccrocha, fronça les sourcils en fixant le cadran de l'appareil. Non, impossible d'appeler Paul à la maison, bien que l'inquiétude l'y poussât. Quelle sorte d'ennui ? « Peut-être est-ce Mary Beth qui est malade... ou qui aura surpris Paul au lit avec sa Joy », ne put-elle s'empêcher d'espérer. Non qu'elle souhaitât du mal à son frère, mais que n'eût-elle souhaité pour que Ruby en tout cas fût épargnée ! Elle resta un long moment à essayer de trouver quelqu'un à qui téléphoner pour avoir des nouvelles de sa mère. Puis il fut temps de rentrer pour aider Agnès à mettre la table. A New York, elle trouverait bien un moyen, une personne auprès de qui s'enquérir...

Ils se réunirent tous au chalet aussitôt après le dîner. Bien entendu, Agnès ne devait rien savoir de leurs activités :

— Etant donné que Joel et moi, nous serons dans le Michigan, où nous risquons même d'être coincés, il serait juste que nous ayons la part du lion dans l'opération de ce soir, dit Vida.

Lark acquiesça de la tête :

— Mais pas ensemble, ajouta-t-il.

— Nous avons remarqué une certaine tension entre Joel et Eva, dit Roger. Nous désirons qu'ils fassent équipe : qu'ils donnent l'alerte et lancent les communiqués.

— Toi et moi, nous nous occuperons des munitions, avec Tequila en réserve, dit Kiley. Roger a réglé le mécanisme de la bombe pour laisser un délai d'une heure.

Kiley, Tequila et Vida enfilèrent leurs vêtements de nuit, sombres, avec de larges poches intérieures et rien qui risquât de s'accrocher à du fil de fer. Tous les cinq, ils s'entassèrent dans la voiture la plus sûre, la Saab vert foncé et relativement neuve de Marti. Tequila conduisit lentement, prudemment, en évitant les cahots. Direction : le chantier. Vida était assise entre Eva et Joel. Eva chantonnait, tassée sur elle-même, bras et jambes serrés, comme si cette contraction lui avait évité tout contact avec les autres. Face au danger, Kiley devenait maniaco-dépressive. Tequila bluffait ; il n'était que boots de combat, coudes dehors et grands rires saccadés. Il était lancé avec Kiley dans une discussion aussi hachée qu'absurde sur l'organisation des syndicats, travail dont aucun d'entre eux ne s'était jamais mêlé. Roger, qui avait longtemps milité dans le syndicat des enseignants de Seattle, n'était heureusement pas dans la voiture pour les écouter. D'ailleurs s'écoutaient-ils non seulement l'un l'autre, mais eux-mêmes ?... Joel lui serrait la main très fort. Elle se demanda comment il se conduirait dans l'action. Elle se sentait responsable de lui, mal à l'aise, et aussi pleine de remords à cause du manque de confiance en lui que cette gêne sous-entendait. Elle lui pressa la main comme pour demander pardon. La paume n'était pas moite ; bon, et après ? S'il perdait son sang-froid, s'il paniquait, il les mettrait tous en danger. En outre, il lui ferait perdre la face devant les camarades. Elle leur en voulut de ne pas lui avoir permis de faire équipe avec Joel. Elle était certaine, en cas de faux pas de sa part, de pouvoir le couvrir, si elle était là. Eva était un bon soldat, bien qu'un peu flegmatique et certainement l'une des moins rapides à improviser en cas de crise. Les deux camarades assis devant bavardaient ; les trois à l'arrière demeuraient silencieux, hormis le doux chantonnement sans paroles d'Eva. La nuit, tombée de bonne heure, s'épaississait.

— C'est le solstice, dit brusquement Vida. (Une mince pelure de lune restait accrochée au pare-brise juste au-dessus de la tête de Kiley.)

— Les sorcières sont en vacances, d'après les anciens, dit Eva. Nous commémorons.

— Les feux du solstice d'hiver, dit Vida.

Comme ils approchaient de l'endroit où Kiley et Vida devaient descendre de voiture, tout le monde se tut. Plantée au bord de la route, tandis que la voiture s'éloignait pour déposer Eva et Joel dans une ville voisine, Vida pensa à sa mère. Un ennui de famille. Mon Dieu, faites que son état n'empire pas ! Elle tourna les talons et suivit Kiley sur le bas-côté de la bretelle d'accès. Elles marchaient toutes deux sans bruit, sans hâte, à pas légers, Vida avec la bombe, Kiley devant avec les pinces pour couper les clôtures. Le chantier était entouré d'une haute enceinte de fil de fer, visible à distance. Elles s'engagèrent sur un chemin à travers bois que Roger et Marti avaient tracé pour elles dans l'après-midi et qui les mena de l'autre côté du terrain, loin du bureau du gardien à l'entrée. Il y avait des lumières autour de celle-ci et du bureau. Mais elles firent leur approche à travers l'excavation. Rien d'autre qu'un vaste trou, avec des machines pour l'agrandir et le creuser encore. Vida avait la sensation de flotter comme une plume, la tête lui tournant presque.

Il faisait froid, sans un souffle de vent ; la nuit semblait entièrement gelée, les étoiles, coupantes, prises dans cette glace. L'air était sec, comme cassant, sur la peau du visage. Vida avançait lentement ; surtout ne pas glisser ; ce serait la fin de tout. Invisible devant elle, Kiley devait être à genoux devant la clôture. Quand Vida sortit du bois, Kiley avait tranché et écarté le fil de fer ; elle attendait de l'autre côté que Vida lui passât la bombe avant de se faufiler derrière elle. Puis Kiley tendit un bout de journal sur l'orifice, comme si le vent l'avait plaqué là, et l'accrocha aux deux bords pour le maintenir en place. Elles repartirent en silence. Vida avait repris la bombe. Près de la clôture, la neige était vierge, la marche, difficile : croûte de glace sur trente bons centimètres de neige. Autour du matériel, le sol, baratté en profondeur, formait des ornières de boue glacée. Kiley désigna de la main une pelle à vapeur et un tracteur à chenilles côte à côte, Vida fit oui de la tête. Restant dans l'ombre de la cabine de la pelleteuse, elles fixèrent la bombe sur le côté regardant le tracteur. Même avec le peu de dynamite que leurs finances collectives leur avaient permis d'acheter ce jour-là, il y avait de quoi saboter le matériel. Vida vérifia le cadran lumineux de sa vieille montre. Elles avaient mis plus longtemps que prévu pour arriver sur place. Le mouvement d'horlogerie ne leur laissait plus que cinquante minutes.

Vida ouvrant la marche, elles revinrent sur leurs pas, toujours prudemment, passèrent à travers la clôture et regagnèrent les bois, le plus silencieusement possible même là. Néanmoins, elles allaient vite, en prenant soin de rester ensemble. Enfin, elles trottèrent de nouveau sur la bretelle, en direction de la route, l'oreille tendue pour entendre venir les voitures, tout en courant et haletant. La bombe représentait pour elles une taxe sur la corruption et la cupidité. Du moins forcerait-elle les gens à s'intéresser à la centrale nucléaire et à l'opposition qu'elle suscitait chez certains, comme aux motifs de cette opposition. Les tracts que Joel et Eva étaient en train de poster s'efforçaient de remuer la base, mais, surtout, cherchaient à sensibiliser l'opinion publique sur la possibilité de sources d'énergie hydro-électrique à bon marché en Nouvelle-Angleterre, comparées au coût élevé du nucléaire. Vida avait rédigé quelques phrases qu'elle se remémorait tout en trottant légèrement plus vite que Kiley et en débouchant sur la grand-route.

— Voiture ! chuchota Kiley.

Elles bondirent dans le fossé enneigé et se tapirent derrière des buissons. Vida consulta sa montre : encore dix-huit minutes... *Plus que* dix-huit minutes ! Vida avait écrit : « *L'uranium et le plutonium sont les deux éléments les plus onéreux que nous connaissons, et parmi les plus rares. En dépendre pour notre énergie est à peu près aussi insensé que de brûler de l'or.* » Puis elle parlait de la brièveté de leur utilité par rapport à l'infinie durée de leurs effets : « *C'est exactement comme quelqu'un qui loue un tueur pour abattre un ennemi et qui devient lui-même victime du chantage à vie du tueur, des années durant, des dizaines d'années durant. Dans ce cas-là, le chantage dure cent millénaires.* » La voiture passa. Elles se relevèrent et secouèrent la neige sur leurs vêtements. Les pieds froids de Vida lui faisaient mal. Elle trottait avec plus de raideur. A présent, c'était Kiley qui allait devant. Enfin, elles virent la Saab. Tequila s'était garé de l'autre côté de la route pour les voir arriver. Kiley s'assit à l'avant, Vida, à l'arrière en disant : « Allume le chauffage, je suis gelée. » Tequila démarra aussitôt pour aller prendre Joel et Eva. Kiley, recroquevillée gauchement à l'avant, et Vida, un peu plus à l'aise pour bouger à l'arrière, enlevèrent leurs vêtements mouillés et passèrent un pull-over et un pantalon. Vida claquait des dents. Pourquoi cette nervosité ? C'était l'attente de savoir comment Joel et Eva s'en étaient tirés. A sa montre, l'explosion serait dans cinq minutes. Ce soir, la marge de sécurité était trop étroite. Joel et Eva devaient être en train de donner l'alerte pour que le gardien évacue les lieux. Il était trop loin pour risquer d'être blessé, mais c'était bien de le faire décamper. On lui raconterait que son bureau allait sauter pour le forcer à filer et à franchir la grille d'accès. En tout cas, Tequila était censé cueillir Joel et Eva à la minute où ils auraient raccroché le téléphone, et la Saab entrait en ville. Pas question de laisser le couple poireauter le moins du monde devant la cabine. A quel endroit Tequila les avait-il déposés ? Ils dépassèrent des stations-service plongées dans l'obscurité, une maison de pompes funèbres, une école. La bombe avait dû exploser. Vida avait du mal à rester assise sur sa banquette, certaine de pouvoir courir plus vite que l'auto. Enfin la grand-rue ! Tous les magasins fermés. Jeunes sapins chétifs attachés aux réverbères, guirlandes de cloches en carton tendues par-dessus la rue.

— Voilà la cabine ! annonça Tequila. Je ne les vois pas.

La cabine, solitaire, se dressait au milieu du trottoir d'un pâté de maisons.

— Continue lentement, dit Vida, penchée sur le dossier du siège avant pour essayer de voir par-dessus Kiley. Là ! Sur le seuil de la boulangerie...

Elle se sentait toute bête de soulagement. Elle s'allongea pour ouvrir la portière côté trottoir, et les deux s'engouffrèrent, Eva la première.

— Comment ça s'est passé ?

— Très bien... sauf que vous étiez où, les mecs ? dit Eva. Nous avons téléphoné !

— Qui a donné le coup de fil ?

— Moi, dit Eva. Joel a posté les communiqués et déposé la lettre au journal.

— Ouais, je l'ai collée sur le bas de la porte d'entrée avec du taffetas gommé ! Ils la trouveront en ouvrant, demain matin... Qu'est-ce que vous fabriquiez ? On avait les jetons.

— Le terrain posait plus de problèmes que prévu, dit vivement Kiley. Ça ne va pas, un délai aussi court. Tel quel, nous avons dû cavaler jusqu'à la route. Et sur de la glace. Dangereux. Supposez que l'une ou l'autre de nous ait glissé et se soit foulé la cheville ? Nous n'aurions jamais pu atteindre la voiture avant l'explosion. Roger est coupable d'une erreur de jugement.

Il était pressé d'aller voir ses gosses, se dit Vida, mais en le gardant pour elle. N'importe comment, ils étaient tous sains et saufs. Ils allaient rentrer chez Agnès pour boire du cacao à la cuisine. Agnès dormirait ; ils parleraient bas comme des enfants qui veillent sans permission. Un ennui de famille... La famille : une rage de dents. Une dent cassée à laquelle on ne peut rien que la tâter du bout de la langue... A New York, elle se débrouillerait pour avoir des nouvelles. Si seulement elle parvenait à joindre Sam ! Lui, il lui dirait comment allait Ruby. Il lui dirait la vérité... à condition qu'elle trouvât le moyen de le joindre par téléphone.

23

Exténués, Joel et Vida s'endormirent presque tout de suite. Le lendemain matin, elle se leva avant lui pour casser du bois avec Eva. Ce ne fut qu'après s'être réunis au chalet pour critiquer l'opération de la veille et avoir lu les comptes rendus dans les journaux — trop brefs à leur goût — puis discuté des possibilités de la grosse explosion dans les bureaux de la Compagnie d'Electricité que, enfin, tard dans l'après-midi, Joel et Vida eurent le loisir de parler ensemble. Elle n'en avait pas moins remarqué, lors de la réunion, que Joel et Eva paraissaient éprouver plus de sympathie l'un pour l'autre. Ils avaient raconté leur histoire en duo, s'animant mutuellement plutôt que s'interrompant et se contredisant.

Vida s'était teint les cheveux ; elle était assise devant le poêle du salon, faute de séchoir. Il n'y avait qu'un des deux salons ouvert ; les sièges n'en étaient pas exactement râpés, mais très usés. Les fauteuils à bascule en bois dur et les fauteuils en tapisserie avaient été conçus pour faire de l'usage, et c'était le cas. L'autre salon demeurait fermé et non chauffé, si bien que Vida imaginait qu'il n'avait jamais servi qu'aux mariages et aux enterrements. Bien qu'Agnès eût passé la plus grande partie de sa jeunesse à Boston, cette maison appartenait à sa famille depuis soixante-dix ans, et sa mère et ses tantes y avaient grandi.

Les cheveux de Vida pendaient encore en mèches humides, mais elle savait déjà que la teinture avait pris. Elle flirta avec son reflet dans le miroir poussiéreux au-dessus de la haute table en forme de rognon.

— Tu crois que ça va être joli ? demanda-t-elle.

— Bien sûr, dit Joel, tout sourire. Puisque c'est moi qui ai eu l'idée. Est-ce que je t'ai jamais fait faire une bêtise ?

— Je suis heureuse que tout se soit bien passé, hier soir.

Il l'imita, répétant sa phrase si peu enthousiaste, et ajouta :

— Ravi que nous ne nous soyons pas tous fait sauter et piquer par la police.

— Cela t'a plu d'aller au charbon ? demanda Vida.

— J'aurais préféré être avec toi et opérer de ce côté-ci de la barrière. C'est ça qui doit être excitant, j'en suis sûr. Je ne l'ai jamais fait, mais Eva est sympa... Marrante, par moments. Quand on attendait dans la rue, elle m'a dit : Si on doit poireauter plus longtemps, autant se déguiser en Pères Noël de l'Armée du Salut, avec baguettes et clochettes à agiter. Comme ça, on pourrait financer toute l'opération et rester plantés sur le trottoir sans étonner personne.

— Alors, au fond, tu l'aimes bien, hein, espèce de monstre ?

— Ouais... Si tu as envie de coucher avec elle ce soir avant de ressortir pour la Grosse Pomme, vas-y, fais-le.

— Vraiment ? Tu n'es pas encore en train de me jouer un de tes sales tours, non ?

— Non. J'essaie d'être généreux et adulte. D'en finir radicalement avec ma jalousie.

— Joel, ça me ferait du bien, tu sais. Cela faciliterait beaucoup les choses entre Eva et moi. Je ne veux pas lui faire de mal. C'est affreux pour elle de voir à quel point je suis amoureuse de toi, et avec une passion que je n'ai jamais éprouvée pour elle.

Vida passa le dîner à attendre en regardant Eva, assise de l'autre côté de la table, heureuse de pouvoir contempler son calme visage ovale en souriant sans remords, parce qu'elle avait enfin quelque chose à lui offrir. Elle aimait cette attente, ce sentiment d'avoir une surprise en réserve ; pourtant elle avait des sursauts d'impatience, de crainte de traîner trop et de voir Eva s'engager dans d'autres projets : accepter d'aller acheter des jouets pour les enfants avec Roger ou décider de passer la soirée à assembler des jetés de lit avec Agnès. Elle s'impatientait et le repas lui semblait interminable. Agnès mangeait lentement et posait un tas de questions. Roger et Agnès aimaient à regarder les actualités télévisées tout en discutant et en opposant leurs analyses et leurs prévisions. Joel resta à l'écart sans parler. De temps à autre, Eva se mêlait à la conversation, lorsqu'un sujet soulevait son intérêt. Agnès et Roger débattaient avec animation du changement de la situation en Chine, sujet à propos duquel ils étaient tout aussi ignorants l'un que l'autre. Ils ne possédaient aucune information spéciale. Tout ce qu'ils savaient était filtré par la lorgnette du *New York Times* et du *Guardian* et ils auraient aussi bien pu parler de la vie sur Mars. La vie en Marx, songea-t-elle, amusée, tout en essayant d'attirer l'attention d'Eva.

Eva fit la vaisselle après le repas ; Vida l'essuya et la rangea, car elle connaissait un peu mieux les lieux et elle voulait dire deux mots sans témoin à Eva. Elle se risqua enfin.

— Gente Dame, aimeriez-vous passer la soirée en ma compagnie ?
dit-elle, jouant les damoiseaux et prenant la main d'Eva pour la
porter à ses lèvres.

Elle suivit Eva dans l'escalier de la cuisine. Juste au moment où
Eva ouvrait la porte de sa chambre, Agnès parut dans le couloir.
Merde, se dit Vida ; il fallait qu'elle débarque, naturellement ! A quel
genre de sermon allons-nous avoir droit ? Mais Agnès leur sourit d'un
air radieux :

— Bavardez bien, les filles. Mais je ne veux pas vous entendre
circuler toute la nuit sur la pointe des pieds. Le jeune homme qui te
plaît, Vida, est dans la chambre à côté de la mienne et vous me
réveilleriez... Sois sage, Faucon. Eva se comporte toujours en grande
dame quand elle est sous mon toit.

Vida suivit Eva dans la chambre. Cette dernière referma la porte
doucement et se dirigea vers le lit à pas feutrés.

— Ne marchez pas sur la pointe des pieds..., dit Vida en agitant
un doigt.

Eva s'assit en tailleur, une main sur chacun de ses pieds.

— Tu crois vraiment qu'elle ne sait rien ? dit-elle. Peut-être qu'elle
n'aime pas les hommes.

— Mais si, elle les aime ; simplement elle n'approuve pas les
rapports sexuels, sauf entre chèvre et bouc... et pour le lait !

Vida vint s'asseoir à côté d'Eva et glissa un bras autour d'elle. Le
dos d'Eva demeura raide.

— Nous pouvons dormir dans ce lit, mais pas question de faire
l'amour, dit-elle.

— Pourquoi pas ? Je t'aime vraiment, tu sais, Eva. Laisse-moi te
prendre dans mes bras.

— Non. Pour toi, cela n'a aucune importance. Je ne ferai l'amour
avec toi que lorsque cela comptera.

— Mais Eva, cela compte beaucoup ! Ne...

— Ne le dis pas.

Eva avait compris ce que Vida allait dire : « Ne t'éloigne pas de
moi. » Et elle avait voulu sous-entendre : « Ne le dis pas puisque,
moi aussi, je me suis éloignée. » Vida se rappela soudain le parfum de
leur intimité, tout en gestes et en silences, bien des choses n'ayant
nullement besoin d'être exprimées : d'une certaine façon elles étaient
faites l'une pour l'autre. Elle éprouva une pointe de regret, tandis
qu'une grosse larme glissait de son œil. Par certains côtés, Eva était si
infiniment confortable ! Elles s'adossèrent côte à côte contre le
montant délabré du lit.

— Tu es belle, avec ces cheveux aussi noirs que les miens, dit Eva.
Qu'est-ce qui t'a poussée à te teindre en noir ?

— Pourquoi n'aurions-nous pas la même couleur de cheveux ? Elle
te va tellement bien.

— Et à toi, donc ! Tu es encore plus belle maintenant, dit Eva d'un air radieux.

— Tu ne m'as jamais vue en rousse... Lark est le seul de tout le Réseau à se souvenir de la tête que ça me faisait.

— Et toi, idiote, tu as oublié ? Ou tu ne comptes pas ?

— Eva, tu m'as manqué. Tu m'as terriblement manqué. C'est la vérité. Ce que je ne regrette pas, c'est Los Angeles.

— Mais moi, j'aime Los Angeles. (La voix d'Eva se perdit dans le lointain, avant de reprendre :) Si seulement tu aimais le soleil autant que moi...

Vida sentait croître entre elles les mythes, l'accumulation d'explications qui permettraient à Eva de pardonner. Eva était infiniment meilleure qu'elle et aspirait à absoudre, c'était probablement l'être le plus généreux de tout le Réseau, raison pour laquelle Vida avait noué cette aventure, à l'origine. Quant à Vida, ce n'était pas si gentil, de sa part, d'abandonner la couleur de ses cheveux en offrande propitiatoire à chacun de ses amants à tour de rôle. Bah ! Pourquoi ne pas leur accorder ce petit plaisir ?

— Je sais maintenant que tu ne reviendras pas à Los Angeles, lui disait Eva. Mais je suis heureuse que les choses ne soient pas finies entre nous ? Que nous ne nous soyons pas perdues l'une l'autre.

— Ecoute, reste dans l'Est, toi, dit spontanément Vida. Ainsi, nous pourrons vivre tous ensemble.

Il y avait sûrement moyen que cela marche. Elle les aimait tous les deux. Eva n'avait pas si grand appétit sexuel... Oui, tout pourrait être possible. Pourquoi pas ?

Eva sourit en serrant le menton de Vida entre ses mains :

— Je n'apprécie pas beaucoup de vivre avec des hommes, tu le sais bien. Joel a l'air très gentil, mais... j'aime vraiment énormément Los Angeles. Il y a tant de musique, là-bas, Faucon. Tu sais, j'en ai été tellement affamée, à Hardscrabble. Et on gèle, ici, on ne peut pas sortir : le froid vous mord.

Après chacune de nos discussions à propos de LA, se dit Vida, Eva me regardera pour savoir si je n'ai pas changé d'avis... Si Joel me quitte — il est si jeune et si lunatique —, serai-je prête à repartir pour la Californie ? Ne serait-ce pas un peu minable ? Mais vers qui d'autre me tourner ? Mieux vaut revenir à Eva qu'à Lark. Eva était préférable à tous ceux qu'elle avait connus. Pourquoi ne pouvait-elle pas les garder tous les deux, Joel et elle ? Simplement parce que Eva pensait qu'elle n'aimerait pas la cohabitation avec Joel ?

— Joel n'est pas comme Kevin... enfin Jesse... Tu sais, il n'est pas macho.

— Idiote ! dit Eva en la serrant plus fort dans ses bras. On peut s'arranger. Habiter le Kansas, une maison à deux appartements... c'est déjà un compromis. Je vivrai en bas et Joel en haut. Et toi, telle

Perséphone, tu pourras voguer de l'un à l'autre, consacrer la moitié de ton temps à chacun de nous. Pourquoi ne pas t'appeler Perséphone au lieu de Faucon Pèlerin ?

— Non ! Je ne me sens pas vierge folle pour deux sous. D'ailleurs vous êtes tous les deux plus jeunes que moi. En matière de rôle, je suis plutôt Cérès, si tu en es à faire la distribution.

— Eteins la lumière, dit Eva en se contentant de lui rire au nez. Nous serons réveillées à 6 heures, n'aie aucune crainte. Et il est 10 heures... Tu te rappelles quand nous avions campé près de Mount Baldy et que ce papillon s'était posé sur ton poignet pour se sécher les ailes ?

— Crois-tu qu'Alice se soit rendue simplement parce qu'elle veut un enfant ?

Eva soupira dans l'obscurité.

— Faucon, ce n'est pas si simple. Tu n'as jamais envie d'avoir un enfant ?

— Rarement. J'ai surtout besoin de ma famille. (Ruby, Natalie, Sam et Peezie)... Je veux retrouver ma vie.

— Moi, j'aimerais jouer plus souvent avec d'autres musiciens. Jouer en public... Il y a eu des moments où j'imaginais que je paraissais masquée dans un lieu inconnu où je jouais, puis, je disparaissais ensuite très vite dans la nuit. Ou bien encore que j'enregistrais des disques dans la clandestinité.

— Pourquoi pas ? (Vida lui donna une légère bourrade dans le bras.) Hein ? Pourquoi ne pas organiser ça ?

— Je ne peux pas réunir nos quatre sous pour faire un disque de ma musique... Allons ! Cela n'a aucun sens. (Eva se tourna pour regarder Vida en face ; puis lui ébouriffa tendrement les cheveux.) Dis-moi, tu détestes Alice, maintenant ?

— J'ai un peu peur de ce qu'elle pourrait dire.

— Rassure toi, elle ne dira rien, elle est notre amie. J'ai confiance en elle. J'estime qu'elle avait le droit de courir sa chance, chuchota Eva.

— Je sais, Eva, mais elle a enfreint notre loi. Elle aurait dû informer le comité de ses intentions.

— Le comité, c'est nous et en tant que tel, nous ne lui aurions jamais donné notre assentiment. Nous aurions probablement séparé Alice et Bill « pour leur bien », dit Eva qui semblait un peu amère.

— Toi, tu serais incapable de faire une chose pareille ? Tu te dénoncerais ? Mais non, jamais.

— Et toi, Faucon, tu ne te poses jamais la question ? Je veux dire, il faudrait regarder en face le problème de savoir quelle option politique prendre, alors que tout semble tellement éparpillé et que nous serions séparés les uns des autres. Nous aurions les mêmes problèmes que le reste de l'humanité.

— Mais ce serait renoncer, Eva : leur permettre de gagner.

— Si nous en restons à ce stade, ce sont peut-être eux qui gagneront. A quoi renoncerions-nous donc ? A présent, il faut que nous inventions des actions nouvelles.

Vida était effrayée. Elle avait froid.

— Oui, mais tu ne ferais pas une chose pareille, dis ?

— Jamais, dit Eva en lui caressant tendrement l'épaule. N'aie pas peur à ce point. Je bavarde, c'est tout... Tu es ma famille. Nous sommes tous si unis que je ne supporterais pas l'idée de me retrancher du groupe comme l'a fait Alice. Seulement, je souffre de les entendre parler d'elle comme d'une renégate...

Dans le noir, Eva était couchée contre elle, soyeuse, longue, souple et douce, mais Vida ne se résolvait pas à la toucher. Elle ne s'en sentait pas le droit. Le sein d'Eva qui se soulevait au rythme de sa respiration contre son flanc ressuscita en elle la douceur d'un parfum : celui du vieil arbuste qui poussait devant leur maison, et dont elle n'avait jamais su le nom. Tous les arbres, les buissons lui étaient inconnus, un peu comme si elle s'était soudain retrouvée sur une autre planète. Elle ignorait le nom de ceux qui croissaient le long de l'allée, comme celui des mauvaises herbes qui poussaient dans la terre craquelée du petit jardin. Au pied de la colline, il y avait une vieille maison cernée par une clôture en stuc recouverte d'une sorte de vigne qui éclosait en grosses fleurs rouges dont les pétales entre ses doigts avaient le frou-frou d'une robe en soie. Ruby, pensait-elle chaque fois. Maman. A la saison des pluies, le toit laissait passer l'eau qui tombait dans une bassine en métal dans leur chambre : plic-ploc. Les nuits chaudes, les voix qui flottaient comme un parfum exhalé de la maison voisine étaient espagnoles. Durant des semaines d'affilée, elle rêvait toutes les nuits de Ruby ou de Natalie, et s'éveillait avec un sentiment d'exil total. Pendant les longues journées de brûlante sécheresse, elle s'imaginait en train de se momifier, comme la souris morte qu'Eva avait trouvée un jour où, tous quatre — Alice, Bill, Eva et elle-même — étaient partis dans le désert pour s'entraîner avant une opération.

Selon Eva, habiter dans l'Est, c'était vivre comme à Hardscrabble Hill. Vida s'endormit en cherchant le moyen de persuader Eva d'aimer le Vermont, Joel d'aimer Eva et réciproquement. Alors, ils vivraient tous ensemble — oui, bon gré mal gré, ils seraient heureux ainsi. Elle ferait en sorte que cela réussisse.

Vida se leva la première ; Eva tout comme Joel, avait du mal à se réveiller le matin. La chose se faisait par étapes : le réveil mis à l'heure sonnait, une main l'arrêtait, le remontait, il sonnait à nouveau. A demi vêtue de ses sous-vêtements, Eva se rallongeait sur le ventre, et ses longues nattes pendaient de chaque côté du lit, oscillant lentement comme un pendule.

Joel était déjà assis à table, occupé à lire un journal du matin que Roger, lequel avait effectué son tour de garde nocturne en compagnie de Lark, avait rapporté. Lark était encore avec lui — chose inhabituelle, car ils traînaient rarement ensemble — et tout le monde semblait assez silencieux. Ils avaient déjà effectué une reconnaissance dans les bureaux de la Compagnie d'Electricité.

— Bonjour, dit gaiement Vida. Nous allons à New York pour en ramener un paquet de fric.

— En billets de dix et de vingt, ajouta machinalement Lark. Et assurez-vous qu'ils ne soient pas de la même série. Tiens, lis le journal.

— Ils ont piqué l'un de nos camarades ? demanda-t-elle.

— Alice et Bill ont été condamnés.

— Sept ans ? Dix ans ? anticipa Vida.

Joel lui tendit le journal et tous la regardèrent lire. Au début, elle eut du mal à se concentrer avec tous ces visages braqués sur elle, sombres et scrutateurs. L'article était daté de Los Angeles.

« *Deux activistes antiguerre, qui ont passé ces six dernières années à se dérober aux poursuites pour avoir participé à une manifestation contre la conscription, ont été condamnés par le tribunal fédéral de cette ville, hier.*

Jean Diamond et Arthur Edward Baker, membres du complot activiste « *Popcorn* » *coupable d'actions contre les bureaux de conscription de Los Angeles, en 1971 et 1972, se sont d'eux-mêmes constitués prisonniers auprès du procureur fédéral, le 28 novembre. Diamond et Baker ont été traduits hier devant le tribunal fédéral. Ils ont plaidé coupables et ont reconnu s'être livrés à l'incitation au désordre et à entrave à la bonne marche des institutions. Ils ont été condamnés à six et huit mois de prison avec confusion des peines.*

Mlle *Diamond, jeune femme blonde âgée de trente ans, qui vivait à Los Angeles sous le nom d'Alice Cork, a déclaré que son compagnon, Baker, et elle-même projetaient de se marier après avoir purgé leur peine. M*^{lle} *Cork a déclaré que leur décision conjointe de sortir de six années de clandestinité à seule fin d'échapper à la justice de son pays venait surtout de leur désir de fonder un foyer. Baker, qui a vingt-six ans, est originaire d'Austin, dans le Texas. Il souhaite reprendre ses études d'assistance sociale.* »

« Six et huit mois de prison avec confusion des peines. » (Vida reposa vivement le journal comme s'il était devenu beaucoup trop lourd.) Ils seront libres cet été... Je n'arrive pas à le croire. Qu'est-ce que cela signifie ?

— Qu'ils essaient de provoquer des fissures. (Roger cogna sa pipe pour la vider dans la soucoupe qui lui servait de cendrier.) Ils veulent détacher de nous ceux qui n'encourent pas de lourdes peines. Ils prononcent des condamnations super-légères pour le menu fretin afin de nous isoler.

442

Joel haussa un sourcil, mais ne dit rien. D'une façon générale, il ignorait Vida, ce matin, ce qui l'inquiétait. Songeait-il à se livrer à la justice ? ou s'imaginait-il qu'elle le soupçonnait d'y penser ?

— C'est un piège, d'accord. Et cela me fait peur, dit-elle en s'étreignant les bras.

Quel genre de condamnation Eva encourrait-elle ? Elle essaya de réfléchir.

— Bien entendu, ils nous boucleraient à vie, toi et moi, et jetteraient la clé de la cellule, dit Roger. Ils nous colleraient tant de trucs sur le dos que nous ne reverrions plus jamais la lumière du jour.

— Je m'en doute. (Elle se versa une tasse de café noir.) Eh bien, bonne chance à Bill, le futur éducateur... A présent, je suppose que nous devrions l'appeler Arthur. Moi, je ne l'ai jamais connu sous ce nom.

— Et pourtant, Art il était. Et je croyais le connaître, dit Roger en hochant la tête. Qui aurait imaginé qu'il perdrait son sang-froid ?

24

Tandis qu'ils roulaient dans la vieille voiture en direction de New York, elle sentait Joel ruminer. Enviait-il Alice et Bill ? Elle chercha le moyen d'aborder le sujet sans avoir l'air de manquer de confiance envers lui. Il marmonna enfin :

— Alors, tu as bel et bien passé la nuit avec elle ?

— Bien sûr, puisque nous étions d'accord, toi et moi.

— Je te l'ai simplement suggéré. Enfin, au cas où tu préférais être avec elle plutôt qu'avec moi. Rien ne t'y obligeait. Tu ne peux pas dire que je t'y ai poussée.

Voilà donc ce qui le turlupinait. Elle en éprouva une bouffée de soulagement enrobé d'agacement.

— En somme, c'était un piège, une sale petite ruse !

— Qu'est-ce que tu veux dire par ruse ? Tu es trop subtile pour moi...

— La bonne blague ! Tu m'emberlificotes dans tes manipulations, Joel.

— Tu voulais être avec elle, tu l'as été. Vous avez fait l'amour ?

Vida refusait d'admettre qu'il n'en avait rien été. Il lui fallait conserver le terrain qu'elle avait conquis sur lui et le garder pour elles deux.

— Evidemment, qu'est-ce que tu crois ?

— Je me demandais... Tu as aimé ?

— Arrête ! Arrête ou je saute de voiture ! Je te jure que je le fais !

— Bien sûr, pour courir la retrouver. Surtout, ne vous gênez pas pour moi.

— Comment peux-tu agir pareillement ? Tu m'avais dit que tu faisais l'impossible pour lutter contre ta possessivité. Mais non, tu te figures que la jalousie est un sentiment noble ! Tu lui accordes

444

beaucoup de valeur, même. Ce qui ne veut pas dire que tu m'aimes. Ce moi que tu es censé aimer est lié depuis longtemps à Eva.

— Tu voudrais que je prétende ne pas éprouver ce que je ressens !

— Si tes sentiments sont stupides, je veux que tu les combattes. Ta jalousie est une douleur confortable pour toi... salement confortable !

— Pas si confortable que ça ! J'ai souffert. (Mais à présent, sa voix trahissait davantage la volupté de l'apitoiement sur soi que la douleur réelle.) Pourquoi as-tu passé la nuit avec elle ? Pourquoi n'as-tu pas fait ce que vous avez l'habitude de faire et n'es-tu pas venue me rejoindre après ? Je n'ai pas pu dormir.

— Mon cœur, nous parlions. Nous avions tant de choses à nous dire.

— Tu as dormi ?

— Un peu. Je me suis réveillée, tu m'as manqué et je suis restée longtemps les yeux ouverts.

— Si tu t'es réveillée, ça prouve que tu dormais. *Moi,* je n'ai pas fermé l'œil... Qu'est-ce qu'on fait, pour le déjeuner ?

— J'ai préparé une bourriche... Œufs durs, sandwiches au fromage et pain complet, petits oignons, des pommes rouges et une bouteille de cidre d'Agnès, un peu dur.

— Et le thermos ? Tu l'as rempli de café ?

— Oh Joel, c'est affreux, j'ai oublié. Je l'ai laissé là-bas.

— Ha ! Regarde sur le siège arrière. Moi, j'y ai pensé. J'en ai fait une cafetière entière et je l'ai mise dans le thermos.

— Alors, prenons-en un peu. Tu veux que je te relaye ?

Ils étaient redevenus amis.

Ils crevèrent pour la deuxième fois sur Hutchinson River Parkway. Pendant que Joel changeait le pneu, Vida téléphona à Oscar. Il lui proposa de la rappeler, ce qu'il fit, deux minutes plus tard, dans la cabine où elle s'était blottie. Elle avait l'intention de le persuader de téléphoner à Chicago sous un prétexte quelconque pour avoir des nouvelles de Ruby, mais Oscar avait des tas de choses à lui dire :

— Eh oui, très chère, je m'apprête à grimper sur les estrades pour lâcher les grandes orgues en faveur de la bonne lavande, dit-il de son ton nonchalant. Nous lançons notre offensive annuelle sur la mairie des petits cochons. Natalie est sortie du bloc et bave d'envie de te voir. J'ai un numéro que tu es supposée appeler... A propos, charmante petite teigne, est-il vrai que Natalie a connu le grand frisson avec un professeur de karaté ? Une dame Nisei, il y a quelques années ?

— Exact, mais c'est fini depuis longtemps.

— Que veux-tu, il est des ragots qui avancent comme des escargots. East Norwich est bien loin de Lower East Side. Humm.

Natalie, qui l'eût cru ? Nous avons tout envahi, comme nous ne cessons de le répéter aux pères et édiles de la ville. Natalie, l'irréprochable épouse !...

Natalie lui donnerait des nouvelles de Ruby et de Paul au milieu de ses ennuis. Le fait de savoir qu'elle serait bientôt au courant de tout ce qui concernait sa famille eut le don de la calmer.

— Natalie est rentrée ? demanda-t-elle. De retour au comité directeur de ce cher vieux Mouvement des Etudiants Antiguerre ? Quand je pense que vous, les mecs, vous vous êtes servis de son statut de femme mariée et de ses gosses pour mieux l'éviter... Vous vous vengiez de votre mère.

— Touché, avec toute la fraîcheur voulue. A propos, ton Leigh est un vrai casse-pied. Il m'approche comme si j'étais un dogue affamé, tout en disant : gentil toutou, gentil et en essayant de remuer les pieds sans jamais avancer.

Vida jeta un coup d'œil par-dessus son épaule. Joel avait retiré le pneu crevé.

— Quoi, tout ce cirque pour te remettre un chèque tous les mois ? Au fait, tu en as un à me remettre ?

— Il doit me le donner à la réunion du conseil. Il est censé couvrir l'événement. J'adore encaisser de l'argent venant de lui, ça le rend tellement nerveux. Il est entré dans mon bureau et je lui ai dit : « Voyez l'homme marié ! Ton tour de taille augmente en même temps que ta descendance. » Je t'assure, il prend du bide. Il m'a répondu : « Allons donc, Oscar, j'ai déjà été marié et ça n'a jamais étriqué mon style. » « En effet, ai-je dit, ta première femme n'était pas du genre étroit d'esprit. » « Mon mariage est très ouvert, Oscar », me répond-il. « Ah bon ? lui dis-je. Ouvert... à ta femme aussi ? Parce que je me demande quelles " ouvertures " elle peut avoir avec le gros ventre qu'elle se trimballe ? » « Je suis très libre, dit-il. Et je n'ai pas l'intention de me laisser emboiter par qui que ce soit. »

— J'ai déjà entendu ça quelque part, dit Vida avec une lente et indécente délectation.

Joel ajustait le pneu de rechange. Une chance qu'Oscar lui ait proposé de la rappeler, sinon, elle aurait été à court de monnaie depuis longtemps.

— C'est drôle, reprit-elle, je croyais qu'il avait renoncé à ce genre de rhétorique.

— A mon sens, il trouve le gros ventre opprimant et il s'amuse ailleurs.

— Déjà ? (Elle mourait d'envie de sauter au cou d'Oscar. Il savait exactement ce qu'il fallait dire pour lui remonter le moral.) Oscar, je sais que je ne devrais pas trouver tout ça aussi drôle, mais il a blessé mon orgueil.

446

— Je sais, il t'en avait déjà fait autant il y a des années... Quand tu es venue à moi, tu étais joliment à vif, ma poulette... Je m'en souviens.

Elle fut étonnée de l'entendre parler de leur idylle, vieille de dix ans, dans une autre vie. Elle s'était même vaguement imaginé qu'il en avait honte.

— C'est vrai, tu as été très bon pour moi, dit-elle, apercevant que Joel serrait les boulons.

— Au fait, Leigh veut te voir un de ces quatre. Il propose un rendez-vous.

— Pourquoi faire?

— Comment veux-tu que je le sache, espèce de mousmée? Il ne peut pas se passer de toi.

— Allons donc, nous nous passons très bien l'un de l'autre. Dis-lui qu'il peut se foutre ses petits rendez-vous où je pense... Au fait, comment va ton amant? Le beau garçon que j'ai vu sur le quai?

— Un vrai schnock. Il s'imagine être un grand chef, mais il se figure que la cuisine se fait par l'opération du Saint-Esprit.

— Tout est fini entre vous?

— Oui; sinon qu'il passe me voir pour se plaindre. Tu veux que je te décrive une soirée chez nous? Eh bien, j'arrive de l'université épuisé par le bon combat, avec une seule envie, faire des galipettes et m'amuser. Lui, il a sorti toutes les casseroles de la cuisine et il m'annonce que nous allons déguster une timbale de fruits de mer, que ce sera un dîner d'amoureux à 7 heures du soir, et que, ensuite, nous irons au cinéma, puis que nous irons boire une sambuca et un café dans notre bar préféré. A 9 heures, ça sent le brûlé. A 10 heures, trois croquettes de poisson sèches font leur apparition, escortées d'épinards noyés et de pommes de terre calcinées. Je me tape la vaisselle; c'est normal, après toute la cuisine qu'il a faite! Non, c'en était trop. Il a fallu que je me débarrasse de lui. (Oscar rit gaiement.) Deux grands yeux bleus ne font pas passer dix casseroles brûlées à nettoyer et, en plus, sa cuisine me donnait des brûlures d'estomac. Et toi, dis-moi, comment il va, *ton* beau jeune homme?

— Il est à dix mètres de moi et me regarde d'un œil noir. Il vient de changer un pneu. Je suis toujours folle de lui.

— Vous avez tous les deux une de ces paires d'yeux verts! Je n'ai jamais eu d'autres amours aux yeux verts.

— Est-ce que tu vas flirter avec lui toute la journée? lâcha Joel d'une voix âpre. (Ses mains étaient couvertes de cambouis et il râlait.) Sans quoi, tu rentres à pied.

— Oscar. Il faut que je te quitte.

Vida raccrocha et se glissa derrière le volant.

— A tes ordres, dit-elle à Joel. Je reconnais qu'Oscar flirtait un petit peu. Mais rassure-toi, c'est au téléphone. En personne, il n'en aurait jamais rien fait, de peur que je le prenne au mot.

Elle jeta un coup d'œil à sa montre et se coula dans le flot de voitures.

— Je n'arrive pas à croire que je lui ai parlé aussi longtemps ! dit-elle.

— Moi non plus, répliqua Joel avec amertume.

— Cela ne m'arrive plus jamais de cancaner comme ça par téléphone. C'est délicieux ! Oscar m'a demandé de tes nouvelles, en disant : Comment va ton beau jeune homme ?

— Que veut Leigh ?

— Je ne sais pas et je m'en fiche.

Vida s'aperçut qu'elle était tombée dans un petit piège en reconnaissant qu'elle avait eu un message de Leigh.

— Quand le vois-tu ?

— Je ne le verrai pas. Il peut communiquer avec moi par la filière. Nous ferions bien d'aller vers le terminus nord du métro et de chercher un motel bon marché.

Le comité avait décidé de payer la note pour deux nuits d'hôtel plutôt que de les renvoyer à Park Slope. Ils prirent la transversale Ouest et trouvèrent un vieil hôtel modeste à Yonkers, où ils s'inscrivirent sous le nom de M. et Mme Sam Walker. Joel prit une douche pour se débarrasser de ses taches de graisse et Vida partit à la recherche d'une cabine téléphonique. Elle avait désespérément envie de voir Natalie ; il fallait qu'elle fixe un rendez-vous à l'avocate ; elle avait en poche neuf ordonnances à faire renouveler par le docteur Manolli, le généraliste qui les secourait. Joel savait qu'elle projetait de voir Natalie et l'avocate, mais elle ne voyait aucune raison de lui parler du médecin, dont l'existence restait un secret entre les membres du comité. Toutes ces activités devraient être remplies en quarante-huit heures pour leur permettre de regagner le Vermont dès le mardi après-midi au plus tard ; ce serait juste.

Elle obtint Natalie et prononça les quelques mots de code qui leur permettraient d'établir le lieu et l'heure de leur conversation réelle.

— Salut, où en es-tu ? Tu as perdu tes dix kilos ?

— Neuf. Autour des hanches ! dit Natalie qui paraissait s'étrangler de bonheur.

— Autour des hanches ? Bravo ! Et comment vont, ton premier, ton second et ton troisième enfant ?

— Le numéro deux est en super-forme. Le premier va bien... Le troisième est... dehors.

En d'autres termes, elle pouvait appeler Natalie à 9 heures du matin de l'une des cabines qui figuraient sur leur seconde liste. L'avocate fixa le rendez-vous au lendemain, en fin d'après-midi. Cette dernière insista encore une fois pour qu'elles se retrouvent à

Manhattan. Elle obtint le secrétariat du docteur Manolli. Inutile. Il fallait qu'elle lui parle personnellement. Il lui faudrait rappeler, plus tard.

Joel, debout devant la fenêtre d'hôtel, regardait le parking recouvert d'une neige grise.

— Cette fois-ci, c'est *moi* qui irai voir l'avocate.

— Pourquoi ?

Elle était surprise. En même temps, elle sentait à quel point il lui serait plus aisé de voir Natalie sans avoir à courir jusqu'à Manhattan. Quel argument minable, pour prendre une décision !

— Et pourquoi non ? dit Joel. Le contact a été établi quand nous avons vu Mme Richter. Cette garce d'avocate me connaît. En fait, elle a eu l'air beaucoup plus à l'aise avec moi qu'avec toi.

— C'est une femme qui a des rapports plus faciles avec les hommes qu'avec les femmes. Crois-tu que nous devrions encourager cette tendance ?

— D'après toi, on devrait essayer de l'éduquer tout en ramassant notre fric en billets de dix et de vingt ? (Joel renifla en se pinçant le nez.) La vérité, c'est que tu n'as pas confiance en moi ; tu as peur que je fasse tout capoter.

Il avait vu juste. Vida avait l'habitude de faire les choses elle-même. Joel était impulsif, lunatique, facilement distrait ; il faudrait qu'elle lui fasse confiance avec le temps.

— Pourquoi tiens-tu à t'en charger ?

— Parce que, idiote, c'est dangereux pour *toi* d'aller à Manhattan.

— Pour toi aussi.

— Les fédéraux ne sont sûrement pas assis là, à m'attendre, avec ma photo. Je suis un visage parmi des centaines de mille. Quand ils agrafent l'un d'entre *nous* on n'en parle même pas aux actualités télévisées du soir... Je n'ai jamais vécu dans cette ville. A New York, personne ne s'intéresse à moi.

Elle croisa les bras sur la poitrine :

— Pourquoi veux-tu y aller seul ? Nous pourrions y aller tous les deux.

— C'est tout aussi dangereux pour toi que d'y aller de ton côté. Et, oui, je veux m'en charger. Il faut que tu t'en remettes à moi.

— D'accord.

Vida eut l'impression atroce de tout laisser aller. Si les choses tournaient mal, elle en porterait la responsabilité devant le réseau.

Natalie avait maigri ; elle avait le visage pâle et défait pour la première fois depuis qu'elle avait essayé la pilule. Vida posa les deux mains sur les joues de sa sœur et dit bêtement :

— C'est à cause de moi que tu es allée en prison.

449

— Bof, ne vaudrais-tu pas quarante jours de débilité et de privations mineures ?

S'étonnant elle-même, Vida rit comme une gamine :

— Tu ne comprends rien, tu es censée te récrier : Mais non, tu n'es pas responsable !

— Ah pardon, je recommence, ma douce : Non, chère sœur, tu n'es pas responsable. Je l'ai fait pour la Déesse et pour la Patrie. Le Mouvement. L'Histoire. La Glorieuse Révolution.

Vida prit Natalie par la main cependant qu'elles marchaient sur un chemin parmi de hauts sapins. Le flanc de la colline était recouvert de quelques centimètres de neige sale, mais le soleil brillait sur la dentelle de cristal suspendue aux branches sombres. Elles s'étaient retrouvées, comme tant de fois, dans le Jardin botanique du Bronx, où Vida s'était rendue par le train et Natalie en voiture.

— Pourtant, je me sens vraiment coupable.

— Je l'ai fait pour moi aussi. Après tout, il faut que je vive face à face avec moi-même. Et ces temps-ci, je m'aime un peu mieux.

— Parce que tu as fait de la prison ? Parce que tu as pris position ?

— Parce que j'ai survécu..., dit Natalie en faisant un geste du bras. J'ai survécu au boucan, à la nourriture infecte, au manque d'intimité. Au *temps* ! Je jure que je ne gâcherai jamais plus une seule journée de ma vie à errer dans la maison sans pouvoir quitter mon peignoir parce que je suis déprimée. Ou à lire des journaux vieux d'une semaine et à faire trois choses à la fois et sans enthousiasme pendant que la télé débite des émissions pour les femmes.

— Ne sois pas ridicule ! Tu gaspilles moins de temps que qui que ce soit d'autre que je connaisse.

— Tu n'en sais rien, ma choute. Pendant des années, j'ai passé des journées entières avec le cafard. Des journées où je n'arrivais pas à faire face. Pas à m'attaquer à rien. Pas à me lever, à sortir, à m'y mettre ou à ce que tu voudras.

— Peut-être, mais pas suffisamment pour t'empêcher d'être inappréciable sur le plan politique.

Puis Vida se rappela comment elle avait elle-même autrefois réfuté les confidences de Natalie lorsque celle-ci lui avouait à quel point elle se sentait asphyxiée, piétinée, ignorée, abandonnée en tant qu'épouse et que mère.

— Tu as honte de ces jours de... déprime ? demanda Vida.

— Bien sûr. Mais je commence à me rendre compte qu'ils avaient un rapport avec Daniel. Pendant des années et des années, je l'ai considéré comme la pluie et le beau temps, comme un élément qui vous est imposé. Mon mari.

— Pourquoi ne l'as-tu pas quitté, Natty ? Pourquoi ?

— Pourquoi ne m'a-t-il pas quittée ?

450

— Je n'y comprends rien. Tu n'étais plus heureuse avec lui depuis, oh, depuis six mois après la naissance de Sam.

— C'est curieux que toi et moi nous ayons ce moment précis en tête... Je ne sais pas pourquoi, mais cela me fait du bien de savoir que tu as les mêmes souvenirs que moi.

Vida s'arrêta net.

— Je ne t'ai jamais assez donné, dit-elle. Jamais. J'ai envahi ton foyer, ta vie. Même chose à New York, je suis arrivée écorchée vive, en sang et je ne t'ai pas assez donné.

— Mais non, c'est moi qui me sens toujours coupable, qui pense que je dois être bonne. Tout ça me met en position d'infériorité. Mais ne change pas de sujet. J'ai compris certaines choses à propos de ma façon d'agir avec Daniel. J'ai assumé les responsabilités d'une bonne part de ma vie, mais lui, je l'ai toujours considéré comme un cadeau. J'avais l'impression que tant que je l'avais lui, je ne risquais rien... que j'étais respectable, mariée, protégée. Tu sais, je crois que la mort de maman m'a fait très peur.

Quelque chose. Un doigt glacé effleura le cœur de Vida.

— Natalie, qu'est-ce que tu as à me dire? Natalie! dit-elle, l'attrapant par les bras.

Natalie détourna le regard, puis la regarda dans les yeux, presque gênée.

— Il y a une semaine, ma choute... six jours. Mardi dernier. J'ai pris l'avion pour aller à l'enterrement. (Elle enlaça Vida.)

— Pourquoi ne m'as-tu... (Mais comment aurait-on pu la joindre? Le lui dire?...) Maman est morte? Ruby est morte?

Natalie hocha la tête en la serrant fort. Vida eut l'impression d'être écrabouillée. Furieuse, elle la repoussa et sortit du chemin pour s'enfoncer dans la neige plus profonde, dans laquelle elle donna de grands coups de botte. Des bottes que Natalie lui avait achetées à l'automne dernier chez Filene, se rappela-t-elle inutilement. Elle avait mal à la tête; elle heurta un sapin, comme si l'arbre avait brusquement bondi devant elle. La douleur lui fit du bien. Elle donna un coup de pied dans l'arbre, tapa encore et encore jusqu'à ce que ses orteils fussent endoloris. Elle se cogna alors la tête contre l'écorce, jusqu'à ce que Natalie la saisisse par-derrière. Alors, elle se tourna, donna du front contre l'épaule de Natalie et s'effondra contre elle. Vida pouvait à peine exprimer ce qu'elle ressentait. Elle était assommée par le choc; elle tituba et se détourna. Elle avait l'impression de ne rien sentir, sinon de longs frissons tremblants et la fêlure de toute chose.

Elles avancèrent en chancelant et en se soutenant l'une l'autre. Les larmes coulaient sur les joues rondes de Natalie; lorsque Vida l'étreignit, les cheveux bouclés de Natalie lui piquèrent les yeux. Elles continuèrent à marcher à travers les sapins jusqu'au moment où elles débouchèrent à l'autre bout du Jardin botanique. Le soleil, en frappant le toupet gelé d'une haie, lui blessa les yeux comme un bout de verre cassé.

— Comment pourra-t-elle jamais me pardonner ? Je n'étais pas auprès d'elle.

— C'est arrivé pendant la nuit. Elle a eu son troisième infarctus aux petites heures. (Natalie la tira par le bras.) Il fait froid. Rentrons à l'intérieur. Vida se laissa entraîner.

— Paul va dire que je l'ai tuée.

— Il ne dira rien de la sorte.

Natalie la poussa vers l'entrée d'hiver du Jardin botanique, en fouillant dans son sac pour payer leurs deux entrées.

— Elle a repris ses forces après t'avoir vue. Ils parlaient de la laisser rentrer chez elle au bout d'une semaine ou deux.

— Est-ce que Sharon a compris ce qui s'était passé, la nuit de ma visite ?

— Tu peux parier tes bottes que oui. L'enterrement grouillait d'agents du FBI et de types des brigades rouges. Et tous ces gars en costumes debout derrière, prenaient des notes comme des fous pendant que le rabbin faisait son numéro : Ah, c'était une vraie yiddish mama.

— Quoi, pour Ruby ? Ça l'aurait rendue folle furieuse.

— J'avais l'impression qu'elle me donnait des coups de coude dans les côtes. J'enrageais, autrefois, quand elle faisait ça. Tu te souviens comme elle enfonçait son coude pointu dans nos côtes ?... Est-ce qu'il t'arrivait d'avoir honte d'elle quand tu étais petite ?

— De Ruby ? demanda Vida étonnée, tout en suivant Natalie dans l'Orangeraie où l'odeur des fleurs d'oranger parfumait l'air, luxe des luxes après le froid du dehors. (Elle ne voulait pas respirer ces senteurs délicieuses.) Non, elle était tellement pleine de vivacité ! Je lui en voulais juste d'être aussi entêtée.

— Ecoute, nous l'emmenions à l'école pour une fête quelconque et elle écoutait le directeur, nous donnait des coups de coude dans les côtes en sifflant : foutaises ! Les autres mères ne faisaient pas ça. A l'hôpital, toutes les infirmières et les aides-soignantes lui racontaient leur vie amoureuse. Elle savait exactement qui couchait avec qui à chaque étage.

— Est-ce qu'elle a découvert que tu étais en taule ?

— Allons, viens, dit Natalie en se mouchant, les toilettes sont en face. Je vais me laver la figure. Paul ! Après avoir fait jurer le secret à tout le monde, il a lui-même vendu la mèche.

— Mais tu ne l'as pas revue ?

Natalie fit non de la tête.

— Je m'apprêtais à prendre l'avion cette semaine avec les gosses. Sandy m'avait envoyé de l'argent pour les billets. Je m'en suis servie pour l'enterrement. Je suis simplement heureuse d'avoir été libérée à temps.

Elles s'encadraient, côte à côte, dans le miroir. Le visage de Natalie était rouge et humide ; celui de Vida, sec et figé.

— Leur façon de nous coincer est dégueulasse ! dit-elle. Elle meurt et nous ne pouvons pas être auprès d'elle. C'est comme ça qu'ils nous font du mal. Je l'ai abandonnée. Je l'ai vue chaque fois que je l'ai pu, mais j'aurais dû faire davantage d'efforts. C'était dangereux. Elle était incapable de prendre des précautions. Elle a toujours pensé que je jouais à une espèce de jeu idiot.

— Mais, ma choute, elle a bien vécu.

— Non, pas pendant les deux premiers tiers de sa vie... Elle était heureuse avec Sandy, n'est-ce pas ?

Elles dérivèrent bras dessus bras dessous à travers une salle remplie de plantes dont on avait fait de monstrueux topiaires. Des Portoricains jouaient aux cartes — des hommes dans la cinquantaine et la soixantaine — tandis qu'une rangée de femmes bavardaient sous un arbre qui avait poussé jusqu'au haut du grand dôme blanc en métal et en verre.

— Oui, je crois. (Natalie se gratta la tête.) Ils se battaient souvent. Je m'en souviens, cela me stupéfiait. Il ne se disputait jamais avec maman de cette façon qui consiste à crier dans la cuisine. Elle trouvait toujours le point sensible — voilà tout. Elle le fascinait comme ma propre mère ne l'a jamais fait. Elle l'excitait ; il l'avait dans la peau et il avait appris à hurler et à délirer... Je sais, j'ai fait la même chose avec Suki. On s'engueulait.

— Toi et moi, nous avons toujours su nous mettre en colère.

— Quand nous nous sentons proches l'une de l'autre. Pas quand nous nous battions tout le temps à propos de politique. Tu t'en souviens ? Mais je n'ai jamais pu me battre avec Daniel.

— Allons, vous n'arrêtiez pas de vous disputer, je me le rappelle parfaitement.

— Pas avec passion, quand on crie, qu'on souffre, qu'on s'embrasse et qu'on se réconcilie. Ça ressemblait plutôt à une lutte sournoise : les notes de téléphone, quand fera-t-on nettoyer la chaudière — alors que, en réalité, il s'agissait d'un règlement de comptes : comment se fait-il que tu ne fasses plus l'amour avec moi ? Et pourquoi fais-tu autant d'histoires à propos de pareilles petites merdes ?

Les jambes de Vida fléchirent. Elle ignorait ce qui lui arrivait, mais elle sombrait. Natalie l'obligea à s'asseoir sur un banc sous un arbre africain auquel pendait une étiquette en métal poinçonné. Elles se trouvaient dans un long espace fermé en matériaux préfabriqués, une sorte d'énorme hutte, toute en métal blanc et en verre, où de grandes plantes agressives, semblables à des philodendrons en folie, les cernaient. Vida avait l'impression d'être ivre. Ses yeux ruisselaient. Elle sentait qu'elle ne se possédait plus, qu'elle perdait l'équilibre, prise de vertige, assaillie de toutes parts, la tête près d'éclater et de se vider...

Elle pleurait sans bruit, Natalie lui tendant mouchoir après mouchoir de papier.

— Courage, ma pauvre choute, disait Natalie.

— Natty... elle n'est jamais parvenue à voir Joel. Elle aurait tant voulu le connaître. Il aime qu'on flirte avec lui. Il se sent bien dans ces cas-là.

— Tu sais, autrefois, par moments, j'avais envie d'être la fille de Ruby. (Tout en parlant, Natalie lui tamponnait le visage.) Pour être belle comme toi, mince comme toi, et savoir mener les hommes par le bout du nez.

— Mais, Natty, c'est toujours moi qui me fais avoir! Je sais les séduire, mais je suis incapable de garder la tête froide. Dès que je suis amoureuse, je plonge, plouf! plaf! et je me noie. Si tu avais ces idées-là, c'est seulement parce que les garçons avec lesquels nous allions au lycée ne m'attiraient pas vraiment. Je crois que c'était une question de classe. Ils étaient trop mous. J'avais envie d'un peu d'électricité, d'un brin de danger.

— Eh bien! tu as été servie, et comment! dit Natalie avec un sourire amer.

Comme deux jeunes gens entraient dans la salle, automatiquement elle fit signe à Natalie qu'elles devaient bouger. Elles poursuivirent en flânant. Dans la salle voisine, l'air était plus frais, plus humide. Fougères.

— En taule, j'ai reçu un curieux message de Lohania. Puis, un jour, on m'a annoncé que j'avais une visite, et c'était elle. On m'a permis de la voir. Je me méfiais drôlement, dit Natalie.

— Que voulait-elle? Est-elle en rapport avec Randy? De quoi avait-elle l'air?

— Grâce à lui, elle ne manque jamais de méthadone. C'est parfaitement légal, et ça la tient en laisse... Elle n'avait pas l'air tellement bien. Elle était nerveuse, tendue.

— Bon, mais elle travaille pour Randy. Tu ne lui as rien dit, au moins?

— Qu'est-ce qui te prend? Tu me crois devenue idiote tout à coup? (Elle serra fort le bras de Vida. La salle suivante étant désagréablement chaude et moite, elles passèrent. Puis Natalie pointa le doigt.) Oh, regarde! Un banc dans le désert!

— J'aime bien le désert, dit Vida, Eva n'étant pas là pour interpréter cette réflexion comme un espoir.

Le soleil se couchait dans un flamboiement pourpre qui filtrait à travers la vitre, embrasant un cactus, tordu, noueux, menaçant.

— Que voulait Lohania ? reprit Vida.

— Elle m'a demandé de tes nouvelles. J'ai affirmé que je ne t'avais pas vue depuis des années. Elle ne m'a pas crue. Elle m'a dit que Kevin continuait à avoir l'impression qu'on l'avait éjecté comme un malpropre du réseau et que vous n'avez rien fichu de bon depuis son départ pied au cul. Puis elle a ajouté : « Au milieu de toute cette merde, il est resté vrai, tu sais. Il garde ses convictions politiques. » Elle m'a dit que je me rendrais compte que je me trompe à son sujet. D'après toi, qu'est-ce que ça veut dire ?

Vida haussa les épaules avec colère :

— Rien, sinon que Kevin est en train de s'acheter une condamnation poids plume en ouvrant sa grande gueule. Randy et Kevin se sont toujours bien entendus. (Elle recommença à pleurer un peu et prit un autre mouchoir à Natalie.) J'espère que tu en as une provision ?

— Comme toutes les mères, dit Natalie en lui caressant les cheveux. J'ai oublié de te dire que j'aime bien ta nouvelle couleur.

— J'ai cru que tu n'avais pas remarqué. Moi-même, je n'y pense plus.

— Si, j'avais remarqué ; seulement, je braquais tout sur la façon de t'annoncer la mort de Ruby.

— Curieux endroit, cette serre. Un peu montée en graine... (Elle promenait son regard autour d'elle.) Randy avait des sentiments ambivalents à l'égard du réseau. Il était si ambitieux qu'il aurait été capable de tuer pour réussir. D'ailleurs, peut-être a-t-il tué. Mais il adorait l'action ; c'était la soupape d'échappement de sa violence. Il avait fait son droit dans une université jésuite de deuxième zone, faute d'avoir pu entrer à la Fac de droit de Fordham. Il nous haïssait à un point...

Natalie fit la grimace :

— Au tribunal, il s'est approché de moi et il m'a dit : « Cette fois, on va te griller les miches ! » Tu sais, avec cette vulgarité et cette suffisance maladroite... comme si tous les mots se changeaient en merde dans sa bouche. Et il a ajouté : « Et on te laissera moisir en taule jusqu'à ce que tous tes cheveux soient gris et que tu n'aies plus de dents. Et pendant ce temps, dis-toi bien que ta petite usine à méninges de mari se tapera toutes les étudiantes de première année et que tu ne reverras plus jamais tes gosses. »

— Je le déteste. Oui, en fin de compte, je le vomis !

— Je lui ai répondu : « C'est une joie de retrouver un visage connu, Randy. Tu n'as rien fait sauter, récemment ? Ce que tu dois regretter le bon vieux temps ! Courage ! L'accalmie ne durera pas ; tu vas pouvoir reprendre bientôt de l'activité. Un rien de chirurgie esthétique, quelques faux papiers, et tu pourras recommencer à piéger d'autres gamins et à foutre en l'air leur vie, d'accord ? »

Natalie avait le visage amer. Un homme arrivait, brandissant l'index dans leur direction.

— C'est l'heure, mesdames, on ferme ! Allons, dépêchons-nous ! Elles se levèrent et le suivirent à contrecœur. Vida dit :

— Cela me fait mal de penser que Lohania puisse être perdue pour nous. Que Randy l'ait eue, en définitive.

— Perdue pour nous ? Elle l'était depuis longtemps, dit Natalie en lui serrant affectueusement le bras. Ah ! à propos de pays perdu... (Elle plissa le front.) Demain, au Rex Arms, 55ᵉ Rue Ouest, près de la 8ᵉ Avenue. Chambre 314, douze heures trente. Là ! Message transmis.

— Oh ! Leigh était à l'enterrement ?

— Non. (Natalie semblait surprise.) Je l'ai prévenu, mais je n'ai jamais compté qu'il irait. Tu connais Leigh ? Il a horreur de ce genre d'obligations. En outre, il a du remords de ce divorce. Il n'a aucune envie de nous affronter tous en bloc.

— Alors, que veut-il ? Que signifie ce rendez-vous au Rex Arms ?

— Il veut te voir. Il t'attendra demain dans cette chambre, a-t-il dit.

— Qu'il attende. (Vida sourit tandis qu'elles boutonnaient chacune leur manteau en sortant de la serre.) La nuit tombe... Qu'il attende dans son fauteuil, chambre 314, au Rex Arms, jusqu'à douze heures trente. Si tu veux le savoir, je serais ravie s'il y poireautait pour le reste de ses jours. Oui, ravie,.

— Tu ne veux pas que je lui dise que tu ne viendras pas ? Ou que peut-être...

— Ne lui dis rien du tout. Tu ne dois pas parler de moi au téléphone.

— Oh ! Vinnie, cesse de me faire la leçon comme une vieille. Nous utilisons un code.

— Eh bien ! sers-t'en pour lui faire croire que je viendrai peut-être. Et qu'il se ronge les ongles en attendant ! Franchement, je n'ai aucune envie de le voir. Que me veut-il ?

— La station vient d'être rachetée par un trust. Il a peur pour son boulot. C'est dur de gagner sa croûte comme journaliste indépendant et ça ne le tente guère.

— Ça lui plaît toujours autant, d'être papa ?

— En principe. Mais le fait de ne pas pouvoir annuler l'enfant, si on le met à la porte, commence à le tracasser. Tu es sa police d'assurance politique, tu sais. Chaque fois qu'il a l'impression de ne rien faire de sa vie, qu'il a peur de se compromettre avec ses idées politiques, qu'il se trompe sur la bonne direction, qu'il se sent coupable, tu es sa planche de salut. Peu importe ce que les gens pensent, il y a toujours ce rapport avec toi. Ce lien avec les clandestins. Il aide les fugitifs. Il a des rendez-vous secrets avec un membre du célèbre réseau. Et il a beau ressembler à Clark Kent, il lui suffit de plonger dans une cabine téléphonique pour jouer les Zorro du gauchisme.

— Donne-moi encore un mouchoir, je ne fais que chialer. Oh, Natty ! Et moi qui croyais que c'était de l'amour !

— Mais, *Schwesterlein*, petite sœur, bien sûr, il t'aime... ou en tout cas il t'a longtemps aimée. A cela près que j'ignore ce que signifie le mot amour pour lui.

— Qu'il t'aime un peu plus que le type auquel il dit « Salut ! » dans la rue, et plutôt moins que ce que j'entends par là, moi. (Elle hocha la tête.) Il est tard !

Les jardins étaient noirs ; elles se hâtèrent nerveusement vers la commerciale de Natalie, qui ouvrit la portière et resta debout à côté, répugnant à monter.

— Je n'ai aucune envie de te quitter, aujourd'hui. Aucune ! dit Vida avec passion, en la saisissant aux épaules.

— Tu as peur qu'il n'arrive quelque chose ? Rassure-toi, tout va bien. Je ne crains rien. Ne pense qu'à toi.

— Comment vont les petits ?

— J'ai récupéré Sam et Peezie. J'ai des problèmes parce que je les ai retirés de l'école pour les envoyer à Chicago. Leurs études sont complètement chamboulées. Mais ça a fait du bien à Sandy et, finalement, ça ne leur a pas fait trop de mal. Fanon est avec son père, et nous nous préparons à bagarrer devant les tribunaux pour obtenir la garde. On me dit que je n'ai aucune chance ; mais c'est son avocat à lui qui l'affirme. Le mien me dit : « Ne vous en faites pas, on l'écorchera vif. C'est au couteau »... Laisse-moi te raccompagner ; il fait noir et froid et il y a du vent.

— Dépose-moi au métro, mais ce sera tout, dit Vida en montant.

— Joel t'attend. Tu ne seras pas seule, au moins.

Vida hocha la tête. Natalie mit le starter, fit chauffer le moteur qui eut une toux d'asthme.

— Je sais que c'est d'un banal en plus du reste ! Mais figure-toi... J'ai une histoire d'amour.

— Une histoire d'amour ? Datant de la prison ?

— En un sens. Elle faisait partie de notre comité de défense.

— Quel genre de femme est-ce ?

— Assez le mien, en fait. Juive, trente-sept ans, deux gosses qu'elle élève. Milite plus ou moins à gauche depuis des années, féministe depuis tout juste quatre ou cinq ans.

— Ça ne te ressemble pas. Ce serait plutôt moi. Comment s'appelle-t-elle ?

— Zelda. Tout le monde l'appelle Zee. Quand elle était plus

jeune, on la faisait enrager en lui disant que c'était Z comme *zaftig* : douce. Tu sais, ma choute, nous n'avons couché qu'une seule fois ensemble, et pas longtemps. Prudence, tu comprends, à cause du procès pour Fanon. Mon avocat m'a bien dit que si je m'affichais dans une liaison sérieuse, surtout avec une femme, je fichais tout en l'air. Alors, on se tient par la main, on s'amuse avec les gosses, on les emmène au cirque, on regarde courir Peezie, et on se donne rendez-vous dans des restaurants bizarres... Vas-y, je t'écoute, procureur, dit-elle d'un air sombre. Une idylle à mon âge !

— Mais tu es adorable, Natalie ! Pourquoi ne t'aimerait-on pas ? Elle est vraiment comme toi ?

— Zee ? Elle a plus d'esprit que moi. Elle est plus dure, en apparence. Elle est restée seule plus longtemps. Elle sait changer un joint de robinet et un pneu. Elle est plus new-yorkaise que moi ; elle s'habille mieux.

— Que fait-elle ?

— Elle est secrétaire chez un avocat... On croirait entendre Ruby ; dans une seconde, tu vas me demander : « Est-ce que ta nouvelle amie est, enfin, quoi... tendre ? » Vida ! Ne pleure pas...

— Je ne pleure pas. Je te jure... Jette-moi ici. Bonne chance, Natty ! Je t'en supplie, paie-toi un peu de chance et d'amour pour une fois. Elle a intérêt à te rendre heureuse, la Zelda, sinon je lui fiche une bombe sous les fesses !

— Mais oui, dit Natalie en secouant la tête. Cause toujours, grande gueule ; tu n'as jamais été fichue de faire sauter personne, même Daniel !

— Tu veux que je le fasse ?

— Oui, un de ces jours ! dit Natalie en riant. Je ne suis pas du genre rancunier. Tout ce que je veux, c'est un peu d'argent pour les enfants.

Vida s'éloigna rapidement. Natalie la dépassa en voiture, tourna à gauche et disparut. Une idylle ! Et dire qu'elle avait toujours tenu Natalie pour l'esprit le plus pratique d'elles deux... Cela dit, oui, Natalie saurait agir en esprit pratique, s'arranger pour vivre son idylle sans compromettre son procès ni effaroucher les enfants. Au besoin, elle sacrifierait les élans de son cœur aux petits — tout en essayant de mordre une ou deux fois dans le gâteau, et pas qu'un peu !

Les pleurs commencèrent à couler alors qu'elle marchait sur le quai. Elle se mordit la lèvre et si fort l'intérieur de la joue qu'elle eut l'impression que les larmes lui remontaient jusque dans les sinus et que son visage en était rafraîchi. Fini Ruby, fini maman, fini fini. Etait-elle orpheline ? Ou bien Tom vivait-il encore ? Elle l'imagina ratatiné sur lui-même en train de boire à un sac dans les bas-fonds de Cheyenne, Wyoming. Mais, en poussant pour entrer dans le wagon bondé, elle rejeta cette vision. Sûrement, Tom était en ménage avec une autre, un tas d'autres ! Son papa n'allait pas reposer seul ! Ils étaient tous les mêmes : Tom, Paul, Ruby, elle-même — ils ne dormaient pas souvent seuls. Ils étaient une famille d'avides sexuels qui harponnaient dur les êtres. Et, une fois branchés !... Paul ne pouvait plus lâcher Joy, même après avoir divorcé. Elle aurait aimé le voir, son grand frère, ne fût-ce qu'une heure. Les rencontres les plus brèves étaient les meilleures : on pouvait exprimer la profondeur de son affection sans se trouver soudain à court de choses à se dire.

Si nous sommes sœurs, Natalie et moi, c'est que nous l'avons voulu, se dit-elle en roulant dans le noir du tunnel. Pourtant, le mythe était devenu chair. Nous sommes des sœurs : même sang, même vie, même tâche. Quoi qu'il advienne dans ma vie, Natalie restera à mon côté jusqu'à la mort, et ensuite il se fera un vide en elle ou en moi, que rien ne comblera plus jamais de douceur — un trou noir de souffrance, de deuil absolu, d'entropie : « C'est à ce deuil possible que je mesure tous les autres », songea-t-elle. Elle ne pouvait pas penser à Ruby. Pas encore. Elle pouvait seulement regarder les stations filer comme des éclairs, en attendant de retrouver Joel, parti pour Manhattan et ses dangers — Joel qui avait vu l'avocate, empoché l'avance et appris les détails du travail à faire dans le Michigan. Cette mission particulière ne l'attirait pas, et même pas du tout. C'était risqué. De nos jours, il fallait bien dire, personne ne payait bien pour une mission facile. Quand cela allait sans questions, c'était que les gens qui auraient pu se permettre d'en poser en retour ne voulaient pas toucher au boulot. Elle se tassa sur le siège, orpheline de mère, sans foyer — enfant de quel âge ? Trente-six ans ? Trente-sept ? Elle ne se le rappelait plus. Toutes ces fausses identités l'embrouillaient. Elle n'avait pas fêté son anniversaire depuis des années. Pour une fois, y arriverait-elle avec Joel ? Elle se sentait paralysée, glacée.

25

Elle retourna au motel. Joel n'y était pas. Il était vrai qu'il devait aller plus loin, jusque dans Manhattan, et revenir ; mais elle était restée avec Natalie jusqu'à 4 heures et demie. Et la Mariah noire n'était pas là non plus. Après son rendez-vous avec l'avocate, était-il revenu pour repartir en voiture ? Mais pourquoi ? Et où était l'argent ? Il était 5 heures largement passé et dehors il faisait grand-nuit. Sa première impulsion fut de fermer à clé la porte de la chambre. Elle se sentait pareille à un papillon épinglé, battant vainement des ailes. Elle avait envie de filer et de guetter de quelque part ailleurs. Mais où ? Il faisait froid, sombre et venteux dehors. Qu'est-ce qui le retenait ? Elle allait du lit à la fenêtre. Il avait dû aller à la gare et y laisser la voiture : pneu crevé ? Batterie à plat ? Moteur refusant de démarrer ? Il devait être encore en train de réparer... Accident ? Elle éteignit et regarda dans l'entrebâillement des rideaux.

Une solide colonne de phares et de feux arrière allumés traînait sa bave lumineuse sur la route, au-delà de la cour en forme de U. C'était l'heure d'affluence à Yonkers. Des voitures, encore des voitures, toujours des voitures, sauf celle de Joel. Elle avait l'estomac noué, aussi dur et lourd que du plomb. Elle l'étreignit d'une main en massant légèrement, tandis qu'elle crispait l'autre sur le rideau. Bien que l'atmosphère de la chambre fût étouffante, elle avait gardé son manteau et ses boots. En admettant qu'on eût piqué Joel, on ne saurait où la trouver, elle, et il ne dirait jamais rien. On ne pouvait téléphoner à tous les motels du voisinage en donnant le numéro du permis de conduire. Ou peut-être que si. Mais qu'est-ce qui pourrait inciter à penser qu'elle était descendue dans un motel ? Pourtant, on finirait par arriver à cette hypothèse. Combien de temps devrait-elle attendre ? En admettant qu'on l'ait arrêté... Non, elle refusait d'y penser. Elle l'appela de toute sa volonté... « S'il te plaît ! Tout de suite ! » Ou alors : « La vingt et unième voiture après ce camion sera la sienne. Dix-neuf, dix-huit, dix-sept... Mon Dieu, où est-il ? Qu'est-il arrivé ? Quel genre de désastre ? Ça sent la catastrophe, mais laquelle ? De quelle amplitude ?... » Elle avait des visions hallucinées du visage de Joel. Elle ne pouvait s'empêcher de voir la Mariah noire avancer parmi des chaos granitiques de boue durcie. « S'il te plaît ! S'il te plaît ! S'il te plaît ! Onze, dix, neuf, huit... Faites que je meure à sa place. Lui et Natalie, c'est tout ce que j'ai au monde. Cinq, quatre... Je veux bien avoir encore la grippe. Ou qu'on m'expulse du comité. Que Kiley la gagne, sa seconde manche. Trois, deux... Faites que ce soit lui. Je l'aimerai tant, plus que j'ai jamais aimé. J'abandonnerai le projet antinucléaire. Un, zéro... Pas de Mariah noire... L'heure de rappeler le Dr Manolli. Lentement, elle fit jouer la fermeture à glissière pour vérifier qu'elle avait bien la clé de la chambre. Passant devant la rangée de portes, elle se dirigea sans hâte vers l'arcade. Le distributeur de glace cassé. Le distributeur de soda vide. La cabine téléphonique en état de marche. Elle était censée appeler entre 5 heures et 5 heures et demie, elle était juste à l'heure. Cette fois, il était là.

— Voulez-vous demain matin ? demanda-t-elle.

— Non. Trop dangereux. Venez à midi quinze ; à cette heure-là, la réceptionniste et l'infirmière vont déjeuner. S'il y a quelqu'un dans le salon d'attente, faites comme si vous veniez pour une livraison. Traversez la salle d'attente et poussez la porte à gauche. Je serai à mon bureau en train de manger un sandwich et de remplir des papiers administratifs. Douze heures quinze, pile.

Elle retourna à sa chambre, le plus lentement possible. Elle n'avait pas envie d'y arriver. S'il était sain et sauf, ils ne pourraient pas quitter la ville avant le lendemain après-midi. Il fallait quitter l'hôtel à 11 heures. Elle retrouverait Joel à une station de métro du Bronx. Le retrouver ? Où était-il ? Elle oubliait la douleur d'estomac. La poitrine lui faisait mal. La peur lui mettait un goût acide dans la bouche. Elle aurait aimé être étendue, sans connaissance, au fond d'un trou, et ne rien sentir. Sa main, dans la poche du blouson, serrait la clé. Elle ne voyait que la glace boueuse, si bien qu'elle n'entendit pas la voiture. Lorsqu'elle leva la tête, elle la vit : la Mariah noire se rangeait au bon endroit dans le parking. Elle écarquilla les yeux pour être sûre de ne pas rêver. Joel en sortit et frappa fort à la porte de leur chambre. Tapa des pieds et cogna de nouveau. Elle parcourut les quelques mètres en courant.

— Où étais-tu passé ? cria-t-elle. Où étais-tu ?

Il l'écarta pour entrer dans la chambre chaude :

— Et *toi ?* Je rentre enfin et tu n'es même pas fichue de m'attendre dans la chambre.

— Je t'ai attendu des heures ! Je donnais un coup de fil.

461

— A qui ?

— Peu importe. Où étais-tu ?

— Peu importe, répéta-t-il en la singeant. Je me doute à qui.

— Joel, cesse tes mystères ! Que s'est-il passé ? Tu as l'argent ?

— Evidemment ! (Il tendit un sac en papier.) Merde, et moi qui me figurais qu'on aurait une mallette pleine de fric, comme au ciné. Sept cent cinquante dollars en billets de vingt, ça ne fait pas un gros tas. Tu te représentes ? Juste trente-cinq billets de vingt et cinq de dix ! Ça tiendrait dans ta poche. (Il se massa la nuque.) Euh, si tu comptes bien, tu t'apercevras qu'il manque quatre-vingts dollars.

— Sérieusement, Joel, qu'as-tu fait ?

— Je ne plaisante pas. Des salauds m'ont piqué ma voiture. En sortant de chez l'avocate, plus de bagnole !

— Tu es allé en voiture à Manhattan ? Pourquoi ?

— Parce que je me perds dans cette saloperie de métro. Il n'y a jamais personne pour indiquer le chemin, ça fait un boucan infernal et je m'emmêle dans toutes ces lignes... Bref, la bagnole a été embarquée à la fourrière.

— Mais tu l'as, Joel ? Tu es allé la chercher ?

— Et comment ! Cette petite-là nous a coûté six cents dollars, sans parler des heures que j'ai passées à la bricoler ; tu ne crois tout de même pas que j'allais en faire cadeau comme ça ?

— Mais on a peut-être relevé notre numéro. Je ne sais toujours pas si ce n'a pas été fait l'autre fois, à notre sortie de l'hôpital.

— Franchement, il y a des moments où t'es con ! (A pas furieux, il fit le tour de la chambre et jeta son manteau sur le lit.) Tu es prête à lâcher cette bagnole parce qu'un mec à la flan aurait peut-être repéré le numéro à Chicago. Mais les gens n'en ont plus rien à foutre, de nous, Vida. Plus rien ! Tu as dix ans de retard. Tu vis dans un film d'espionnage ; tu dates !

Etait-ce vrai ? Elle cligna les yeux.

— Joel, pourquoi es-tu allé dans le centre avec la voiture ?

— On a une bagnole, non ? Alors pourquoi ne pas s'en servir ? Je te répète que je déteste le métro. Chaque fois qu'on approche d'une station, tout le monde te pousse. Faudrait être cinglé pour se balader là-dedans avec un sac plein de fric.

— Il faut être encore plus cinglé pour aller en voiture dans le centre.

— Il n'y avait pas d'interdiction de stationner dans cette saloperie de rue et il y avait des bagnoles garées partout, mais celles-là, on n'y a pas touché ! Rien que la mienne ! Les fumiers ! (La colère tomba et ses muscles se détendirent.)

— Pardonne-moi d'avoir crié, dit-elle.

— Tu es d'une humeur de chien.

— J'étais affolée et triste. J'ai vu Natalie.

— Allons manger. Cette tarte d'avocate a refusé de m'offrir autre chose que des cacahuètes et de l'alcool. J'ai bu trois bourbons et j'étais rond comme un boudin. Mais quand je suis sorti et que j'ai vu qu'on avait embarqué la bagnole, j'aime mieux te dire que j'ai vite dessoûlé! (Il fit claquer ses doigts.) Tu m'en veux toujours?

— Joel, ma mère est morte.

Il se retourna net pour la regarder :

— C'est Natalie qui vient de te l'apprendre?

Elle fit oui de la tête :

— Je n'étais pas là. Je n'ai même pas pu aller à l'enterrement.

— Elle ne le sait pas, Vida. Et tu étais allée la voir. N'oublie jamais cela. C'était dangereux, et malgré tout tu y es allée et ça lui a fait du bien. D'accord?

Elle acquiesça de la tête. Elle était dans un brouillard.

— Enlève ton manteau. Tu as pleuré?

— Un peu. Nous étions dans un endroit public.

Aujourd'hui encore, la censure intérieure à laquelle elle s'était astreinte pendant des années lui faisait dire « un endroit public », plutôt que de nommer l'endroit. Il s'assit sur le lit et l'attira à lui pour l'obliger à s'asseoir à son tour, la tête pendant devant elle. Il dit :

— Je me suis mis en rogne parce que je me sentais coupable et que je croyais avoir vraiment perdu la voiture. Et je sais ce que ta bande de machos va dire en découvrant qu'il manque quatre-vingts dollars.

— Il faut que nous compensions, dit-elle d'une voix neutre. En prenant sur notre part.

— Tu veux dîner dehors?

— Je n'ai pas faim.

— Moi si, dit-il en la poussant gentiment du coude.

— C'est la seconde fois que ça arrive à Natalie, tu sais. Imagine! Perdre deux fois ta mère...

Brusquement les larmes se remirent à couler sur son visage.

— C'est ça, pleure, dit-il d'une voix très douce en la serrant fort. Ça fait du bien.

— Du bien? Non! (Les larmes ruisselaient, éclaboussant son bras plié, inondant son vieux pull rouille élimé. Son corps fondait en eau salée. Elle pleura jusqu'à en avoir les paupières toutes gonflées et douloureuses, jusqu'à ne plus pouvoir respirer par le nez. Enfin, les larmes se tarirent.) Je n'arrive pas encore à croire qu'elle est morte. (Elle pesait sur lui comme un cadavre.) C'est peut-être ça, la raison des enterrements... forcer les gens à comprendre qu'il n'y a plus rien à attendre, ni amour ni espoir de pouvoir expliquer, ou aider ou dire encore quelque chose.

Il fit couler un bain et la porta presque à la baignoire. Quel luxe! Elle se laissa aller, épuisée, béate, léchée par l'eau plus chaude que ses larmes. De son côté, il retira son pull humide et sortit une chemise propre de son sac à dos (pour tout bagage, ils ne possédaient qu'un de ces sacs chacun). Puis il s'en fut acheter des sandwiches. Il resta absent plus longtemps qu'elle ne le pensait. Il était 9 heures lorsqu'il reparut et la trouva pelotonnée sur le lit, dans sa robe de chambre. Il rapportait une pizza et une bouteille de vin rouge italien, qu'elle considéra d'un air soupçonneux.

— Pour te remonter le moral, dit-il attendant de voir si elle allait refuser.

— Excellente idée, dit-elle en se forçant.

Après tout, ils méritaient une petite fête. Elle commença à manger et s'aperçut qu'elle avait faim. Le chianti était clair et poussiéreux, mais elle le but pour l'alcool qu'il contenait. Ils pique-niquèrent sur le lit. Ce n'était pas un motel chic : le téléviseur en était encore au noir et blanc, le distributeur de glace était cassé. Mais ils n'avaient pas l'intention de regarder la télévision et la glace ne leur aurait servi à rien. Après la dernière bouchée, il se lécha les doigts.

— Supposons que je meure ? Tu aurais du chagrin ? Ça durerait quoi ? Un mois ? Combien de temps ?

— Regarde celui qu'il m'a fallu pour ne plus regretter Leigh.

— Il te manque toujours, dit-il l'air morose. Imagine qu'on me descende, comme les gars du Michigan. Imagine que je sois blessé et que tu doives choisir entre me laisser là, à me vider de mon sang, ou rester près de moi et te faire piquer ?

— Je t'achèverais moi-même. Arrête !

— Tu as pu joindre Leigh ?

— Je n'ai pas essayé de le joindre. Je n'ai aucune envie de le revoir.

— Pourquoi pas ? Après tout, tu as couché avec Eva. Tu as revu Leigh cinq ou six fois, depuis que nous sommes ensemble.

— Une seule. A part le jour où je l'ai rencontré dans la rue. Il ne me fait plus rien, Joel. C'est fini, et j'étais idiote de m'accrocher si longtemps à lui. Je refusais d'admettre que mon ancienne vie soit morte, qu'on ne rattrape pas le passé et que je ne peux pas vivre sur télécommande.

Il se laissa aller contre le chevet du lit :

— Femme, tu deviens intelligente. Une petite maison... même une caravane... Non ? Tu ne crois pas qu'on serait bien dans une caravane ?

— J'aime bien prendre des bains. La douche, ce n'est pas la même chose. (Elle se blottit contre lui.) Ce chalet serait formidable. A qui appartient-il ?

Il nicha son visage au creux du ventre de Vida.

— A des gens qui viennent faire du ski et qui sont au Nouveau Mexique jusqu'à la mi-janvier, c'est tout ce que je sais. Ça ne serait pas merveilleux d'être bloqués par les neiges, tous les deux, dis? Pendant un mois?

— Je vais te demander quelque chose... (Elle lui massait les épaules.) Je voudrais que tu cesses d'être jaloux d'Eva. J'aimerais que vous soyez amis, tous les deux.

— Je n'ai rien contre elle. (Le dos se raidit sous les mains de Vida.) Comment veux-tu que nous soyons amis?

— Tu dis ça parce que tu ne peux pas la baiser? Parce que c'est une femme, simplement? Du moment qu'elle ne te fait pas de charme, elle est au ban de la société?

— Ce n'est pas vrai, dit-il en se redressant.

— Mais si! (Elle l'obligea à se rallonger.) Si tu n'étais pas avec moi, serais-tu avec elle?

— Pas *avec* dans le sens où tu l'entends. Nous ne sommes pas un couple. Et je ne peux pas retourner à Los Angeles. Je ne suis pas chez moi dans ce paysage d'autoroutes désertiques. Là-bas, j'ai toujours l'impression de jouer les privés dans un feuilleton télévisé; ça mine mon sens des réalités. J'attends tout le temps un coup de musique et de publicité.

Elle avait envie de lui dire tout à trac : « J'ai envie de vivre avec vous deux. » Mais elle sentait que le moment n'était pas propice. *Primo,* les persuader de s'aimer bien. *Secundo,* convaincre Joel de vivre avec Eva, et inversement. *Tertio,* persuader Eva d'avoir envie de vivre dans le Vermont. Elle calcula qu'elle avait un mois devant elle. Si seulement elle pouvait rassembler les bouts et raccorder doucement le tout sans qu'ils se figurent trop tôt ce qu'elle manigançait. A présent que sa mère était morte, elle avait davantage besoin d'Eva. Elle devait s'arranger pour le bonheur de tous. Dès qu'elle lâchait les gens, ils mouraient. Il leur arrivait des catastrophes. Elle continuait à se sentir responsable de la mort de Jimmy, comme si elle l'avait sacrifié à Kevin, qu'il eût pris le mors aux dents pour prouver son courage et qu'il s'y fût brûlé. Cela faisait trop de deuils. Joel la poussait gentiment dans ses retranchements :

— Dis, avec qui tu serais?

— Avec moi-même. Mon passé, mes préférences, mon idéal. Au fond, c'est comme cela depuis des années. Seule, moins les fantasmes remontant du passé... Et toi? Avec qui serais-tu?

— Avec Agnès! (Il bascula sur elle.) Et les chèvres, et le sirop d'érable! Dans une grande baraque avec les érables du sirop et un torrent où pêcher. Ça, c'est le bonheur. Qu'est-ce qu'un brave petit gars comme moi pourrait espérer de mieux? Ah, oui : un garage pour bricoler mes voitures et tout plein de vieilles mécaniques pour faire joujou.

— Jamais Agnès ne coucherait avec toi! Pas la moindre petite fois dans toute une vie!

— Ça ne me changerait guère de Kiley. Tant pis, je ferais l'amour avec les chèvres.

Il retira son pantalon, sa chemise, et il fut nu. Il ne portait jamais de sous-vêtements, même par le plus grand froid. Elle aurait juré que c'était par orgueil.

— Cette fois, faisons l'amour lentement. Fais durer le plaisir, lui dit-elle.

— D'accord.

Il défit la robe de chambre. Vida se détacha doucement de lui et tendit la main pour prendre son sac et son diaphragme :

— Je ne demande pas de miracles, dit-elle. Je veux seulement baiser, et que ce soit beau, lent, merveilleux.

Comme il s'allongeait sur elle, elle le but, de tous les pores de sa peau, son pénis n'étant en elle qu'un point de contact un peu plus intense. Ses seins la brûlaient contre lui, la pointe dressée comme pour lui percer la poitrine. Le chagrin, l'angoisse lui sensibilisaient les nerfs à l'extrême. Elle n'était plus un corps solide ; elle fondait, elle se liquéfiait. Ils étaient l'un dans l'autre ; la langue de Joel était dans sa bouche, son pénis, en elle ; leurs bras et leurs jambes enchevêtraient leur désordre ; leur sueur qui sourdait se mélangeait. Elle se demanda si la sensation eût été la même au cas où ils eussent voulu faire un enfant. Mais elle n'aurait jamais d'enfant de lui : sa dette envers Ruby resterait impayée. Pourtant, elle vivait pour tous les enfants à venir : ceux de ses actes plutôt que de sa chair. Afin que le monde change. (Ce qui, pour Alice, n'avait pas suffi.) Elle sentait son souffle enfler dans sa poitrine, dans sa gorge, avec une envie de crier qu'elle refoula à cause de la chambre de motel — on entendait le bourdonnement nasal de la télévision chez les voisins, de part et d'autre.

— Je t'aime, je t'aime, je t'aime..., répétait-elle inlassablement en bougeant fort sous lui et en l'étreignant.

— Je t'aime, je t'aime..., lui disait-il dans le cou, dans ses cheveux humides. Oh, Vida, je t'aime !...

Au matin, il sortit pour aller acheter des charcutailles et du café, et revint avec un sac plein. Ils cassèrent une agréable croûte à loisir et se prélassèrent au bain avant de refaire l'amour.

— Curieux, qu'on n'ait pas le feu aux fesses, ce matin, non ? Tu es sûre qu'on ne devrait pas être en train de bouffer du kilomètre ? dit-il.

— J'ai encore une course à faire.

— Quel genre ?

— Pour le réseau. Une petite course. Et toi, il faut que tu ailles ramasser ma pension chez Oscar à Richmond. Ça couvrira un peu des frais imprévus d'hier. Ensuite, nous nous retrouverons.

Elle se tut pour se livrer à un calcul mental : elle lui demanderait de la déposer à la station terminus de Van Cortland, où elle prendrait le métro en sens inverse jusqu'à la 181e Rue. A supposer que le Dr Manolli fût en retard d'une heure et que l'entretien durât une demi-heure, à 13 heures trente elle se remettrait en chemin.

— Rendez-vous aux Cloisters, quatorze heures. Et de là départ. Tu connais l'endroit ?

— Non, c'est quoi, un bar ?

— La reconstitution d'un monastère. Un musée dans Fort Tyron Park. Je vais te montrer sur la carte. Quatorze heures, salle des tapisseries à la licorne.

Il eut l'air inquiet :

— Comment est-ce que je trouverai ?

— Demande au premier venu.

— Pourquoi ne pas aller chez Oscar tous les deux ? Ça t'est égal que j'aille à Staten Island en voiture, pas vrai ? J'ai le droit d'aller à Staten Island. C'est pas pour ça que je serai un plouc, hein ? Alors, partons tout de suite ; on va tous les deux chez Oscar, et ensuite tu fais ta course.

— Impossible.

— Pourquoi ?

Parce que le Dr Manolli, pour le réseau, était plus précieux que le platine. Parce que, seuls, les membres du Comité étaient censés connaître les besoins médicaux des gens du réseau. Parce que les membres du Comité avaient l'exclusivité des contacts avec le Dr Manolli. Et pourquoi fallait-il toujours que Joel se montrât aussi curieux et têtu pour ce qui ne le concernait pas ?

— C'est la règle normale. J'ai une course à faire pour le réseau. Je te retrouverai à quatorze heures. Je serai sans doute en avance, mais je suis sûre en tout cas de cette heure-là. Si toi-même, tu es en avance, tant mieux. A propos, il y a un parking aux Cloisters.

Il lui lança un regard furieux et dit :

— Très bien, allons-y.

— Rien ne nous oblige à partir avant vingt minutes.

— Ah, mais il ne faut surtout pas que nous soyons en retard à nos petits rendez-vous d'affaires et galants, n'est-ce pas ? Tu n'es pas infaillible, tu sais ! Tu me sors tes foutus emplois du temps comme un bon Dieu de chef du protocole. A croire que notre existence est un aéroport, et toi, la tour de contrôle !

— Eh bien, allons-y de bon cœur ! Comme toi hier, quand tu as décidé comme ça d'aller en voiture à Manhattan parce que tu avais la flemme de prendre le métro. Un vrai môme qui a besoin de traîner partout son éléphant à roulettes !

— Je savais que tu remettrais ça sur le tapis !

Dans la voiture, ils restèrent raides, figés l'un à côté de l'autre, chacun attendant que l'autre parle le premier. Au bout d'un moment, elle se sentit ridicule, mais se garda de toute réconciliation, puisqu'il n'était pas question de l'emmener chez Manolli. Elle aurait déjà assez d'ennuis avec le comité pour les quatre-vingts dollars manquants. Et l'idée qu'il faudrait rembourser cet argent sur le leur l'irritait encore plus que la veille. Si Joel pouvait convaincre Oscar de leur donner un peu d'argent, ce supplément serait le bienvenu.

— Essaie de taper Oscar, dit-elle. Il devrait être bon pour vingt dollars.

— Pourquoi devrais-je mendier à ton ex-jules ?

— Joel ! Tu sais très bien qu'il y a toutes chances que tu l'intéresses plus que moi.

— Autrement dit, je devrais en profiter pour le taper ?

— Assez, Joel !

— Assez de questions, tu veux dire ? Que je te croie sur parole ? Pourquoi ? Tu t'appelles Moïse ?

— Finis de tortiller toutes mes paroles en tire-bouchon ! Oscar nous aime bien. Il a un bon poste et la belle vie. Il te donnera quelque chose. Raconte-lui ton histoire de voiture.

— Pour qu'il puisse encore mieux la ramener ? Tas de cons de New-Yorkais, tous ! Si vous tombiez du ciel à Sacramento et que vous fassiez une salade, personne là-bas n'irait penser que vous avez appris les ordonnances municipales en tétant le sein de votre mère. Mais, pour vous, tout le monde est né avec le plan du métro gravé dans les circuits nerveux, et si tu demandes le prix d'un ticket de métro au premier minable venu, il se fout de ta gueule !

— Joel, à quatorze heures, nous partirons de cette ville. Et nous aurons une maison. Sitôt terminé le travail au Michighan, nous commencerons à chercher.

— Je me demande si j'ai envie de vivre avec toi, grommela-t-il. Tu me prends pour un demeuré.

— Je t'aime. Finissons seulement ce que nous avons à faire, et filons. J'ai les nerfs à cran en ville. J'ai toujours un peu peur, ici.

— Tu es sûre que tu ne préférerais pas vivre à New York avec la Grande Gueule ?

— Non, c'est fini. Je te le jure ! (Comme elle allait descendre de voiture, elle tendit la main vers le sac en papier.) On partage ici.

— Pourquoi ? Tu as l'intention de te tirer sans moi ?

— Mais voyons donc ! A moins que tu ne te fasses enlever par Oscar ? C'est la prudence, mon cœur. La précaution élémentaire. Au cas où l'un de nous deux serait piqué... tu sais ?

— Vas-y ! Dépense tout en lingerie. Ce que je m'en fous !

— Mon doux cœur, tu en perdrais la tête !

Pour la première fois depuis leur départ du motel, il sourit :

— A Frédé pour la vie ! Et une gaine Scandale, une ! Un bikini de dentelle noire! Une chemise de satin pourpre! Un soutien-gorge écarlate transparent!...

— Les Cloisters t'inviteront à méditer les mortifications de la chair.

— Ah, ouais? La mortification de la chair, c'est pas ton style. Toi, c'est plutôt : bonne-bourre-bonne-croustille-de-pain-bon-bain-chaud. Comme moi.

Il fit ronfler le moteur et partit en lui adressant un drôle de petit salut tordu. Dans le métro, qui la ramenait vers le centre, elle ramassa un *New York Times* sur un siège, à la fois pour le lire et se masquer le visage. Les gros titres ne parlaient que du Moyen-Orient et de l'explosion d'un navire-citerne transportant du gaz liquide. Elle lut le compte rendu du désastre avec le sentiment que les choses lui échappaient complètement. « Comment pouvons-nous gagner, se dit-elle, quand ces gens-là détruisent à cette échelle et à cette vitesse? » Elle eut la vision d'un monde incendié, estropié, d'un navire en feu, mais un navire qui eût été une planète. Encore prisonnière de l'image de tous ces êtres périssant dans les flammes de l'incendie, elle parcourut les autres pages. Brusquement, un titre retint son regard :

UN TRAFIQUANT D'ARMES CLANDESTIN CENSE TRAVAILLER POUR L'IRA ABATTU DANS UNE TENTATIVE D'EVASION

Un ancien activiste antiguerre, devenu trafiquant d'armes pour le compte de l'IRA, suppose-t-on, s'est accroché avec la police, hier, dans la 104ᵉ Rue Ouest.

Kevin Droney, 33 ans, avait été arrêté à Manhattan, le 21 septembre dernier, pour port d'armes illégal. Le procureur général adjoint Randolph Gibney a décrit Droney comme le chef d'un réseau approvisionnant en armes automatiques l'Irlande du Nord qui vit des temps troublés.

« Qu'est-ce que c'est que cette histoire... abattu? » Elle sauta des mots.

... fut relâché moyennant caution de 10 000 dollars... un policier, témoin très coopératif dans le cadre d'une procédure d'instruction.

Selon le procureur Gibney, Droney avait accepté de coopérer avec les services du procureur général en vue de l'arrestation des membres du réseau, organisation révolutionnaire clandestine qui revendique à son crédit 51 attentats à la bombe depuis 1970.

Au moins, songea-t-elle vaguement, froidement, on ne parle plus d' « organisation *soi-disant* révolutionnaire ». Mais nous comptons un plus grand nombre d'attentats à la bombe que cela. On ne se donne même plus la peine de tenir une comptabilité sérieuse. Dieu merci, cette fois il n'y avait pas de photos.

L'officier de police George Gregarian a déclaré que Droney sortit un revolver avec lequel il le menaça, hier à 9 heures du matin, dans l'entrée d'un immeuble locatif, 186, 104ᵉ Rue Ouest, où Droney vivait dans l'appartement de Lohania Hernandez, au troisième étage. Les deux hommes échangèrent des coups de feu et Gregarian fut blessé au bras. Droney s'enfuit vers une voiture au volant de laquelle se trouvait Mˡˡᵉ Hernandez, née à Cuba (La Havane) et naturalisée américaine.

Gregarian appela à l'aide, et une patrouille de police arriva juste à temps pour empêcher Mˡˡᵉ Hernandez de quitter la rue. Au cours de la fusillade qui suivit, Droney reçut trois balles de revolver. Son décès a été constaté à son arrivée à l'hôpital municipal.

Mˡˡᵉ Hernandez, 35 ans, employée dans une agence de voyages, a été écrouée et inculpée...

... vivait dans la clandestinité depuis plusieurs années, depuis que Droney était en fuite pour ne pas répondre à certaines accusations, touchant un attentat à la bombe contre le siège de la Mobil Oil, en 1970...

Elle leva vivement la tête, transie de peur. Elle se sentait exposée à tous les regards dans ce wagon de métro. Kevin était mort. Elle n'avait aucune envie de se pavaner sur sa tombe. Pauvre Kevin ! Pauvre Lohania ! Celle-ci avait dit la vérité à Natalie : Kevin n'avait pas eu dans l'idée de « coopérer » très longtemps. Avait-il essayé d'entrer en contact avec le réseau ? Il faisait marcher les autorités. On ne l'avait pas acheté. Randy se trompait maintenant sur le compte de Kevin, comme Kevin s'était trompé sur celui de Randy, à l'époque. Elle était incapable de relire l'article. Sa vue se brouillait, bien qu'elle ne pleurât pas. Elle avait donné toutes ses larmes à Ruby ; les yeux lui brûlaient encore. Kevin était dur, amer, oui, mais sincère. Il les avait vendus, oui, peut-être, mais pas de façon vraiment irrémédiable. Et il ne s'était pas vendu, lui. Il avait attendu son heure. En fin de compte, cela comptait beaucoup pour elle ; elle était surprise de constater à quel point. Elle pleurerait sa mort au combat, grave et silencieuse. Enfin elle serait en mesure de se pardonner sa passion. Elle se sentait presque très proche de lui. Elle était certaine qu'il avait eu passionnément foi en servant l'IRA d'Irlande du Nord. Cette lutte le réhabiliterait même aux yeux de sa famille et de son passé. Elle le comprenait ; elle ne pouvait désapprouver son action.

Pourquoi avaient-ils été incapables de s'aimer véritablement ? Elle l'ignorait ; mais, pour la première fois depuis des années, elle regrettait cet échec — elle regrettait qu'ils n'eussent pas réussi à former un couple, plutôt que d'en être réduite à se maudire de l'avoir aimé. Ils avaient eu besoin de Lohania pour compléter la famille. Etre deux ne leur avait pas suffi. Mais pourquoi avoir retourné leur colère et leur sentiment de frustration contre eux-mêmes avec tant de violence ? Quelle bonne équipe ils avaient formée pendant leurs premières années de clandestinité, telle une mécanique bien jumelée ou tels les deux bras d'un même corps agile. Un instant, elle se rappela son corps : la force farouche et fine de son torse, les reflets de la lampe sur ses cheveux de sable blond, sa puissance brute. Lohania était restée fidèle à Kevin ; elle l'avait attendu, toutes ces années. Elle avait renoncé à l'existence qu'elle s'était bâtie, pierre à pierre, douloureusement, au cours des années intermédiaires, pour l'aider à s'en sortir. Elle avait accepté de se priver de méthadone. En fin de compte, elle aussi s'était montrée incorruptible. Vida en était frappée et émue. « Lohania, un jour, je te reverrai ; je t'en fais le serment. »

Le gouvernement se vengerait de Kevin sur Lohania ; une fois de plus, elle en baverait dans une prison d'Etat, sous haute surveillance. Bedford Hills, certainement. Pour Lohania, pas de quartier ; pas de prison civilisée comme Danvers.

Comme dans un nuage, elle se dirigea vers la double portière du wagon et sortit. Elle respira profondément, dehors, pour s'oxygéner le plus possible. Il fallait se forcer à faire attention, émerger de cette bouillasse de dépression. « Allons, regarde autour de toi, ouvre l'œil ! » Un cinéma affichait *Muerte en Sangre Fría*. « Mieux vaut choisir sa mort que de gâcher sa vie ? Pas vrai, Vida ? » Elle serra fort les bras sur sa poitrine. Un troupeau d'autobus vides bloquait partiellement la 181ᵉ Rue, comme elle se dirigeait, toujours à pied, vers Fort Washington. Le quartier lui rappelait celui où elle avait vécu avec Leigh — non pas dans le décor, car les immeubles y étaient plus bas, mais parce que l'humanité y était diverse, grouillante, mais sans majorité prédominante : Noirs, Italiens, Portoricains, Juifs. Elle se força à musarder devant des boutiques, articles ménagers, beurre et fromages, produits de beauté à des prix défiant toute concurrence et aux accents de *Mon Beau Sapin* mugi par les haut-parleurs. La plupart des magasins avaient accroché des décorations de Noël, arbres en aluminium tourniquant sur des musiques mécaniques, anges, bergers et blancs moutons poussiéreux se pressant sous l'étoile en or aux branches pointues. La vitrine du marchand de vins et spiritueux regorgeait de bouteilles de whisky dans des emballages cadeau. Noël l'avait surprise à pas feutrés. Elle se demanda quelle était la date exacte. Elle avait désespérément envie d'offrir quelque chose à Joel. Si seulement ils n'avaient pas claqué ces quatre-vingts dollars ! Une chemise en velours ou un gros pull en laine. Mais non, impossible de toucher à cet argent. Au lieu de cela, elle se faufila chez un traiteur et acheta une douzaine de petits pains croustillants à l'ail et à l'oignon en songeant aux dernières paroles de Joel. Elle envisagea pour les fourrer dedans, de sortir son sac de Bloomingdale (cadeau de Natalie), qu'elle avair rangé dans son petit sac à dos ; mais il restait de la place et elle les casa parmi ses vêtements de rechange, ses affaires de toilette et ses quelques accessoires de déguisement. Tout en continuant à marcher, elle tirait sur sa tunique de velours noir, naguère mini-robe comme celle de Lohania, de Natalie... Natalie. Elle mourait d'envie de lui téléphoner, d'entendre sa voix, de la savoir saine et sauve. Trop dangereux. Le téléphone de Natalie devait être sur écoute. Tout pour un peu de chaleur humaine ! Elle repéra toutes les cabines téléphoniques sur son chemin ; la plupart étaient cassées et elle ne s'arrêta pas. Rangée d'immeubles d'habitation identiques, avec cour. L'entrée du cabinet du Dr Manolli se trouvait sur le côté, au rez-de-chaussée.

Même là, chez Manolli, il y avait un arbre de Noël. Celui-ci était rouge, à flocons de neige artificiels. Une musique de fond automatique arrosait le salon d'attente — mille violons rêvant d'un Noël de crème glacée. Cinq femmes, deux hommes et trois enfants qui transpiraient la fusillèrent du regard lorsqu'elle franchit la pièce pour aller frapper à la porte du médecin.

— Qu'est-ce que c'est ? cria la voix. (Trois ans auparavant, elle avait débarqué là avec une vilaine jambe enflée, pleine d'éclats de métal. S'en souviendrait-il ? Après avoir extrait les éclats, il lui avait prescrit des antibiotiques, ce qui avait entraîné une grave allergie à la levure. Elle avait mis quatre mois à s'en remettre.

— Je vous apporte le courrier déposé à côté, dit-elle.

— Ah, très bien. Entrez.

Les malades se résignèrent de nouveau à fixer le mur, feuilleter le *New-Yorker,* somnoler, opprimer les enfants. Le Dr Manolli était assis derrière un bureau encadré par deux murailles de paperasses.

— Personne n'est fichu de remplir ces feuilles de maladie, dit-il. Vous avez ce que vous vouliez renouveler ?

Il mesurait environ un mètre soixante-dix ; une couronne de cheveux gris ondulés entourait son crâne nu, qui paraissait sensuellement sculpté dans le marbre. Il avait la peau claire et laiteuse, les yeux, d'un brun frais, quasi forestier, agrandis par des lunettes. Il était maigre et élégant de corps, dans son costume trois-pièces gris moucheté de vert ; mais le bureau était toujours aussi négligé, avec des dossiers partout et des boîtes à moitié ouvertes ou à demi fermées, de papier jaunissant. Il examina la première ordonnance en louchant :

— Comment va son asthme ? Aussi mal ?

— Elle écrit que cela va un peu mieux.

— Humm... Et lui, il observe le régime que je lui ai prescrit pour son ulcère ?

— Autant que possible. Quand il ne voyage pas.

— S'il ne se soigne pas, la médecine ne pourra rien pour lui. Et surtout pas d'aspirine. Mauvais pour lui.

Ils épluchèrent les ordonnances et les notes concernant les divers problèmes de santé. Brusquement, il pointa l'index sur elle :

— La jambe infectée ! Je vous remets. Ce n'était pas joli à voir.

— Oui, j'étais dans de beaux draps. (Elle consulta furtivement sa montre. Il ne fallait pas qu'elle eût l'air de le bousculer, mais elle

472

voulait à tout prix ne plus être là quand l'infirmière et la secrétaire rentreraient.)

— Vous aviez trop de tension, dit-il. Voyons cela. (Elle resta assise, l'appareil autour du bras, s'efforçant de rester calme pour ne pas faire monter la tension. Il lui montra les chiffres...) Toujours trop. Supprimez le sel. Je vais vous faire une ordonnance...

— Je vais très bien, je vous assure. J'aime mieux éviter les médicaments, si possible. Je me passerai de sel.

— Dans ce cas, je veux vous revoir dans deux, trois mois. Voyons votre poids... (Il l'obligea à monter sur la balance.) Ça va. Pas de problème de ce côté-là. (Il passa enfin à une autre fiche.) Ah! Alice. Elle ne s'est toujours pas fait opérer pour sa cloison déviée et ses malheureux sinus bouchés?

— Oublions Alice, dit-elle en reprenant la fiche. Elle n'est plus avec nous.

Il leva les sourcils, mais sans commentaire.

— Pour les migraines, ergotamine tartrate; mais dites bien à Roger de ne pas en abuser. Surveiller les nausées et les sensations d'engourdissement. (Il farfouilla dans les tiroirs de son bureau, vraies poubelles à flacons de pilules, puis dans un tiroir de son classeur.) Je sais que j'en ai; autant vous en donner. (Il dénicha enfin l'échantillon.) Pourquoi laisser ça se perdre?

Elle ouvrit son sac à dos sur le bureau. Les paumes de ses mains étaient moites. Il était 1 heure passée. Elle s'attendait que les patients de la salle d'attente forcent la porte. A la fin, on frappa et la porte s'entrouvrit. Elle s'effaça du champ de vision.

— Je suis revenue, docteur. Je commence à les faire entrer?

— Non, pas tout de suite. Tenez bon encore quelques minutes. (Il continua à étudier la liste en marmonnant pour chaque cas.) Tenez, prenez Vitamine B forte. (Il lança les flacons dans le sac.) Est-ce qu'Eva suit toujours ce régime végétarien? Faites-lui prendre de la B 12 régulièrement, vous entendez? (Il jeta d'autres flacons dans le sac, au hasard, semblait-il; mais c'était probablement des vitamines.) Je ne renouvellerai pas les barbituriques pour Kiley. Je lui ai dit de cesser de prendre des somnifères quand elle a ses nerfs.

— Elle n'en prend pas souvent.

— Mais elle en prend de façon dangereuse. Foncièrement, c'est comme cela que ça commence; je ne peux l'encourager à devenir une droguée. Pas d'ordonnance.

Elle fut traversée par un éclair de colère acide : de quel droit se permettait-il de juger leurs niveaux de tension? Qu'il essayât donc de vivre en fugitif perpétuel comme eux, des années et des années! Kiley n'avait aucune intention de se droguer; mais, parfois, elle oubliait tout simplement comment on dort. Vida appréhendait de passer de nouveau dans la salle d'attente bondée de patients et sous l'œil de la réceptionniste revenue ; mais, finalement, Manolli lui-même jeta un coup d'œil sur sa montre :

— Mon infirmière va arriver d'un instant à l'autre. Sortez par ici. (Il désignait une porte dans le mur du fond, qu'elle avait prise pour celle d'une penderie.) Cela donne dans le couloir. La porte se refermera automatiquement derrière vous. Prenez à gauche et par l'entrée de service. C'est comme ça que je me faufile pour entrer ou sortir... Joyeux Noël ! ajouta-t-il comme elle partait. (Le calendrier indiquait : 25 décembre.)

En se hâtant vers le métro pour prendre cette fois la ligne nord, direction Fort Tyron, elle s'inquiéta en pensant à la date : il y aurait beaucoup de monde sur les routes à cause des vacances. A l'approche, successivement, des Cloisters, de l'entrée du Château, de la Salle des Tapisseries à la Licorne, à travers une foule d'écoliers poussée de salle en salle comme un troupeau et accompagnée de bourdonnements historiques, par ce dernier jour d'école, elle observa sa prudence et les détours habituels ; mais les regards étaient pour la forme. Cela tenait davantage du rituel que de l'action, de la prière que de la vigilance. Elle ne pensait qu'à Ruby. Elle aurait voulu se blottir dans le giron de son enfance et s'y reposer un moment. « Viens voir maman. » Elle comprit non sans un peu de dégoût que sa passion pour Joel prenait racine dans une identification subliminale — sa chaleur, son impulsivité, son côté terre à terre, et même ses sautes d'humeur, sa vivacité de réaction — à Ruby. Et alors ? Pourquoi pas ? Pourquoi ne pas chercher dans un amant les plus beaux traits d'un premier amour ?

Mais, bon Dieu, où était-il ? Elle savait qu'elle lui avait suggéré aussi poliment que possible d'arriver avant elle, et visiblement il n'était nulle part. L'animal ! Il était exactement 2 heures. Elle essaya de s'intéresser aux tapisseries, mais l'irritation la tenaillait. Il n'était donc pas fichu de faire quoi que ce soit correctement ? New York le déboussolait. Il avait besoin d'agir à sa façon. Il s'était probablement perdu, certain d'avoir découvert un nouveau chemin extra, et il avait dû finir par prendre le pont de Triborough. Elle n'avait qu'une envie : filer de cette ville. Plus ils tarderaient, plus la circulation des vacanciers leur compliquerait la vie et plus ils auraient de chances d'avoir des ennuis. A 2 heures 15, sans savoir exactement pourquoi, elle retourna dans le hall d'entrée et téléphona à Oscar.

— Dis-moi, Oscar, à quelle heure est passé mon ami pour ramasser ce que tu sais ?

— Juste avant le déjeuner. Mais j'aurais préféré que tu m'appelles avant, petite teigne : Leigh ne m'a pas donné d'argent.

— Quoi ? Le petit salaud. Comment cela se fait-il ?

— Tu ne dois pas le voir aujourd'hui ?

— Non.

— Eh bien, lui, il se figure que si. Et Joel également.

— Joel croit que j'ai rendez-vous avec Leigh ?

— Oui, oui. (Oscar semblait impatient.)

— Mais c'est faux ! Oh merde, Oscar. C'est foutu, tout !

Elle raccrocha et retourna en courant vers les tapisseries. Pas de Joel. Avec sa jalousie stupide, il s'était imaginé qu'elle allait voir Leigh, alors qu'elle passait chez le Dr Manolli. Qu'était-il devenu ? Aller se soûler n'était pas son genre. Alors quoi ? Brusquement, une certitude s'imposa. Elle repartit en courant vers le téléphone. Elle n'avait pas le choix ; il fallait appeler Natalie.

— Natalie ? C'est moi. Mon ami n'a pas téléphoné ?

— Si.

— Que voulait-il ?

— Il a dit qu'il fallait absolument qu'il te joigne.

— Où lui as-tu dit que j'étais ?

— Il avait l'air de le savoir. Moi, je pensais que tu n'y serais pas, mais il m'a affirmé le contraire. Il m'a dit qu'il avait besoin de te voir, que ça pressait. Qu'il y avait un sale coup dur.

— Et tu la lui as donnée, l'adresse ?

— Que faire d'autre ?

— Bon. Ne t'inquiète pas, dit-elle machinalement en raccrochant.

Elle se mit à courir avant toute décision, en proie à la confusion la plus extrême. D'abord agir, et elle courut vers le métro, sachant qu'elle aurait tout le temps de réfléchir en roulant direction sud. Elle courait en se forçant, haletante ; le cœur lui faisait mal, chaque respiration courte et sciant les poumons. Si seulement Natalie avait eu une mauvaise mémoire ! Si seulement elle avait pu se méfier des intentions de Joel ; mais comment pouvait-elle deviner que la jalousie rendait Joel fou furieux ? Et si seulement Leigh n'avait pas eu l'arrogance de considérer comme allant de soi qu'elle le verrait, simplement parce que tel était son bon plaisir !... Elle s'assit dans un wagon, crispée, tous les nerfs vibrant. Le tout était de savoir ce que Joel avait dit dans ce téléphone sur écoute et ce que les autres avaient pu en déduire. Elle avait à la fois envie de filer au plus vite, de mourir de peur sur-le-champ, mais aussi de se croire encore capable de sauver la situation. Faire irruption, attraper Joel par le poignet et cavaler ! Quelle faute avait-elle commise ?

En quoi avait-elle manqué à ses engagements envers lui, envers elle-même ? Elle lui avait dit qu'elle n'avait pas l'intention de voir Leigh, et il ne l'avait pas crue, du fait que, dans le passé, elle lui avait caché ses rendez-vous. Dès lors, sa jalousie à cause d'Eva avait débordé, contaminant le reste de la situation. Mais quelle bêtise de la part de Leigh, de proposer de la retrouver dans un endroit pareil ! Le train brimbalait dans son fracas. Elle tremblait toute d'impatience.

Normalement, quelle que fût la signification de ce mot, elle n'eût jamais accepté de le retrouver dans le centre. Mais l'idée de Leigh était de la caser dans son heure de déjeuner. Sur quoi, elle se dit qu'elle aurait dû téléphoner immédiatement, appeler l'hôtel, chambre 314. Mais, si elle descendait au prochain arrêt pour courir à une cabine, ensuite elle devrait attendre la prochaine rame. Trop long. Non, elle agissait dans le bon sens, bien que le trajet fût interminable. Ça allait être du propre ! Leigh et Joel devaient être encore en train de s'injurier. Comment Joel avait-il pu l'associer, elle, à l'image d'un tel rendez-vous ? Il refusait de penser clairement, refusait de penser tout court ; il avait dû charger comme un taureau ensanglanté, en comptant la surprendre au lit avec Leigh. Elle avait envie de se cogner la tête sur la vitre sale. Elle était assise tout au fond du wagon, face à un coin orné de graffiti proclamant des noms d'humains et de rues flamboyants. Vite, plus vite ! Ce qui leur avait manqué à tous les deux, c'était le loisir et un peu de champ par rapport au fric à extorquer, à la cavale, et un peu de temps pour débrouiller les tensions entre eux. Ils avaient besoin de s'asseoir tranquillement et d'étaler chacun leurs affreux doutes et leurs erreurs ; besoin d'affronter ce que chacun redoutait le plus, en s'en défiant, chez l'autre. Ils pouvaient s'en sortir, elle en était certaine ; elle ne renoncerait pas à lui. Peu importaient les dangers dans lesquels son instinct de possession les entraînerait, il était trop profondément mêlé à elle pour qu'elle l'abandonnât ; son amour pour lui était trop fort. Non, elle ne renoncerait pas à lui. Elle se battrait avec lui pour améliorer les choses, leurs relations, le rendre meilleur, lui, mais elle n'abandonnerait pas...

Elle descendit, sortit, franchit la longueur de trois pâtés de maisons en courant, puis s'arrêta net pour plonger dans le long tunnel embrumé d'un bar, jusqu'aux toilettes pour femmes. Elle passa rapidement devant des hommes qui buvaient au comptoir. Deux ou trois d'entre eux la suivirent du regard. Dans les toilettes, elle ouvrit son sac à dos et se fit rapidement des mèches grises au vaporisateur, se fourra du coton dans les joues pour s'arrondir le visage, mit des lunettes à monture en plastique rose. Elle enfila vivement une robe et un collant, plia le petit sac à dos et le fourra dans le grand cabas de chez Bloomingdale, présent de Natalie. L'odeur d'ail et d'oignon monta à ses narines... Comment Joel pouvait-il douter d'elle ? Elle fut submergée par une brève vague de colère : pendant que Monsieur la traquait sur les lieux de son rendez-vous présumé avec Leigh, elle lui achetait des « petits pains croustillants » ! Ah, oui, il aurait honte ! Tout en se hâtant, elle rentra le capuchon de sa parka pour lui donner l'aspect d'un manteau convenant à son nouveau personnage : celui d'une femme entre deux âges, un peu dondon, respectable, anonyme, invisible. N'empêche : 3 heures 10 ! L'attendaient-ils ? Si

Joel était reparti, où le retrouver ? Il ne lui resterait qu'à retourner précipitamment aux Cloisters. L'imbécile ! Sûrement, Leigh n'allait pas passer tout son après-midi à se tabasser avec Joel. De quoi en viendrait-il à parler ? Quelle embrouille ! Quelle salade ! Pourtant, ce qui la tracassait, pendant qu'elle repérait la marquise de l'hôtel de l'autre côté de la rue — dans un immeuble de dix étages et de trente mètres de large — était fort éloigné de ce genre d'ennui. Elle en avait la chair de poule. Elle déambula lentement sur le trottoir opposé, mêlée à la foule, acheteuse parmi tant d'autres. Au coin de la rue, une religieuse emmitouflée semblait couver un récipient à offrandes. Les premiers flocons de neige tombèrent avec la nonchalance propre aux heures creuses, petits bâillements de blancheur banale. Marchant au bord du trottoir, elle dépassa l'hôtel, tourna au coin de la rue, incapable de s'arrêter, incapable de revenir et d'entrer dans l'hôtel. C'était au-dessus de ses forces. Lentement, presque furtivement, elle fit le tour du pâté de maisons. Comme elle atteignait l'autre côté, elle s'arrêta à la première cabine publique pour chercher le numéro de l'hôtel. Elle appela :

— La chambre 314, s'il vous plaît.
— Tout de suite. (Silence.) Quelle chambre disiez-vous ?
— Chambre 314, répéta-t-elle patiemment.
— Une seconde.
— Voulez-vous me rappeler le numéro ? redemanda la voix un instant plus tard.

Vida raccrocha : elle comprit immédiatement qu'on localisait son appel. Elle continua à tourner autour du pâté de maisons. C'était de la folie ! Sa paranoïa new-yorkaise la reprenait de plus belle. Il fallait dominer cette peur ridicule, foncer, entrer, récupérer Joel, l'arracher à cet hôtel et courir se mettre à l'abri. Comme elle tournait de nouveau au coin de la rue pour se retrouver en face de la marquise, elle se dit que c'était décidé.

Elle continua en passant l'hôtel. Pourquoi reniflait-elle le piège ? Elle ne pouvait pas plus se résoudre à aborder l'hôtel qu'un poisson à sortir de son bocal. Elle sentait la surveillance dans l'air. Elle s'insulta et poursuivit sa marche. Rien à faire. L'homme assis dans la conduite intérieure bleue rangée au bord du trottoir, le type qui lisait un journal dans le hall de l'hôtel, tout près de la porte, pouvaient être des flics aussi bien que des anodins. La seule façon de le savoir, c'était d'y aller. Mais elle ne pouvait pas traverser le trottoir, pénétrer dans ce hall. Un aimant puissant l'en éloignait. Cela sentait mauvais et elle ne pouvait même pas s'approcher de l'hôtel. Pourquoi avait-elle si peur ? Elle entra dans un magasin, une boutique d'articles féminins. Ses vêtements ne convenaient guère au rôle qu'elle entendait jouer, mais il fallait surveiller la rue. En s'adressant à la vendeuse avec son zozotement feint, elle eut l'impression d'être devenue folle :

— Je cherche quelque chose pour ma fille. J'aimerais lui rapporter un cadeau de New York.

— Ah, ah ? D'où êtes-vous ?

— D'Erie, en Pennsylvanie.

Brusquement, ses yeux la piquèrent et elle se détourna pour palper un chemisier de soie beige. La conduite intérieure bleue avait disparu... oui, mais l'homme derrière son journal était toujours posté juste à l'intérieur de la porte du hall, à surveiller les allées et venues. Qui attendait-il ? Sa maîtresse ? Sa femme ? Ou bien elle ?

Elle remarqua un taxi arrêté devant la marquise, mais le voyant indiquait qu'il ne chargerait pas de clients pour le moment. Lorsqu'un couple voulut le prendre, le chauffeur fit signe que non. La certitude la frappa comme un poignard... Elle repartit lentement dans la direction d'où elle était venue et pénétra dans la même cabine. Cette fois, elle appela le bureau de Leigh.

— Leigh Pfeiffer a laissé un message en demandant que je le rappelle d'urgence ?

— Ah ! Vous êtes madame Pfeiffer ?

— Oui. (Un an auparavant, elle l'eût nié tout en pensant que oui. A présent, elle mentait, alors qu'elle ne s'était jamais sentie aussi dégagée de lui.) Que se passe-t-il ? Rien de grave ?

— Ne vous tourmentez pas, madame Pfeiffer. Nous avons reçu un coup de fil de l'avocat de Leigh, nous informant que la police le retient pour lui poser quelques questions. Je suis certaine qu'il s'agit d'une erreur. Apparemment, il était en train d'interviewer un déserteur. Nous ne savons rien de plus, mais vous devriez vous mettre tout de suite en rapport avec son avocat. Vous connaissez le numéro ?

— Oui, merci. Quand est-ce arrivé ?

— Nous avons reçu un coup de téléphone il y a tout juste une demi-heure. L'avocat nous a dit que, d'abord, les policiers refusaient de laisser Leigh lui téléphoner ; mais comme il était censé être en ville pour couvrir les débats sur les droits des homosexuels, nous étions en droit d'être prévenus : nous le croyions sur place.

— Merci infiniment, dit-elle machinalement.

Elle raccrocha et se mit en marche vers le sud et le terminus des cars de Port Authority. Il fallait qu'elle se remue et qu'elle continue, qu'elle marche sans s'arrêter et sans savoir pourquoi. Leigh serait relâché à la nuit tombante, grâce à sa couverture de journaliste. Mais la police tenait Joel et l'attendait, elle. Seulement, on ne l'aurait pas.

« Marche, marche. » Les flocons tombaient plus vite en commençant à mouiller les bords des immeubles, les petits carrés de terre autour des arbres ou d'une excavation. Ils tenaient Joel. Elle se forçait à marcher tandis que la vie s'en allait d'elle par lambeaux.

478

Une moitié de son esprit était obnubilée par cette perte, et son cœur saignait, arraché ; l'autre moitié fonctionnait rapidement, résolvait des équations. Les flics auraient-ils déjà quadrillé Port Authority ? Pourraient-ils s'offrir cela, avec toutes ces files de vacanciers à pleines rues, pleines routes ? N'avait-elle pas intérêt à se diriger vers l'East Side, à prendre un car pour La Guardia, et de là l'avion pour Boston, puis un car pour le nord. Elle pourrait se planquer à Boston, si c'était nécessaire. Contacter Laura. Non ! Elle ne pouvait supporter l'idée de retourner à la cabane sur l'étang sans Joel. Elle deviendrait folle.

Elle avait l'impression d'être restée là-bas, dans cette rue, paralysée, le regard rivé à la façade de l'hôtel où son amant venait d'être arrêté, tandis que la neige tombait sur une autre Vida, créature anonyme, entre deux âges, voûtée. Elle pataugea dans la neige qui se posait avec un sifflement ténu sur le métal chaud des voitures, paralysées aussi par les caillots de la circulation. « Mon beau sapin, mon beau sapin... » martelaient les haut-parleurs dans ses oreilles. Adieu les distractions. Adieu les sentiments humains. Adieu les otages. Que peut-on me prendre à présent, hormis la vie ? Si elle coulait de moi en ce moment comme une urine, ce serait une délivrance.

Pourtant, quelque chose la retenait au bord du piège. Jamais on ne les mettrait ensemble en prison. Faire évader Joel ? Certaines de ces maisons d'hébergement fédéral ne se distinguaient pas par la rigueur de la surveillance. Il était toujours vivant. A la différence de Ruby, Joel était encore en vie, lui. Mais demain, et le jour d'après, oui, après, à perte de vue vers un horizon gris, au réveil, personne. Exaspérée, elle secoua la tête. Elle avait dû parler toute seule : un jeune homme la regarda, inquiet, et changea de direction. Il l'avait prise pour une folle. Elle ne pouvait se permettre d'avoir l'air d'une piquée ; elle s'efforça de garder une contenance. Pauvre Joel, comme fugitif, on ne faisait pas plus maladroit ! Peut-être parce qu'il avait vécu sous terre depuis qu'il était adulte, c'était devenu une existence trop normale pour lui et il négligeait les précautions qui étaient toute sa vie à elle. N'importe, il était vivant, même si elle ne pouvait pas le voir, l'entendre, le toucher. Seulement, c'était elle qui avait l'impression d'être morte, fantôme d'une vie brisée pour la seconde fois, à mi-chemin. Et cela faisait une grande blessure de plus au centre de sa vie, sans qu'elle fût sûre d'avoir envie d'y survivre. Mais il lui restait Natalie. Et elle-même. Et Eva. Et le travail. Son passé, son idéal politique, sa capacité de semer le trouble. Elle se retrouvait avec ce qu'elle avait en septembre, moins Ruby et la fausse promesse de Leigh. Il fallait que Natalie veillât pour elle sur Joel. Elle secoua sa tête lourde, tandis que la neige se déposait sur ses cheveux. Où prendre la force de continuer ? Elle n'avait pas encore le droit de pleurer. Il fallait survivre, même si elle ne se rappelait plus très bien pourquoi — mettre sa vie au service d'un idéal qui semblait, à un moment, s'imposer avec beaucoup plus de force. Elle s'arrêta brusquement, sortit les petits pains de son sac, les jeta dans une poubelle. Elle ne supportait plus leur odeur, l'espoir que cette odeur continuait à dégager. « Je suis à la merci de l'histoire », se dit-elle en sentant tout le poids de celle-ci se rabattre sur sa poitrine comme l'acier d'une presse. Mais je peux agir un peu sur elle, pousser moi aussi. Une chose est certaine, rien ne reste jamais pareil. Aucun des grands problèmes de cette société n'a été résolu, aucune blessure, guérie ; aucune promesse tenue, hormis le fait que les riches hériteront. L'esprit qui nous portait comme un grand vent et nous jetait droit devant est une force qui renaît et se lèvera de nouveau. Deux pas en avant pour un et demi en arrière. Non, je ne gâcherai pas ma vie... »

Elle se hâta vers le terminus de Port Authority et le Vermont.

IMP. SEPC A SAINT-AMAND (CHER) V-1981.

D.L. 2ᵉ TRIM. 1981. Nº D'ÉDIT. 363. (894-498).

Imprimé en France.